REISE

in

Griechenland, Unteregypten, im nördlichen Syrien und südöstlichen Kleinasien,

mit

besonderer Rücksicht auf die naturwissenschaftlichen
Verhältnisse der betreffenden Länder,

unternommen in dem Jahre **1836**,

von

Joseph Russegger,

k. k. österr. Bergrath etc.

Mit 4 Karten und vielen Durchschnitten.

STUTTGART.

E. Schweizerbart'sche Verlagshandlung.

1841.

Russegger, Joseph

Reise in Griechenland, Unterägypten

im nördlichen Syrien und südöstlichen Kleinasien

Russegger, Joseph

Reise in Griechenland, Unterägypten

im nördlichen Syrien und südöstlichen Kleinasien

Inktank publishing, 2018

www.inktank-publishing.com

ISBN/EAN: 9783747728031

5

Ew. Majestät!

Ew. Majestät geruhten mit huldreichster Gnade mir zu gestatten, in folgendem Reisewerke die Resultate meiner Forschungen im Verlaufe meiner fünfjährigen Reisen in drei Welttheilen, als einen Beweis meiner treuesten Ergebenheit und meines unerlöschlichen Dankes, unterthänigst überreichen zu dürfen.

Abgesehen davon, dass die ganze Reise, und somit auch dieses Werk, rein nur der allerhöchsten Gnade Ew. Majestät ihr Daseyn verdanken, indem beide nur durch die allergnädigste Theilnahme, mit der Ew. Majestät wissenschaftliche Leistungen stets befördern, und durch den allerhöchsten Schutz, den Ew. Majestät wissenschaftlichen Unternehmungen kräftig angedeihen lassen, hervorgerufen worden sind, so wäre es mir allein auch nie möglich gewesen, die Ergebnisse meiner mit zahllosen Entbehrungen und Gefahren errungenen wissenschaftlichen Eroberungen in einer Form der Welt zu übergeben, die der Sache würdig ist. Doch das Werk erhielt den höchsten Glanz und die grösste Auszeichnung durch die allerhöchste Gnade, dasselbe meinem allergnädigsten Kaiser und Herrn in tiefster Ehrfurcht widmen zu dürfen, es erhielt die schönste Ausstattung durch die kaiserliche Huld, mit der Ew. Majestät zu genehmigen geruhten, dass die aus meinen Aufnahmen hervorgehenden geographischen und geognostischen Karten durch den k. k. Generalquartiermeisterstab, dessen Arbeiten aller Orten die verdienteste Anerkennung finden, auf allerhöchste Kosten verfasst werden dürfen, wodurch erst das Ganze eine würdige, wissenschaftliche Haltung vor dem Forum der Welt erreicht.

Mit stolzem Selbstbewusstseyn, einer Nation und einem Lande anzugehören, dessen Herrscher seine Beamten in die fernsten Theile der Erde sendet, um den Weg wissenschaftlicher Forschung zu gehen; mit stolzem Selbstbewusstseyn, durch die Gnade Ew. Majestät bestimmt worden zu seyn, vom fernen Nordkap bis zu den Gallas meine bergmännischen Wanderungen auszudehnen, glaube ich zwar einer Derjenigen zu seyn, welche durch ihr wissenschaftliches Streben die Würde des österreichischen Namens auch in den fernsten Ländern nie aus den Augen verloren haben: aber doch überreiche ich nur schüchtern die Frucht meiner Arbeit; denn da der bei weitem grösste Theil der wissenschaftlichen Forschungen bloss auf mir allein beruhte, so sind Mängel in der Anschauung und in der Wiedergebung derselben unvermeidlich, und ich bitte allerunterthänigst nur jenen Zug nicht zu verkennen, der dem Ganzen zu Grunde liegt und der ist — Wahrheit! —

Ew. Majestät

Wien, den 20. August 1841.

alleruntertänigster

Bergrath **Russegger.**

Vorrede.

In nachfolgender Schrift übergebe ich dem Publikum die Resultate meiner mehr als fünfjährigen Reisen in Europa, Asien und Afrika: einerseits eine schlichte Erzählung der Ereignisse, insofern dieselben einiges Interesse haben dürften, andrerseits eine möglichst genaue Darstellung der gemachten naturwissenschaftlichen Beobachtungen und der Folgerungen, zu denen dieselben berechtigen. Gleichwie also die Ergebnisse der Reise in zwei Momente sich theilen, in den historischen und den rein wissenschaftlichen, so sey auch der Zweck dieser Schrift ein zweifacher: und zwar soll sie einerseits jene Unterhaltung gewähren, die man fühlt, wenn man an der Hand des Reisenden fremde, ferne Länder durchzieht, zu fremden Völkern gelangt, kurz die ganze Reise mit dem Reisenden durchlebt; andrerseits soll sie Aufschluss geben über die Naturerscheinungen, die jenen Ländern eigenthümlich sind, insofern diess im Bereiche der möglich gewesenen Beobachtung lag, sie soll uns jene Gesetze kennen lehren, welche die anorganische Natur dort beobachtet, um sie mit denen zu vergleichen und in Einklang zu bringen, die uns näher liegen; sie soll uns die organische Schöpfung jener Erdstriche vor Augen führen und uns mit dem Wichtigsten daraus bekannt machen, mit — dem Menschen, und zwar mit dem Menschen in seinen sittlichen, religiösen und politischen Beziehungen.

Ich hatte anfänglich den Plan, den historischen Theil der Reise ganz von dem wissenschaftlichen zu trennen und jeden für sich zu behandeln. Doch ging ich davon aus triftigen Gründen wieder ab. Der wissenschaftliche Theil der Reise, ganz abstrahirt vom historischen, und isolirt hingestellt, wird zu trocken, zu ungeniessbar, selbst für den Gelehrten von Fach, wenn er ausser diesem noch für etwas Menschliches Sinn hat. Ausserdem würde es in diesem Falle viele Leser geben, die sich nicht würden orientiren können. Der Autor muss den Leser mit sich reisen lassen, er muss ihn in die fremden, fernen Lokalitäten einführen, dann wird derselbe dort zu Hause seyn, sonst nicht. Andrerseits entbehrt der historische Theil der Reise, blos für sich hingestellt, ohne wissenschaftlichen Gehalt, aller Würde, er sinkt zum blossen Roman herab, und einen solchen kann und will ich nicht schreiben. Zwischen diesen Extremen führt die Mittelstrasse, eine sachgemässe Verbindung beider. Ich werde daher jederzeit die Geschichte der Reise vorausschicken und wenn der Leser so lokalisirt und im fremden Lande zu Hause ist, dann lasse ich die geographischen, physikalischen und geologischen Beobachtungen, die dieses Terrain betreffen, folgen. Am Schlusse eines jeden Bandes folgt ein naturwissenschaftlicher Anhang, der von den HH. Kustoden des hiesigen k. k. Naturalien-Kabinets, unter jederzeitiger Beifügung des Namens des Hrn. Verfassers, verfertigt wird. Der Gegenstand eines jeden dieser Aufsätze ist einerseits ein Verzeichniss der im betreffenden Lande gesammelten und überhaupt bekannten Gegenstände aus dem Bereiche der Fauna und Flora, theils ein physiognomischer Überblick über die botanischen und zoologischen Verhältnisse des gegebenen Terrains. Den Bearbeitungen des botanischen Theils dieses jemaligen Anhanges unterzog sich Hr. Kustos FENZL, sowie die zoologische Bearbeitung von den HH. Kustoden NATTERER und KOLLAR übernommen wurde. Zuletzt folgt auch jederzeit eine Schilderung des sittlichen, religiösen und politischen Zustandes der Völker. Da ich von dem Grundsatze ausgehe, dass man den Charakter eines Volkes, gerade so wie den eines Individuums, durchaus nicht erkennen und auffassen kann, wenn man dessen Geschichte nicht weiss, so finde ich es für nöthig, da wo es sich um den Menschen handelt, die Geschichte des Volkes in Kürze anzugeben, um Folgerungen daraus ziehen zu können, die mehr als blosse Illusionen sind. Daher wird es auch nöthig, mich der besten Quellen, die mir zu Gebote stehen, hiezu zu bedienen, deren ich auch jederzeit getreulich erwähnen werde.

Ist die Reise in irgend einem Lande, deren mehrere ich öfters besuchte, z. B. Nubien, Syrien, Egypten etc., als abgeschlossen zu betrachten, so folgt eine Resumirung der im Detail ausführlich gegebenen Forschungen, um dem Leser einen leichten Überblick zu geben und eine logische Haltung ins Ganze zu bringen.

Zur Anschauung und Versinnlichung der dargelegten Daten dient ein eigener Atlas, der die nöthigen geographischen und geognostischen Karten, Gebirgsdurchschnitte und Landschaften enthält, von welchen leztern leider nicht so viele sind als ich wünschte, da ich nicht das Glück hatte, einen eigenen Zeichner mit mir zu haben, und ich nur mit Dank der Hülfe erwähnen kann, die mir in dieser Beziehung von meinem Adjunkten, Hrn. Pruckner, und von meinem ersten Dolmetscher, Hrn. Achmed Kaptan, zu Theil wurde. Der Entwurf der geognostischen Karten und der Durchschnitte, die Aufnahme des Terrains, die physikalischen und geologischen Beobachtungen, die Führung des ganzen Expeditionsgeschäftes, sowie die Darstellung der Reisebegebenheiten und der sich daran reihenden, geschichtlichen, geographischen, statistischen u. s. w. Beobachtungen und Folgerungen sind meine Arbeit. Die Karten wurden hier nach meiner Aufnahme in Folge der allerhöchsten Bewilligung Sr. Majestät unsers allergnädigsten Kaisers und Herrn in dem Bureau des k. k. Generalquartiermeisterstabes entworfen und gezeichnet.

Mein erster Aufenthalt in Egypten beschränkte sich nur auf Unteregypten, und da ich damals noch nicht im Besitze meiner physikalischen Instrumente war, dieselben hingegen besass, als ich später ganz Egypten bereiste, so erklärt sich daraus, warum im ersten Bande wohl die geologischen, aber nicht die physikalischen eigenen Beobachtungen über Unteregypten im Detail mitgetheilt sind, die erst im zweiten Bande folgen.

Da meiner Arbeit die Ansicht zu Grunde liegt, die

Ergebnisse der Reise nur ganz einfach zu erzählen und
die wissenschaftlichen Beobachtungen mit den sich daraus
ableitenden Folgerungen hinzustellen, folglich das Bestreben
vorliegt, nur Fakta zu liefern, so umgehe ich soviel möglich alles nicht zum Zwecke führende Raisonnement und
die Aufstellung von Hypothesen, die den Eingeweihten
nichts helfen und den Jüngern nur Vorurtheile in den Kopf
setzen, die sie beunfähigen, die Natur anzuschauen.

Wahrheit, gänzlicher Mangel an Parteilichkeit und
eine freie, durch keine fixe Ideen verunstaltete Darstellung
sind mit Recht die ersten Anforderungen des Publikums
an die Erzählungen eines Reisenden. Je grösser die Entfernung jener Länder ist, wohin der Reisende drang, je
seltner ein Anderer so glücklich ist, dahin zu gelangen,
desto unverzeihlicher, ja unverantwortlicher ist es, wenn
die Darstellungen des erstern der Wahrheit entbehren;
denn es mangelt die Controle, und man muss dem Erzähler
geradehin glauben. Unrichtigkeiten, ausgesprochen über
Wien, Paris, London etc. sind leicht berichtigt, schnell
verbessert; wer aber berichtigt Irrthümer, ausgesprochen
über das unbekannte Innere eines grossen Welttheils, wohin nur selten ein Europäer, selten ein Weisser dringt?
Selten dürfte es gewiss der Fall seyn, wie z. B. bei den
bekannten Mittheilungen über das Innere von Congo es
war, dass der Reisende mit Vorsatz den Leser täuscht:
selten sage ich, denn meist ist er selbst der Getäuschte. Hang
zur Leichtgläubigkeit, besonders wenn es etwas Ausserordent-
liches, Geheimnissvolles betrifft, Mangel an Sprachkenntniss,
Mangel an Fähigkeit und gutem Willen, mit dem Volke

umzugehen, Eitelkeit, durch die man sich nur im Unge-
wöhnlichen gefällt etc., das sind gefährliche und häufige
Quellen der Selbsttäuschung. Fruchtbarer aber als alle ist
die unrichtige Anschauung. Gleichwie nicht immer der
der Sprache auch vollkommen Kundige, Menschen, besonders
sogenannte Wilde, zu fragen, d. h. so zu fragen versteht,
dass er eine wahre, vernünftige Antwort zu erwarten hat:
so kann auch nicht Jeder, selbst mit gesunden Augen, die
Natur und die Menschen anschauen. Der Eine sieht die
Lichtseite, der Andere die Schattenseite und Keiner den
Gegenstand in seiner wahren Beleuchtung, Keiner, der Partei
genommen hat, Keiner, dessen Geist in fixen Ideen, in Vor-
urtheilen befangen ist. Betrachten wir z. B. die Urtheile
über MEHEMED ALI, welche entsetzliche Widersprüche finden
wir nicht? — und warum? weil die meisten entweder Partei
nahmen, oder schlecht sahen, oder im Voraus schon sich
vornahmen, was sie sehen müssen, im Voraus schon sich ein-
bildeten, was sie sehen werden. So waren denn Wenige,
welche in ihm den ausgezeichneten Geist, den merkwürdigen, unerschütterlichen Mann sahen und doch seine Verwaltung als eine der ungeeignetsten erkannten, welche existiren. Wahrscheinlich den leztern, welche so sahen, kamen
die Ereignisse unserer jüngsten Zeit gar nicht unerwartet,
wenn sie auch ihre Vermuthungen aus vernünftigen Gründen
nicht früher aussprachen. Diese müssen daher recht gesehen
haben; denn die Geschichte bestättigte ihre Ansicht, und es
kam das, was kommen musste. Fixe Ideen, Vorurtheile,
die dem Reisenden oft als Wegzehrung mitgegeben werden,
von denen er, in blindem Autoritätsglauben befangen, nicht

abzugehen wagt: sie sind die Mütter aller der Ungeheuer und
Kobolde, die wir in der Wissenschaft haben, welche zu
vermehren ein Leichtes ist, welche zu vermindern aber
einen festen ritterlichen Kampf erfordert, zu dem Jeder
verpflichtet ist, der zur Wissenschaft sich berufen fühlt.

Irrthümer, auf solche Art geschaffen und in den heiligen Tempel eingeführt, pflanzen sich durch Jahrhunderte
fort und werden den neuen Generationen schulgerecht ein-
geimpft. Derlei Illusionen auszurotten, ist für den Reisenden ein wahres Verdienst, denn an ihn appellirt die Wissenschaft, nicht an den, der zu Hause seinen Forschungen
weitere Bedeutung gibt; er ist die Quelle, und diese muss
rein und klar rinnen; er muss seine Stellung nicht verkennen und sich weder zum Träumer, weder zum leiden-
schaftlichen Parteigänger, noch zum Lügner herabwürdigen.

So sehe ich die Sache an. Der feste Vorsatz, der
Wahrheit getreu zu bleiben, liegt meinen Darstellungen zu
Grunde, Parteisucht ist mir fremd; ob ich aber alle die
Klippen der Selbsttäuschung umgehen konnte, das bezweifle
ich: denn in dieser Beziehung versündigt man sich nur
gar zu leicht. Stimmung, Krankheit, Leiden, alle die
potenzirten Eindrücke auf das Gemüth, besonders in den
Jahren, wo noch das Herz seine Ansprüche macht, modi-
fiziren den Blick, und man sieht, bei dem besten Willen,
nicht immer richtig. Sehr dankbar werde ich daher jede
Belehrung annehmen, sehr bereitwillig wird man mich stets
finden, weitere Auskunft zu geben, wenn sie im Bereiche
meines Wissens liegt. Sollten Differenzen in den Ansichten
über diesen oder jenen Gegenstand sich ergeben, so werde

ich mich stets daran erinnern, dass die Meinung frei ist und nur der Wahrheit der Sieg gebührt. Nie wird es mir beifallen, zu denken, dass man mir nahe treten wolle, wenn man meine Meinung nicht mit mir theilt. Es wird vielmehr eine Aufforderung seyn, die meine zu prüfen, ob sie Stich hält.

Wer viel gereist hat, der muss eine Welt in seiner Brust zurückbringen, eine Fülle schöner Erinnerungen. Das fühlte ich nie so sehr als jetzt, da ich meine Reise bearbeite. Alle die Leiden, Gefahren, Opfer und Verluste, die ich erlebte und ertrug, treten, zurückgekehrt an den heimathlichen Herd, in den Hintergrund, und nur das Schöne bleibt ewig jung. So unterziehe ich mich denn auch meiner Aufgabe mit Lust und Liebe, und lege die Lösung derselben mit der Bitte um freundliche Aufnahme vor das Forum der öffentlichen Meinung hin.

Wien, 14. März 1841.

Russegger.

Einleitung.

Die grossen Auslagen, die sich mit MEHEMED ALI's ungeheuern Anstrengungen in lezter Zeit nothwendigerweise verbinden mussten; die Geldopfer, welche er der Verwirklichung seiner Plane brachte und die mit der Produktion, mit der pecuniären Kraft der ihm anvertrauten Länder weit ausser allem Verhältnisse standen: die leiteten seine Gedanken dahin, alle nur möglichen Quellen zu öffnen, um sich neue Zuflüsse zu verschaffen, da die alten nicht mehr zureichten, zum Theil bereits erschöpft waren. So verfiel er denn auch darauf, sein Glück im Bergbaue zu versuchen, ein Unternehmen, das er für sich rein als Handelsspekulation betrachtete, indem ich unmöglich mich dem Glauben hingeben kann, dass wissenschaftliches Interesse ihn dabei bestimmte.

Eine mineralogische Untersuchung seines Landes, rein als solche betrachtet, lag durchaus nicht in seiner Absicht. Er brauchte Blei, Eisen, Kohlen und unter andern auch Gold. Lezteres kam durch den Handel mit den Negern im Innern von Afrika nur sparsam nach Egypten und musste durch den Handel mit Europa und Asien erworben werden. Erstere, so nöthig für seine Flotte, seine Landarmee, seine Fabriken, musste er für enormes Geld aus Europa beziehen, wofür er noch meist nur eine sehr schlechte Waare erhielt. Diese Artikel daher in seinem eignen Lande aufzufinden und zu gewinnen, oder sich zur weniger kostspieligen Anschaffung Wege zu öffnen, das war die Tendenz, die ihn bei Nachfolgendem leitete. Er wendete sich bereits im

Jahr 1834 an die österreichische Regierung mit dem Ansuchen, ihm bergmännisch unterrichtete Individuen zeitweise zu überlassen, um die wichtigsten Theile seiner Länder zu untersuchen und falls sich banwürdige Lagerstätten nutzbarer Mineralien fänden, den Abbau derselben einzuleiten. Als besonders wichtig für den ersten Moment bezeichnete er die in lezter Zeit ihm untergeordneten Gebirgsdistrikte des Taurus im Paschalike von Adana und die Gebirge Syriens. Schon seit längerer Zeit wurden Bleierzgruben im Taurus bei Güleck Boghas, Eisenerzgruben in Kassan Oglu am Taurus und solche bei Mar-Hanna auf dem Libanon von den dortigen Bewohnern ausgebeutet und die Erze nach ihrer Weise zu Gute gebracht. So waren auch die Steinkohlen-Lagerstätten auf dem Libanon bereits bekannt. Diese Elemente nun mit Energie aufzufassen und vortheilhafter nach technischen Grundsätzen zu betreiben, wenn man dieses auf einen beabsichtigten reinen Raubbau beziehen darf, das war vor der Hand die erste und nächste Aufgabe; denn erst später verfiel er auf die Betreibung der tief im Innern von Afrika und weit ausser seinen Besitzungen liegenden Goldwäschen der Neger.

Sein Ansuchen bezog sich daher auf die Bildung einer bergmännischen Expedition, bestehend in einem Chef, dessen Adjunkten, einigen Arbeitern und zwei Bedienten für beide erstere, welche sich der Lösung oben ausgesprochener Aufgabe unterziehen sollten. Der Ausbruch der Cholera im Jahr 1834 und die starke Pest im Jahr 1835 verschob die Bildung einer solchen Expedition, und erst in lezterwähntem Jahre wurde diese Idee wieder aufgegriffen.

Die österreichische Regierung willfahrte der Absicht des Pascha auf die zuvorkommendste Weise, indem sie den vorgelegten Plan in einem rein wissenschaftlichen Sinne auffasste und bereits kurz zuvor eine ähnliche Expedition, unter der Leitung des Bergraths PAULINI, der Pforte unmittelbar zur Verfügung gestellt hatte, um die Gewinnung und Verarbeitung der Kupfererze von Tokat bei Trebisonde einzuleiten und die bereits dort bestehenden Manipulationen zu verbessern.

Der von der egyptischen Verwaltung an den Hrn. Regierungsrath Precutel durch das k. k. österr. General-Consulat in Alexandria gesandte Kontraktsentwurf wurde nun, um eine solche Expedition zu bilden und in den Stand zu setzen, ihre Aufgabe zu lösen, Sr. Durchlaucht Hrn. Fürsten v. Lobkowitz, als Chef des ganzen Münz- und Berg-Wesens unsrer Monarchie, übergeben, der die Sache, durchdrungen von der wissenschaftlichen Bedeutung einer solchen Expedition für die Kenntniss der in dieser Beziehung noch sehr unbekannten, aussereuropäischen osmanischen Besitzungen, mit Energie aufgriff und beförderte.

Es wurden Aufforderungen an die untergeordneten Ämter erlassen, die den Zweck hatten, sich höhern Orts von jenen Individuen in Kenntniss zu setzen, die sich berufen glaubten, der Expedition beizutreten. Unter denen, die sich meldeten, war auch ich, beseelt von dem Wunsche, bedeutende Reisen zu machen und zur Bereicherung der Wissenschaft mein Schärflein beizutragen, andrerseits auch veranlasst durch einen höchst schmerzlichen Verlust, der mir durch die steten Erinnerungen an die Vergangenheit meinen bisherigen Aufenthalt zu Gastein unangenehm machte.

Bald darnach erhielt ich die Ernennung zum Chef der Expedition, eine Auszeichnung, die ich nicht Verdiensten, sondern einzig nur der wohlwollenden Güte meines hochverehrten Chefs, des Fürsten v. Lobkowitz, verdankte und dessen Unterstützung, dessen thätige Hülfe in Rath und That mir es von Vorne herein hauptsächlich möglich machte, meiner Reise die nachfolgende Ausdehnung und für die Wissenschaft jene Bedeutung zu geben, die ich ihr, für mich allein stehend, nie hätte geben können. Durch dasselbe Decret wurde ich nach Wien einberufen, welcher Ort zur Versammlung der ganzen Expedition bestimmt ward. Amtsübergabe, Besuche in der Umgegend verzögerten noch meine Abreise, die endlich am 20. November 1835 stattfand, an welchem Tage ich von Gastein abging, das mir durch einen vieljährigen Aufenthalt zur zweiten Heimath geworden war. Ich konnte mich einer tiefen Rührung, einer wahren Wehmuth nicht enthalten, als ich die Berge und Thäler verliess, in denen ich jene schöne Zeit verlebt hatte, wo im frühen Mannesalter die Poesie der Jugendzeit mit der Prosa der ernstern Jahre sich im glücklichsten Einklange verband. Zum ersten Male trat ich aus meinen Bergen in die eigentlich grosse Welt hinaus; eine ungewisse Zukunft vor mir, liess ich denn alles Theure zurück, nur die Erinnerung nicht. — Von dem Gasteiner Bergbaue nahm ich drei Arbeiter mit: Jacob Langgner als Zimmermann, Mathias Mortsch und Joseph Pirchner als Häuer, das übrige Personal sollte ich in Wien erhalten, wo ich am 30. November, nach einem kurzen Aufenthalt in meiner Vaterstadt Salzburg, eintraf.

Aus dem bisher Gesagten ergibt sich schon, dass der Zweck der Expedition, somit auch die mir gestellte Aufgabe, in zwei Hauptmomente zerfiel, und zwar erstens in eine wissenschaftliche, besonders geologische und physikalische Untersuchung der Länder, welche unter den Befehl des Vizekönigs von Egypten gestellt waren, und zweitens in spezielle montanistische Untersuchungen, um in dem Interesse Mehemed Ali's und seiner eigentlichen Absicht gemäss, die er mit der Expedition verband, in diesen Ländern Lagerstätten nutzbarer Mineralien aufzufinden und in Betrieb zu setzen. Zur Erreichung beider Zwecke war nun vor Allem nöthig, das Personal der Expedition zu vervollständigen, die betreffenden Contrakte abzuschliessen, für allgemeine wissenschaftliche Tendenz die erforderlichsten Instrumente, Bücher und Karten, für die speziellen montanistischen Untersuchungen aber die entsprechenden Musterwerkzeuge und sonstigen Requisiten beizuschaffen.

Ausser den drei Arbeitern, die ich von Gastein mitgenommen hatte, wurden nun vorerst von Seite des Präsidiums unserer montanistischen Hofkammer noch ferner zu Expeditionsmitgliedern ernannt: Hr. Heliodor Pruckner, k. k. Kontroleur bei der Messing-Fabrik zu Ebenau, als mein Adjunkt; Hr. Theodor Kotschi, von Seite des k. k. Naturalienkabinets für Sammlung von Pflanzen und Thieren beigegeben, und die Herren Szlabey und Voitanek, absolvirte Bergpraktikanten von Schemnitz.

Leztere drei entschlossen sich, die Reise in der Kategorie von Arbeitern mitzumachen, da von der egyptischen Behörde ausser mir und meinen Adjunkten keine anderen Chargen zugestanden waren; doch wurden sie ihrer wissenschaftlichen Stellung gemäss als Bergoffiziere behandelt. So bestand also vorläufig die Expedition mit mir aus acht Personen, denen ich später noch in Triest einen Bedienten, Carl Danelon, und in Athen endlich den Hrn. Doktor Veit, aus Mergentheim in Würtemberg, als Expeditionsarzt beigesellte. Ein Zeichner sollte mir nachgesandt werden; Umstände verhinderten es jedoch, und so blieb die Zahl der aus Europa abgehenden Expeditionsindividuen auf zehn beschränkt.

Hinsichtlich des mit der egyptischen Verwaltung abzuschliessenden Kontraktes hatte Se. Durchlaucht Fürst v. Lobkowitz die besondere Güte, zu verfügen, dass dieses erst in Triest zu geschehen habe, und dass das Gouvernement in Triest ersucht werde, einen der dortigen Gubernialräthe mit diesem Geschäfte zu beauftragen. Die Folgen dieser eben so theilnahmsvollen als weisen Verfügung waren für uns unberechenbar, die ganze Stellung der Expedition zur egyptischen Verwaltung erhielt dadurch eine gewisse, unverletzbare Würde, eine sichere Haltung, die um so nöthiger war, als damals schon die finanziellen Verhältnisse Egyptens in einem sehr schwankenden Zustande waren, und der Europäer, in blossem Privatverbande mit der dortigen Verwaltung stehend, den Nachtheilen derselben in pekuniärer Beziehung hätte preisgegeben werden können.

Die meiste Beschäftigung machte mir die wissenschaftliche Ausrüstung der Expedition. Doch auch darin fand ich überall die liebreichste Unterstützung, und da die egyptische Verwaltung durch ein Handlungshaus hiezu alle nöthigen Gelder angewiesen hatte, so ging die Sache rasch ihren Gang. Besonders gnädig interessirten sich Se. Durchlaucht Hr. Fürst von Metternich für die wissenschaftliche Tendenz der Expedition, und in Folge Ihrer gütigen Theilnahme wurde mir durch den Hrn. Regierungsrath von Baumgartner nicht nur ein Verzeichniss der nöthigsten Instrumente entworfen,

2 *

sondern unser ausgezeichneter Physiker besorgte zum Theil selbst die Beischaffung und Nachsendung der bezeichneten Gegenstände und entwarf für den Gang meiner Beobachtungen eine eigene Instruktion, die den Zweck hatte, mich auf die wissenschaftlich interessantesten Momente aufmerksam zu machen und mir Mittel und Wege an die Hand zu geben, die für die europäischen Klimate festgestellten Gesetze in jenen fernen Gegenden zu prüfen, ob sie dieselben sind, oder Modifikationen eintreten und welche, ob sich aus den Beobachtungen neue Gesetze folgern liessen und welche, und ob es nicht gelingen dürfte, die Wissenschaft von manchem Gespenste zu befreien, das sich in ihre heiligen Hallen durch unzuverlässliche Reiseberichte eingeschlichen hatte. Die speziellere Tendenz dieser Instruktion war:

„Untersuchungen des Luftdruckes, der Lufttemperatur, Luftfeuchtigkeit, Luftelektricität, durch längere Zeit fortgesezt und an Orten eines längern Aufenthaltes, wo möglich von Stunde zu Stunde, um die Gesetze auszumitteln, in denen diese Erscheinungen in jenen Klimaten auftreten, wo alle Funktionen des atmosphärischen Lebens in einer gewissen sich klarer als anderswo aussprechenden Ordnung aufzutreten scheinen.

„Bekanntlich hat man aus stündlichen Beobachtungen des Barometers entnommen, dass der Luftdruck in 24 Stunden zweimal ein Maximum und eben so oft ein Minimum erreicht, und zur Erklärung dieser Erscheinung die Behauptung aufgestellt, es sey dieses Fluthen und Ebben der Atmosphäre das Resultat der Einwirkung der Wärme und Feuchtigkeit. Das Barometer zeigt nämlich den vereinten Druck der trockenen Atmosphäre und der darin enthaltenen Dünste an. Ersterer wird durch die Wärme vermindert, weil diese die Expansivkraft steigert und eine Verdünnung erzeugt; der Druck der Dünste aber wird durch die Wärme vermehrt, weil bei hoher Temperatur mehr Dünste entstehen und die bereits vorhandenen eine grössere Spannkraft erhalten. Aber sowohl die Wärme, als die Spannkraft der Atmosphäre haben täglich nur ein Maximum und Minimum, doch fallen die diesen beiden Ursachen entsprechenden

Extreme nicht auf dieselbe Stunde, und es ist wahrscheinlich, für einige Orte des mittlern Europa's sogar erwiesen, dass aus dem Zusammenwirken der Bewegung der Wärme und der Dunstmenge zwei Maxima und zwei Minima des Druckes hervorgehen. In den Ländern, von denen hier die Rede ist, Egypten, Syrien, Arabien etc., ist die Luftfeuchtigkeit gering, und ihre Variationen sind unbedeutend (?), die daselbst herrschenden Schwankungen des Barometers müssen demnach, wenn jene Hypothese stichhaltig ist, entweder nur ein Maximum haben, oder, wenn deren zwei vorkommen, so muss das eine bedeutend kleiner seyn als das andere *. Wird demnach das Barometer gleichzeitig mit dem Thermo-Hygrometer, wenigstens einige Tage hindurch, stündlich beobachtet, so lässt sich aus den Anzeigen des erstern die ganze Schwankung des atmosphärischen Druckes, aus jenen des leztern die Schwankung der Wasserdünste entnehmen und so die Hypothese auf die Probe stellen. Die Thermo-Hygrometer-Beobachtungen sind selbst schon an und für sich interessant, weil sie den täglichen Gang der Feuchtigkeit in einem dem Einflusse der nahen Wüsten und des Meeres zugleich ausgesezten Lande kennen lehren. Im mittlern Europa ist die mittlere Lufttemperatur gleich jener der konstanten, an der Erdoberfläche hervorbrechenden Quellen. In Ländern hingegen von geringerer Breite fand man die Quellentemperatur stets etwas tiefer, als jene der Luft. Es wäre daher interessant zu erfahren, wie sich diese Grössen in Syrien und Arabien stellen.

„Der Erdkörper scheint in seinem Innern nach den bisher gemachten Erfahrungen eine eigene, von äussern Einflüssen unabhängige Temperatur zu besitzen, und die im mittlern und nordwestlichen Europa, sowie in Nordamerika, gemachten Erfahrungen weisen darauf hin, dass die Erdwärme mit je 80 Fuss Tiefe um 1° Réaum. zunehme. Derlei Untersuchungen hätten ebenfalls viel Interesse.

* Diese Vermuthung hat sich durch meine nachfolgenden Untersuchungen ganz bestättigt.

„Die Luftelektricität ändert sich bei uns auf solche Weise, dass sie täglich zweimal ein Maximum und zweimal ein Minimum erreicht. Beobachtungen der Elektricität in Ländern von so grosser und gleichförmiger Trockenheit müssen das Gesetz der Elektricitäts-Änderung viel reiner darstellen *.

„Man hat längst die Hypothese aufgestellt, dass einige in Arabien und den Gränzländern herrschende periodische Winde, wie der Chamsin etc., ihre schädlichen Wirkungen der starken elektrischen Ladung der Luft verdanken: Beobachtungen der Luftelektricität während eines solchen Windes würden auch diese Hypothese auf die Probe stellen **.

„Die meisten dieser Beobachtungen sollen zwar ihrer Natur nach einige Tage hindurch stündlich angestellt werden und sind demnach mühsam und zeitraubend. Allein man kann sich das Geschäft erleichtern, wenn man, anstatt die Beobachtungen stündlich und durch wenige Tage fortzusetzen, sie durch mehrere Monate zu verschiedenen Stunden des Tages und der Nacht unternimmt, so dass man für jede Stunde einige Beobachtungen erhält, wenn auch diese Stunden verschiedenen Tagen angehören. Die Rechnung füllt die offengelassenen Lücken aus und gibt das wahre Gesetz, das sich in den Observationen ausspricht.“

Um nun diesen in der Instruktion ausgesprochenen Ansichten entsprechen zu können, erhielt ich nachstehende Instrumente, von denen die meisten jedoch erst angefertigt und mir nach Egypten nachgesandt wurden, so dass ich erst nach 8 Monaten in vollständigen Besitz derselben kam.

1) Zwei Gefäss-Barometer, zum Höhenmessen und zu genauen Beobachtungen der Schwankungen des Luftdruckes eingerichtet. Mit Thermometern im Quecksilber selbst eingesenkt.

2) Mehrere Quecksilber- und Weingeist-Thermometer.

3) Ein Thermometer zur Beobachtung der strahlenden Wärme.

4) Ein Hygro-Thermometer.

---

* Eine Vermuthung, die sich aus der Reihe meiner Beobachtungen nicht zu bestättigen scheint.

** Durch meine Beobachtungen bestättigt.

5) Zwei Elektrometer für qualitative und quantitative Beobachtung der Luft-Elektricität, mit einer 36 Fuss langen Ruthe sammt Leitungsdraht zur Auffangung derselben.

6) Zwei Thermometer zu hypsometrischen Versuchen, durch Ausmittlung der Differenzen der Siedpunkte des destillirten Wassers.

Ausserdem erhielt ich zu geographischen Ortsbestimmungen, mineralogischen und anderweitigen physikalischen Untersuchungen, zu Vermessungen im Detail, zu verschiedenen technischen montanistischen Arbeiten etc.:

1) zwei feine Probierwagen;

2) ein Inklinatorium mit Azimut und Dioptern;

3) einen elektro-chemischen Multiplikator mit Glasglocke;

4) einen thermo-elektrischen Multiplikator mit Glasglocke und Schliessungsbogen aus Kupfer-Wissmuth;

5) ein achromatisches Fernrohr von Plössl mit 2zölligem Objektiv;

6) mehrere Handbussolen;

7) Hufeisenmagnete und ein VOLTAI'sches Element mit einem mit Kupferdraht umwundenen eisernen Schlussbogen-Magnet, als Magazin zur Erzeugung magnetischer Kraft und Mittheilung derselben an die im heissen Klima häufig faul werdenden Nadeln;

8) eine astatische Magnetnadel mit Stativ;

9) ein Plössl'sches Mikroskop mit fünffacher Vergrösserung von 300mal bis 270,000mal in Area, sammt Mikrometern;

10) mehrere Arcometer zur Bestimmung der spezifischen Gewichte fester und tropfbarflüssiger Körper;

11) vollständiger Löthrohr-Apparat nach BERZELIUS;

12) Anschlag und Reflektions-Goniometer;

13) vollständiger chemischer Reagentien-Apparat;

14) Handlupen und kleine achromatische Feldstecher von Plössl, mit denen man am klaren südlichen Himmel die Jupiters-Trabanten ganz deutlich ausnahm;

15) Bussol-Instrument, Hängering, Gradbogen, Dioptern und aller Zugehör zu Markscheiden, Vermessungen und Mappirungen;

16) mehrere Nivellen;

17) alle nöthigen Zeichnungs- und Vermessungs-Requisiten, Adjustier-Maase etc.

18) zwei Spiegelsextanten mit künstlichem Horizonte;

19) die nöthigen Muster-Werkzeuge und Instrumente zu technischen Arbeiten beim Bergbau und Aufbereitungs-Prozesse;

20) eine Reisebibliothek sammt Karten, unter denen mehrere, sehr interessante, mir von dem Archive des k. k. Hofkriegsrathes verabfolgt wurden *.

Diese Instrumente, mit wenigen Ausnahmen, begleiteten mich fast 3 Jahre hindurch auf meinen Reisen vom Taurus bis zu den Gallas, und während dieser ganzen Zeit hatte ich das merkwürdige Glück, keines derselben zu verlieren, ausser ein paar Thermometer, die ich selbst zu zerbrechen das Ungeschick hatte. Mit dem Thermo-Multiplikator, bestimmt zur Ausmittlung von Temperaturen in Schächten, Brunnen etc., ohne hinabzusteigen, konnte ich nicht arbeiten, weil ich den zur Hälfte aus Kupfer und zur Hälfte aus Wissmuth bestehenden Schlussbogen, bei dem ersten Versuche im Josephs-Brunnen zu Kairo verlor und nie mehr einen neuen erhalten konnte.

Im Sinne der erhaltenen Instruktion wurden die physikalischen Beobachtungen ununterbrochen durch 4 Jahre fortgesezt und sehr häufig, wo es durch einigen Aufenthalt möglich war, von Zeit zu Zeit durch Tag und Nacht stündlich vorgenommen. Mit welchen Beschwerden, ich kann wirklich sagen Opfern, diese Beobachtungen oft verbunden waren, ist sich leicht vorzustellen, wenn man bedenkt, dass ich sie meist dann beginnen musste, wenn ich nach einem Tagesmarsche von 10 und mehr Stunden in der glühenden Hitze der tropischen Sonne todtmüde vom Pferde oder vom

---

* Von diesen Instrumenten konnte ich ausser einigen Thermometern nur sehr wenige selbst mitnehmen, da ich ihre Vollendung und Adjustirung nicht abwarten konnte. Hr. Reg.-Rath Baumgartner hatte die Güte, mir dieselbe, sorgfältigst gepackt, sogleich nachzusenden; aber erst 10 Monate nach meiner Abreise waren sie sammt und sonders in meinen Händen, daher konnte ich fortlaufende und umfassendere physikalische Beobachtungen erst bei meinem zweiten Aufenthalte im nördlichen Syrien, im Oktober 1836, beginnen.

Dromedare stieg, und dass ich mich oft fieberkrank, mühsam von einem Instrumente zum andern schleppte. Doch gerade diese Potenzirung der moralischen Kraft, diese Selbstverläugnung erhielt mich aufrecht und rettete mich in jenen schrecklichen Momenten, in denen zwei Drittel der Expeditions-Individuen, die mich ins Innere von Afrika begleiteten, erlagen.

Ausser den physikalischen Beobachtungen und dem eigens von mir darüber geführten Tagebuche, wurden während der ganzen Zeit die geognostischen Forschungen als Haupttendenz ununterbrochen vorgenommen, die nöthigen Durchschnitte und Karten entworfen und alle diese Erfahrungen ebenfalls in eigenen Tagebüchern niedergelegt. In den weniger bekannten Ländern Asiens und Afrika's, wohin mich meine Reise führte, wurden geographische Karten entworfen, die nicht nur die genommene Route, sondern das ganze umliegende Terrain, so weit ich es durch eigene Anschauung und fremde, verlässliche Mittheilungen erforschen konnte, zum Gegenstande haben, so dass ich glaube, im Stande zu seyn, eine ziemlich zuverlässige Physiognomik jener Länder vorlegen zu können. Die Sammlungen, welche als Belege zu meinen Reiseberichten dienen, wurden in vaterländische Kabinete niedergelegt, und zwar ist der grösste Theil der mineralogischen Sammlung, die in grosser Vollständigkeit das Paschalik Adana, Syrien, das peträische Arabien, Egypten, Nubien, Kordofan, Sennaar und die südl. gelegenen Negerländer umfasst, in dem Kabinete unsrer montanistischen Hofkammer im neuen Münzamtsgebäude aufgestellt, während einzelne Suiten auch an andere Sammlungen der Monarchie vertheilt wurden. Die botanische und zoologische Sammlung hingegen ist im k. k. Naturalienkabinete zu Wien eingereiht worden. — Nachdem meine Rüstungen in soweit zu Ende gebracht waren, empfing ich unsere Pässe und wurde ausserdem noch durch die besondere Gnade Sr. Durchlaucht des Hrn. Fürsten von METTERNICH mit Empfehlungen in den Orient versehen, in deren Folge ich den Entschluss fasste, auf meiner Hinreise nach Egypten Griechenland zu besuchen, um in Athen mich mit dem österreichischen bevollmächtigten Minister, Hrn. PROKESCH VON OSTEN, zu besprechen, dessen Einsichten in die Verhältnisse des Orients, wo er selbst sich längere Zeit aufhielt und bedeutende Reisen machte, für mich von höchstem Werthe waren und dessen freundschaftlichem Rath ich nicht vergebens entgegensah.

Am 20. Dezember 1835 brach die Expedition. von Wien auf. Adjunkt PRUCKNER erhielt die Weisung, in Triest mit mir zusammen zu kommen, ich selbst ging mit VOITANEK über Grätz und Klagenfurt nach Triest, während die übrigen den nähern Weg über Cilly dahin wählten. In Bruck war ich so glücklich, noch einmal Sr. Kaiserl. Hoheit Hrn. Erzherzog JOHANN von Österreich meine Aufwartung zu machen, besah in Grätz die Sammlungen des freudig aufblühenden Johanneums, die sich schon zu einer hohen Vollkommenheit aufgeschwungen hatten und musterhaft aufgestellt sind, nahm meinen Weg über Klagenfurt und Laibach, besah in Adelsberg die berühmte Grotte und kam am 30. Dezember in Triest an, wo ich bereits sämmtliche Mitglieder der Expedition vorfand.

Nachdem ich mich und mein Personal Sr. Excellenz dem Hrn. Gouverneur von Weingarten vorgestellt hatte, wurde vorerst zur Abschliessung des Kontraktes mit der egyptischen Verwaltung geschritten. Von Seite der österreichischen Regierung waren hiezu der k. k. Hr. Gubernialrath KALTENEGGER und der k. k. Hr. Fiskaladjunkt Dr. KANDLER bestimmt. Von Seite der egyptischen Regierung hingegen war der Hr. Bankier PIETRO JUSSUFF, Bruder des egyptischen Ministers für das Auswärtige und den Handel, BOGHOS JUSSUFF-BEY, von dem Vizekönig mit den nöthigen Vollmachten versehen. Der Vizekönig übernahm die Fortbezahlung unserer im österreichischen Dienste fixirten Besoldungen für die Dauer der Expedition, bestimmte ferner gewisse Diätenbeträge nach den verschiedenen Kategorien der Expeditionsglieder für dieselbe Zeit, und übernahm die freie Verpflegung, freie Hin- und Rückreise, freie Reise in seinen Ländern, den vollkommensten Schutz der Personen, freie ärztliche Hülfe und die ebenfalls unentgeldliche

Verabfolgung aller sonstigen Reisebedürfnisse, wie z. B.
Zelte, Pferde, Dromedare etc.; die entfallenden Geldbeträge
machte der Vizekönig sich anheischig monatlich in Triest
durch Hrn. Pietro Jussuff an die dortige Bergwerkspro-
dukten-Verschleiss-Faktorie auszuzahlen, welche dieselbe
durch die hohe Hofkammer den Bevollmächtigten oder Angehörigen der Expeditionsglieder zustellte. Für die richtige
Einhaltung dieser Vertragspunkte stellte Hr. Pietro Jussuff sich als Bürge. Durch leztere Verfügungen trat in
Folge der wahrhaft väterlichen Fürsorge unsrer Regierung
eine vollkommene Sicherstellung unsrer Bezüge ein. Ich
hingegen entgegnete dafür für mich und meine Gefährten
das Versprechen, stets die in der Absicht des Vizekönigs
liegende Tendenz der Expedition vor Augen zu haben und
nach allen Kräften zu befördern. So wurde der Kontrakt
abgeschlossen, von Hrn. Pietro Jussuff und mir unterzeichnet
und von Seite des k. k. Guberniums sanktionirt.

Ausser diesem Geschäfte vollendete ich noch die Ausrüstung der Expedition. Es wurden Medikamente, chemische
Präparate, Feldbette, Waffen und dgl. beigeschafft.

Die Gelegenheit des Aufenthaltes in Triest wollte ich
nicht unbenüzt vorbeigehen lassen, ohne Venedig, die meer-
geborne Wunderstadt, zu schauen. Ich schiffte mich daher
am 7. Januar 1836 mit einigen meiner Gefährten auf dem
Dampfschiffe ein. Die Witterung war stürmisch, es wehte
starke Bora, und zum ersten Male in meinem Leben hatte
ich den unbeschreiblich erhabenen Anblick des sturm-
gepeitschten Meeres. Die prachtvolle Scene, wie der Vapor
mit einer gewissen Grazie über die Wogenberge hintanzte,
dicke, schwarze Wolken sich auf die unendliche Wasserfläche senkten und der Sturm im Takelwerke pfiff, würde
mich entzückt haben, wäre ich nicht durch ein gewisses
Unwohlseyn, welches man prosaisch auch Seekrankheit
nennt, in meinen Beobachtungen gestört worden. Durch
leztere Unannehmlichkeit erhielt ich den ersten Wink über
das Langweilige und Unangenehme längerer Seereisen und
war froh, als nach einigen Stunden die stolze Lagunen-
Stadt sich aus den Fluthen hob.

Die Reste der alten Pracht und Macht der einstigen Beherrscherin der Meere, des einstigen Hauptstapelplatzes für den Welthandel, glänzten in den ersten Strahlen der Morgensonne und gewährten einen zauberhaften Anblick. Des Sturmes wegen liefen wir durch Malamocco ein und bekamen jene riesenhaften Steindämme, die Murazzi, zu Gesichte, welche die Venetianer durch Geld und Ausdauer bewerkstelligten und den Wellen des Meeres entgegensezten. Nichts Ähnliches existirt, ausser dem berühmten break water zu Plymouth im praktischen England.

Die eigenthümliche, phantastische Bauart, die prachtvollen Denkmale der Kunst, erfüllten uns, wie wohl jeden Reisenden, mit der höchsten Bewunderung und sind zu bekannt und zu gut schon geschildert, als dass ich mich dabei aufhalten sollte. Nachdem wir uns in Venedig umgesehen, kehrten wir, da das Dampfschiff des fortdauernden Sturmes wegen nicht auslaufen konnte, zu Lande über Palma nuova und Monfalcone nach Triest zurück, wo wir am 10. Januar wieder eintrafen.

Da nun Alles in Ordnung gebracht war, so dachte ich ernstlich an unsere Abreise. Pietro Jussuff trug mir zur Reise nach Egypten ein einem dortigen Handelsmann gehörendes Schiff an; da ich jedoch entschlossen war, den Umweg über Athen zu machen und noch mehr Gründe mich bestimmten, so schlug ich dieses Anerbieten aus und nahm für mich und das ganze Personal Plätze auf dem von Triest nach Patrass segelnden österreichischen Paquet-Boote, die Goelette Enrichetta, mit welcher wir am 16. Januar 1836 das schöne Triest verliessen *.

Bevor ich nun zur Darstellung meiner Reisen schreite, dürfte es, wie ich glaube, nicht unangemessen seyn, in der Einleitung zum ganzen Werke eine kurze Übersicht derselben zu geben, um die Leser vorläufig zu orientiren. Man sehe zu dieser Übersicht die kleine, eigens zu diesem Zwecke angefertigte Generalkarte Nr. 1, die quasi als Prospektus meiner gesammten Reisen gelten möge.

* Damals gingen noch wenige Dampfschiffe in der Levante und im adriatischen Meere.

Um von Triest nach Egypten zu gelangen, wählte ich, wie gesagt, den Weg über Griechenland, wo ich in Patrass landete und über Korinth mich nach Athen begab. Von Athen segelte ich, nur Nauplia berührend, direkt nach Alexandria. Mein erster Aufenthalt in Afrika beschränkte sich auf eine Reise nach Kairo und auf die Bereisung jenes Theils der libyschen Wüste, welcher unter dem Namen der Makarius-Wüste bekannt ist und in welchem die Natronseen liegen.

Zurückgekehrt nach Alexandria, schiffte ich mich sogleich wieder ein und begab mich nach Syrien, hielt in Beirut Quarantaine und ging in die nördlichen Provinzen, wo ich mich kurze Zeit in Antiochia und Aleppo aufhielt. Von da reiste ich zur See an die klein-asiatische Küste bei Tharsus und begab mich an den Taurus nach Gülek, welches vor der Hand zum Aufenthaltsorte für die Expedition bestimmt war.

Während der Zeit, als man daselbst mit der Eröffnung des Bleibergbanes und Errichtung einer Schmelzhütte beschäftigt war, besuchte ich den östlich gelegenen Theil des Taurus in den Paschaliken von Adana und Marasch, so wie auch den westlichen in der Umgebung der Cidnus-Thäler. Im Herbst 1836 trennte ich die Expedition, liess einen Theil derselben zur Fortsetzung der Arbeiten in Gülek und ging mit dem andern nach Syrien zurück, wo ich von Beirut aus die Steinkohlen- und Eisen-Minen des Libanon, Baalbeck und Damaskus besuchte und nach Alexandria zurückging. Dieser Theil der Reise ist der Gegenstand des ersten Bandes des vorliegenden Reisewerkes.

Mit Beginn des Jahres 1837 trat ich meine Reise ins Innere von Afrika an. Ich ging auf dem Nile durch ganz Egypten, Dendyra, Theben u. dergl. klassische Punkte der altegyptischen Baukunst berührend, nach Assuan an der ersten Katarakte und betrat nun Nubien. Bis Korosko verfolgte ich den Nil, dann aber verliess ich ihn und zog durch die grosse Wüste, welche zwischen diesem Strome und dem rothen Meere liegt, bis nach el Mucheireff, der Hauptstadt des Berber Landes, wo ich mich wieder auf dem Nile einschiffte und bis Chardum, der Hauptstadt des egyptischen Antheils von Sudan, fuhr. Chardum liegt am Zusammenflusse des blauen und weissen Flusses, die den Nil bilden, und eignete sich ganz dazu, um daselbst mein Hauptquartier aufzuschlagen und von da aus die weiteren Reisen einzuleiten.

Auf meiner ersten Reise fuhr ich den weissen Fluss bis zu den Schilluck-Negern hinauf, ging dann nach el Obeehd, der Hauptstadt von Kordofan, und von dort südlich durch das ganze Land der Nuba's bis nach Scheibun und zum Gebirge Tira. Den Rückweg nach Chardum nahm ich wieder durch Kordofan.

Die tropische Regenzeit war nun in ihrer ganzen Gewalt angebrochen, und ich musste vom 23. Juni bis 1. Oct. ruhig in Chardum liegen bleiben, in welcher Zeit ich allein durch klimatische Krankheiten die Hälfte meiner europäischen Gefährten verlor.

Anfangs Oktober trat ich meine zweite Reise ins Innere an. Ich ging auf dem blauen Flusse nach Sennaar, der Hauptstadt von Sennaar, und von da zu Lande nach Roserres, wo ich mich mit der kleinen Armee MUSTAPHA BEY's vereinte, der den Auftrag hatte, mich zu den Goldwäschen der Neger zu begleiten. Mit Beginn des Jahres 1838 traten wir unsern Feldzug an; wir zogen durch Fassokl und durch die Negerländer Kassan, Kamamil und Schongollo bis zum Flusse Pulchidia an der Gränze der Galla-Völker. Denselben Weg nach Chardum machte ich auch wieder zurück und trat auch bald hernach meine Rückreise nach Alexandria an. Ich fuhr auf dem Nile bis Metämäh, ging von da aus durch die Bahiuda-Wüste an den Dschebel Barkal, auf dem Nile wieder nach Dongola, von da durch die grosse westliche Wüste nach Waddi Halfa und endlich auf dem Nile durch das nördliche Nubien und ganz Egypten nach Kairo und von da nach Alexandria, wo ich wieder am 27. Juli 1838 eintraf. Diese Reise ins Innere von Afrika bildet den Inhalt des II. Bandes des vorliegenden Werkes.

Meine Geschäfte, worunter auch die Auflösung der

Expedition gehörte, hielten mich bis zum 1. Oktober fest, an welchem Tage ich allein, blos von einem Neger und 4 Beduinen begleitet, neuerdings den Wanderstab ergriff. Ich fuhr nach Kairo, ging von da durch die Wüste über Suez nach dem Sinai, wo ich geraume Zeit blieb. Vom Sinai aus durchzog ich die grosse Wüste zwischen diesem Gebirge und Palästina, die unter dem Namen der Wüste des Dschebel Tyh el Beni Israel bekannt ist, in gerader Richtung bis nach Hebron, durchreiste nun ganz Palästina, schiffte mich in Beirut wieder ein und kam am 24. Januar 1839 nach Alexandria zurück, welches ich aber am 7. Februar wieder verliess, um meine Rückreise durch Europa anzutreten; zuvor jedoch besuchte ich noch Konstantinopel und Smyrna, und erst am 3. März, als ich die Quarantaine zu Syra bezog, konnte ich meine aussereuropäischen Reisen, wenigstens vor der Hand, als geschlossen ansehen. Diese Reise wird Gegenstand des III. Bandes dieses Werkes.

Von Syra begab ich mich nach Athen und bereiste nun Griechenland im Auftrage Sr. Maj. des Königs Otto. Ich durchzog ganz Rumelien und den ganzen Peloponnes und besuchte im Archipel die Inseln Euböa, Thermia, Serpho, Syra, Naxos, Paros, Santorin, Kimolos, Milos und Poros, und verliess Griechenland anfangs September.

Ein österreichisches Dampfschiff brachte mich in die Quarantäne von Ankona, nach deren Vollendung ich über Rieti nach Rom wanderte. Von Rom ging ich nach Neapel und von da nach Sizilien. Diese Insel bereiste ich während meines einmonatlichen Aufenthaltes ganz und fuhr dann von Palermo wieder nach Neapel zurück. Von da ging ich mit einem Dampfboote nach Livorno, bereiste die Umgegend an der Cecina und verliess Florenz mit Beginn des Jahrs 1840.

Mein weiterer Weg führte mich über Bologna, Mailand und den Splügen nach Deutschland zurück, ich bereiste einen Theil der Schweiz, Würtemberg und ging den Rhein entlang nach Aachen, wo ich mich längere Zeit auf den dortigen Steinkohlenwerken aufhielt. Von Aachen nahm ich meinen Weg über Lüttich, Brüssel nach Paris und schiffte mich zu Havre nach England ein, das ich in London betrat.

Im weitern Verlaufe bereiste ich den grössten Theil von England und einen Theil der Hochlande von Schottland und kehrte von Edinburg wieder nach Deutschland zurück. Ich landete in Hamburg und ging über Lübeck nach Kopenhagen, von wo ich mit dem dienstthuenden Dampfschiffe nach Christiania abging.

In Norwegen besuchte ich die Minendistrikte, reiste über den Dovrefield nach Trondhjem und von da zur See nach Hammerfest, auf welchem Wege ich die englischen Kupferwerke zu Kaaffjord besichtigte. Von Hammerfest ging ich wieder nach Trondhjem zurück und von da nach Schweden. Auf dem Wege nach Stockholm berührte ich Sundsvall, Geffle, Falun, Sala, Dannemora, Upsala. Von Stockholm ging ich auf dem Göta-Kanal über Göteborg, und dann über Lund und Malmö nach Kopenhagen und wieder nach Hamburg zurück. Neuerdings auf deutschem Boden angelangt, reiste ich nun nach Berlin, ging an den Harz und ins Mansfeldische und kehrte durch Sachsen, Böhmen und über Salzburg nach Wien zurück, wo ich glücklich am 21. Februar 1841 ankam. Meine ganze Reise hatte also gerade 5 Jahre und 3 Monate gedauert.

Die Reise durch Europa wird den IV. und lezten Band des ganzen vorliegenden Reisewerkes bilden.

REISE

in

Griechenland, Unteregypten, im nördlichen Syrien und südöstlichen Kleinasien.

Erster Abschnitt.

Reise von Triest über Griechenland nach Egypten.

---

1) Die jonischen Inseln, Patrass, Korinth, Athen.

Es war gerade Mitternacht vom 15. auf den 16. Januar 1836, als ich mit meinen Gefährten bei der Sanità in die Barke stieg, um mich an Bord der Enrichetta zu begeben. Einige Freunde hatten uns dahin begleitet, um uns noch ein herzliches Lebewohl zu sagen. Abschiede müssen kurz seyn, sonst quält man sein eigenes Herz: daher beschleunigte auch ich die Scene, die mir nahe ging. Ich fühlte es gewaltig schwer auf meiner Brust, es war ein für mich höchst wichtiger Moment, der wichtigste vielleicht in meinem Leben. Eine ungewisse Zukunft lag vor mir; alle, die mich zunächst umgaben, waren mir anvertraut, mir übergeben, ich ahnte es gleichsam damals schon, dass sie nicht alle wieder das Glück haben sollten, ihr schönes Heimathland zu sehen. Stumm sassen wir in der Barke zusammen, Keiner wagte durch ein Wort die Stille zu stören, nur die Herzen schlugen laut, und unser Sinn zog noch einmal hinüber über die stolzen, schneebedeckten Alpengipfel in die heimathlichen Thäler zu unsern Lieben, die in süsser Ruhe lagen, während wir uns auf den Wogen des adriatischen Meeres

3 *

schaukelten. — Jeder Antritt einer grossen, gefahrvollen Reise erweckt in der Brust ein wehmüthiges Gefühl, an dem die Zurückgelassenen wohl den grössten Theil haben, doch nie ist diess so sehr der Fall, als wenn man sich in dieser Absicht zur See begibt. Die Trennung geschieht in diesem Falle so scharf, so plötzlich; die Barke stösst ab, und wie ein Stich fährt der Gedanke durch das Herz: jezt ist es aus!

Das dunkle Element umgab uns, die Nacht war rabenschwarz, so dass wir kaum die Schiffe erkannten, an denen wir hinruderten, die Luft lau, warm möchte ich sagen, und nur ein leiser Landwind zog. Kaum erinnere ich mich, in einer andern Nacht das Leuchten des ruhigen Meeres so ausgezeichnet gesehen zu haben, als gerade in dieser. Jeder Ruderschlag rief einen Feuerknäuel hervor, die Spur des Kiels war ein Feuerstrom, und Tausende von Funken umgaben uns. Das Licht war weisslichgelb und sehr intensiv. Ein Tau, in die See geworfen und wieder eingezogen, leuchtete, besonders wenn man es strich. Die Substanz dieses Lichtes ist thierischer Natur, das ist wohl so ziemlich erwiesen; ob aber die Entwicklung dieses Lichtes, da das Meer an und für sich diese Substanz stets enthält, aber doch nicht stets leuchtet, von einem gewissen elektrischen Zustande der Atmosphäre oder des Meeres selbst abhängt, darüber mangeln alle Beobachtungen, wenigstens mir sind keine bekannt. Dass hingegen das durch diese unbekannte Ursache und nur zeitweise zu leuchten befähigte Meer dieses Licht nur dann entwickelt, wenn es bewegt, geschüttelt, geschlagen etc. wird, kurz wenn Reibung unter den Theilchen des Wassers statt hat, das ist Thatsache und lässt sich aus dem mechanischen Impuls wohl erklären.

Um 7 Uhr Morgens am 16. Januar wurde der Anker gelichtet und die Enrichetta lief aus. Wir hatten zuerst einen ganz leichten Landwind, der aber später contrair wurde, so dass wir erst um Mittag Triest aus den Augen verloren. Heute machte ich erst die Bekanntschaft unserer Offiziere: vortreffliche Männer, die uns die Seereise so angenehm als möglich machten. Ausser uns war noch ein

deutscher Kaufmann, Namens Ringler, an Bord, der nach
Athen ging, um sich dort zu etabliren.

Nachmittags standen wir Isola gegenüber und Abends
liefen wir, um bessern Wind abzuwarten, in Pirano auf
Istrien ein. Pirano, obwohl an und für sich eng und
schmutzig, gewährt von der Seeseite einen sehr schönen
Anblick, eine der niedlichsten Landschaften des adriatischen
Küstenlandes. Daselbst befinden sich einige antike Kirchen,
ein sehr interessantes Schloss und prachtvolle Wasserleitungen, Bauwerke aus der Römerzeit. Am frühen Morgen
liefen wir in Pirano aus und standen um 10 Uhr auf der Höhe
von Salvore, das mit seinem Leuchtthurm und seinen mit
Dörfern und Landhäusern bedeckten Küsten vielleicht der
schönste Theil von Istrien ist. Schöner noch als alles dieses war der Anblick der Julischen Alpen, die hinter uns
ihre riesigen, schneebedeckten Häupter hoch in die reinen
blauen Lüfte streckten; sie schienen unmittelbar vom Meere
auszusteigen, da ihr eigentlicher Fuss unter unserm Horizonte
lag. Es war beinahe Windstille, die See glatt wie ein
Spiegel, die Luft rein, und bereits fing die Beleuchtung der
Gegenstände an, jenen strahlenden, ätherischen Charakter
anzunehmen, der dem Süden eigen ist. Es war eine der
grossartigsten Seepartieen, die ich je gesehen, und wenn ich
so die Alpen betrachtete, konnte ich mich des Gedankens
nicht erwehren, wie freudig es ist, ein so schönes Vaterland zu haben. Abends sahen wir auf einem hohen Gebirgsrücken Istriens die Stadt Buje liegen. Die Farbe des
Meeres war ein tiefes Blau. Der Wind war noch immer
contrair, wurde aber etwas stärker und änderte sich in
der Nacht zu unsern Gunsten, so dass wir uns am Morgen
des 18. auf der Höhe von Pola und Mittags am Kap Pro-
montorio befanden, wo die Küsten Istriens immer niedriger
werden und endlich flach sich als Landspitze ins Meer hinein erstrecken. Nachmittags sahen wir bereits die Gebirge
Kroatiens, wilde Formen, mit Schnee bedeckt, die schönen
Inseln Ossero, Veglia etc., den Meerbusen von Fiume und
in seinem Hintergrunde den Krainerberg. Wir traten nun
in den Quarnero ein, jenen Theil des adriatischen Meeres,

der sich an der kroatischen Küste hinzieht und der von
den Seefahrern doppelt gefürchtet wird, wegen seiner lang
andauernden Windstillen sowohl, als wegen seiner plötz-
lichen Stürme. Wir selbst legten diese Strecke glücklich
zurück, wir hatten frischen und günstigen Wind, das
Meer ging aber etwas hoch, so dass mehrere meiner Gefährten seekrank wurden.

In der Nacht hatten wir eine Strecke von 50 Seemeilen
zurückgelegt und befanden uns am Morgen des 19. Januar
auf der Höhe der Inseln Grossa und Coronnata, hinter denen
sich die dalmatinische Küste bei Zara unsern Augen verbarg.
barg. Die Inselgruppen, welche man Isole coronnate nennt,
scheinen, von ferne angesehen, dem Kreidekalk anzugehören.
Die Schichtung desselben ist ausgezeichnet, das Streichen
aus N.W. in S.O., das Verflächen in N.O. An den Ufern
bemerkt man auffallend grosse Meeresanspülung, ein Beweis
des fortdauernd starken Andranges der Wellen durch Strömung oder herrschenden Wind. Die Inseln selbst gewähren
einen öden, traurigen Anblick und scheinen, wenigstens auf
der Meerseite, sehr unfruchtbar und unbebaut zu seyn.
Von Zeit zu Zeit begegneten uns Schiffe, ein stets erfreu-
liches Intermezzo in dem höchst langweiligen Leben zur
See, besonders aber auf hohem Meer, wenn man lange den
Anblick des Landes entbehrt. Man eilt auf das Verdeck,
grüsst sich, fragt: woher und wohin? macht einige Glossen
darüber und geht wieder auf und ab, um zu gehen, oder
verkriecht sich wieder in die Kajüte. Nie fühle ich einen
so gränzenlosen Hang zum Müssiggang als zur See, selbst
wenn mir auch ganz wohl ist, und ich erachte es für ein
grosses Glück, dass, besonders auf englischen Schiffen, ein
grosser Theil des Tages an der Tafel zugebracht wird.

Delphine umtanzten unsere Goelette, die mit vollen
Segeln ging, wir befanden uns Abends an der Insel Zuri,
hinter welcher Sebenico liegt, und kalkulirten schon, ohne
Anstand morgen auf die Höhe von Lissa zu kommen.
Solche Kalkule sind besonders auf Segelschiffen immer ein
Frevel; denn Wind und Meer ändern sich oft schnell, plötz-
lich, und ich kann, um von a nach b zu kommen, ebenso

gut einen Tag, wie zehn Tage brauchen, daher die trockne Antwort der Seeleute, wenn man sie fragt: Wie lange brauchen
wir noch dahin? — das weiss Gott!

Das Meer fing an, hoch zu gehen, und als die Nacht
anbrach, leuchtete es wieder sehr stark. Jede Welle war
eine Feuerwoge, und am Steuer folgte dem Schiffe ein gan-
zer Lichtstrom. Der Kapitän wollte die Beobachtung gemacht haben, dass dieses Leuchten im adriatischen Meere
besonders bei südlichen Winden stattfinde. Die Nacht
war schwarz und warm. Gegen 9 Uhr wurde der Wind
sehr heftig, die Segel konnten nicht schnell genug eingezogen werden, so oft die Goelette sich tauchte, schlugen
die Wellen am Vordertheil über Bord, die Bewegungen
des Schiffes waren höchst unangenehm, und die meisten
von uns wurden seekrank. Das Leuchten der See erhöhte
sich, wir schwammen buchstäblich in einem Meer von
Funken. Alle Luftblasen, die in grosser Menge sich bei
dem schnellen Gange des Schiffes entwickelten, leuchteten,
und zwar je grösser desto stärker. Es war eine ungemein
grossartige Erscheinung. In der Nacht wurde der Wind
zum förmlichen Sturm. Er kam aus N.O., von den Gebirgen Dalmatiens, und trieb uns in der Nacht 80 Seemeilen.
Die Masten und das Schiff krachten furchtbar, und lezteres
erlitt durch die Wellen solche Stösse, dass es in seinem
innersten Verbande zitterte. Die heftigen Bewegungen
machten nicht allein mir sehr unwohl, sondern ich sah auch
manchen der Seeleute geduldig dem Neptun sein Opfer
bringen. Die Wellen schlugen fortwährend über Bord, so
dass uns das Wasser auch in den Raum kam. Dabei war
unsere Lage in der Nähe von Lissa und mehrerer kleiner
Inseln höchst gefährlich. Wir konnten den Kanal von
Lissa nicht mehr passiren und suchten in die freiere See
zu gelangen: da sah man plötzlich trotz Sturm und Nacht
die kleine Insel St. Andrae vor sich. Diesen Moment be-
nüzte der Pilote, ein junger Grieche, mit ebenso viel Kühnheit als Lokalkenntniss und führte das Schiff zwischen dieser Insel und Lissa in die freie See hinaus. Ein Augenblick Verzögerung, und wir wären verloren gewesen. Das

Manöuvre des Piloten verdiente mit Recht die vollste Bewunderung, und wahrlich in solchen Momenten, wo der Mensch dem Sturm der Elemente mit Kühnheit und Geistesruhe trozt und selbst die entfesselten noch geschickt zu seinem Vortheil nüzt — da steht er wie ein Gott da, seines Ursprungs werth.

Am Morgen des 20. erreichte der Sturm seine grösste Stärke, das Schiff wurde wie ein Ball herumgeworfen und er drohte es in offener See zu zertrümmern. Alles wurde durcheinander geworfen, Tische und Stühle, die Wandkästen sprangen auf und leerten ihren Inhalt aus, einige von uns fielen aus den Betten. Um 9 Uhr endlich liess der Sturm nach, doch behielten wir den ganzen Tag durch sehr hohe See. Um Mittag sahen wir noch den südlichen Theil der Insel Lissa, die Inseln Lagosta und Curzola, die Landspitze von Sabioncello und in der Ferne die Insel Meleda, so wie die felsigen Gipfel der Gebirge bei Ragusa und Cattaro. Nachmittags standen wir der Insel Meleda gerade gegenüber und sahen auch schon einige von den schneebedeckten hohen Bergen des nördlichen Albaniens.

Der Abfall dieser dalmatischen Inseln ist auf der Westseite, gegen das Meer, sehr steil und felsig, daher sie auch daselbst unbebaut und unbewohnt sind, während sie auf der Seite gegen das Land das Gegentheil zeigten.

Wir waren in der Nacht mit gutem Winde stark gesegelt und hatten 95 Seemeilen zurückgelegt. Wir hatten Ragusa und Cattaro vor Tag passirt, was mir sehr leid that; denn die schönen, furchtbar wilden Formen der Kalkberge bei Cattaro hätte ich sehr gerne näher betrachtet. Noch bevor die Sonne am 21. sich über die Kalkmauern Albaniens erhob, passirten wir auf der Höhe von Budua, Antivari, Dulcigno, befanden uns um 8 Uhr der Bucht von Bojana gegenüber und sahen im Hintergrunde die Gebirge bei Scutari und in Montenegro. Alle diese Berge haben höchst interessante, ausdrucksvolle Formen, die mich zum Theil lebhaft an die unsrer Voralpen erinnerten. Sie waren noch sämmtlich mit Schnee bedeckt, und die meisten derselben halte ich für höher als 5000 Fuss. Messungen haben wir darüber noch gar keine; überhaupt gibt es mehrere Länder ausser Europa, die wir weit besser kennen als das uns nahe liegende Albanien, wozu der ungesetzliche und ungeregelte Zustand des Landes und die Wildheit seiner Bewohner das meiste beitragen, was friedliche Naturforscher abschreckt, ins Land einzudringen, wiewohl diess, meiner Ansicht nach, bei gehöriger Kenntniss der albanesischen Sprache, deren Ursprung wir unter andern auch noch nicht ganz kennen, doch vielleicht nicht gar so bedeutende Schwierigkeiten hätte. Um Mittag standen wir Durazzo gegenüber, sahen die albanesische Küste bis Aulona und entdeckten in weitester Ferne die hohen Berge bei Chimara am Eingang in die Meerenge von Corfu. Vor ungefähr drei Monaten wurde in der Gegend des Kaps Ligneta an der Insel Sessano ein kleines Kauffarteischiff von den Albanesen angegriffen und beraubt. Wir sezten daher auch unsere Enrichetta in schlagfertigen Zustand und luden die 6 kleinen Kanonen, welche auf dem Verdecke standen. Hätte uns der Wind so wenig angefochten als die Albaneser es thaten, so wären wir sehr zufrieden gewesen; aber das war leider nicht der Fall; denn er wurde in der Nacht wieder contrair.

Wir machten in der Nacht nur sehr wenig Weg und standen am Morgen des 22. vor den Acroceraunischen Bergen, heut zu Tage Longara-Gebirge genannt. Von der Höhe dieses Gebirges zieht sich ein paar Stunden nördlich von Chimara eine Schlucht zum Meere nieder, die mit Gerölle angefüllt ist, welches aus weissen Steinen besteht, deren Farbe man von ferne sieht, deren Natur ich aber nicht näher kenne. Diese Schlucht führt von daher den Namen la Strada bianca. Südöstlich dieser Schlucht erhebt sich der Tschika zu 4230 Wiener Fuss Meereshöhe, eine Kuppe des Chimara-Gebirges, welches noch mit tiefem Schnee bedeckt war.

Man sieht an den Bergen zerstreute Bäume und mehrere albanesische Dörfer und Städtchen, wie Drimades, Vuno, Chimara etc. Alle aber liegen entfernt von der Küste, am

steilen, wilden Gehänge. Einzeln stehende Häuser, Höfe
bemerkt man gar nicht, was einerseits die Unfruchtbarkeit
der kahlen Küste, andrerseits die Unsicherheit, den Mangel
an Schutz des Eigenthums zum Grunde haben mag. Um
Mittag hatten wir die Inseln Fanò, Samatrachi und Merlera
dicht an uns, und vor uns sahen wir die Hesperiden-Gärten
des schönen Corfù; doch war es nicht möglich, in den
Kanal, der diese Insel von Albanien trennt, einzulaufen,
sondern wir mussten die ganze Nacht zwischen Fanò und
Palermo in Albanien kreuzen.

Der Physiognomie nach zu schliessen, so bestehen hier
die albanesischen Gebirge aus Schiefern, aus Glimmerschiefer
und Thonschiefer, welche wahrscheinlich wie in Griechenland
die grösstentheils unmittelbare Grundlage der Kreidebildungen
darstellen, welche sich in einem ungeheuren Maasstabe
entwickelten. Das Gebirge fällt ganz steil ins Meer ab
und ist von tiefen Schluchten durchschnitten. Weiter in
das Land hinein, ungefähr 14 Meilen von der Küste entfernt,
liegt Janina am gleichnamigen See, wo der berüchtigte
ALI PASCHA hauste, dessen Grausamkeiten ihn bei den Bewohnern seines Distriktes der Vergessenheit entziehen.

Um 10 Uhr Vormittags war heute die Temperatur der Luft
im Schatten = 9,3° Réaum., während die Temperatur des
Meeres an der Oberfläche 10° Réaum. betrug. Um 3 Uhr
Nachmittags war die Temperatur der Luft im Schatten
= 9°, die des Meeres = 10,7° *.

In der Nacht war der Wind nur sehr schwach, das
Meer ruhig und glatt wie ein Spiegel. Das treulose Element!
wer hätte es ihm da ansehen können, dass es dasselbe sey,
welches uns bei Lissa so jämmerlich herumwarf. Der
Himmel war sternenhelle, die Luft lau, die scharfen Bergformen Albaniens standen in einer zauberhaften Beleuchtung
neben uns, so nahe, als wollten sie sich über unser Schifflein
herüber beugen. Wir blieben die halbe Nacht auf dem
Verdecke und konnten uns nicht satt träumen. Diese

---

* Wo nicht ausdrücklich das Gegentheil angegeben ist, so sind
alle Thermometerangaben auf Réaumur, alle Höhenangaben auf Pariser
Fuss zu beziehen.

südlichen Nächte haben etwas Eigenthümliches, was die Saiten des Gemüthes so sanft berührt. Auch in unsern Alpen sah ich auf grossen Höhen, z. B. auf dem hohen Goldberge in Rauris, wo ich oft längere Zeit zubrachte, Nächte, die an Schönheit, an Reinheit des Himmels den südlichen nichts nachgaben, und es ist herrlich zu schauen, wenn einen die Eis- und Schnee-Riesen unsrer Gletscher wie Geisterburgen im Mondschein umgeben; der Eindruck ist unendlich gross-artig, aber — kalt, während die südliche Nacht wie ein warmer Hauch uns umfängt und nur, wo Wärme ist, — dort ist Leben!

Wir hatten Tags darauf nur wenig unsern Standpunkt verändert. Sehr nahe vor uns hatten wir die albanische Stadt Palermo, welche aber nichts mit ihrer schönen sicilia-nischen Namensschwester gemein hat. In desto schönerm Kleide prangten die kleinen Inselchen Fanò und Merlera. Sie sind bedeckt mit Ölbäumen und Weingärten, und wunder-hübsche Landhäuschen spähen zwischen ihnen hervor: ein greller Kontrast gegen die albanesische Küste, ein Gegen-satz wie zwischen Kultur und Wildheit.

Nachmittags näherten wir uns der Nordküste von Corfù, so dass wir alle Gegenstände deutlich ausnehmen konnten. Schöne Waldungen, zum Theil aus Ölbäumen bestehend, bedecken diesen Theil der Insel, wechselnd mit Gärten von Orangen- und Citronen-Bäumen, mit Feldern, eingefangen mit Rosmarin-Sträuchern; freundliche Dörfer mit blendend weissen Häuschen, auch ein Städtchen, wahrscheinlich Ar-gafus, sah freundlich vom Gebirge nieder. Wir Nordländer konnten uns nicht satt an diesen Dingen schauen, es war der Reiz der Neuheit: denn zum ersten Male sahen wir ja den milden Süden in seinem prächtigen Frühlingskleide.

Um 11 Uhr Morgens war heute die Temperatur der Luft im Schatten 8,2°, die des Meeres 10,3°; um 3 Uhr Nachmittags zeigte das Thermometer im Schatten 9,2°, im Meere 10,7°.

Eine Menge von Delphinen, die am Abend um unser Schiff her spielten, schienen uns Wind für die Nacht zu verkünden, und sie hielten Wort; denn nachdem wir das

Fort St. Catharina passirt und den Leuchtthurm von Cassiopo vor uns hatten, erhob sich ein frischer Nord. Mit dessen Hülfe liefen wir endlich in den Kanal ein, passirten Butrinto in Albanien, wo einst Pyrrhus residirte und von wo er sich mit seinen Elephanten nach Brindisi einschiffte, Corochiana auf Corfu und warfen am 24. um 4 Uhr Morgens unsere Anker im Hafen der Hauptstadt.

Der Hafen von Corfu ist einer der schönsten, die ich gesehen. Er ist bedeutend gross, kann die grössten Kriegsschiffe aufnehmen und ist von allen Seiten geschützt, da der offenen Seite seines Bogens das albanesische Gebirge wie eine Mauer vorsteht. Die Lage von Corfu, welches damals an 20,000 Einwohner haben mochte, ist äusserst schön, wozu besonders die herrlichen Garten-Anlagen in seiner Umgebung beitragen. An der nördlichen Spitze der Hafeneinfahrt liegt auf dem Felsen ein Fort, welches die Engländer erbauten und welches durch maskirte Werke sehr stark seyn soll. Auf der südlichen Spitze der Einfahrt steht ein Leuchtthurm, und man geht mit dem grossartigen, dem Unternehmungsgeiste der Engländer würdigen Plane um, das Fort am Leuchtthurme mit dem gegenüberstehenden durch einen Tunnel unter dem Meere zu verbinden und so eine Kommunikation herzustellen, die durch nichts gehindert werden kann, als durch die Einnahme des Forts selbst. Die Arbeiten an jenen Forts dauerten damals schon seit mehr als 14 Jahren, und durch die damit in Verbindung stehenden Festungswerke hat man nicht nur Stadt und Insel ganz in seiner Macht, sondern England hat sich dadurch eine Station am Eingange des adriatischen Meeres geschaffen, die für dasselbe nichts zu wünschen übrig lässt. Das Gestein in der Umgebung des Forts ist ein weisser, dichter Kalkstein.

Da noch kurz vor unsrer Abreise aus Triest daselbst die Cholera geherrscht hatte, so erlaubte man uns am Lande nicht weiter als in die Quarantaine zu gehen, was ich damals sehr bedauerte, denn erst mehrere Jahre darnach kam ich auf meiner Rückreise wieder nach Corfu.

Die Stadt selbst mit ihren zwei bedeutenden Festungen

macht einen schönen Eindruck. Die Strassen scheinen enge zu seyn und uneben, da die Stadt ans Gehänge des Berges angelehnt ist, doch sahen wir mehrere grosse und schöne Gebäude *. Die Kirchen zeigen den neugriechischen Geschmack mit ihren gerüstartigen Thürmen und frei hängenden Glocken. In der Nähe der Stadt erhebt sich der Monte Salvatore zu ungefähr 3000 Fuss Meereshöhe, der höchste Berg auf Corfu, auf dem aber des milden Klima's der Insel wegen doch selten Schnee liegen bleibt. Die Temperatur war jezt im Januar so milde, dass wir unsre Sommerkleider hervorzogen und bereits Wiesen und Sträucher im herrlichsten Grün prangen sahen. Opuntien und alle Pflanzen des gemässigten Südens gedeihen herrlich, und Cypressen, welche nicht nur alle anderen Bäume, sondern auch die meisten Häuser der Stadt überragen, geben dem Ganzen einen wahrhaft orientalischen Anstrich. Auf den jonischen Inseln lagen damals acht englische Regimenter vertheilt, wovon der grösste Theil natürlich auf Corfu lag. Im Hafen befanden sich zwar mehrere österreichische, englische und griechische Schiffe, auch ein paar Dampfschiffe, doch gegen die Masse der Schiffe im Hafen von Triest verschwand ihre Zahl, und der Hafen erschien leer. —

Das erste Mal gingen wir mit dem Kapitän an das Land, das heisst in das Rastel, wo wir einige Stunden zubrachten. Ein junger Jonier, dem man es ansah, dass er sich für einen Adonis halte, übrigens auch ein recht hübscher Mann war, besorgte uns unsere Einkäufe, die uns mit den gewöhnlichen Formalitäten übergeben wurden. In der Quarantaine machten wir auch in der Person unseres k. k. Generalkonsuls, Hrn. von MEYERBACH, eine äusserst angenehme Bekanntschaft, die wir leider nicht fortsetzen konnten, da wir aus unserm Käfich nicht heraus durften. Einige Unterhaltung verschaffte uns das Bunte in der Kleidung der Anwesenden. Der Europäer, das heisst der nicht levantinische Europäer, mit seinem Frack, der Grieche in seiner malerischen, theatralischen Landestracht,

---

* Auch hat Corfu, wie ich bei meiner zweiten Anwesenheit sah ausnehmend schöne Plätze mit Promenaden.

der Bergschotte in seiner rothen Uniform mit nackten Knien etc. gaben eine herrliche Musterkarte, wovon mir das erste Stück, aufrichtig gesagt, am wenigsten gefiel.

Am Abend hörten wir stets die englische Regimentsmusik in den Forts. Dieselbe, bei uns an etwas Besseres gewöhnt, wollte mir freilich nicht recht gefallen, doch machte sie in Verbindung mit den schönen Abenden, den im Meere tausendfach wiederstrahlenden Lichtern, im Ganzen einen erbaulichen Eindruck.

Im Hafen von Corfu beobachteten wir am 24. Januar: Temperatur der Luft um 1 Uhr Nachmittags = 10,0, des Meeres = 7,7. Um 5 Uhr Abends: Temperatur der Luft = 9,0, Temperatur des Meeres = 8,0. 25. Januar: Temp. der Luft um 11 Uhr Vormittags = 8,3, des Meeres = 7,2. Um 3 Uhr Nachmittags: Temp. der Luft = 9,6, des Meeres = 7,9.

Am 26. Januar lichteten wir Vormittags wieder die Anker, nachdem wir von Corfu nichts als die hübsche Aussenseite gesehen hatten. Unsere Gesellschaft hatte sich um eine Person vermehrt. Es war der Oberlieutenant FUMANELLI von der österreichischen Marine-Artillerie, der von Corfu zu seiner Fregatte, welche in Smyrna lag, zurückkehrte; ein uns sehr angenehmer Zuwachs. Wie wir ausgelaufen waren, hatten wir schon wieder ganz schwachen Wind, so dass wir nur langsam vorwärts kamen. Um 3 Uhr Nachmittags hatten wir ausser dem Hafen eine Lufttemperatur von 9,6° bei einer Meerestemperatur von 7,8°. Von dieser Seite, namentlich südlich vom Leuchtthurme, präsentirt sich Corfu gar wunderhübsch, indem sich daselbst die meisten Gärten der Stadt mit ihren phantastisch geformten Lusthäusern befinden. Die innere Einrichtung soll jedoch häufig dem äussern Glanze nicht entsprechen. Das wird jedoch gewiss nicht von den Landhäusern der englischen Familien gelten; denn der ausgebildetste Sinn für Comfort des Lebens ist bei den Engländern zur Nationaleigenthümlichkeit geworden. Am Abend sahen wir durch den Kanal bereits die Berge der Insel Sta. Maura, konnten aber bis zum folgenden Morgen doch nur an die Insel Paxo kommen, wo wir der Mündung des Acheron, der sich aus den wilden Bergen des Epirus heraus seinen Weg bahnt, gerade gegenüber waren. Da erhob sich der Wind wieder, und wieder schwellte er die Segel unsrer Enrichetta und mit ihnen unsere Hoffnung, vorwärts zu kommen. Wir sahen um Mittag schon in weitester Ferne die Berge auf Cephalonia und hatten dicht vor uns Sta. Maura, da trat wider Windstille ein, und wir konnten des Anblicks des Vorgebirges Capo Bianco auf Korfu nicht los werden, gleich wie uns früher, nördlich von Corfu, die Strada bianca diese Geduldsprüfung auferlegte. Wir standen mit unserem Schiffe zwischen Paxo und Parga in Albanien, wie festgebannt.

Paxo liefert unter den jonischen Inseln das beste Öl, hat sehr viele Weinberge und zeichnet sich überhaupt durch Anmuth aus, wozu die vielen Windmühlen, die auf ihren Höhen stehen, nicht wenig beitragen. Auch die Küste von Albanien gestaltet sich gegen Prevesa hin bedeutend freundlicher, das Land wird fruchtbarer, ist zum Theil mit Waldungen bedeckt und lässt sehr freundlich gelegene Ortschaften wahrnehmen, z. B. Parga mit seiner Festung und seinen Minarets, Fanari, Regniassa etc.

Um 11 Uhr Vormittags beobachteten wir die Temperatur der Luft $= 12,1^\circ$; im Meere zeigte das Thermometer $11,1^\circ$. Um 3 Uhr Nachmittags zeigte das Thermometer im Schatten $12,8^\circ$, im Meere $11,0^\circ$.

Wenn man die albanesische Küste und die jonischen Inseln betrachtet, so kann man nicht umhin, auf den Gedanken zu kommen, dass leztere nur Theile der erstern seyen. Ich will damit nicht sagen, losgerissene Stücke; denn zu dieser Behauptung sehe ich keinen Grund. Nehmen wir, wie es doch wohl am besten seyn dürfte, die albanesischen Gebirge sowohl, wie die jonischen Inseln, als Emporhebungen an, so gehören leztere offenbar zum System der erstern. Das tiefe Thal zwischen beiden erhob sich nicht bis zur Oberfläche des Meeres, daher dasselbe noch heut zu Tag vom Meere bedeckt, Meerenge ist. Dass aber diese Emporhebung hie und da ganz nahe bis zur Oberfläche des Meeres stattgefunden habe, vielleicht noch fortdaure, das beweisen die vielen Untiefen und Sandbänke, die, obwohl sie durch schwimmende Tonnen bezeichnet sind, doch die Schifffahrt zwischen den Inseln und dem Festlande für grössere Schiffe sehr gefährlich machen. Abends bekamen wir contrairen Wind, der aber in der Nacht umschlug, so dass wir bis Mitternacht 30 Seemeilen machten, um welche Zeit der Wind wieder contrair wurde; jedoch hatten wir bereits die halbe Distanz zwischen Corfu und Patrass zurückgelegt.

Am Morgen des 28. befanden wir uns dicht an der Insel Sta. Maura, die aus demselben dichten weissen Kalkstein besteht, wie die übrigen bisher gesehenen jonischen Inseln. Wir umsegelten die Südspitze der alten Leokadia, das Kap Ducato, oder den leukadischen Felsen, von dessen Höhe sich einst Sappho in die Fluthen stürzte, eine sehr hohe, ins Meer überhängende Felswand des weissen Kalksteins, daher auch wahrscheinlich der Name. Die Insel scheint sehr gut bebaut zu seyn. Als wir das Kap Ducato passirt hatten, liefen wir in den Kanal zwischen Sta. Maura und Theaki ein. Lezteres, das alte Ittaca, um das Ulysses so lange suchte und das er hätte finden müssen, wenn ihm Ernst gewesen wäre, lag uns zur Rechten, so auch der nördliche Theil von Cephalonia am Kap Viscardo. Leztere Insel mit ihren vielen Weingärten, Ölwäldern, bebauten Feldern, den vielen Windmühlen auf den Rücken der Berge und den vielen Ortschaften bietet einen erfreulichen Anblick dar. Die Berge werden im Innern und besonders gegen das Südende sehr hoch, wo der Monte nero bis zu 4000 Fuss ansteigt und noch mit tiefem Schnee bedeckt war. Von der Produktionskraft der Insel kann man sich eine Vorstellung machen, da sie allein im Jahre 1835 an 100,000 Zentner Korinthen lieferte, welche meist nach Amerika, England und in die österreichischen Provinzen giengen.

Wir brauchten des contrairen Windes halber lange, um das Kap Marmacca zu umsegeln, die nördlichste Spitze von Ittaca. Bei dieser Gelegenheit kamen wir ganz nahe an die Insel. Ittaca besizt hohe Berge, die alle eine gerundete, gewölbte Form haben und bis auf ihre Gipfel mit

Strauchwerk bedeckt sind. Rechts lag uns der schöne Kanal von Viscardo und vor uns lagen die kleinen Inseln Arcudi und Jotaco, hinter denen die hohen Gebirge des Festlandes bei Dragomestre, der Prodromus des alten Akarnanien, emporsteigen. Unser Plan war, zwischen den Inseln Arcudi und Jotaco und der Insel Ittaca in den Meerbusen von Clarenza einzulaufen, doch der Wind gestattete uns nicht vor der Nacht die Ausführung *.

Wir kreuzten den ganzen Nachmittag zwischen der Bai Vassiliki auf Sta. Maura und dem Kap Oxoi und der Bai Afrikis auf Ittaca und sahen sogar bei Untergang der Sonne in weiter Ferne Berge des Peloponneses vor uns. Sämmtliche Inseln um uns her, mit Ausnahme von Cephalonia, schienen ohne Bäume zu seyn, daher sie ein kahles, ödes Ansehen hatten, obwohl eine Fülle von Strauchwerk, das bereits üppig grün war und ein Juniperus zu seyn scheint, sie bis auf die Gipfel ihrer Berge bedeckt.

Im Kalksteine der Inseln bemerkt man an den steilen Küstenwänden eine Menge Höhlen, deren Eingang meist im Horizonte des höchsten Meeresstandes liegt, daher sie auch wahrscheinlich ihren Ursprung den oft sehr heftigen Meeresbrandungen verdanken.

Um 11 Uhr Vormittags beobachteten wir heute die Lufttemperatur = 8,9, die des Meeres aber = 11,0. Um 3 Uhr Nachmittags die Temperatur der Luft = 9,3, die des Meeres = 11,1. Wir befanden uns damals in 38° 20' nördl. Breite. Diese Beobachtungen machen neuerdings auf eine Thatsache aufmerksam, die um so interessanter ist, da sie im Widerspruche mit den bestehenden Gesetzen der Wärmevertheilung zu stehen scheint und worauf, wenn ich nicht irre, A. v. Humboldt zuerst aufmerksam gemacht hat.

---

* Da viele Karten von Griechenland und den jonischen Inseln existiren, so finde ich es nicht für nöthig, hier eine eigene beizufügen; ich verweise daher unter den vielen auf die Karte der europäischen Türkei in 21 Blättern, entworfen im Jahr 1829 von dem k. k. österr. Generalquartiermeisterstab, sowie auf die Karte du Royaume de la Grèce par Mr. Altenhofen, Athènes 1838, in 8 Blättern. — Ob die neue französische Karte von Griechenland schon ganz vollendet ist, ist mir noch nicht bekannt.

Im adriatischen Meere, so wie hier, fanden wir stets die Temperatur des Meeres etwas höher als die der Luft, nur im Kanale von Corfu, so wie im Hafen selbst, welche Beobachtungen ich für unverlässlich hielt, fand gerade das Gegentheil statt, folglich an jenen Orten, wo das Meer voller Untiefen ist. Es scheint daher das Meer dort, wo es seichter ist, stets eine niedrigere Temperatur zu besitzen, während man doch das Gegentheil vermuthen sollte. Wahrscheinlich stehen jedoch bei seichtem Meer die Mittheilung der Wärme durch die Atmosphäre zu der Abkühlung durch Verdunstung gerade im umgekehrten Verhältnisse zu diesen Grössen beim tiefen Meere, so dass bei ersterm die Abkühlung die Erwärmung überwiegt, während bei lezterm der umgekehrte Fall ist. Somit dient das Thermometer als Sonde, indem es seichtere Stellen des Meeres durch Anzeige einer niedrigeren Temperatur zu erkennen gibt.

Vor einigen Tagen hatte der Mond nicht nur einen starken Hof, sondern auch noch einen Ring ausserhalb von ungefähr 30 Grad Durchmesser. Obwohl wir diese Tage klaren Himmel hatten, so scheint doch diese Erscheinung für die nachfolgende Witterung nicht ohne Bedeutung gewesen zu seyn, daher ich ihrer hier erwähne.

Am Morgen des 29. befanden wir uns im Meerbusen von Clarenza; die Witterung war kalt, neblicht, es fing an zu regnen und machte beinahe Miene zu schneien. Der Wind ging scharf aus S.O. uns gerade entgegen. Das Meer ging hoch, doch spielten eine Menge Delphine um unser Schiff, die sich von den hohen Wellen schaukeln liessen. Alle diese Kennzeichen deuteten auf anhaltenden Sturm hin.

Trotz der ungünstigen Witterung und den unangenehmen Vorbedeutungen hielten wir See. Wir sahen Vormittags Ittaca von der Rückseite, in der Gegend vom Kap St. Johann, gebirgig und holzarm. Cephalonia an der Rückseite vom Kap Alessandro bis zum Kap Skala mit einigen unbedeutenden Ortschaften und dem hohen Monte Nero. Der innere Theil der Insel scheint Waldungen zu enthalten. Weiter südlich breitete sich Zante vor unsern

Augen aus, die schönste der jonischen Inseln, die ihren
Namen: il fiore de la Levante vollkommen verdienen soll.
Wir sahen die Küste der Insel vom Kap Skinari bis zum
Kap Vasiliko mit dem herrlichen Monte Scopo. Die Form
dieses zu 2000 Fuss Meereshöhe ansteigenden, kahlen
Berges ist sehr zackig und ähnlich den wilden Kalkbergen
unsrer Voralpen. Auf seiner Spitze steht ein griechisches
Kloster. In S.O. hatten wir die ganze Umgebung des Meer-
busens von Klarenza vor uns; vom Fort Klarenza, dem alten
Hirmina, bis zum Kap Kologria und in der Mitte des weiten
Bogens erhob sich der olenische Felsen, heut zu Tag Sta.
Meri, als Beherrscher der umliegenden Berge. Weiter östlich
lag uns die Einfahrt in den Meerbusen von Patrass, zwischen
dem Kap Kologria und den Sandbänken, Prokopanistos von
Missolonghi in Aetolien, unser heissersehntes Ziel, das wir
aber noch lange nicht erreichen sollten. Zur Linken hatten
wir das Festland von Akarnanien und Aetolien in der Umgebung des Kaps Scrophes, zwischen welchem und den
weiter nördlich liegenden Busen von Dragomestre sich eine
Menge kleiner felsiger Inseln befindet. Die Gebirge zu
beiden Seiten des Aspro Potamos, des Achelous der Alten,
des Grenzflusses zwischen Akarnanien und Aetolien, ragten
hoch über die Inselgruppen herüber, unter ihnen der Zigos,
der alte Aracynthus in der Gegend von Missolonghi.

Eine so herrliche Umgebung, wie man sie nur selten
bei Seereisen findet, hätte eine bessere Witterung verdient,
aber diese wurde immer schlechter, und um Mittag war
es schlechterdings nicht mehr zum Vorwärtskommen. Wir
suchten anfänglich Schutz hinter der Insel Curzolari, ein
wilder, zackiger Kalkfelsen, da der Wind aber immer stärker
wurde, so mussten wir unser Heil weiter suchen, indem
an ein Einlaufen im Golf von Patrass nicht mehr zu denken
war. Der Kapitän wählte anfänglich den Hafen von Dragomestre als Zuflucht, später aber übernahm unser kühner
Pilote die Goëlette zwischen den Felseninseln durchzuführen,
um sich hinter Curzolari im Hafen der Insel Petala vor
Anker zu legen. Die Insel Petala liegt in dem kleinen
Archipel der akarnanischen Küste, zwischen Dragomestre

4 *

und Trigardou (dem alten Eniades), etwas nördlich von der Mündung des Achelous *.

Wir fuhren zwischen den Inseln Modi und Macri durch und fanden den Eingang in den Hafen von Petala zwar sehr enge, aber nicht gefährlich. Die Scrophi, kleine Felseninseln, wie die Scheeren an den Küsten Skandinaviens hier ringsumher angesäet, sind unwirthbare und grösstentheils auch unbewohnte Eilande, deren Vegetation jedoch als eine vortreffliche Viehweide benüzt wird. So sahen wir links des Hafeneinganges eine Menge Schafe, rechts aber Kühe weiden, von denen einige Glocken am Halse hatten, deren Töne nicht ganz ungeeignet gewesen wären, in uns Gebirgsbewohnern einen leisen Klang von Heimweh zu erregen. Der Hafen selbst ist klein und nur für kleine Schiffe geeignet, gibt jedoch den nöthigen Schutz. Als wir einliefen, lagen im Hafen eine griechische Goëlette und ein griechisches Boot; wie dieselben uns sahen, lichteten sie die Anker, gingen weiter in den Hafen, wohin wir wegen Mangels an Wasser nicht folgen konnten und legten sich hinter einen Hügel. Diess fiel uns natürlich sehr auf, und waren Seeräubereien an den griechischen Küsten auch nicht mehr an der Tagesordnung, so ereigneten sich doch manchmal solche Fälle. Da die Nacht anbrach, so wurden daher die Kanonen in Bereitschaft gehalten, alle Gewehre geladen, Bajonnete aufgesteckt und die Seesoldaten bezogen ihre Posten, während wir ruhig schliefen und die Griechen ohne Zweifel dasselbe thaten.

Heute Mittag um 11 Uhr beobachteten wir die Lufttemperatur = 8,6, Meerestemperatur = 10,3. Um 3 Uhr Nachmittags: Lufttemperatur = 10,0, Meerestemperatur = 11,2. Die Temperatur der Luft natürlich jederzeit im vollkommenen Schatten beobachtet.

* In Betreff der Lage sowohl als auch der Benennung der vielen kleinen Inseln zwischen den jonischen Inseln und Akarnanien hat unsere Generalstabskarte der europäischen Türkei einige Unrichtigkeiten. So z. B. stehen sich die Inseln Modi und Macri bei Weitem nicht so ferne, sondern viel näher, so heisst das Vorgebirge am Aspro Potamus nicht Sorophes, sondern Scrophes etc., Sachen, die jedoch nicht so viele Bedeutung haben, da im Ganzen die Karte vortrefflich ist.

Am frühen Morgen des 30. hatten sich die Nebel tief gesenkt und es regnete, das kleinere Boot fuhr um Wasser, und als es zurück kam, begaben wir uns sämmtlich auf die Insel, da der Himmel sich wieder etwas klärte. Wir ruderten vorerst gerade auf eine Höhle los, die sich im Kalkstein der Küste befindet; als wir sie betraten, fanden wir ein eben ausgegangenes Feuer der Hirten, das dieselben mit Lorbeerzweigen unterhielten. Am Fusse des Felsens badeten sich Pelikane, rings um uns war die Vegetation erwacht, alles grünte, Veilchen, Rosen, Hyazinthen blühten, Ginester, Rosmarin, Myrthen, Lorbeer- und Ölbäume in Fülle. Wir glaubten zu träumen, bezaubert zu seyn. Es war das Erstemal, dass wir auf südlichen Boden unsern Fuss sezten, denn in der Quarantaine zu Corfu sieht man nichts Ähnliches. Uns, aus nordischer Heimath kommend, war ein solcher Anblick im Januar ungewöhnlich neu; wir waren daher auch so froh gestimmt, dass wir wie Ziegen auf den Felsen herumsprangen.

Grosse Lämmergeier nisteten in den Felsen, sie umschwärmten uns längere Zeit, wir schossen darnach, waren aber zu ungeschickt, um zu treffen; wir sahen nur, dass sie sehr gross sind und nackte Hälse haben. Ich glaube, dass nicht ein Mensch ist, der zum Erstenmale auf irgend eine Insel kommt und nicht sogleich den Wunsch hegte, eine der Anhöhen zu ersteigen, um sich einmal umzusehen. Von einem solchen Axiom wollten wir keine Ausnahme machen und wählten uns hiezu den höchsten Punkt der Insel. Auf dem Wege dahin, wenn man so sagen kann, denn wir kletterten über Stock und Stein, trafen wir einige albanesische Hirten, die, wie gewöhnlich hier zu Lande, in grobes Leinenzeug gekleidet waren und wollene, weisse Mäntel über die Schultern geworfen hatten *. In ihren

---

* In Griechenland, sowohl auf dem Festlande als auf den Inseln, besonders aber auf ersterm und namentlich in Rumelien, finden sich sehr viele Albaneser, die mit ihrer ganzen Familie, mit Sack und Pack dahin kommen und sich niederlassen, theils wirklich sich ansässig machen, theils als Hirten sich herumtreiben, welches leztere man mehr und mehr abzubringen bestrebt ist. Daher die Erscheinung, dass man manchmal in ein griechisches Dorf gelangt, wo kaum eine Seele griechisch versteht.

Gürteln trugen sie Pistolen und lange Messer, sahen daher nicht sehr freundlich aus, um so mehr, da sie von grossen, schwarzen Hunden begleitet waren. Sie begehrten zu trinken, ein Wunsch, dem wir nicht willfahren konnten; wir wollten ihre Waffen besehen, womit sie aber nicht einverstanden waren, folglich war die Konversation kurz und um so einfacher, da wir nicht mit einander reden konnten. Wir sezten unsern Weg fort bis auf die Höhe, wo wir einige alte Eichen fanden, an denen wir unsere Pistolen versuchen wollten; das Holz war aber so hart, dass die Kugeln abprallten und wir beinahe in Gefahr gekommen wären, uns par ricochet zu erschiessen.

Die Aussicht von der Höhe der Insel ist allerliebst: man übersieht den grössten Theil des Archipels zwischen Akarnanien und den jonischen Inseln, die beiden Städte Dragomestre und Trigardon. Auf einer niedern Fläche der Insel waren weit ins Meer hinein Verzäunungen angebracht, die dazu dienen, Netze daran zu befestigen und so die Fische hinein zu treiben. Nebenan standen ein paar nette Fischerhäuschen.

Der Kalkstein, woraus Petala besteht, ist dicht und weiss und, so weit ich ihn sah, ohne sichtbare Versteinerungen. Der Kalk führt eine Menge Höhlen und ist auch im Kleinen voller Drusen, deren Wände mit Kalkspathkrystallen ausgekleidet sind. Der Bruch des Gesteins ist splittrig, sich zum Flachmuschligen neigend, und an der Oberfläche ist dasselbe ausserordentlich verwittert, so dass die Felsen von Aussen ein sehr zerfressenes poröses Ansehen haben. Schichtung konnte ich keine wahrnehmen. — Alle die kleinen Inseln dieses Archipels scheinen derselben Formation anzugehören und dem Systeme des Festlandes beizurechnen zu seyn, wenigstens ist es ganz derselbe Kalkstein; den ich bei meiner zweiten und grössern Reise in Griechenland als Hippuritenkalk bestimmte, und der im grössten Theile von Rumelien das herrschende Gebilde ist.

Am 31. um 4 Uhr Morgens erhob sich endlich der Sturm, der uns so lange gedroht hatte, in seiner ganzen Gewalt; er kam aus S.W. und erreichte um 8 Uhr eine

solche Stärke, dass er den bei Lissa erlebten noch weit
übertraf. Obwohl wir im Hafen vor dem grössten Andrange
des Windes und der Wellen geschüzt waren, wurde das
Schiff doch so herumgeworfen, dass unsere zwei Anker
zugleich loszulassen anfingen und man einen dritten aus-
werfen musste. Zu diesem Behufe wurde ein Boot mit 8
Mann abgesandt, doch kaum wollte es sich vom Schiffe
entfernen, so wurde es durch eine Welle unter das Vordertheil der auf- und niedersteigenden Goëlette geworfen; eine
zweite Welle und die Mannschaft des Bootes wäre vielleicht verloren gewesen. Mit wiederholter Anstrengung gelang es endlich, den Anker zu werfen, der auch sogleich
hielt und uns rettete, denn das Schiff war in grösster Gefahr, an die Felsen getrieben zu werden. Bei dem Ereignisse mit dem Boote waren einige Mann ins Wasser gefallen, wurden aber gerettet und vergassen gleich darauf
bei einem Glase Rum die überstandene Gefahr. So ist
der Matrose; stark, muthig, unverdrossen und verwegen im
Momente, in welchem ihm der Tod in vielerlei Gestalten
droht, ist er leicht wieder zufrieden gestellt, wenn man
seine Leistung nur anerkennt, und vergisst das Schreckliche seiner Lage. Er ist — und besonders fand ich es in
unserer Marine — das, was man einen seelenguten Kerl nennt.

Nachmittags und in der Nacht dauerte der Sturm
zwar fort, liess aber an Stärke etwas nach. Abends hatten
wir überdiess noch Donnerwetter mit Schlossen. Um diese
Zeit kam ein griechischer Kauffahrer an, der in Prevesa
Knoppern geladen hatte und nach Livorno segeln wollte.
Dieser wurde in lezter Nacht 80 Seemeilen südwestlich
von Cephalonia vom Sturme ergriffen und 120 Seemeilen
weit in den Hafen von Petala zurückgejagt.

Der 1. Februar begann mit einem herrlichen Morgen,
und da wir des fortdauernd contrairen Windes halber nicht
ausliefen, so gingen wir mit dem Frühesten wieder ans
Land. Wir landeten an der Nordseite der Insel und bestiegen den dortigen Berg, von dessen Kuppe wir eine
schöne Fernsicht genossen. Wir sahen über die Niederungen
von Trigardon bis nach Patrass in den Meerbusen, wo im

Jahr 1571 von der italienisch-spanischen Flotte unter Johann von Österreich gegen die türkische Flotte die siegreiche Schlacht von Lepanto geschlagen wurde. Auf unsrer heutigen Exkursion fanden wir ein eigenthümliches Konglomerat als Küstengestein; es sind Trümmer von dichtem Kalkstein, durch einen jüngern Kalk verbunden, ein Meereskalk-Konglomerat.

Unter den Pflanzen, die wir blühend auf Petala fanden, zeichneten sich vorzüglich aus: mehrere Arten von Aspidium, Hyacinthus, Ornithogalum, Cytisus und Arum Dracunculus, Amygdalus persica, Cheiranthus Cheiri, Ranunculus calthaefolius.

Ferner sahen wir, aber nicht blühend, mehrere Arten von Elichrysum, Ruta, Hypericum, Orchis etc., sowie: Cotyledon Umbilicus, Phlomis fruticosa, Olea europaea, Cyclamen hederaefolium, Ilex aquifolium tortuosum, Genista corsica, Scilla maritima, Ceratonia siliqua etc., viele, welche unser Botaniker Kotschi vor der Hand nicht bestimmen konnte.

Am 2. Februar um 6 Uhr Morgens liefen wir endlich mit frischem Winde und vollen Segeln aus dem Hafen von Petala aus, um 8 Uhr schon hatten wir Oxia passirt und sahen durch den Golf von Patrass in den grossen Meerbusen von Lepanto. Wir beobachteten um 11 Uhr Morgens Temperatur der Luft = 7,4, des Meers = 10,2. Um Mittag wurde der Wind wieder contrair, und wir kreuzten auf der Höhe von Missolonghi. Die Stadt selbst liegt am Strande in einer fruchtbaren Ebene, hinter der sich die hohen Berge von Ätolien erheben, die nahezu 6000 Fuss ansteigen und noch mit tiefem Schnee bedeckt waren. Die Formen dieser Berge sind scharf, ausdrucksvoll und geben der Landschaft einen grandiosen Ton. Wir sahen Nachmittags schon Patrass, mussten aber die ganze Nacht kreuzen, da der Wind uns am Einlaufen hinderte. Der volle Mond stieg über das Hochgebirge von Achaia herauf, und ein wahres Zauberlicht verbreitete sich über den Golf. Rings umschlossen von hohen Bergen, die uns in der Nacht noch viel höher erschienen, lag uns zur Linken das unglückliche

Missolonghi, das durch seine heldenmüthige Vertheidigung
bewies, was moralische Kraft vermag, und durch seinen
Fall zuerst die höhere Theilnahme für den griechischen
Kampf erregte und die erste Grundursache zu Griechenlands
Freiheit wurde. Ich sass auf dem Steuerbord des Schiffes
und sah hinüber auf das Städtchen, das im Mondenlichte
schimmerte, sah die Griechen auf den Wällen stürzen, sah
die Weiber mit Verzweiflung in den Kampf eilen, hörte
das Allah-Geschrei der Türken und sah auf einmal einen
Koloss neben mir, der mit seinen langen Armen unsere
Goëlette zu umfassen schien. Es war das zweite Paquetboot,
welches von Patrass nach Triest zurückkehrte und das zu
uns her fuhr, um mit uns zu sprechen. Ein eigner Anblick,
so ein Schiff mit vollen Segeln in der Mond-erhellten Nacht.
In der Täuschung des blassen Lichtes sind die Grössen-
verhältnisse ganz anders als in der Wirklichkeit; Masten,
Raen, Taue, alles hat so ein gigantisches Aussehen, und
dazu die tiefen Schatten — man denkt unwillkürlich an
den schwarzen Holländer, an das Geisterschiff, welches
rastlos alle Meere durchirrt. Doch diessmal wurden wir
in italienischer Sprache angerufen und natürlich um die
Ursache unseres langen Ausbleibens befragt; denn es war
heute bereits der 18. Tag unserer Abreise von Triest.
Das Schiff entfernte sich rasch wie ein Vogel mit geschwell-
ten Segeln, während wir im langweiligen Zickzack uns
plagten, vorwärts zu kommen. Wir blieben beinahe bis
zum Morgen auf dem Verdecke; denn die Nacht war zu
schön; es war eine jener klassischen attischen Nächte, in
denen der griechische Himmel seine Pracht mit seiner
Milde eint.

Am Morgen des 3. Februars warfen wir endlich Anker
im Hafen von Patrass.

Patrass, das alte Aroe, war damals erst im Werden.
Als ich die Stadt zu Ende 1839 wieder sah, war sie bereits
eine blühende Handelstadt, voll hübscher und ansehnlicher
Gebäude und von bedeutender, ich möchte sagen vierfacher
Grösse. Ich rede daher gegenwärtig nur von damals. —
Um 11 Uhr schifften wir uns aus. Der hölzerne Molo war

etwas schlecht und das Heraufheben der Kisten kostete
viele Mühe, wobei es zwischen den Griechen und unsern
Matrosen bald zu einer Rauferei gekommen wäre. Wie
Koffer, Kisten u. dgl. auf dem Molo standen, kam ein Zoll-
beamter und ersuchte uns, dieselben zu öffnen, woraus ich
sogleich sah, dass die Kultur bereits ihre Fittiche über
Hellas ausgebreitet habe; denn dergleichen Unbequemlich-
keiten hat kein unkultivirtes Land aufzuweisen. Da ich
jedoch vorzog, dieses Manöver, wenn es einmal seyn muss,
lieber im Gasthause vorzunehmen, als auf offener Strasse,
so war man auch damit zufrieden. Wir quartirten uns
im Hôtel de l'Europe ein, welches aus einem Zimmer und
zwei Kämmerchen bestand, die wir in Beschlag nahmen *.
Neben dem Zimmer war die Küche, gross genug für einen
Sparherd. Rechts stand eine junge, hübsche und noch
hübscher gewesene Frau, der der Fess recht gut liess, und die
nichts that. Links stand ein ältlicher, grämlicher Mann,
der kochte und in den Zwischenräumen Teller wusch.
Erstere war die Wirthin, leztrer der Wirth. Dieses Verhältniss war mir damals noch neu, und mir schien beinahe
Herkules habe an seinem Spinnrocken noch eine würdigere,
wenigstens entschieden eine galantere Rolle gespielt. Das
Mittagsmahl war köstlich, wenigstens kam es uns so vor.
Nach Tisch besuchten wir zuerst den österreichischen Konsul Zuccoli und verabredeten für hernach einen Gang durch
die Stadt. Zuccoli war nicht nur äusserst gefällig, nahm
sich unserer Reiseangelegenheiten nicht nur aufs eifrigste
an, und besorgte eine Goëlette für uns nach Lutrachi auf
dem Isthmus von Korinth, sondern er war mir auch in andrer
Beziehung interessant, da er nämlich als Dolmetscher der
Begleiter des Reisenden Caillaud im Innern von Afrika gewesen, bei Gelegenheit des Feldzuges Ismael-Pascha's gegen
die Neger 15 Tagreisen bis oberhalb Sennaar gekommen, folglich gerade der Mann war, der mir viele Aufschlüsse über
Länder geben konnte, die ich zu bereisen im Sinne hatte,
was er denn auch auf die gefälligste Weise that.

* Ich bemerkte noch einmal, dass es jezt in Patrass ganz anders
aussieht.

Ein grosser Theil der Stadt liegt in Ruinen; denn die Türken haben im lezten Kriege alles zerstört; was daher steht, ist neu. Die Ruinen des Schlosses, auf einem Berge liegend, der die Stadt und die Ebene am Fusse des Gebirges beherrscht, haben eine sehr pittoreske Lage. Unter den neuen Gebäuden waren damals sehr wenig solide und noch weniger hübsche, hingegen sah man sehr viele elende Hütten, grösstentheils aus Lehmziegeln erbaut. Die grössern Häuser hatten alle nur einen Stock, aber sehr hohe Erdgeschosse. Die Strassen waren ungepflastert und unrein. Im Hafen befanden sich meist nur griechische Barken, ein paar Kanonierboote als Wachschiffe und eine Korvette von 20 Kanonen, deren Kommandant der berühmte Branderführer Kanaris war. Das griechische Militär sah damals schon recht gut aus und glich in Uniformirung und Bewaffnung ganz dem baierischen, auch befanden sich in Patrass selbst noch mehrere baierische Offiziere.

Ich hatte anfänglich den Plan, von Patrass zu Lande über Vostitza nach Korinth zu gehen und bei dieser Gelegenheit das berühmte Felsenkloster von Megalospileon (die grosse Höhle, auch Megaspileon) zu besichtigen. Man widerrieth es mir aber allgemein wegen der vielen Räuber, welche die Strasse unsicher machten und die Einzelnen nicht nur beraubten, sondern ihnen auch Nasen und Ohren abschnitten. Vor Kurzem hatten sie auch ein englisches Haus in Vostitza angegriffen und ausgeraubt, wobei jedoch fünf der Räuber gefangen wurden. Da mir nebstdem um Eile zu thun war, so liess ich mich bereden und wählte den Seeweg, auf welchem ich ohnediess unser zahlreiches Gepäcke hätte senden müssen, da der Transport zu Lande zu viel gekostet hätte. Übrigens war das Ding nicht gar so arg; denn es waren in Allem nur 8 oder 10 solcher Kerls, und die hätten wir wahrlich nicht Ursache gehabt zu fürchten. Doch wenn man gerade so von Hause kommt und nie in ähnlichen Fällen war, so ist man meist so einfältig und leichtgläubig, dass man sich hintennach todtärgern könnte. Wie oft habe ich mich dieser Nachgiebigkeit geschämt und wie oft sie belacht, nachdem ich fast zwei Jahre lang unter wilden Völkern zugebracht hatte und ein mehr entschlossener, festerer Takt in mich gekommen war. Ich schloss also mit dem Kapitän der Goëlette, die uns nach Lutrachi bringen sollte, einen eigenen Kontrakt. Nachdem dieses Geschäft besorgt war, machten wir einen Gang auf die alte Citadelle. Auf dem Wege dahin hatte ich Gelegenheit zu beobachten, welche Armuth, welcher Mangel, gepaart mit Unreinlichkeit, damals in den Hütten des gemeinen Volkes herrschte. Mehrere Jahre später durchreiste ich ganz Griechenland, hielt mich häufig in Dörfern auf und fand, die Maina ausgenommen, wo es entschieden der unwirthbare Boden und die Übervölkerung mit sich bringen, nirgends mehr das, was ich damals in einer der ersten Seestädte des Peloponneses gesehen habe. Das ist gewiss ein glänzender Beweis, dass die Wohlfahrt der Bewohner Griechenlands unter der Vorsorge der Regierung im vollen Aufblühen begriffen ist. Damals war nicht nur der Peloponnes wegen Räubern gefährlich zu bereisen, sondern es war ganz Rumelien, besonders die Umgegend von Missolonghi in einer solchen Unordnung und so voller Räuber, dass man gegen sie ordentlich zu Felde ziehen musste. Jezt ist alles ruhig und sicher, und schon ich fand im Jahr 1839 nur ein paar Punkte im Peloponnes, wo man von Räubereien redete. Diess ist doch viel von einem Volke, welches kaum ein Jahrzehend aus dem Zustande der schrecklichsten Demoralisation, der niedrigsten Sklaverei herausging und in die Reihe der kultivirten Völker eintrat.

Der Umfang der Citadelle ist sehr bedeutend, und man sieht in ihrem Umkreise einige alterthümliche Denkwürdigkeiten, als Cisternen, Säulen, den jonischen Löwen in verschiedenen Auflagen etc., ein Minaret sammt verfallener Moschee, ein durchschossenes Thor. Doch schöner als all dieses Zeug ist die herrliche Aussicht von oben. Man übersieht die ganze, prachtvolle Umgebung des Meerbusens von Patrass bis hinaus zur Insel Curzolari. In der Citadelle sieht man auch ferner noch die Reste einer alten Wasserleitung, deren Steine durch einen auffallend festen Kitt zusammengekittet sind, und neben der sich ein sehr grosser Platanus erhebt, der 3 Fuss ober der Erde so dick ist, dass 4 Männer ihn nicht umfassen, und der vielleicht seine 300 Jahre zählt, doch aber noch freudig grünt.

Der Felsen, worauf die Citadelle steht, gehört einem nagelflueartigen Konglomerate an, jünger als das, welches in den Bergen um Megalospileon eine so grosse Rolle spielt, sich zu Meereshöhen über 6000 Fuss erhebt und den Kreidekalk zu bedecken scheint. Das von Patrass enthält häufig Versteinerungen noch lebender Arten von Meerchonchylien und scheint eher ein Diluvium zu seyn, während jenes in das Bereich der Molasse fallen dürfte. Dieses Konglomerat zieht sich weit hinter das Schloss gegen das Gebirge hin. Die Geschiebe, welche es enthält, sind Trümmer von Hornstein, Jaspis und Porphyren. Das Bindemittel ist eine sandige Kalkmasse. Die Elemente des Gesteins stammen aus den Thälern des Gebirges zwischen Kalavrita und Patrass, wo sich dieselben nachweisen lassen*.

An Pflanzen sammelte Kотsсни in der Umgebung der Citadelle, nach seiner Bestimmung: Astragalus gummiferus (Link), Anemone hortensis, Arum pictum, Adianthum capillus Veneris, Nerium Oleander, Lycopodium helveticum, Statice sinuata, Allium Chamaemoly, Arten von Fumaria und Asclepias.

Zu unsrer Reise von hier nach Athen erhielten wir zwei neue Gefährten, die sich unsrer schwimmenden Karawane anzuschliessen wünschten, und zwar Hrn. Timoteo, Lieutenant bei der österreichischen Marine, und Hrn. Ökоnomo, Kaufmann aus Corfu, die wir natürlich auch sehr gerne aufnahmen.

Am 5. machte ich mit Voitanek, Kотsсни und ein paar Arbeitern eine Exkursion in das Thal der Lefka, welche

---

* Die auf meiner ersten flüchtigen Reise durch einen Theil Griechenlands flüchtig gesammelten wissenschaftlichen Notizen sind sowohl ihres innern Werthes halber als ihrer Ausdehnung wegen zu wenig bedeutend, als dass ich sie, wie im Verlaufe der Reise geschehen wird, in eigenen Abschnitten behandeln könnte, ich lasse sie daher im Kontakte der Erzählung mitgehen, wie sie kamen.

hier aus den Gebirgen Achaias hervorbricht und eine tiefe Schlucht bildet. Auf dem Wege dahin fanden wir in der Ebene nur Meeresalluvionen in Verbindung mit denen der Bergströme: Sand, Gerölle, den jüngsten Meeressandstein. Im Eingange der Schlucht findet man häufig Geschiebe von dichtem Kalkstein, Feuerstein, Hornstein, Thonschiefer u. dgl., bis man endlich an das anstehende Gebirge selbst kommt. Zu unterst fanden wir einen rothen, schiefrigen Sandstein, der einerseits in Thonschiefer, andrerseits in Hornstein deutlich übergeht. Dieser schiefrige Sandstein enthält mächtige Lagerstätten von rothem, grünem, blauem, weissem und buntem Hornstein, der für sich ausgezeichnet geschichtet ist und hie und da etwas Kupferkies und Bleiglanz eingesprengt enthält. Auf diesen schiefrigen Sandstein legt sich der deutlich geschichtete, dichte Kreidekalk des Peloponneses, der an der Lefka, dort wo wir nämlich ihn sahen, keine Versteinerungen enthält, wenigstens fand ich keine, und der auf Nestern und Nieren Feuerstein und Hornstein in seiner Masse umschliesst. Auch dieser Kalk wird hie und da sandsteinartig.

Am 6. war der Jahrestag der Landung Sr. Majestät des Königs Otto, ein Nationalfesttag. Alles zog seine Festkleider an, die Schiffe flaggten, hängten ihre Signale an die Taue zwischen den Masten und salutirten, jedes mit 21 Kanonenschüssen, während des Gottesdienstes. Auch der Himmel that das Seine, die Sonne stieg rein und klar über Hellas auf und belebte es mit Frühlingswärme. Wir machten unsere Besuche am Lande und an Bord der beiden Kriegsschiffe, beurlaubten uns von unsern Freunden an Bord der Enrichetta und rüsteten uns zur Abreise. Den ganzen Tag hindurch zogen Masken in den Strassen herum, tanzten vor den Häusern und in denselben nach einer höchst misstönigen Musik, die sie mit Trommeln und einer Art Schalmeien zu Stande brachten. Die Masken bezogen sich meist auf mythologische Gegenstände, Anklänge aus der alten klassischen Heldenzeit, und waren im Ganzen sehr hübsch, so wie überhaupt dem Griechen eine gewisse angeborne Grazie eigen ist. Alle seine Bewegungen, sein Gang, haben einen Grad von

Elastizität, die man nicht leicht bei einem andern Volke und in einem andern Lande trifft. Allen diesen südlichen Völkern, in denen eine grosse, glorreiche Erinnerung lebt, ist der Sinn fürs Schöne, für Grazie in Form und Bewegung angeboren und eigen. Diess ist auch leicht erklärlich. Der Grieche, der Italiener, geboren unter einem milden Himmel, lebt in einer warmen Luft, in einem strahlenden Lichte und sieht von Kindesbeinen an jene Muster der höchsten Kunstvollkommenheit, des vollendetsten Ebenmasses, die ihm seine Voreltern überliessen, und die, wenn wir von Originalität sprechen, noch immer unerreicht dastehen. Diese Bilder prägen sich ihm ein, werden ihm zur Natur, gehen in sein Leben über, daher die herrlichen, wahrhaft ästhetischen Körperformen im Süden. Die Wissenschaft, das Abstrakte, das ernste Nachdenken fordert einen andern Himmel, ein praktisches Volk. Die Kunst aber, glaube ich, kann ihre Vollendung nur dort erreichen, wo lebensvolle Poesie zu Hause ist, und das wahrhaft Schöne, das Vollendete der Form kommt aus dem Süden, von dem aus die Veredlung des Menschen ging.

Abends gingen wir an Bord der Goëlette des Kapitäns Nikolo, lichteten bald darauf die Anker und segelten mit einem schwachen Winde in den Meerbusen von Lepanto ab. Der kleine Raum unseres Schiffes, unser vieles Gepäck, wir selbst, aus 15 Personen bestehend, machten unsere Existenz höchst unbequem. Ausserdem war noch eine griechische Familie an Bord, bei der sich eine sehr liebe junge Frau befand, der man natürlich, um ihr die Leiden der Seereise nicht noch mehr zu erhöhen, einen geräumigen, den besten Platz geben musste. Ausserdem hatten wir in unserem Kreise drei Kranke, diese bekamen einen zweiten bequemen Platz, der dritte bequeme Platz war auf dem Verdecke, weitere Abtheilungen existirten nicht. Ich lag neben dem Steuermann, einem alten Kerl mit buschig herabhängenden Augbraunen. Derselbe hatte seine Laufbahn als Mozzo (Schiffsjunge) begonnen, diente später als Seeräuber und befähigte sich in dieser Schule zum Steuermann auf einem Handelsschiffe. Bei der ersten Wendung des Schiffes

bemerkte ich, dass von unserer Schiffsmannschaft Jeder
kommandirte und Jeder seinem eigenen Kommando Folge
leistete, ohne sich um den Andern zu bekümmern. Ich machte
darüber dem Kapitän Vorstellungen, doch dieser fand das
ganz natürlich und sagte: Hier hat Jeder zu befehlen, denn
wir sind alle gleich, haben das Schiff und die Fracht zu
gleichen Theilen. Ich bin nur Kapitän par honneur.

Wir fuhren die ganze Nacht und waren den andern
Morgen wieder vor Patrass. Diese süsse Überraschung kam
auf folgende Art: Wir hatten in der Nacht glücklich die
Dardanellen von Lepanto, das Schloss Rhium auf Morea,
und das Schloss Antirhium in Rumelien passirt, und waren
in den Meerbusen von Lepanto eingetreten, da packte uns
die Ebbe, in Folge welcher das Wasser in den Morgenstunden
aus dem Golf auszieht, und führte uns, da wir wegen Mangels
an Wind nicht widerstehen konnten, wieder zurück. Da
keine Aussicht war, vor Abend Lepanto zu erreichen, so
liessen wir das Schiff an die Mauern von Antirhium bringen
und gingen ans Land.

Wir besahen die Festung, die nicht im sonderlichsten
Zustande war, und gingen zu Fuss nach Lepanto, welches
nur $2\frac{1}{2}$ Wegestunden entfernt ist. Der Weg führte uns
dicht am Meere hin durch Myrthen-Gesträuch, zwischen
dem die Anemonen freudig blühten. Es war ein herrlicher
Frühlingstag.

Auf unserer linken Seite waren die Gehänge des Rigani,
hinter dem sich der Corax erhebt, welchen wir aber nicht
sahen. Die geognostischen Verhältnisse sind dieselben, wie
wir sie in der Lefka bei Patrass beobachteten, nur trat
hier unter dem dichten Kalkstein ein grüner Sandstein hervor, dessen geognostische Stellung, selbst ohne Versteinerungen als Führer zu haben, wenigstens als wahrscheinlich
zu errathen seyn könnte.

Da wir bei unserm Eintritt in Lepanto, welches nicht
so sehr in Trümmern als in förmlichem Schutt lag, ein
Gefühl im Magen hatten, das den Menschen für jede edlere
Anschauung unfähig macht, so gingen wir schnurgerade auf
das Kaffehaus los, das einzige des Ortes. Ein bescheidenes

hölzernes Hüttchen, stand es einsam auf einem Schutthaufen, schmutzig zum Zurückschaudern, aber ganz poetisch mit Myrthen Festons verziert.

Lepanto lag damals ganz in Ruinen, Festung und Stadt, so dass vielleicht nicht mehr als 400 Menschen im ganzen Orte hausten. Die Einwohner waren meist Sulioten, Reste aus der Zeit des Freiheitskampfes, die hier als Besatzung stationirt waren. Abends kam unsere Goëlette und zugleich ein englischer Kauffahrer an. Wir gingen an Bord, weil wir am Lande keinen Ort sahen, um unser müdes Haupt hinzulegen. Während der Nacht stürmte es auf der See, wir machten uns alle im Raume zusammen, doch Morgens entstand auf einmal Gewirre unter den Erwachenden, einzelne Verwünschungen liessen sich hören, und Einer suchte über den Andern aus dem nur 4 Fuss hohen Raum hinaus zu kommen. Es regnete nämlich sehr stark, das Wasser sammelte sich auf dem Verdecke und brach auf einmal, da doch nichts vollkommen ist, durch die Fugen des Verdeckes auf unsere Betten herab, so dass wir bis auf die Haut nass waren. Mich dauerten nur die armen Kranken, die liegen bleiben mussten und denen wir durch Aufspannung von Tüchern zu helfen suchten; denn wir andere eilten ans Land. Der Regen dauerte den ganzen Vormittag und auf den hohen Bergen ringsum schneite es. Nach Tische gingen wir auf die Citadelle. Der Weg dahin führte uns durch enge, schmutzige Strassen und über Schutthaufen, zwischen denen Orangen-, Citronen- und Johannisbrod-Bäume ihre Äste ausbreiteten. Auch einige Dattelpalmen sahen wir; man sieht es jedoch den Armen an, dass sie ferne von ihrem Vaterlande leben.

Längs des Weges sieht man die Schichten des dichten Kalksteins mit einem schiefrigen, rothen Sandsteine wechsellagern und wellenförmig gebogen. In dem darunter liegenden, ebenfalls rothen und schiefrigen Sandsteine fanden wir verkohlte Pflanzenreste, die aber keine Bestimmung zulassen. Die Fernsicht von der Festung, einem Reste der Venetianer, ist zwar durch die hohen Berge von Achaia sehr beschränkt, doch sieht man den Golf hinauf bis Korinth, hat gegenüber

die Schneegipfel des Chelmos bei Kalavrita und Megalospileon, das freundliche Vostitza, und sieht ausser dem Golf
von Lepanto die Stadt Patrass mit den Schlössern von
Rhium und Antirhium *. Der dicht hinter der Festung liegende hohe Gebirgszug nimmt derselben ihre militärische Bedeutung, indem sie von dessen Gehänge aus beherrscht
wird. In der Festung befinden sich Reste und Trümmer
von Kasematten, Brunnen, einer Moschee, und die eisernen
Thore liegen noch so am Boden, wie sie zur Zeit des
Sturms fielen. Der Kampf um die von 3000 Türken ver-
theidigte Festung dauerte zwei Monate, bis sie durch einige
hundert Griechen genommen wurde.

Am 9. hatte sich die Witterung in so weit gebessert,
dass wir wieder auslaufen konnten, doch geschah diess der
Saumseligkeit des Kapitäns wegen erst spät, und wir geriethen
wieder gerade in die Zeit, wo die Strömung uns entgegen
war. Wir kamen nur sehr wenig vorwärts, und da Nachmittags noch überdiess Gegenwind kam, so mussten wir
hinter der kleinen Insel Trisonia in einen kleinen, ganz
abgelegenen Hafen einlaufen. Unser Schiff lag am Fusse
des Pindaros, der nicht mit dem Pindus bei Agrapha zu
verwechseln ist.

Wir gingen sogleich ans Land und betraten das
Gebiet von Locri ozoli. Rings herum sahen wir nichts von
menschlichen Wohnungen, und da wir in unsrer Küche auf
Kaffe und Feigen reduzirt waren, indem unsere Reise in
dem Golf schon über Gebühr lange dauerte und wir in Lepanto den ganzen Vorrath unsres Wirthes aufgezehrt hatten,
so sehnten wir uns sehr nach menschlicher Gesellschaft.
Wir gingen daher weit umher und fanden endlich albanesische Hirten, welche, ohne uns nur sehen oder hören zu
wollen, davon liefen. Als wir wieder an Bord kamen, bat
uns der Kapitän, ja diese Nacht Wache zu halten, denn
wir seyen wegen Räubern, von denen seiner Schilderung
nach Rumelien wimmeln sollte, in grosser Gefahr. In der
Überzeugung, dass diese Aussage des Kapitäns eines starken

---

* Auch Rhion und Antirhion.

Corrections-Coëfficienten bedürfe, vertheilte ich aber doch der Vorsicht wegen die Wachen und bezog selbst die erste mit PRUCKNER und noch drei Andern. Nicht ohne Bedeutung sah ich oft an das nur wenige Klafter entfernte Land, denn ich hoffte in der Dämmerung nicht einen Räuber, sondern irgend ein herumirrendes Schaf zu sehen. Doch vergebens. Ich übergab meine Wache an TIMOTHEO und schlief gut, erwachte aber wie die Übrigen, jeder mit dem ärgsten Feinde in sich selbst.

Am frühen Morgen des andern Tages liefen wir aus, wie wir aber in die Hafeneinfahrt kamen, zog uns der Wind mit einer solchen Sturmesgewalt entgegen und die Mannschaft manöuvrirte wieder so schlecht, indem jeder seinem Kopfe folgte und der Kapitän am Steuerbord auf den Fersen hockte und aus vollem Halse schrie, dass die Goëlette beinahe wäre umgeworfen worden. Unsere hübsche Dame sank fast in Ohnmacht, wir fingen uns an dem, was wir erwischten, die Raen des Hintermastes fielen ins Wasser, und wir kehrten also wieder um.

Heute liefen die Hirten nicht davon, bald loderten zwei herrliche Feuer, an jedem drehte sich ein Schaf, auch die See spendete ihre Gaben. Es war ein Festmahl auf frischen Rasen, Myrthen und Oleander umgaben uns. Nach Tisch zogen wir auf Entdeckungen aus.

Die geognostischen Verhältnisse der Insel sind dieselben, wie die des Festlandes, nur dass hier der dichte Kalkstein Lager eines sehr thonigen Mergels enthält, der Bruchstücke von Kalkstein eingeschlossen führt. Dicht an der Meeresküste findet man eine Bank von ganz jungem Meeressandstein, so wie auch einen weissen, dichten Kalkstein mit inwohnenden, lebenden Korallenthierchen — also ein Korallenriff? Indess getraue ich mir nicht zu entscheiden, ob sich diese Thiere später hinein gemacht haben, oder ob sie die Bildner dieses Gesteins sind.

Unser KOTSCHI fand, nach seiner Bestimmung, einen Citisus, vielleicht creticus, der sich in der Pracht seiner gelben Blumen herrlich ausnahm. Ferner fand er: Pistacea lentiscus, Pistacea terebinthus, Calendula officinalis in voller Blüthe.

5 *

Am Bord bezogen wir wieder unsre Wache, und am frühesten Morgen des 11. Februars liefen wir endlich aus. Um Mittag waren wir erst Vostitza gegenüber und sahen die herrlich geformten, scharfen Berge bei Megaspileon, welche mit tiefem Schnee bedeckt waren; zugleich entdeckten wir in der Ferne die blauen Berge bei Lutrachi, unsern Bestimmungsort. Vostitza, auf einer Anhöhe liegend, gewährt am Fusse der hohen, mit Schnee bedeckten Berge einen um so schönern Anblick, da es recht hübsche Häuser besizt, indem mehrere auswärtige Familien sich dort etablirten, und es überhaupt ein Ort ist, der einer vollen Blüthe rasch entgegen geht. In der Nacht beobachtete ich einen schönen Fall von Phosphorescenz eigenthümlicher Art. Ein ausgeworfenes Tau wurde eingezogen; als es noch ganz nass war, strich ich mit der Hand darüber und es leuchtete stark, nahm ich aber ein Metall, z. B. Eisen, und fuhr mit demselben darüber hin, so leuchtete das Tau nicht. Diess wiederholte ich oft, bis endlich das Leuchten durch Reibung mit der Hand immer schwächer wurde. Das Meer leuchtete nicht in dieser Nacht, doch schien offenbar die leuchtende Materie aus dem Meere gekommen zu seyn, denn die trockenen Taue leuchteten nicht. Warum aber fand keine Lichtentwicklung statt, wenn das Tau mit einem Metalle gestrichen wurde? Hat die Ursache statt, dass ein Metall ein besserer Leiter ist, als der menschliche Körper, so haben wir hier einen Fall, der für das Vorhandenseyn der Elektrizität, vielleicht als einleitende Ursache der Phosphorescenz, wenigstens im vorliegenden Falle, spricht. In dieser Nacht leuchteten auch Fischgräten, die auf dem Verdecke lagen, sehr stark und theilten ihr Licht auch andern Körpern, z. B. den Kleidern, mit. Zu unsern Leiden — Wein, Kaffe, alles war zu Ende — gesellte sich ein neues, das wir in seiner ganzen Fülle noch nicht gekannt hatten. Unsre Griechen, in der Nacht mit der Leitung des Schiffes beschäftigt, verfielen auf den Gedanken, zu singen. Wer diese monotonen Nasentöne nie gehört hat, besonders dann, wenn man im Begriffe ist, einzuschlafen, der kennt nicht diese Qual. Wenn ORPHEUS so gesungen hat — und wahrscheinlich that er diess — so wundert mich nicht, dass er die ganze Natur in Aufruhr brachte. In der Nacht wurde uns der Wind wieder günstig und mit Anbruch des Tages, am 12., befanden wir uns am Eingange des Golfes von Korinth.

Um 10 Uhr standen wir mitten in dem kleinen Meerbusen. Zur Linken hatten wir das felsige Kap von Lutrachi, oder Lutrachori, mit seinen steil ansteigenden Felsenwänden. Vor uns den Isthmus mit geringen Erhöhungen, eine Ebene. Zur Rechten endlich hatten wir Korinth, einst Griechenlands schönste Stadt. Das ist sie nun nicht mehr: denn auch über sie hin ging die Zerstörung; aber ihre Umgebung blieb und ist noch immer eine Zierde des Landes.

Am Fusse hoher, mit Schnee bedeckter Berge liegt sie mit ihrer Festung Akrokorinth, in der fruchtbarsten Ebene, die Griechenland besizt, vor sie das Meer. Ein weiter Garten ist das ganze Land um sich her, die Heimath der kleinen Rosinen, die unter dem Namen Korinthen in den Handel kommen, eine Traube, die nur auf ganz gutem Boden gedeiht. In dieser schönen Ebene liegen noch mehrere Ortschaften zerstreut.

Um Mittag endlich warfen wir vor Lutrachi Anker. Die ganze Ortschaft besteht aus zwei Häusern, wovon das eine eine Kaserne für die Gendarmerie, das andere ein Traiteur-Haus ist. Ausserdem befinden sich noch daselbst die Trümmer einer Moschee und einige Stallungen ohne Dach und Fenster. Ich ging sogleich ans Land, um mich wegen Pferden oder Kamelen * zu erkundigen, um unsre Effekten nach Kalamaki auf die andere Seite des Isthmus zu schaffen. Jedoch die einzigen vorhandenen hatte ein venetianischer Comte in Anspruch genommen, der gerade im Begriffe war, mit seinem Doktor und einer Griechin von Corfu dahin abzugehen. Ökonomo und Ringler begleiteten ihn, lezterer mit dem Versprechen, sich daselbst um Pferde oder Kamele umzusehen. Der Kapitän des Schiffes erhielt

* Aus der Zeit der Invasion Ibrahim Pascha's in Griechenland blieben mehrere Kamele zurück, die man zum Waarentransport von Lutrachi nach Kalamaki verwendete.

für die Fahrt von Patrass hieher 20 spanische Thaler, und
als ich ihm sagte, dass wir, wegen Mangels an einem Quartier,
noch eine Nacht an Bord schlafen werden, verlangte er
dafür aufs neue 10 span. Thaler. Dieses unverschämte Be-
gehren wurde ihm natürlich nicht bewilligt, und er war
zulezt mit einem Thaler zufrieden. Nicht weniger unver-
schämt war der Traiteur; er stieg mit den Preisen seiner
Lebensmittel während unserer Anwesenheit um das Vier-
fache, und zulezt mussten wir für drei Hühner einen Dukaten
bezahlen.

Den Rest des Tages verwendeten wir dazu, uns in der
Nähe umzusehen. Das herrschende Gestein in Lutrachi ist
ein dichter Kalkstein mit Nestern von Hornstein, und weiter
gegen den Isthmus hin legen sich die Meeresdiluvionen darauf, welche die Niederung bilden, die beide Meere trennt.
Aus dem dichten Kalksteine entspringen in der Nähe der
Kasernen warme Quellen, die früher als Mineralbad benüzt
wurden. Bei einer Lufttemperatur von $+ 12^\circ$ zeigte die
bedeutendste Quelle eine Temperatur von $+ 26^\circ$. Der Geschmack des Wassers ist salzig und der Geruch nach Hydrothionsäure war nicht zu verkennen, besonders wenn man
die befeuchtete Hand mit einem Tuche trocknete. Dicht
am Meere, also auch in der Nähe der Quellen, legt sich
ein Kalktrümmergestein auf den dichten Kalk. Die Quelle
kommt aus dem Kalke, das ist entschieden; denn die Kalkbreccie spielt eine ganz unbedeutende Rolle, und ich bin
ungewiss, ob ich sie für ein ursprüngliches Meeresdiluvium
ansprechen soll, oder ob sie vielleicht als Breccie in Blöcken
von der Höhe durch die Schluchten herabkam und in Stücke
zerfiel, die durch Hülfe des Meeres neuerdings zu einer
sekundären Breccie vereint wurden. Dass die Quelle keinen
Kalkgehalt zeigen soll — wie Dr. FIEDLER meint, aber ohne
eine Analyse anzugeben* — das ist meiner Ansicht nach
kein Beweis gegen ihren Ursprung im Kalke. Sie kann,
wie FIEDLER richtig sagt, ihren Herd tiefer haben. Dort
kann sie aber auch die Bestandtheile erhalten, welche sie

* Reise durch alle Theile des Königreichs Griechenland etc. I. Theil,
S. 229. Leipzig 1840.

besizt, die ich aber nicht kenne, ohne dass sie auf Ihrem
Wege durch den Kalk, vielleicht schon ihrer herabgesezten
Temperatur halber, mit ihm in chemische Wechselwirkung
zu treten braucht. Ob dieser Herd im Serpentin liegt, darüber könnte auch nur eine Analyse höchstens zu Vermuthungen berechtigen; denn ob Serpentin wirklich darunter
liegt, das weiss man nicht, es könnte auch Thonschiefer,
Grünsandstein oder der rothe schiefrige Sandstein von Lepanto seyn, die mit Ausnahme des in Glimmerschiefer übergehenden, offenbar ältern Thonschiefers, alle zur Bildung
des Macigno, zur Formation des Grünsandsteins und der
alten Kreide zu gehören scheinen. Dass jedoch ein vulkanischer Herd in der Tiefe hier vorliegt, darüber dürfte,
glaube ich, kein Zweifel seyn; denn dafür sprechen mehrere
Thermen in der Umgebung, vielleicht Zweige eines Stammes
mit der von Lutrachi, und vor Allem die nur wenige Stunden
entfernte Solfare von Sussaki, die auch im dichten Kalksteine liegt; denn die übrigen Felsgebilde in ihrer Umgebung
sind lauter Zersetzungs- und Umwandlungs-Produkte der
chemischen Reaktion der Dämpfe auf den Kalk und die mit
ihm auftretenden, angeführten Straten; übrigens glaube ich
hier auch, den geognostischen Verhältnissen in Griechenland und überhaupt zufolge und gemäss der vulkanischen
Rolle, die der Serpentin in diesem Lande, wie in Toskana
ganz entschieden spielt, an sein Vorhandenseyn in grösserer Tiefe.

Am 13. begannen wir mit Tagesanbruch unsere Effekten auszuschiffen. Da wir keinen andern sichern Platz
hatten, als die Ruinen der alten Moschee, welche zum Theil
in eine griechische Kirche umgewandelt war, so liessen wir
alle unsere Koffer und Kisten dahin bringen, Plätze für
die Kranken bereiten und quartierten uns endlich selbst
dort ein. Ringler kam im Laufe des Vormittags von Kalamaki mit der Nachricht zurück, dass vor zwei Tagen kein
Pferd oder Kamel zu bekommen sey. Unsere Lage war
etwas fatal. Die Nächte waren sehr kalt, wir und unsere
Sachen waren auf dem schlechten Schiffe ganz nass geworden,
bei unserem Wirthe waren keine Lebensmittel mehr zu

bekommen, und hätten wir uns auch in alle seine Forderungen
gefügt; ferner hatten wir drei Kranke, Szlabey, Langgner
und Fumanelli, die natürlich am meisten litten. Da beschloss ich denn, selbst nach Korinth zu gehen und durch
den dortigen Heparchen Pferde zu requiriren. Einige von
den Unsern begleiteten mich, wir waren alle zu Fuss und
hatten einen Führer mit seinem Esel mit, der unsere Mäntel
trug. Der Weg führte dicht an der Küste des Isthmus hin
und war durch den starken Regen so schlecht geworden,
dass wir nur sehr schwer vorwärts kamen. Die Vegetation
zeigte nichts Besonderes. Myrten, Pistaceen, Phlomis und
Euphorbien bilden über den ganzen Isthmus eine schöne Aue.
Eine Stunde vor Korinth ist das Meeresdiluvium, welches
den Isthmus bildet, entblösst. Man beobachtet Meeressandstein, der sehr grosse Geschiebe von dichtem Kalk und
Hornstein führt, die durch ein kalkiges Cäment vereint sind.
Einige dieser Bänke sind ganz versteinerungslos, andere
enthalten sehr viele Meerkonchylien, und mehrere Muschelbänke wechseln mit diesen Straten. Alle Konchylien gehören noch lebenden Arten an und finden sich in den den
Isthmus umgebenden Meeren.

Als ich das erste Mal in Griechenland war, befand sich
noch viel landesherrlicher Boden in Korinth, der noch keiner
Bewirthschaftung unterlag; wegen der ganz vorzüglichen
Güte aber war in wenigen Jahren das ganze Terrain vertheilt und die ganze Gegend ringsumher kultivirt. Der erste
Mann, der mir beim Eintritt in die Säulenstadt begegnete,
war seinem Gesichte nach ein Deutscher, und als ich ihn
deutsch anredete, sah ich, dass mich meine Physiognomik
nicht getäuscht hatte. Er war Schlosser und zugleich
Muster-Ökonom, indem er die Wirthschaft eines bedeutenden
Grundbesitzers leitete, d. h. sie ganz ruhig so gehen liess,
wie sie auch ohne ihn gegangen wäre.

Vorerst bestellten wir uns ein Zimmer im Gasthause,
welches wir auch sogleich erhielten, doch waren die Fenster
zerbrochen, und es war ohne Tische, Stühle und Betten.
Als ich mich besonders um leztere, wenigstens um Stroh,
erkundigte, zuckte der Wirth lächelnd die Achseln und sagte,

Betten seyen in seinem Gasthause nicht gewöhnlich und
Stroh fände sich auch keines. Zugleich aber versprach er
uns einen tüchtigen Pilaw mit Hühnern, wodurch er mich
und meine Gefährten ganz für sich gewann; denn so etwas
hatten wir seit Patrass nicht mehr gesehen.

Der Heparch, der fertig deutsch und französisch sprach,
ging mir mit der grössten Gefälligkeit an die Hand und
bestellte sogleich 12 Pferde, um unsere Effekten von Lutrachi nach Kalamaki zu bringen. So war also die Hauptsache abgethan und die Nachricht des Gelingens überbrachten
sogleich zwei meiner Leute nach Lutrachi zur Tröstung
für die Dortgebliebenen.

Der Wirth hatte Wort gehalten, ein kleines Tischchen und
einige Stühle erschienen, und die Hauptsache mangelte nicht.
Nach gepflogener Dessert-Konversation liess sich Jeder sachte
neben seinem Stuhle nieder und stellte sich recht lebhaft
vor, er liege in einem Bette.

Diese Vorstellungen erhielten mich lange wach, weil
ich im Gegenhalt der Wirklichkeit nicht recht damit ins
Reine kommen konnte, und vor Tagesanbruch weckten sie
mich wieder auf. Das war gerade die rechte Zeit, um nach
Akrokorinth hinaufzugehen, was wir denn auch thaten.

Wir gingen durch die Stadt, welche sich aus dem
Schutte schon ziemlich herausgemacht hatte und durch
mehrere neue Häuser ganz passabel aussah, an den sieben
prächtigen Granitsäulen vorüber, die einst Minervens Tempel
zierten. Eine Strecke lang führte uns der Weg durch lauter
bebautes Land, bis wir an die Felsen kamen, auf welchen
die Festung steht. Am Fusse des Berges steht das Meeresdiluvium des Isthmus an, wechselnd mit Muschelbänken;
weiter nach oben wird das Gestein fester, versteinerungslos
und sieht der Nagelflue ganz ähnlich. In der Hälfte des
Berges ungefähr stösst man auf eine mächtige Masse von
rothem und grünem Hornstein, welche geschichtet ist, N.O.
in S.W. streicht und sich in S.O. verflacht. Dieser
Hornstein unterteuft den weiter folgenden dichten Kalkstein,
dessen unmittelbare Auflagerung man in der Nähe des
ersten Thores der Festung ganz deutlich sieht. Mit diesem

Hornstein zugleich tritt ein sehr merkwürdiges Gestein auf, welches in Griechenland eine grosse Rolle spielt. Ich möchte es fast einen erdigen, sehr Eisenoxyd-haltigen Hornstein nennen, wenigstens steht es demselben in Bezug seiner geognostischen Stellung ganz parallel. An andern Orten fand ich, dass es durch Aufnahme von Diallage oder auch von Hypersten eine sehr grosse Verwandtschaft zu gewissen, sehr eisenschüssigen Abänderungen des Serpentins und Hyperstenfelsens zeigt. Wieder an andern Orten, und namentlich auch hier, wird der Gehalt an Eisenoxyd so vorherrschend, dass es als ein sehr armes Eisenerz betrachtet werden könnte. Es spielt zum Theil mit dem Hornstein ganz die Rolle des Serpentins, die leztern in Griechenland eigenthümlich ist, das heisst eine rein plutonische oder vulkanische, wenn wir so wollen, andrerseits ist es dem dichten Kalksteine untergeordnet. Meinen bisherigen Beobachtungen zufolge rechne ich es zu den Parallelgebilden des Hornsteins, der als ein Glied der in Griechenland in kolossaler Entwicklung auftretenden Formation der alten Kreide zu betrachten ist, oder wenigstens zunächst daran steht, und als Mittelglied zwischen ihr und den Serpentinen mit den älteren Kalken betrachtet werden kann. Ich werde im IV. Bande dieses Werkes, bei Darstellung meiner Reise durch ganz Griechenland, wieder auf diesen Punkt zurückkommen, und bis dahin hoffe ich, werden auch die Nebenarbeiten, welche die nähere Bestimmung dieses sehr interessanten Gesteins erfordert, im Reinen seyn.

Auf diesem Hornsteine liegt, wie gesagt, der dichte Kalk, der selbst wieder Hornstein auf untergeordneten Lagerstätten und Nieren von Feuerstein enthält. Gegen die Kuppe des Berges zu wird der dichte Kalk krystallinisch und weiss.

Der Weg zur Festung hinauf ist eine alte, gepflasterte Strasse, die sehr in Verfall ist. Sie ist zum Theil tief in den Felsen eingebrochen, indem man ihretwegen bis zu 3 Klaftern niederbrach. Die Festung selbst hat eine sehr grosse Ausdehnung und zieht sich über den ganzen Rücken des Berges hin. Sie besteht aus 3 Etagen, die durch

Mauern getrennt sind, welche ich aber allesammt ziemlich
schwach fand. Auf einer Anhöhe, westlich der grossen
Festung, steht ein Fort, wodurch der Punkt besezt ist, welcher
der Hauptfestung selbst gefährlich werden könnte. In der
Citadelle fand ich eine Kompagnie Schweitzer, die sehr erfreut waren, uns herumführen zu können.

Das Innere der Festung liegt ganz in Ruinen, doch
die Trümmer lassen noch auf die architektonische Pracht
schliessen, welche einst die Akropolis des glänzenden Korinths
schmückte. Da sieht man noch äusserst geschmackvoll
gearbeitete Kapitäle aus weissem Marmor, Stücke von Säulen,
kolossale Cisternen, unterirdische Gewölbe von grosser Ausdehnung zur Auffangung und Aufbewahrung des Regen-
wassers. Aus neuerer Zeit sieht man die Reste zweier
Moscheen und eines Thurmes, der einem Leuchtthurme
ähnlich sieht.

Die eine der beiden Moscheen, die den höchsten Punkt
von Akrokorinth einnimmt, ist eigentlich der Glanzpunkt
des Ganzen, und wer diesen Punkt bei ganz klarem Wetter
betritt, wie ich zu haben so glücklich war, der hat eine
herrliche Erinnerung mehr. Die Fernsicht ist wirklich bezaubernd. Zu den Füssen liegt der ganze Isthmus ausgebreitet, und Korinth, einst das Paris von Griechenland, welches
in Luxus, Geschmack und feiner Sitte den Ton angab, jezt
ein unbedeutender Ort; einst der schönste in Hellas, sind
es jezt 7 Säulen noch, die von alter Pracht Zeugniss geben.
Westlich sieht man durch den Golf von Lepanto hinaus bis
zur Bai von Salona, östlich öffnet sich unserm Blicke das
ägeische Meer. Die Küste des Peloponneses bis nach Nauplia; zahllose Inseln gross und klein, Egina, Salamis und
in der Ferne Athen mit seiner weithin strahlenden Akropolis, dem Meisterstück griechischer Kunst. Zwei Meere
misst der Blick in Einem Momente, und vor ihm stehen zugleich die heiligen Berge Griechenlands, der Himettus, Pentelikon, Cithereon, Geranion, Helikon und der göttliche
Parnass mit seinen scharfen Felsgipfeln. Der Eindruck
ist wirklich zu grossartig, man kann ihn nicht fassen, und
schon die geschichtlichen Erinnerungen allein, die an einen

solchen Punkt sich knüpfen, erdrücken fast die Brust. Man
übersieht mit Einem Blicke den Urquell aller europäischen
Kunst, Wissenschaft, Bildung und Kultur. Noch stehen sie,
die Wohnsitze der Götter, unverändert seit Jahrtausenden,
und ich bin fest der Meinung, sie kehren wieder, die Ver-
triebenen, in ihr altes Heimathland.

Nach Tische ritten wir rasch nach Kalamaki, wo wir
nach zwei Stunden ankamen. Wir trafen daselbst die
ganze Gesellschaft in einer der zwei hölzernen Baraken
einquartirt. Auf unserem Wege dahin sahen wir sowohl
an der Westküste des Isthmus, als an seiner Ostküste, die
Spuren der Kanalarbeiten, welche die Alten unternahmen,
um den Isthmus zu durchstechen. Ein gerade sehr schwieriges Unternehmen ist nun das, bergmännisch betrachtet, freilich nicht, aber nicht Alles, was bergmännisch ausführbar
ist, ist desshalb auch finanziell vortheilhaft. Man weiss
eigentlich gar nicht, ob überhaupt ein sehr grosser Vortheil — ein klingender, meine ich, kein illusorischer — dabei
wäre; denn wie mir scheint, hat noch Niemand desswegen die Feder zur Hand genommen, was doch conditio
sine qua non ist. Und gesezt auch, es wäre ein Vortheil
dabei, so kann dieser im allergünstigsten Falle doch immer
erst nur nach Vollendung der Arbeit eintreten, d. h. nachdem durch Jahrzehnte die ungeheuersten Summen aufge-
wendet worden wären, ohne eine Post herein verrechnen
zu können. Solche Auslagen, solche Unternehmungen sind
für Griechenland durchaus nicht an der Zeit. Es ist gar
kein Bedürfniss darnach — der sicherste Wink, der Zeit nicht
vorzugreifen. Ausserdem hat Griechenland, um sich Festigkeit,
Vertrauen, Wohlstand, Kredit in sich selbst, in seinem Lande
zu schaffen, so viel zu thun und zu unternehmen, hat bis
dato kein einziges überflüssiges Paar Arme und auch kein
überflüssiges Geld, dass ich ein solches Unternehmen noch für
ungeeigneter halten würde, als die Abzapfung des Kopais-
See's. Zum Glücke denkt auch weder die Regierung, noch der
gescheidtere Theil der Nation daran, obwohl dieser Plan
schon mehrere Auflagen erlebte.

Wir liessen noch Abends unsere Sachen an Bord eines

Schooners bringen, der uns nach Athen transportiren sollte, und auf dem wir auch zugleich die Nacht zubrachten.

Wegen des Windes konnten wir nicht absegeln und sahen uns daher wieder in der Umgegend um. Vorerst machten wir einen Besuch beim Pfarrer, der nebenan in einer kleinen Hütte wohnte, sodann gingen wir auf die Jagd, weil sehr viel Federwild in den Auen des Isthmus hauset.

Das kalkige Cäment des Meeres-Diluviums, welches den Isthmus bildet, entwickelt sich stellenweise so vorherrschend, und die Geschiebe treten in diesem Maasstabe so zurück, dass das Gestein in einen förmlichen Meereskalk übergeht, so namentlich am östlichen Rande des Isthmus, wo auch das Diluvium auf einem mergelartigen Gesteine zu liegen scheint, dessen geognostische Stellung ich nicht näher zu bestimmen wage.

Wir kamen bei unserer Exkursion zu den Resten der grossen Mauer, welche die Griechen dem Eindringen des Brennos entgegensezten und von der nur wenige Trümmer übrig sind. Nebenan sahen wir Ruinen aus neuerer Zeit, Cisternen, Bögen, Trümmer einer Kirche u. dgl., es muss daher ein nicht unbedeutender Ort hier gestanden haben, über den ich nichts Näheres erfragen konnte.

Am frühen Morgen des 16. verliessen wir Kalamaki. Das Meer ging hoch, und wir flogen rasch zwischen den paramisischen Inseln hin. Da wurde der Wind plötzlich conträr, und zwar mit einer solchen Heftigkeit, dass wir den Piräus nicht erreichen konnten, sondern auf Egina zueilen und in dem Hafen der dortigen Stadt Anker werfen mussten.

Tags darauf gingen wir schon am frühen Morgen ans Land. Wir wendeten uns zuerst nordwestlich, besahen die Quarantäne, welche ein sehr niedliches Äusseres hat, und die ihr zunächst oberhalb sich befindenden Ruinen eines Tempels der Schaumgebornen, von welchem aber nichts mehr vorhanden ist, als eine Säule ohne Kapital. Weiter nördlich bildet ein altes Meeresdiluvium, bestehend in sehr kalkigem Meeressandstein und Muschelbänken das Gestein

der Küste und ist bedeckt von den jüngsten Meeresgebilden;
Sand und Schlamm, welche eine Menge Konchylien enthalten, die die Wogen und Stürme ans Land treiben. Von
hier aus umgibt ein Halbkreis grosser Windmühlen die
ganze Stadt, die, wenn sie alle in Bewegung sind, einen
ganz eigenthümlichen Anblick gewähren. Die gegenwärtige
Stadt besteht erst seit 10 Jahren und hat ein recht freundliches Ansehen, wozu vorzüglich mehrere ganz ordentliche
Häuser beitragen, unter denen sich die Kadeten - Schule
als ein wirklich schönes Gebäude, welches dem Ganzen
Haltung gibt, auszeichnet. Auch das Innere dieses Insti-
tuts erscheint, wenigstens bei einem flüchtigen Besuche,
als sehr zweckmässig. Die jungen Leute sahen alle recht
gut aus und scheinen eine gute Erziehung zu erhalten.
Man bewahrt im Institute viele zu Egina, Megara und Salamis gefundene Reste des Alterthums, worunter einige interessante Stücke sind. Auch ein Museum begründet man,
welches aber erst im Werden ist. Keine Art der Waffen-
kultur dürfte lohnender für die Regierung seyn, als die Ausbildung ihrer, wenn auch kleinen Marine. Nationaleigen-
thümlichkeiten geben dabei die ersten Winke und fordern
dazu auf, jener Waffe die meiste Rücksicht zu schenken,
welche die nationelle, die dem Volke angeborene ist. Die
See ist das Element des Griechen, besonders des Insel-
Griechen. Am Rande der Wogen geboren, auf denselben
gross geworden, ist er kühn, verwegen, ausdauernd auf
seinem Elemente, und vor Allem genügsam, durch welche
Eigenschaft er allein es als Handelsmann zur See mit jeder
Nation aufnimmt. Wasser, Oliven und Brod sind die eigentlichen Hauptbedürfnisse des griechischen Seemanns, mit
diesen ausgerüstet, durchstreift er das Mittelmeer und fährt
mit einer kleinen, schlechten Hand-Boussole nach Triest
und Marseille. Ähnliches fand ich nur bei den Bewohnern
des höchsten Norden Skandinaviens, die mit ihren offenen
Fischerbarken das stürmische Nordkap umsegeln und weit
in den Eis-Ocean hinaus sich wagen, um einige Fische zu
fangen. Der Molo und der gemauerte Quai am Hafen
stammen noch aus der Zeit des Grafen Kapodistria, wo

Egina eine weit bedeutendere Rolle spielte, als ihm jezt zugetheilt ist. Die Gegend um Egina ist wunderschön, wozu besonders die Fruchtbarkeit der Insel sehr viel beiträgt, die alle Pracht entfaltet, welche dem gemässigten Süden zukommt.

Die Berge des Innern beherrscht der Eliasberg, derselbe, der einst auf seinem Rücken den Tempel des Jupiter Panhellenion trug: einer jener klassischen Punkte, die wieder Zeugniss geben von der hohen Poesie, welche die Alten bei Anlegung ihrer öffentlichen Gebäude leitete und die allein hinreicht, ihnen einen solchen Vorsprung vor unserm prosaischen Zeitalter zu geben. Die Höhe dieses höchsten Punktes der Insel beträgt an 1600 Fuss über dem Meeres-Niveau. Dieser Berg sowohl, als die umliegenden, worunter auch der ist, auf welchem der prächtige Minerva-Tempel sich befindet, gehören zum Theil abnormen Felsgebilden, Porphyren und Trachyten an, die in den Niederungen häufig von Ablagerungen aus der subapenninischen Zeitfolge bedeckt werden. Das Nähere darüber bei meinem zweiten Aufenthalte auf Egina, auf meiner zweiten Reise in Griechenland.

Am 18. verliessen wir Egina mit günstigem, aber ganz schwachem Winde, der sich endlich in eine vollkommene Windstille umänderte, als wir uns Salamis näherten. Unser Schiff stand in der herrlichen Nacht lange vor dieser Insel, die ihre gigantischen Schatten über die Fluthen hinwarf, auf denen einst Themistokles die Flotte der Perser schlug. So knüpfen sich doch bei diesem seltenen Lande Schritt an Schritt grossartige Erinnerungen; schon ihretwegen muss man es lieben und den Boden verehren, der eine solche Geschichte hat. In der Nacht endlich erhob sich wieder Wind, und wir liefen gerade um Mitternacht im Piräus, dem Hafen von Athen, ein.

Am Morgen des 19. erwachten wir im Angesichte der Akropolis, die noch in Trümmern gross, weithin sichtbar ist. Das Leben im Hafen war sehr rege und hatte für uns etwas ganz Neues, der vielen Kriegsschiffe wegen. Drei Fregatten kamen an, eine englische, eine französische und eine österreichische, eine russische Korvette segelte ab und eine englische Fregatte nebst einer griechischen lagen bereits im Hafen, der keineswegs sehr gross, aber sehr schön ist. Damals befanden sich am Hafen nur einige wenige hübsche Gebäude, einige Jahre später stand eine hübsche Stadt mit sehr ansehnlichen Häusern dort. Damals arbeitete man gerade an einer Strasse nach dem eine Meile landeinwärts liegenden Athen, ein paar Jahre später fuhr schon Wagen an Wagen. Nachdem wir unsere Effekten ausgeschifft hatten und die bei jedem Eintritte in ein fremdes Land stattfindenden Umständlichkeiten geendet waren, packten wir unsere Kranken in einen Fiaker, deren schon welche existirten, und wir übrigen sezten uns zu Pferd.

Die Strasse, die wir ritten und die durch den Oliven-Wald und meist versumpftes Land * führte, welches die jährlichen Fieber für Athen in reichlichem Maase präparirte, war sehr belebt. Reiter und Fussgänger begegneten uns; Kamele, Pferde und Esel, Wagen mit Ochsen bespannt transportirten Kaufmanns-Güter hin und her, kurz man merkte wohl, dass man sich einer Hauptstadt nähere. Bereits sahen wir die Stadt vor uns liegen, wohin einst Weise zogen, um Weisheit zu lernen, wohin einst Künstler wanderten und wandern, um Kunst zu sehen, wohin der stolze Römer ging, um das zu suchen, was ihm sein Rom nicht bieten konnte. Der alte Glanz war verschwunden, klein schmiegte sich die Stadt der Akropolis an, die wie eine schöne Leiche auf herrlichem Paradebette vor uns lag und dem Tage der Wiedergeburt entgegen sieht. Es war ein herrlicher Moment, als wir am Pnyx vorüber ritten, wo einst DEMOSTHENES im Augesicht der hehren Götter-Tempel und des mit Schiffen bedeckten Meeres zu den Bürgern Athens sprach; es war ein unvergesslicher Eindruck, als im Strahl der Morgensonne die Meisterwerke der Akropolis sich mehr und mehr entfalteten, der schöne Theseus-Tempel in seinem reinen Ebenmaase uns zur Rechten lag; und es war eine sonderbare Überraschung, als wir im sonnigen Morgenlande plötzlich eine Tafel vor uns sahen mit der

* Im Jahr 1839 war der Olivenwald gelichtet, das versumpfte Land ausgetrocknet und dadurch der Gesundheitszustand der Hauptstadt bedeutend verbessert.

Aufschrift: „Zur Stadt München". Bis hieher und nicht weiter! sprach der Chor der Reiter; wir stiegen ab und standen in Athen.

2) Aufenthalt in Athen.

Das, was mir bei meiner Ankunft in Athen für jeden Fall am nächsten lag, war: sogleich dem kaiserl. österreichischen Minister Hrn. PROKESCH VON OSTEN meine Aufwartung zu machen. Von dem mir unvergesslichen Augenblicke an, in dem ich dem ausgezeichneten Manne und seiner durch Geist und Liebenswürdigkeit gleich hochgestellten Gattin gegenüber stand, beginnt eine Reihe von Gefälligkeiten und wahren Beweisen des freundschaftlichsten Wohlwollens, das mich oft, ferne vom Vaterlande, gebengt durch die unangenehmen Verhältnisse, die mich umgaben, gekränkt durch Misstrauen und Intriguen verschiedener Art von Seite mancher Personen, auf deren Hülfe und Schutz ich sicher rechnen zu dürfen geglaubt habe, wieder erhob, mich in Ausführung meiner Plane wieder kräftigte und mich nie verliess, und wofür laut meinen innigsten Dank auszusprechen ich mir zur heiligsten Pflicht anrechne. Hr. v. PROKESCH nahm sich in jeder Beziehung meiner Reise und ihres Zweckes auf das Eifrigste an und sorgte vor Allem für die Art und Weise unsrer Überfahrt nach Alexandria. Da gerade die zur Verfügung des Hrn. Ministers in dem Piräus stationirte kaiserl. Korvette Veloce von ihrer Reise nach Smyrna zurückgekehrt war, so bekam der Kommandant, Hr. Major v. LOGOTHETI, die Weisung, sich wieder segelfertig zu machen, um uns nach Egypten zu bringen. Abgesehen von dem Angenehmen und Bequemen, diese Reise auf einem unserer schönsten Kriegsschiffe und in der Gesellschaft unterrichteter, gebildeter Offiziere zu machen, erhielt die Expedition durch die Ankunft auf einem österreichischen Kriegsschiffe im Hafen von Alexandria einen gewissen Nimbus, der ihr zum grossen Vortheil gereichen konnte und auch wirklich gereichte. Im Hause unseres Ministers machte ich viele mir sehr interessante Bekanntschaften, unter denen mich die unsers vielseitig gebildeten Hrn. Generalkonsuls

Georius, der das heutige Griechenland vom Tage seiner Geburt an kennt und seine Verhältnisse klar durchschaut und erfasst,'des Hrn. Dr. Röser, Leibarztes seiner Majestät, und des Hrn. Domnandos, meines spätern Gefährten bei Bereisung der griechischen Inseln, besonders anzogen. Die wenigen Tage meines ersten Aufenthaltes in Athen benüzten wir zur Besichtigung all der Reste eines klassischen Alterthums, die, als Zeugen der höchsten Vollendung des Geschmackes in der Periode ihrer Entstehung, im Laufe der folgenden Jahrhunderte Verfall der Kultur, gänzliche Wildheit, Geschmacklosigkeit und all die bösen Geister, vor denen der hochgebildete alte Grieche schauderte, in den verschiedensten Nuancirungen an sich vorübergehen sahen.

Wir betraten die Ruinen des Stadiums und des Tempels des Jupiter Olympius unter der lehrreichen Führung des Hrn. v. Prokesch, gingen durch das Thor des Hadrian, zwischen der Altstadt des alten Athen (Stadt des Theseus) und der Neustadt des alten Athens, in welcher der Jupiter-Tempel stand, um die Akropolis herum und gelangten zu dem römischen Theater und endlich auf den Pnyx, wo die grössten Redner des Alterthums zum griechischen Volke gesprochen. Damals fielen mir die grossen Steine auf, welche die Rednertribune bilden, und ich fand es in technischer Beziehung höchst interessant, auszumitteln, auf welche Weise die Alten derlei Massen handhabten. Als ich später die Riesenfundamente des Sonnentempels von Baalbek gesehen hatte und nach Jahren wieder auf dem Pnyx stand, blieb zwar die Heiligkeit der geschichtlichen Erinnerung dieselbe, aber der technische Nimbus war verschwunden und die einst bewunderten Massen kamen mir wie ganz gewöhnliche Bausteine vor. — Wir besahen noch im Laufe des Tages das Gefängniss des Sokrates in der Nähe des Pnyx und gingen auf dem Rückwege in den Tempel des Theseus. Ob jemals Theseus darin gestanden habe oder nicht, ob ein andrer Held des Alterthums Gegenstand der Volksverehrung daselbst war, und welcher? in derlei Sachen mische ich mich nicht ein; denn sie gehören nicht in das Bereich meines Wissens. Das Innere des herrlich erhaltenen Tempels wurde damals zu einem Sammelplatze der in der Akropolis von Zeit zu Zeit aufgefundenen Skulpturen und Inschriften benützt, unter denen höchst werthvolle Sachen sich befanden.

Gerade damals begann Dr. FIEDLER aus Dresden, den ich in Athen fand, seine bergmännischen Forschungen in Griechenland, deren Resultat er gegenwärtig in einem eigenen Werke der Welt übergibt. Durch Herausgabe desselben hat FIEDLER sich für die Kenntniss von Griechenland ein entschiedenes Verdienst erworben, und ob des vielen Guten, was dieses Werk enthält, kann man manches Mangelhafte desselben, als nicht zum Wesen des Ganzen gehörend, mit ganz gutem Gewissen übergehen, man müsste denn bereits im Superlativ der Gelehrsamkeit jenem Punkte nahe gekommen seyn, wo man Jeden tadelt, nur den nicht, der es oft am meisten verdient, nämlich das liebe Ich. Diess geschieht manchmal, wie exempla docent. Dass FIEDLER in seinen Vorschlägen den Hang zu einem regen Bergbaubetrieb in jenem jungen Staate, der zwar freudig aufblüht, aber noch keine pekuniäre Kraft hat, schonungslos voranstellt und auf den Finanzzustand, auf die vielen für Griechenland dringender nöthigen und für den Augenblick auch nützlichern Auslagen und Unternehmungen keine Rücksicht nimmt, das billige ich, obwohl selbst Bergmann, freilich nicht; aber geschadet ist dadurch ja auch nicht; denn man hat ja nicht nöthig, derlei Vorschläge jezt zu realisiren, falls sie sich vor einem strengen Geschäftsblicke nicht bewähren.

In den höchst interessanten Abendgesellschaften im Hause des Hrn. Ministers v. PROKESCH lernte ich auch den Schweizermaler WOLFERSBERGER kennen, der uns mehrmals durch seine Ansichten von Neapel, Konstantinopel und andern Punkten des südlichen Europa's die genussreichsten Stunden verschaffte. Nie, weder später noch früher, sah ich eine so herrliche Ausführung in Wasserfarben. Seine Manier fasst das Seelenvolle des südlichen Bildes ganz auf,

6 *

die Wärme seiner Luft, das Ätherische, Strahlende seines Lichtes ist naturgetreu und in höchster Vollendung ausgeführt. Noch nach Jahren schweben mir in der Erinnerung ein Paar Bilder aus dem unvergleichlichen Stambul vor, die ich nie vergessen werde.

Am Morgen des 24. Februars machten wir uns mit Hauptmann v. ABEL auf, um den Hymettus zu besteigen. Wir ritten voraus, während unsere Arbeiter, ebenfalls zu Pferd, beauftragt waren, mit den Provisionen, die uns unsere freundliche Wirthin aufs Beste besorgt hatte, nachzukommen. Der Weg führte uns über die Ebene des Ilissos bis zum Fusse des Berges, dessen Form etwas Eintöniges hat, da er einen langen Rücken ohne besondern pittoresken Ausdruck bildet. Wir hielten an dem Klösterchen Syriani, welches mitten in einem Olivenwalde steckt und den Ruhm des alten Hymettus-Honigs grösstentheils noch aufrecht erhält, indem daselbst unter all den an den Gehängen des Hymettus liegenden Orten die meiste Bienenzucht getrieben wird. Von da an gingen wir nun zu Fuss und liessen unsere Pferde am Kloster zurück.

Die Besteigung des Hymettus ist keineswegs beschwerlich, um so weniger, da man häufige Hirtensteige trifft und mittelst derselben ganz leicht über die grossen Gesteinsblöcke wegkommt. Die Vegetation ist sehr sparsam, wie überhaupt in dem wasserlosen Attika. Am Fusse befinden sich Waldungen von Ölbäumen, höher hinauf aber sieht man nur verkrüppelte Olivenbäume und kümmernde Stämme von Pinus maritima, in den Schluchten und zwischen den Felsmassen niederes Gesträuch von Myrthen, Lorbeer, Oleander etc. Bis zum Gehänge des Hymettus decken Diluvionen die Ablagerungen des untern Kreidekalkes, der nur hie und da in Felsenmassen zu Tage geht. Den Fuss des ganzen Gebirges bildet Glimmerschiefer, der beiläufig das erste Drittel der ganzen Bergeshöhe einnimmt. Seine Gesteinslagen streichen aus N.W. in S.O. und verflachen in N.O., unterteufen folglich den körnigen Kalk, der den Glimmerschiefer entschieden bedeckt. Am Fusse des Berges

ist der Glimmerschiefer sehr quarzreich, höher hinauf aber
verschwindet der Quarz immer mehr aus dem Gemenge,
statt seiner tritt kohlensaurer Kalk hinzu, und in der Nähe
des körnigen Kalkes endlich geht der Glimmerschiefer in
einen förmlichen Kalkschiefer über. Der Glimmer ist von
weisser, grüner, gelber und tombakbrauner Farbe. Die
Gesteinslagen fallen im Durchschnitte unter 40° bis 50°, aber
der Umstand gerade, dass sie in das Gebirge fallen, erleichtert
die Ersteigung. Der körnige Kalk hat zum Theil ein sehr kry-
stallinisches Gefüge, ist an einigen Stellen weiss und ähnelt
sehr dem Marmor des nahen Pentelikon; meist aber ist er
grau oder wenigstens grau gestreift, geht auch sehr häufig
in einen dichten Kalkstein von weisser und bläulicher Farbe
über, wie am Gebirge Laurion es der Fall ist. Der Kalkstein von Hymettus ist eine Fortsetzung des Pentelikonkalkes
und ebenso gut Marmor wie dieser, nur meist nicht so rein
und weiss, gleichwie der Laurionkalk im Süden wieder eine
Fortsetzung des Hymettuskalkes ist. Von organischen Resten
ist in diesen Kalken nichts zu entdecken, doch deutet der
stark bituminöse Geruch, den sie beim Zerschlagen entwickeln,
auf solche Beimengung hin. An den Gehängen des Hymettus findet man häufig die Spuren alter Steinbrüche, die
aber nirgends jene kolossale Entwicklung zeigen, wie die
Steinbrüche am Pentelikon. Die Oberfläche dieses Kalkes
ist sehr der Verwitterung ausgesezt und wird dadurch zellig,
zerfressen, gefurcht, kurz nimmt eine ganz eigenthümliche
verworrene Gestaltung an.

Wenn wir die auf meiner bisherigen nur ganz kurzen
Reise in Griechenland von Patrass über Lepanto und Korinth nach Athen flüchtig gesammelten geognostischen Beobachtungen zusammenstellen, so ergibt sich nachfolgendes
Schema der Felslagerung von unten nach oben:

Älteste Grauwacken-gruppe. Vielleicht Mur-chison's Kambrien?	Glimmerschiefer und Thonschiefer, der in erstern übergeht. Körniger Kalk, in dichten Kalk übergehend.

Gruppe des Grünsandsteins und der alten Kreide. Hippuritenkalk.	Eisenschüssiger, erdiger Hornstein. Reiner Hornstein. Schiefriger, rother, mergelartiger Sandstein. Thonschiefer in schiefrigen Mergel übergehend und demselben sehr verwandt. Grünsandstein. Dichter Kalkstein mit Nestern von Hornstein und Lagern desselben. Sehr ausgedehnte Entwicklung und hohe Gebirge bildend, die bis zu 7000 Fuss ansteigen.

Nagelflue, zum Theil die höchsten Gebirge bedeckend mit Kalkbreccie und Kalkkonglomeraten, vielleicht ein Parallelgebilde unserer Molasse. Nicht zu verwechseln mit den Braunkohlen-führenden Mergeln auf Euböa, welche ein jüngeres Gebilde sind.

Diluvialablagerungen, jüngere Nagelflue, jüngere Kalkbreccie als Küstengestein, Diluvialmergel, Meeressandstein und Meereskalk. Man sehe die Ablagerungen des Isthmus bei Korinth.

Plutonische Gebilde: Porphyre, Trachyte, S e r p e n t i n e durchbrechen obige Felsbildungen und durchwandern alle Formationen.

Ich stelle dieses Schema hier nur auf, um einen Überblick über die bisher im Texte zerstreuten geognostischen Beobachtungen zu geben. Denn bei der Darstellung meiner später erfolgten Reise durch ganz Griechenland komme ich ohnehin wieder auf diesen Gegenstand zurück und werde die ausgesprochene Ansicht im Detail systematisch darlegen und belegen, was ich jezt nicht thun kann, um Wiederholungen zu vermeiden und im Verlaufe der Reise in der Beobachtungsreihe nicht vorzugreifen.

Um 11 Uhr standen wir auf dem breiten Rücken des Hymettus und erfreuten uns einer herrlichen Fernsicht. Ganz Attika lag vor uns ausgebreitet, die Thalebene des Kephissos bis zum Pentelikon, zu dessen Seite sich uns ein Theil der Ebene von Marathon zeigte, wo die persische Übermacht unter griechischer Tapferkeit zusammenbrach; die Ebene bei Carcia und das Lauriumgebirge mit seinen reichen Bergwerken bis zum Kap Sunium; das südliche Euböa vom Egribos bis zum Kap Mantelo, mit dem schönen, schneebedeckten Delphi und Ocha. Am weiten Meereshorizonte lagen viele der Archipelinseln vor unsern Blicken, nahe an uns erhoben sich Ägina und Salamis, und weiterhin die Küsten des Peloponneses. Die Festung auf Akrokorinth sah zu uns herüber, und im Bogen umgaben uns Griechenlands alte Götterberge.

Nachdem Geist und Gemüth im Übermaase dieser Seligkeiten geschwelgt hatten, machte der Körper seine profanen Ansprüche. Wir waren sehr hungrig. Sehnsuchtsvolle Blicke eilten das Gehänge des Hymettus hinab, unsern Arbeitern, oder vielmehr dem Proviantkorbe entgegen. Vergebens, sie kamen nicht. Wir warteten Stunden lang, sie kamen nicht, und so verliessen wir in einer höchst prosaischen Stimmung den Hymettus. Erst zu Hause klärte sich das Räthsel auf. Die Unglücklichen hatten den Weg verfehlt und zogen einer Gesellschaft nach, von der sie sich immer in einer bescheidenen Entfernung hielten. So kamen sie auf die Spitze des Pentelikon, immer in der Meinung, wir zögen vor ihnen her. Als sie aber die Vermeintlichen in der Nähe sahen, bemerkten sie denn auch, dass sie sich getäuscht hatten, und erfuhren, dass sie, statt auf dem Hymettus, auf dem Pentelikon stehen, die beide an sechs Stunden von einander entfernt sind. So wurde denn der Rückzug angetreten, und zur Ehre deutscher Treue sey es gesagt, ohne sich an dem Proviantkorbe zu vergreifen, was mir, trotz dem, dass es mir in diesem Falle dumm vorkam, doch sehr gefiel; denn die Armen litten förmlich Tantalusqualen.

Am 25. wurde der Grundstein zu dem Hause des Hrn. v. Prokesch gelegt, ich wohnte der Feierlichkeit bei, die sich auf einen Kreis von Freunden beschränkte. Freudig war der Eindruck, als ich nach drei Jahren wieder kam und sah das Haus, das schönste in Athen damals, umgeben von einem freundlichen Garten, in welchem südliche Wärme einen Zustand in zwei Jahren hervorrief, den wir in unserm Norden kaum in zehn Jahren herbeiführen können.

Am Abende desselben Tags wurde ich durch Hrn. Minister v. Prokesch Sr. Majestät dem Könige Otto vorgestellt, der mich auf das Huldreichste zu empfangen geruhte und sich mit vieler Wärme an das liebe Salzburg erinnerte, die Geburtsstadt Sr. Majestät und zugleich mein schönes Vaterland. Tags darauf kam ich endlich dazu, die Akropolis zu besuchen. Wir besahen unter der höchst lehrreichen und interessanten Führung des Hrn. Dr. Ross die Propyläen, das Parthenon, den Tempel der Minerva, den Tempel des ungeflügelten Sieges und das Theater, wahrscheinlich aus der Römerzeit. Derlei Sachen noch näher beschreiben zu wollen, die als Koryphäen der höchsten Kunstvollendung jedem gebildeten Menschen durch Wort und Bild bekannt sind, wäre freventlich auf die Geduld der Leser gesündigt.

Unsere Abreise rückte nun näher. Durch die gütige Theilnahme Hrn. v. Prokeschs und Hrn. Dr. Rösers, meines edlen, unvergesslichen Freundes, lernte ich Hrn. Dr. Veit aus Würtemberg kennen, der den Wunsch hegte, die Reise mit der Expedition mitmachen zu können. Sehr gerne ergriff ich diese Gelegenheit, der Expedition zu einem Arzte zu verhelfen, welchen zu besitzen sich dieselbe in jeder Beziehung glücklich preisen konnte. Mir wurde noch ausserdem in Dr. Veit ein wahrer Freund, ein treuer Gefährte in Freud und Leid. Hr. v. Prokesch rüstete mich noch mit Empfehlungen an Ibrahim-Pascha, an Boghos Jussuff-Bey und an Hrn. Laurin, k. k. Generalkonsul in Alexandria, aus, und so kam denn der Augenblick der Abreise.

Am Morgen des 27. liess ich unsere sämmtlichen Effekten an Bord der Korvette Veloce bringen, die, um leichter jeden Wind zur Abfahrt benützen zu können, den Piräus verliess und sich an der Insel Salamis vor Anker legte. Nachmittags ritten wir, begleitet von einigen Freunden, in den Piräus, erwarteten dort den Generalkonsul Gropius, der die Reise nach Nauplia mitzumachen beabsichtigte, und bestiegen dann unsere Barke, die uns an Bord der Veloce bringen sollte.

3) Reise von Athen nach Nauplia und Alexandria.

Des Himmels Prognostikon, das er uns Reisenden stellte, war herrlich. Es war eine der schönsten attischen Nächte, als wir den Piräus verliessen und an der englischen Dampf- fregatte Medea und der Fregatte Portland vorüber fuhren. Unsere Barke wiegte sich auf silberner Strasse; denn da wir den Mond gerade im Rücken hatten, so war es ein Silberstreifen, der uns im Meere den Weg bis Salamis be- zeichnete. Stille war rings um uns, nur unterbrochen durch den regelmässigen Ruderschlag der Matrosen. Noch einen Blick warfen wir auf die uns im Zauberlichte umgebenden attischen Berge, die edlen Formen der Akropolis verflossen im duftigen Schleier der Nacht, doch die Erinnerungen an die warme Theilnahme und Freundschaft, die ich in Athen gefunden, stand in hellem Glanze vor mir, und meine Hoff- nung auf ihre Unwandelbarkeit täuschte mich nicht. Spät erst kamen wir an Bord der Korvette an.

Am 28. Februar um 4 Uhr Morgens wurden die Anker gelichtet. Wir hatten sehr wenig Wind, passirten erst um 9 Uhr den Hafeneingang des Piräus und standen Mittags der Ostseite der Insel Ägina gegenüber. Als wir am Mor- gen von Salamis absegelten, glänzte auf hohen Felsen das einfache Grabmahl der Fürstin Kantakuzeno, einer gebornen Armansperg, die hier in der Blüthe ihrer Jahre, auf ihrer Rückkehr von Konstantinopel, ihren Tod fand. Die Wahl des Platzes ist der zarten Blume würdig, die hier ruht. Am Nachmittag begegnete uns das französische Linien- schiff, der Triton, von 80 Kanonen. Am Bord befand sich der neue, an den griechischen Hof bestimmte, französische Gesandte. Am Abend war an Bord unseres Schiffes grosses Manöver, sowohl in Bezug auf Vertheidigung als Füh- rung des Schiffes, wobei die Matrosen, besonders was die Bedienung des Segelwerkes auf den Masten und Raen betrifft, eine bewunderungswürdige Geschicklichkeit entwickelten.

Mit Einbruch der Nacht befanden wir uns Poros gegen-
über, mussten aber conträren Windes halber die ganze
Nacht laviren, so dass wir erst am Mittag des 29. vor
Hydra kamen. Um diese Zeit sahen wir ausser dem Kap
Sunium, der Südspitze von Attika, die Inseln: Zea, St.
Giorgio d'Arbore, Thermia, Serpho und das Festland der
Morea mit dem Kap Skilli und der Insel Spezzia am Ein-
gange des Golfs von Nauplia. Der conträre Wind dauerte
die ganze Nacht durch, und die See ging sehr hoch. Abends
standen wir an der Südseite von Hydra.

Um 11 Uhr Mittags beobachteten wir heute: Lufttemperatur + 13°, Temp. des Meeres + 13,5. Um 3 Uhr
Nachmittags Lufttemp. = 14,2, Temp. des Meeres = 13,8.
Die niedrere Temperatur des Meeres bei lezter Beobachtung scheint nicht so sehr von einer Untiefe, als dem Um-
stande herzurühren, dass der fortwährend dauernde Wind
dieses Tages sich plötzlich für einige Momente gelegt hatte
und die Lufttemperatur sich momentan hob, bevor die Meeresfläche den Gesetzen der Wärmevertheilung Folge leisten
konnte.

Am Morgen des 1. März hatten wir endlich Hydra
passirt und befanden uns vor Spezzia, am Eingange des
schönen Golfs. Der Wind wurde uns günstiger, und der
Himmel war ungemein rein und klar. Hinter uns in S.O.
hatten wir das offene, unabsehbare Meer, zur Linken die
hohen schneebedeckten Berge von Napoli di Malvasia.

Um 11 Uhr Mittags war die Temperatur der Luft =
12,2, die des Meeres = 11,8. Um 3 Uhr Nachmittags die
Lufttemperatur = 15,3, die des Meeres = 12,2. Wir
hatten Untiefen. Der Abfall der südöstlichen Küste des
Peloponneses ist übrigens steil und bildet hohe Felsenwände.

Heute erhielten wir von einem Schiffe, welches aus
Egypten kam, die erste Nachricht, dass auf der Flotte des
Vizekönigs in Alexandria neuerdings die Pest ausgebrochen
sey. Mit Anbruch der Nacht hatten wir endlich Spezzia
passirt und waren also in den Golf eingetreten, sahen auch
schon in der Ferne den Palamides, mussten aber einer sehr
stürmischen Nacht halber laviren.

Am nächsten Morgen endlich waren wir dicht am Palamides und ankerten im Hafen von Nauplia. Der Palamides, abgesehen von seiner geschichtlichen Denkwürdigkeit, gewährt einen ungemein imponirenden Anblick. Kühn, wie ein Adlernest, steht die Feste auf der Spitze eines hohen Felsens, der mit ganz senkrechten Wänden gegen die Stadt und das Meer abfällt. Man sollte glauben, dass eine solche Festung, wenn sie nicht ausgehungert wird, uneinnehmbar wäre, und doch fiel die Felsenburg im Kampfe der Griechen für ihre Freiheit nach mehreren vergeblichen Versuchen ohne besondere Kraftanstrengung. Die Absätze der Felsen sind mit Cactus Opuntia bedeckt, was der Partie um die kleinere Festung, am entgegengesezten Ende der Stadt, einen besonders südlichen Charakter gibt. Nauplia selbst ist klein und hätte sich wohl schwerlich mit Beibehaltung des gegenwärtigen Platzes jemals zur Hauptstadt entwickeln können; doch gewährt es mit seinen hübschen Häusern zwischen den grauen kahlen Felsenwänden des Palamides und dem Meere einen ganz eigenthümlichen, schönen Anblick. Die Stadt spielt in der Geschichte des griechischen Kampfes eine bedeutende Rolle. In den Jahren 1821 und 1822 war sie der Schauplatz der Kämpfe der Griechen unter ihrer Amazone BABOLINA, unter DEMETRIUS YPSILANTI, NIKITAS, KOLOKOTRONIS, mit den Türken unter DRAM ALI-Pascha, und später, 1825, unter IBRAHIM-Pascha. Sturm, Hunger erschütterten den Palamides, aber er fiel nicht, bis diess endlich in der Nacht des 12. Dezembers 1822, wie gesagt, ohne besondere Kraftanstrengung, ganz plötzlich geschah. Nauplia wurde später der Schauplatz wüthender Parteikämpfe, die Griechenland tiefere Wunden schlugen als der Kampf mit den Türken, und die es besonders in moralischer Beziehung entwürdigten. KAPODISTRIA fiel am 9. Oktober 1831 durch Meuchelmord an der geheiligten Schwelle, und Gewitterstille folgte der verbrecherischen That. Der Himmel hatte jedoch Griechenlands Elend ein Ziel gesezt; mit der Ankunft König Otto's, am 6. Februar 1833, begann eine schönere Zeit; die lezten blutigen Strahlen warf die Sonne auf die Felsengipfel des Taygetos: dann verbreitete sich ihr milderer Schein über Hellas, das nur unter der Ägide des Friedens seiner grossen Zukunft entgegen gehen kann.

Nauplia hat eine Umgebung, die klassische Erinnerungen weihen. Im Hintergrunde des Golfs das freundliche Tyrinth, über dessen Cyklopen-Mauern der rasende Herkules einst seinen Freund hinabwarf; links davon Argos mit seiner schönen Citadelle; im Hintergrunde die Berge des alten Mycene, zwischen denen noch das Mausoleum des Agamemnon dem Wanderer eine heilige Wallfahrtsstelle bietet. Auf der andern Seite die damals schneebedeckten Berge Arkadiens, der Chelmos, Parnon, Parthenius etc., wo zwar noch Hirten singen und Hirtinnen schmachten, aber eine gewisse Knoblauch-Atmosphäre, welche beide umgibt, der idyllischen Annäherung einen Riesendamm entgegensezt. Im Vordergrunde der arkadischen Berge liegt das freundliche Astros und breiten sich die lernäischen Sümpfe aus.

Wir eilten durch die engen Gassen, sezten uns zu Pferd und ritten nach Tyrinth, um die Trümmer der Cyklopen-Mauern näher zu besehen. Sie sind aus allerdings sehr grossen Steinen aufgeführt, so dass jeder Maurer vor den Cyclopen einen wahren Respekt empfinden muss.

Der eigentliche point scientifique ausser dem hohen Alter — da diese Mauern schon zu Zeiten des trojanischen Krieges in Trümmern gelegen haben sollen — wurde mir nicht klar, und da sich gerade ein frischer Nord erhob, so kehrten wir wieder um, um ja den günstigen Moment, aus dem Golf hinauszukommen, nicht zu übersehen.

Abends lichteten wir die Anker, die Segel schwellten sich, die Korvette senkte ihr Vordertheil und hob es wieder, der Kiel furchte die schäumenden Wogen, wir verliessen mit frischem Winde und vollen Segeln unser heimathliches Europa. Die Nacht senkte sich aufs Meer, nur einzelne Lichter noch sahen wir in weiter Ferne, sie flimmerten schwächer und immer schwächer, wie ferne Sterne, die Wogen verschlangen sie, sie waren weg — und ein leiser Schmerz durchzog die Brust.

Der Wind blieb uns die ganze Nacht durch günstig, die See ging sehr hoch, wir machten pr. Stunde 11 bis 13

Seemeilen. Wir steuerten gerade südlich. Am frühen Morgen des 3. März sahen wir die Insel Cerigo, hatten dicht zur Rechten die kleine Insel Cerigotto und sahen um 9 Uhr Morgens bereits die nordwestlichsten Vorgebirge der Insel Candia. Wir hatten zur Linken Kap Spada und Kap Buso, wo am Forte Grabusa im Jahr 1691 die Venetianer den Türken die unglückliche Seeschlacht lieferten und durch Verrath die Festung verloren, in demselben Jahre, als die Österreicher die glorreiche Schlacht von Salankemen unter Ludwig von Baden schlugen. Wir näherten uns nun der Westküste mehr und mehr, und Nachmittags sahen wir die schneebedeckten Gipfel der Leuka Asprovuna oder des weissen Gebirges; sahen Abends die Kreideberge der Küste, umsegelten Kap Crio oder St. Johann und erblickten noch vor Anbruch der Nacht in der Ferne die hohen, beschneiten Spitzen des majestätischen Ida, heut zu Tage Psiloriti. Da der Wind conträr wurde, kreuzten wir die Nacht durch an der Südküste der Insel Candia.

Um 11 Uhr Mittags beobachtete ich heute die Lufttemperatur $= 11,0$, die des Meeres $= 12,3$. Um 3 Uhr Nachmittags die Lufttemperatur $= 12,2$, die des Meeres $= 12,5$.

In der Nacht suchten wir freiere See und gingen ausserhalb der Insel Gozzo unter den Wind, doch behielten wir des reinen Himmels halber und im hellsten Mondenschein den Ida mit seinem weissen, strahlenden Haupte klar vor uns. Wir blieben lange auf dem Verdecke, denn die Luft war milde, lau. Unser Schiffskommissär Novak spielte Guitarre, deren Töne sanft auf der weiten Meeresfläche verhallten, die ruhig, wie ein Spiegel, vor uns lag. Wäre die Erinnerung, die Himmelstochter, nicht, solche Augenblicke wären für uns rein verloren, denn ihre Darstellung liegt ausser der Gewalt des Pinsels und des Wortes.

Die Windstille hielt fast den ganzen folgenden Tag an. Die ganze Südküste von Candia lag vor uns, die ganze herrliche Bergkette, die Leuka Asprovuna, der Cignostosoro, der Ida, die Berge von Messara, der Sitia (der alte Dykte) bis zum Vorgebirge Sacro. Welch ein herrliches Land, welch ein himmlischer Himmel! Merklich gewinnt um Candia das nordafrikanische Klima die Oberhand, die Beleuchtung ist so intensiv, dass die Landschaft von den Strahlen der Morgensonne wie vergoldet erscheint. Das Meer zeigte heute eine dunkle smalteblaue Farbe.

Um 11 Uhr Mittags beobachtete ich Lufttemperatur = 14,0, die des Meeres = 13,8. Um 3 Uhr Nachmittags die Lufttemperatur = 14,0, die des Meeres = 13,8, gerade so wie am Vormittage. Stehen diese Beobachtungsresultate nicht etwa mit der heute bemerkten Farbe des Meers in Verbindung? vielleicht in Folge vorhandener Untiefen?

Auf den Gehängen des Ida befinden sich mehrere griechische Klöster, als: St. Croce, Asomatos, Georg, Anton, Johann, in dessen Nähe sich das bekannte Labyrinth befindet etc., alle, wie es scheint, in höchst pittoresken Situationen. Gegen Abend hatten wir wieder günstigen Wind, mit dem wir uns schnell von den Küsten entfernten und der die ganze Nacht durch anhielt.

Am Morgen des 5. hatten wir das Land ganz aus dem Gesichte verloren und genossen zum Erstenmal auf unsrer Reise den Anblick der freien, offenen See. Der günstige Wind hielt den ganzen Tag durch an.

Um 11 Uhr Mittags war die Lufttemperatur = 15,0, die des Meeres = 14,8. Um 3 Uhr Nachmittags Lufttemp. = 16,1, Meerestemp. = 16,0. Hier ist von Untiefen nichts bekannt, und es scheint also, dass der Grund der niedrern Meerestemperatur hier ein andrer ist, oder es fanden Beobachtungsfehler statt. Da die Wärme in den Kajüten in den heissesten Stunden des Tages bereits auf 20° stieg, so fiel sie unsern an derlei Temperaturen nicht gewöhnten Körpern sehr lästig, um so mehr, da diese Wärme in den Fugen und Spalten der Schiffswände, besonders zur Nachtzeit, so manches organische Leben weckte, welches füglich hätte schlummern können. In der Nacht beobachtete ich mehrere schwimmende und stark leuchtende Medusen, konnte aber wegen des schnellen Laufes des Schiffes keiner habhaft werden.

Am 6. kein Land. Es war der erste Sonntag im Monat

und daher feierliche Parade, Musterung und Verlesung der Kriegsgesetze. Die Hitze wuchs fühlbar. Um Mittag hatten wir auf dem Verdecke im Schatten 15° bis 16°, unter dem Decke aber 25°. Abends trat Windstille ein.

Am 7. kein Land. Wir hatten conträren Wind.

Am 8. kein Land. Der Schiffsrechnung nach sollten wir bereits die Küste von Afrika sehen, da aber diess nicht so bald geschah, so mussten Fehler in Beobachtung des Schifflaufes statt gefunden haben und zwar wahrscheinlich bei Messung der Länge mittelst der Logleine. Diese Manier ist an und für sich höchst unrichtig, denn sie beruht auf einem ganz falschen Prinzipe. Man nimmt nämlich an, dass das kleine Brettchen, woran die Logleine befestigt ist und deren Eintheilung beim Ablaufen von der Spindel die Weglänge angibt, seinen Platz im Meere fix behaupte und nur das Schiff sich bewege. Diess ist aber nicht wahr; denn das Brettchen hat auch für sich eine Bewegung und zwar conform der der Wellen, so dass also die Schnurlänge bei Gegenwind die Summe, bei Wind von hinten die Differenz beider Bewegungen angibt, worauf keine Rücksicht genommen wird. Weit verlässlicher, glaube ich, dürfte es wohl seyn, ein Rad an der Seite des Schiffes so anzubringen, dass es gegen die Einwirkung der Wellen möglichst geschützt und seine Bewegung nur von der des Schiffes abhängen würde. Ein einfacher Multiplikationszähler würde die Zahl der Umdrehungen geben und diese ausgedrückt durch den Längenwerth dieser Umdrehungen, gleich dem Produkte der Radperipherie in die Zahl der Umdrehungen, müsste die Schiffslänge doch wenigstens genauer als die Logleine geben. Bei Dampfschiffen mit Rädern oder mit archimedischen Schrauben geben diese selbst das Mittel zur Bestimmung der Weglänge so gut als die Logleine an die Hand, nur müssen auch hier Zähler angebracht seyn. Überhaupt kommt mir vor, dass man sich auf Kriegsschiffen aus dem Grunde, die Mannschaft beschäftigen zu müssen, noch mancher sehr unvollkommener mechanischer Vorrichtung bedient, um gewisse Arbeiten zu verrichten. Dahin zähle ich z. B. die archimedische Ankerwinde zur Lichtung der Anker. Kauffahrer, die immer nur ein kleines Personal besitzen, haben weit vollkommenere Einrichtungen, um mit weniger Mannschaft dasselbe zu bewirken. Es fragt sich daher nur, ist wirklich der Grund, die Mannschaft des Kriegsschiffes auf diese Weise zu beschäftigen, ein hinreichender? Ich bin zwar in dieses Fach nicht eingeweiht, aber mir scheint nicht!

Am Morgen sahen wir ein türkisches Schiff, wahrscheinlich von Alexandria kommend, es war jedoch zu ferne, um es anrufen zu können. Am Abend sah ein Matrose vom Mastkorbe Land. Es zeigte sich in S.O. und bestand in zwei kleinen Hügeln. Vom Verdecke sah man nichts. Da die Nordküste von Afrika, wenigstens in Egypten, sehr flach ist, so dass sie oft kaum auf 15 Seemeilen gesehen werden kann, überhaupt an der Küste viele Untiefen und Felsen sich befinden, so ist die Annäherung in der Nacht sehr gefährlich und wir kreuzten daher in offener See. Mit Einbruch der Nacht vernahmen wir Kanonendonner, er kam von der Citadelle in Alexandria. Also Morgen sollten wir die Küste von Afrika, das Land der Pharaonen, Alexandria, sehen, Hoffnungen genug, um eine solche Neugierde in uns zu erwecken, dass wir kaum schlafen konnten.

Am Morgen des 9. März sahen wir nirgends Land. Wir wendeten uns daher in jene Gegend, in der wir es gestern erblickt, und entdeckten es auch bald eine Stunde darauf. Wir sahen die Küste in neblichter Ferne, in grosser Ausdehnung eine weite hügelige Sandebene ohne alle Vegetation — ein scheusslicher Anblick. Aus der Ebene ragte ein Thurm hervor, den man für die Pompejussäule hielt, der sich aber später als der Thurm der Araber, westlich von Alexandria liegend, zu erkennen gab. Wir wendeten daher das Schiff und fuhren gegen Osten, in welcher Richtung wir um 10 Uhr wieder Kanonendonner hörten und drei grosse Segelschiffe erblickten, darunter zwei Dreimaster. Um Mittag hatten wir das Land wieder ganz aus dem Gesichte verloren, sahen aber bald darauf das Serail des Vizekönigs aus der Wasserfläche emporsteigen, der erste sichtbare Punkt, wenn man sich Alexandria nähert. Gleich darnach zeigte sich uns rechts vom Palaste der Mastenwald im Hafen, und zwischendurch sahen wir die Stadt mit der Citadelle und der herrlichen Pompejussäule. Um 2 Uhr Nachmittags waren wir der Küste so nahe, dass wir die modernen, weissen, ganz europäisch aussehenden Häuser der Stadt deutlich wahrnahmen, die einen sehr freundlichen Eindruck machen würden, wäre die Umgebung schöner; aber gleich westlich an der Stadt beginnt die gelblichrothe Wüste, ohne Vegetation, die ganze Küste bildend. Wir entdeckten kaum ein grünes Plätzchen, welche enorme Sterilität auf uns, die wir aus einem der schönsten Alpenländer kamen, einen sehr unerfreulichen Eindruck machte. Die Küste bildet ein hügeliges Dünenland, und nur der Rand ist felsicht, aber durch Brandung sehr zerstört. Schon in bedeutender Entfernung bemerkt man in der Farbe des Meeres eine grosse Veränderung. Es wird trübe, schlammig, eine Folge des Nil, des kolossalen Stromes, der bei Rosette und Damiette seine beiden Hauptmündungen hat. Unsre Reise von Triest hieher, ohne den Aufenthalt in Patrass und Athen zu rechnen, hatte also 43 Tage gedauert, während welcher Zeit wir immer zur See waren. Die Überfahrt von Athen nahm 12 Tage in Anspruch. Während der ganzen Zeit war im Ganzen die Witterung schön, wir hatten zwei einzige volle Regentage, aber sehr häufig conträren Wind und ein paarmal Sturm.

Der Hafen von Alexandria dürfte, so schön und gross er auch ist, hinsichtlich seiner Einfahrt einer der gefährlichsten seyn. Das Meer ist voll von Klippen, die unter Wasser stehen und einen so schmalen, sich schlängelnden Kanal bilden, dass nicht zwei Korvetten neben einander einlaufen könnten. Dabei hat das Meer so wenig Tiefe, dass Linienschiffe genöthigt sind, beim Ein- und Auslaufen den grössten Theil ihrer Kanonen auszuschiffen und dieselben erst nach zurückgelegter Passage wieder einzunehmen. Mit Aufwendung eines bedeutenden Kostens wäre es allerdings möglich, die Einfahrt zu erweitern und auch zu vertiefen; doch der Vizekönig bewahrt mit Recht dieses ihm von der Natur verliehene Bollwerk, wodurch bei gehöriger Vertheidigung eine Einnahme von Alexandria sehr erschwert würde. Ohne Piloten ist daher die Passage sehr gewagt, und auch die egyptischen Kriegsschiffe dürfen nie ohne Piloten passiren. Kurz vor unserer Ankunft wagte diess ein Kapitän, hatte das Unglück zu scheitern und wurde sogleich kriegsgerichtlich verurtheilt und erschossen.

Die Piloten haben, um den Weg durch die Klippen sicher zu finden, gewisse Anhaltspunkte an verschiedenen fixen Gegenständen, z. B. Minarets, die Pompejus-Säule etc., welche sich in mancherlei Kombinationen bei den verschiedenen Windungen des Schiffes decken müssen. Viele Kauffahrer-Kapitäne, besonders der österreichischen und griechischen Marine, kennen genau diese Verhältnisse, doch wagt es selten einer wegen den paar Thalern, die der Pilote für die Führung des Schiffes auf seine Verantwortung erhält, sein Schiff sammt Ladung zu riskiren. Wenige Tage vor unsrer Ankunft ereignete sich ein warnendes Beispiel dieser Art. Ein österreichischer Kauffahrer war unter ganz vorzüglich günstigem Wind in 9 Tagen von Triest nach Alexandria gegangen. Ein englischer Kauffahrer, denselben Weg kommend, unter gleich günstigen Verhältnissen, wollte es erstern gleich thun. Er kam am 9. Tage Abends an. Die Zeit, den Piloten zu rufen, war vorüber, er beschloss daher, ohne denselben einzulaufen und verlor Schiff und Ladung. — Als wir an dem Hafeneingang angekommen waren, zogen wir am Vordermast eine Signal-Flagge auf, und das Pilotenschiff, eine grosse Barke, erschien sogleich. Zwei der Piloten kamen an Bord und stellten sich neben den Kapitän, dem sie ihre Weisungen mittheilten und der darnach sein Kommando einrichtete. Alle Manöver wurden mit vieler Präzision und schnell ausgeführt, die Korvette gehorchte wie ein edles Ross, und ich begriff, wie ein Seemann sich ordentlich in sein Schiff verlieben kann. Die Barke der Piloten fuhr unserm Schiffe vor, und wir wandten uns behende zwischen den Klippen durch. Links der Hafeneinfahrt steht das Serail des Vizekönigs, wo auch die höchsten Regierungsstellen sich befinden, ein sehr schönes

und freundliches Gebäude, rechts der Einfahrt befindet sich
eine Reihe von Forts, die noch zum Theil aus der Zeit
Napoleons herrühren sollen, aber sehr schlecht unterhalten
scheinen. Auch am Serail steht ein Fort, so dass die
Hafeneinfahrt von beiden Seiten bestrichen werden kann.

Neben den Forts der rechten Seite steht auf einer Anhöhe eine Reihe von Windmühlen, die gerade alle in vollem
Gange waren und dem Bilde eine eigene Lebendigkeit gaben.

Die Stadt selbst gewährt einen schönen Anblick. Sie
hat die Ausdehnung einer Stadt von 50 bis 60,000 Einwohnern,
was auch, mit Einschluss von etwa 8000 Europäern, ungefähr ihre Bevölkerung seyn mag. Die Fremden sind meist
Malteser, Italiener und Griechen, weniger Franzosen,
Engländer und Deutsche, zum Theil Beamte auswärtiger
Mächte, Kauflente u. s. w., zum Theil Abenteurer und
Vagabunden von allen Völkern und allen Farben, die in
Egypten ihr Heil suchen, wohl auch finden, und in ihren
Stellungen, meist natürlich auf Kosten des Vizekönigs —
der schon durch sie in einem Grade betrogen wurde, wie
vielleicht kein zweiter Mensch auf Erden — Pläne durchsetzen, zu denen ihnen in Europa kein vernünftiger
Mensch weder Geld noch Raum gegeben hätte. Die Häuser
von Alexandria — mit Ausnahme des Quartiers der türkischen Bevölkerung und der elenden arabischen Solda-
tendörfer im Herzen der Stadt, diesen wahren Pflanz-
schulen der Pest — sind hübsch, modern und grösstentheils
in europäischem Geschmacke aufgeführt. Die schlanken
Minarets, die Gärten mit Dattelpalmen mitten in der Stadt,
die über alles emporragende Pompejus-Säule, geben zwar
an und für sich ein wahrhaft orientalisches Bild, aber in
Verbindung mit den europäischen Häusern machen sie keinen
edlen Effekt. Es ist ein Gemische, dem alle Originalität
mangelt, eine Stadt, die eigentlich nicht recht orientalisch, nicht recht europäisch, von Allem etwas — ein Stück-
werk ist.

Der Hafen war sehr belebt und voller Schiffe von den
meisten handeltreibenden Nationen. Auch die Flotte des
Vizekönigs lag da vor Anker. Es waren 10 Linienschiffe

7 *

vollständig armirt, zwei auf dem Werft im Arsenal und vielleicht an 30 Fregatten, Korvetten, Briggs und Goëletten, nebst einem sehr hübschen Dampfboote. Von aussen sahen diese Schiffe recht artig aus, aber in der Nähe besehen waren sie schlecht, schleuderisch gemacht, aus schlechtem Material, von keiner Dauer, nur zum Scheine hergestellt. Unter den Linienschiffen befand sich eines mit 140 Kanonen, in 4 Batterien vertheilt, eine Grösse, die man mit Recht jezt nicht mehr achtet; denn diese Kolosse sind zu unlenksam, zu schwer, und müssen nach Umständen einem leichtern, gut bedienten Linienschiff, ja auch sogar einer stark armirten Fregatte weichen, die meiner Ansicht nach die schönste, vortheilhafteste Form von Kriegsschiffen hat.

Wir ankerten um 3 Uhr Nachmittags zwischen einer egyptischen Fregatte und dem Dampfschiffe. Mehrere Boote mit egyptischen Soldaten fuhren an uns vorüber. Die Leutchen sahen sonderbar aus. Gelbbraun und hager, weiss gekleidet in leinene griechische Jacken und kurze griechische Hosen, oben weit wie ein Frauenrock, unten an den Waden hingegen sehr enge anschliessend, rothe Tuneser-Mützen (türkisch Fess, arabisch Tarbusch), Säbel und Musketen. Alle waren in blossen Füssen.

Der erste Besuch, den wir erhielten, war der des Hafenkapitäns und eines Sanitäts-Polizei-Beamten; später kam ein Beamter unseres General-Konsulates, der uns die unangenehmen Nachrichten brachte, dass der österreichische Generalkonsul Laurin diesen Morgen nach Syrien abgereist und seit gestern die Pest in der Stadt ausgebrochen sey.

Lezterer Nachricht zu Folge wurden natürlich die Piloten sogleich vom Schiffe gejagt und dasselbe in Quarantäne erklärt. Die gelbe Flagge wurde aufgezogen und alle Kommunikation mit dem Lande nur unter den bestehenden Vorschriften zugelassen. Ich übergab alle meine Briefe sogleich dem Konsulatsbeamten, um dieselben in Ermanglung des Vorstandes dem Kanzler desselben zu übergeben, und beantragte unsere schleunigste Ausschiffung, um die Veloce nicht unnütz hier festzuhalten und sie entweder einer

Kompromittirung oder doch einer verlängerten Quarantäne in Athen auszusetzen.

Abends kam noch Hr. Pavich, der zweite Dolmetscher des Konsulats, ans Schiff, ein Mann, dem ich späterhin manche Gefälligkeit zu danken hatte und der alles für uns that, was in seinen Kräften stand. Er brachte mir drei Briefe aus der Heimath, die ich aber leider heute nicht mehr annehmen konnte, da wir kein Feuer mehr hatten, um sie zu räuchern, und nach einer gewissen Zeit auf Kriegsschiffen auch keines mehr gemacht werden darf. Er theilte mir zugleich mit, dass Boghos-Bey die für ihn mitgebrachten mich betreffenden Briefe noch heute Nacht übersetzen lassen werde, und dass er übermorgen einer Zusammenkunft mit mir im Serail entgegensehe. Ferner liess er mir sagen, dass morgen durch den Telegraphen die Nachricht von meiner Ankunft nach Kairo an den Vizekönig abgehen werde und ich die Entscheidung desselben an Bord der Veloce abwarten solle. Übrigens war der Bey so galant, seine Besorgnisse auszusprechen, die er der Pest wegen hege, wenn wir uns ausschiffen würden, und dass er es für besser erachte, sogleich ein Kriegsschiff zu beordern, uns nach Syrien zu bringen. Ich drückte ihm dafür meinen lebhaftesten Dank aus, bemerkte aber zugleich, dass die österreichische Regierung uns hieher sende, um uns im Sinne des Zweckes der Expedition dem Vizekönig auf die bestimmte Zeit zur Disposition zu stellen, dass wir also im Dienste unserer Regierung uns zu betrachten hätten und in der Befolgung desselben weder Pest noch sonst eine Gefahr scheuen, dass ich daher auf der beantragten Ausschiffung bestehen müsse.

Am Morgen des 10. März salutirte unsere Korvette, die zum erstenmale im Hafen von Alexandria lag, mit 21 Kanonenschüssen, die in gleicher Anzahl unserer Flagge vom Serail-Forte zurückgegeben wurden. Um Mittag kam Pavich wieder ans Schiff, brachte uns neue Briefe und zugleich die Nachricht, dass Boghos-Bey mich Morgens 9 Uhr im Serail des Vizekönigs erwarte; zugleich ersuchte er mich, meinen gestrigen Wunsch wegen der Ausschiffung schriftlich zu wiederholen, in der Voraussetzung, dass der Bey sich durch diese Erklärung vor Verantwortung schützen wolle, im Falle sich ein Unfall ereignen sollte.

Ich nahm keinen Anstand, diess zu thun, und fügte noch bei, dass ich unmittelbar an ihn und an den Vizekönig angewiesen sey, und dass ich daher auch unmittelbar mit ihm und dem Vizekönige das Nähere über den Zweck, die Art und die Zeit der Reise nach Syrien besprechen wolle, bevor ich dahin gehe.

Boghos-Bey war so artig, neuerdings zu mir zu schicken und sich zu erkundigen, ob ich nicht irgend eines Gegenstandes bedürfe, sey es Geld oder sonst Etwas, für welches freundliche Entgegenkommen ich mich natürlich sehr verpflichtet fühlte.

Am Nachmittage machte ich die Bekanntschaft mit dem königl. dänischen Generalkonsul, Hrn. v. DUMMREICHER, an den ich von Triest aus adressirt war. Die Bekanntschaft mit diesem um das Schicksal so vieler Europäer in Egypten höchst verdienten Manne rechne ich unter die schönsten Momente meiner Reise. Seine herzliche, warme Theilnahme an meinem und meiner Gefährten Schicksal, seine unermüdete, anspruchlose Hülfe bei jeder Gelegenheit bilden für mich eine Schuld des Dankes, die ich nie abzutragen im Stande bin. Seinen Mittheilungen zufolge war die Pest, die damals herrschte, von gar keiner Bedeutung und rein nur auf das Arsenal beschränkt. Seinem Rathe zufolge nahmen wir leichte wollene Binden, um sie auf blossem Leibe zu tragen: ein Umstand, der mir später zur Gewohnheit wurde, die ich nie ablegte, so lange ich in heissen Klimaten reiste, und was zu thun ich Jedem anrathe; denn nirgends sind Verkältungen gefährlicher und in ihren Folgen rapider, als gerade in jenen Ländern. Mit DUMMREICHER besprach ich auch ein wichtiges Kapitel, nämlich das Bedürfniss zweier Dolmetscher, einen für mich, der mich stets begleiten, mir stets in Geschäften zur Seite stehen sollte, und einen zweiten für die übrigen Expeditions-Glieder. Für die erstere Stelle bezeichnete mir derselbe einen Marine-Offizier, ACHMED EFFENDI, einen deutschen Renegaten, der türkisch, arabisch, französisch, italienisch und deutsch sprechen, als Marine-Offizier und Professor in der Marine-Schule Vorkenntnisse von Mathematik und Physik besitzen und ein sehr braver, rechtlicher Mann seyn sollte. Da alle diese Eigenschaften meinen Anforderungen durchaus entsprachen, so war ich Hrn. v. Dummreicher für diese Empfehlung sehr verbunden, die ich auch späterhin vollkommen gerechtfertigt fand. Die zweite Dolmetscher-Stelle hoffte ich in Kairo zu besetzen.

Am andern Morgen fuhren der Kommandant Logotheti und ich ans Land, um in das Serail zu gehen, wo Boghos-Bey uns zu sprechen wünschte. Am hölzernen Molo vor dem Serail empfing uns Pavich, der alle nöthigen Anstalten traf, dass wir mit Niemanden in Berührung kamen, was mir gar nichts ausgemacht hätte, da ich ohnediess in Egypten blieb, für Logotheti aber sehr fatal gewesen wäre, da er sich und natürlich das ganze Schiff einer langen Quarantäne unterzogen hätte. Mit Pavich erschien zugleich der egyptische Oberst Romei, ein sehr bejahrter Mann, aber ein noch ungemein lebhafter Neapolitaner. Es ist derselbe, der bei der vielmonatlichen Belagerung von Jean d'Acre durch Ibrahim-Pascha, infolge der von ihm eingeleiteten Änderung des ganzen Angriffplans und des darauf folgenden Sturmes, eigentlich die Festung fallen machte, wofür er später, wie ich höre, mit Undank belohnt wurde.

Das Serail des Vizekönigs besteht aus vielen, leicht gebauten, aber durch ihr hübsches Äussere ansehnlichen Gebäuden, die auf die Landzunge hingestellt sind, welche die eine Seite der Hafeneinfahrt bildet. Alle diese Gebäude haben durchgehends nur eine Etage und eine auffallende Menge von Fenstern, durch welche die Zimmer nicht allein sehr licht, sondern auch in der heissen Jahreszeit kühl gehalten werden können. Das Audienz-Lokal besteht aus mehreren luftigen Salons, theils mit Marmor gepflastert, theils mit Teppichen belegt, worin aber keine andere Einrichtung zu sehen ist, als die schwellenden Divans längs den Wänden ringsherum. Sonderbar nahmen sich gegen diese edle Einfachheit die egyptischen Soldaten in ihren zerrissenen, schmutzigen Uniformen aus, deren einer auf der Wache zu

meinem grössten Erstaunen die unzweideutigsten Beweise
gab, dass er selbst nicht das einzige lebende Wesen sey,
welches in seiner Jacke stecke. Als wir einige Minuten
gewartet hatten, erschien Boghos-Bey, ein Mann in vor-
gerücktem Alter, mittlerer Statur, lebendig im Gespräche
und vielen Scharfsinn verrathend. Er spricht ausnehmend
fertig französisch und italienisch, und zeigt in vielen Dingen
eine gewisse europäische Routine. Er ist ein Armenier aus
Smyrna und trägt noch das orientalische Kostüm mit Turban,
den der Vizekönig selbst, den Reformen zu Liebe, mit dem
Fess vertauscht hat. Boghos besizt mit Recht das Vertrauen
des Vizekönigs und ist einer von den sehr wenigen aus
seiner Umgebung, die ihm wirklich ausgezeichnete Dienste
geleistet haben. Boghos ordnete ihm seine Finanzen, unterwarf sie einer geregelten Verrechnung und hob den Handel,
besonders den mit Baumwolle, die Hauptquelle aller Ein-
nahmen, auf seine damalige Höhe.

Nachdem wir die üblichen und umständlichen Komplimente gewechselt hatten, Pfeifen und Kaffe gebracht waren, eröffnete ich dem Bey meine Wünsche in Bezug der
Ausschiffung, meiner Vorstellung beim Vizekönig, der damals in Kairo abwesend war, der Wahl eines ersten Dolmetschers, der Mitreise des Dr. Veit als Expeditionsarztes etc.
Die Ausschiffung wurde auf Nachmittag festgesezt. Im
Übrigen aber behielt sich der Bey vor, an den Vizekönig
zu berichten, doch bestimmte er vor der Hand Achmed
Kaptan als meinen Dolmetscher.

Boghos begleitete uns mit orientalischer Höflichkeit bis
zur Treppe, und wir entfernten uns wieder mit derselben
Aufmerksamkeit für den Kommandanten, damit er ja mit
keinem egyptischen Wesen in Berührung komme.

An Bord angekommen, liessen wir nun Alles zur Ausschiffung vorbereiten, und Nachmittags erschien Freund
Pavich mit Achmed Kaptan und einem Konsulatsjanitscharen,
um uns ans Land abzuholen. Nachdem wir den braven
Offizieren der Korvette Lebewohl gesagt, bestiegen wir
unsere Barke, und in wenigen Minuten standen wir in Alexandria. Das Gewühl der Menschen von allen Nationen

und Farben, das thätige Treiben derselben am Hafen war
sehr gross und für uns höchst interessant. Da waren
Europäer mit ihrem Sprachengewirre, die voll Eifer, Unter-
nehmungsgeist und Spekulation geschäftig umhereilten; ernste
Türken mit bedächtigem Schritte, langsam in Wort und
That; lebendige Griechen, die überall durchschlüpften, wo
ein Anderer stecken bleibt; gelbbraune Araber, halbnackt
oder mit Lumpen bedeckt, die Repräsentanten eines glühenden Himmels und des herrschenden Elendes; Araberinnen
in weitem blauen Kleide, bis auf die Augen vermummt,
die schwarz und brennend hervorblizten; nackte Neger
aus dem fernen Innern, dazu eine Menge Dromedare, die
ihre Köpfe dumm umher wendeten und alles anglozten und
mit ihrem widerlichen Geschrei die schweren Bürden hin-
und herschleppten. Als wir landeten, sammelte sich eine
Menge gemeinen Volkes um uns, doch unser Janitschar
MOHAMMED gab uns sogleich ein anschauliches Beispiel der
landesüblichen Polizei, er hieb mit seiner grossen Peitsche
rücksichtslos um sich, wodurch er uns natürlich Raum verschaffte. In unsrer Stellung waren unsere Effekten der
Visitation durch das egyptische Zollamt enthoben, und wir
betraten sogleich die Stadt.

Der Eintritt in Alexandria ist wie in den meisten
Städten des Orientes nicht der angenehmste. Die Strassen
des Türkenquartiers sind enge und zum Theil sehr unrein.
Die Häuser mit ihren platten Dächern und den auf die
Strassen zu mangelnden Fenstern machen einen höchst ein-
förmigen Eindruck. Die Hauptstrasse, welche in das Fran-
kenquartier führt, ist sehr belebt und voller Kaufmannsläden.
— Wir traten in dem Gasthof zum Aquila d'oro ab, wo
BOGHOS-Bey für uns fünf Zimmer bestellt hatte. Der Gast-
hof war damals sehr gut eingerichtet, und wir fanden alle
Bequemlichkeiten, die wir nur wünschen konnten.

Zweiter Abschnitt.

Reise in Unteregypten.

Aufenthalt in Alexandria.

Bei der ersten Zusammenkunft mit Boghos-Bey, bei der ich ihm auch mein ganzes Personal vorstellte, wurde es mir klar, dass die egyptische Verwaltung wohl über die Haupttendenz unserer Expedition im Reinen sey, keineswegs aber über die Art und Weise, die Expedition in eine solche Lage zu setzen, dass die Erreichung jener Tendenz möglich werde. Je natürlicher von meiner Seite die Frage war, was man denn eigentlich wolle, welches Terrain des kolossalen Erdstriches, den MEHEMED-ALI damals in zwei Welttheilen unter seinem Befehle hatte, man der ersten Aufmerksamkeit würdig erachte, oder ob vielleicht schon gewisse Objekte fixirt seyen etc.: um so mehr musste ich erstaunen, zu hören, dass man zwar sehr wünsche, Eisenwerke und Steinkohlengruben zu besitzen, auch Gold- und Silberbergwerke keineswegs zurückweisen würde, aber vor Allem die Expedition nach Suez und zu den Smaragdgruben der Alten am rothen Meere zu senden beabsichtige. Es war leicht einzusehen, dass der Vizekönig in dieser Beziehung einen sehr schlecht unterrichteten Rathgeber gehabt hatte; denn Suez ist ganz ohne bergmännische Bedeutung, und von den Smaragdgruben wusste man nur gerade so viel, dass

sie einst existirt haben sollen. Um so angenehmer war
es mir daher, den Wunsch des Vizekönigs zu vernehmen,
der mich sammt meinen Leuten nach Kairo rief, um mit
ihm selbst das Weitere zu besprechen. Jezt sah ich ein,
wie gut ich gethan hatte, nicht sogleich nach Syrien gegangen zu seyn, indem es mir dadurch möglich wurde,
meinen Hauptplan zu realisiren: nämlich die Arbeiten der Expedition so zu stellen, dass sie nutzbringend für den Vizekönig würden, und dass die Reise die grösstmöglichste
Ausdehnung in jenen geologisch noch so wenig untersuchten Ländern erhielte. Da übrigens die Jahreszeit zu Reisen
in dem heissen Süden schon zu sehr vorgerückt war, auch
in Kurzem daselbst die jährliche Periode der Chamsins
begann, die in den Monaten April und Mai wehen, so war
ich darauf bedacht, unsere Arbeiten in den nördlichern
Provinzen, und zwar in Kleinasien, zu beginnen und die
Expedition von da nach und nach südlich zu führen, um
unsere an das heisse Klima durchaus nicht gewöhnten
Naturen nicht sogleich und so plötzlich dem schädlichen
Einflusse desselben auszusetzen.

Wenn man unter Alexandria den Raum versteht, den
die Ringmauern der Stadt einschliessen, so gehört eine
Promenade in dieser Stadt schon unter die ermüdendern;
denn diese Mauern bilden einen viel zu weiten Rock, und
Alexandria darf noch lange wachsen, bis es ihn ausfüllt.
Die jetzige Stadt nimmt kaum mehr als den vierten Theil
des Raumes ein, welchen die Mauern einschliessen, und ist
am nördlichsten Theil desselben auf der Landenge zwischen
dem alten und neuen Hafen zusammengedrängt, auf drei
Seiten vom Meere umgeben. Den übrigen Theil innerhalb
der Mauer nehmen grosse Gärten, die Citadelle, Ruinen,
Schutthäufen von kolossalem Umfange und einige elende
Dörfchen der Soldaten ein. Der alte Hafen, nämlich der
westliche, ist der besuchteste. In ihm liegen die meisten
Handelsschiffe und zugleich die Flotte. Der neue hingegen,
oder der östliche, schliesst sich dem Frankenviertel unmittelbar an und ist sehr schlecht, daher auch nur wenige
Schiffe dahin gehen, indem seit Mehemed-Ali's Herrschaft

jedem christlichen Schiffe der Zutritt in den alten Hafen ungehindert erlaubt ist, was das Konversations-Lexicon vom Jahr 1833 wohl hätte berücksichtigen dürfen, denn gerade die gänzliche Beseitigung aller der intoleranten Bedrückungen von Seite der Muhamedaner ist ein glänzendes Verdienst Mehemed-Ali's, das er sich um die Christen erwarb. Wenn man die Schuttauflagerungen betrachtet und die Trümmer alter Pracht sieht, welche sie bedecken, so ist nicht zu verkennen, dass mehrere Perioden der gewaltsamsten Zerstörungen über das prächtige Alexandria ergangen seyn müssen. Nicht nur das heutige Alexandria scheint sich auf den Trümmern eines frühern erhoben zu haben, sondern auch dieses hat man auf den Trümmern eines vorhergegangenen erbaut. Durch den Umstand, dass man die Bausteine für die heutigen Baue aus diesem Schutte hervorsucht, hat man an verschiedenen Orten diese Reste der alten Stadt aufgedeckt. Man findet die prachtvollsten Säulen aus Granit, Porphyr, Syenit, Alabaster etc., edel durch ihre Arbeit und durch ihr Material; man findet grosse Fundamentbaue, die auf riesenhafte Gebäude schliessen lassen, welche einst da gestanden haben. Doch der interessanteste Theil dieser unterirdischen Herrlichkeit sind die Überreste der grossen Cisternen, welche einst den ganzen Raum unter Alexandria eingenommen haben sollen, eines der grossartigsten gemeinnützigen Unternehmungen, die das Alterthum aufzuweisen hat. Unter den Heiligthümern der alten Kunst, zu denen alle Reisende und die Jünger der neuen Kunst wallfahrten, stehen die Obelisken, welche unter dem Namen der Nadeln der Kleopatra bekannt sind, die Pompejussäule und die Katakomben oben an. Die beiden kolossalen Nadeln befinden sich am östlichen Ende des neuen Hafens in der Nähe des griechischen Klosters. Jede ist aus einem Stück des schönen grobkörnigen Granits mit rothem Feldspathe von Assuan gearbeitet und an allen vier Seiten mit Hieroglyphen verziert, die auf Süd- und Ostseite stark abgewittert sind. Die ganze Länge eines jeden dieser Obeliske ist 71 Fuss, die Länge einer Seite der Hauptbasis 6 Fuss 9 Zoll, die Länge einer Seite der

Basis des obersten, eine kleine Pyramide bildenden Theils
4 Fuss 10 Zoll. Nach Prokesch * stammen beide Obelisken
wahrscheinlich aus der Periode der Könige: Thuthmosis III.
und Ramses-Mi-Amun. Der eine dieser Kolosse steht noch
aufrecht, der andere aber liegt am Boden, so wie ihn die
Engländer, denen er vom Vizekönig zum Geschenke gemacht
wurde, liegen liessen.

Südlich von der Stadt, zwischen ihren Ringmauern und
dem See Mareotis, erhebt sich auf einem einzelnen Hügel
die sogenannte Pompejussäule **. Ob sie auf ihrem ursprünglichen Platze steht, oder früher einen andern behauptete,
wage ich nicht zu entscheiden, doch ist mir erstres wahrscheinlich. Aus dem geschmacklosen und ohne allen Kunst-
sinn aufgeführtem Fundamente liess sich beinahe schliessen,
dass dasselbe in einer schon barbarischen Zeit erneuert
worden und nicht mehr das ursprüngliche sey. Der Schaft
der Säule selbst ist 63 Pariser Fuss hoch, besteht aus einem
Stück rothen Granits von den Katarakten, hat oben 7 Fuss
3 Zoll, unten 8 Fuss 4 Zoll im Durchmesser und ist, meiner
Ansicht nach — obwohl, wie es scheint, nicht ganz vollendet —
ein Meisterstück von Ebenmaas. Durch ein höchst glücklich
getroffenes Verhältniss der Verjüngung des Schaftes von
unten nach oben, welche nicht gleichmässig ist, indem diess
der Säule ein zu spitzes Ansehen geben würde, sondern
ober der Hälfte der Schafthöhe in einem geringern Verhältnisse abnimmt, macht sie auf das Auge einen ungemein
gefälligen Eindruck, und ich theile daher keineswegs die
Meinung des Mr. Rifaud, die er in seinem Werkchen:
Gemälde von Egypten und Nubien, ausspricht. Die Höhe
der ganzen Säule sammt Knauf und Piedestal beträgt, nach
Hrn. v. Prokesch, 98 Fuss.

Von dem Hügel aus, worauf die Pompejussäule steht,
hat man eine weite Aussicht. Man übersieht ganz Alexandria, den alten Hafen mit seinem Mastenwald und den
neuen Hafen, in dem höchtens einige kleine Quarantaine-
schiffe liegen. Das Auge ruht mit Lust auf dem wenigen
Grün, welches den Hügel rings umgibt, und auf den schönen

* Erinnerungen aus Kleinasien und Egypten. 1. Band. Wien 1829.
** Nach den neuern Forschungen Diokletianssäule.

Gärten längs des Kanals Mahmudieh; denn ausserdem hat man vor sich die unbegränzte Fläche des Meers, ringsum die gelbrothe Wüste und hinter sich den weiten fahlen Spiegel des Mareotis, dessen Anblick den Eindruck einer unendlichen Öde und Einförmigkeit bewirkt. Der Mareotis-see hat einen Umfang von mehr als fünfzig Karawanen-stunden; denn er erstreckt sich von seinem südlichsten Ende, dem Ras Achmed, bis zum Mittelmeer, und vom Thurme der Araber bis zum Kanal Mahmudieh. Er erfüllt gegenwärtig diese ganze Niederung, die von dem Mittel-meere nur durch ein schmales Felsenriff voller Höhlen, und stellenweise von wenig über 3000 Fuss Breite, getrennt ist. In der frühern Zeit war dieses ganze Terrain gleich-sam eine Oase und war stark kultivirt; Städte und Dörfer verbreiteten Leben, und nur ein kleiner Sumpf bestand, vielleicht infolge des Eindringens der Meereswasser durch das obenerwähnte Felsenriff erzeugt. Als aber im Jahr 1801 die Engländer den Damm durchstachen, der den Ma-reotis von dem See bei Abukir trennt und über den der Kanal von Mahmudieh jezt hinführt, drangen die Meeres-wasser von dorther in die Niederung ein und machten das ganze Terrain zum See. Später wurde der Damm wieder hergestellt und der besagte Kanal darüber hingeführt. Da derselbe jedoch höher liegt als der Mareotis, so ergiessen sich in der Zeit des hohen Nilstandes nicht nur die Überwasser des Kanals hinein, sondern es fliesst auch viel Wasser durch den grösstentheils sehr schlecht gebauten Damm durch, und der See erhält also fortwährende Nahrung sowohl durch Meer- als durch süsses Wasser. Der Wasser-stand des Sees ist daher abhängig von dem Stande des Nil, er wächst und fällt mit diesem. Die Wasser des Sees, an und für sich salzig durch das eindringende Meer, werden es noch mehr durch die Auslaugung der salzführenden Straten des Tertiär- und Diluvialgebildes, welches das weite Bassin umgibt, und daher kommt es, dass bei der jährlichen Abnahme des Wasserstandes, wenn der Nil fällt, in Ver-bindung mit der die Verdunstung befördernden grossen Sonnenwärme, sich eine sehr bedeutende Salzmenge absezt, welche man in namhafter Quantität gewinnt und für den Landesbedarf verwendet.

Von der Pompejussäule ritten wir auf unsern feurigen Arabern, die uns Bognos-Bey zu unserm Spazierritte gesandt hatte, längs der Stadtmauer an dem Kanal von Mahmudieh hin, wobei uns einige unsrer des Reitens noch nicht sehr kundigen Gefährten genug zu lachen gaben. Wir passirten die grossen Holz- und Baumwollen-Magazine des Vizekönigs, viele der erbärmlichen arabischen Hütten, und kamen, der Meeresküste entlang, an der Redoute Kaffarelli vorbei, bei der Nekropolis des alten Alexandria, den berühmten Katakomben, an.

Das Terrain der Katakomben ist kahle Wüste, Felsenmassen des kalkigen Meeressandsteins aus dünenartigen Anhäufungen von röthlichgelbem Flug- und Meeressand hervorragend. Die Felsen sind voller Löcher, theils solcher, welche von dem Meere ausgespült wurden, theils solcher, welche durch Kunst eingebrochen sind, Nischen für Todte, oder Eingänge zu den grossen unterirdischen Todtenkammern, den Katakomben. Mehrere dieser Eingänge werden gegenwärtig vom Meere bespült, zum Theil selbst bedeckt, und da diess wohl schwerlich von Vorne herein so gewesen seyn dürfte, so kommt man auf den Gedanken, dass das Meer hier dem Lande Raum abgewinnt, was, ohne weiters zu künstlichen Erklärungsmitteln Zuflucht nehmen zu müssen, leicht denkbar ist, wenn man die leichte Zerstörbarkeit des Küstengesteins und den starken Andrang der Meereswogen berücksichtigt. Eine ähnliche Erscheinung beobachtet man auch auf der Küste nach Abukir.

Der grösste Theil der Katakomben-Zugänge und darunter auch mehrere Schächte, in deren einigen Treppen niedergegangen zu seyn scheinen, sind durch den Sand der Wüste erfüllt und bedeckt, der auch in den zum Theil noch offnen den Zugang sehr beschwerlich macht. Wir betraten zuerst jene Kammern, die unter dem Namen der Bäder der CLEOPATRA bekannt sind; warum? das weiss ich mit so vielen Andern auch nicht; denn schwerlich haben diese Löcher je die schönen Formen einer badenden KLEOPATRA

gesehen. Von da krochen wir durch verschiedene Gänge
in mehrere dieser Kammern, die mir einst ausgemalt gewesen zu seyn schienen, die aber sonst nichts besonders
Interessantes darbieten. Das Gewirre der vielen Gänge
macht das Ganze zu einem wahren Labyrinthe, und man
bedarf, um sich aus diesem finstern Reiche der Todten
wieder ans Licht zu finden, in der That des leitenden
Faden einer Ariadne, oder, in Ermanglung dessen, doch eines
verlässlichen Arabers, deren ohnehin unzählige sogleich dem
Reisenden ihre Dienste anbieten. — Die Luft ist in diesen
Katakomben an und für sich schwüle und sehr matt, wird
aber durch die Fackeln vollends zum Ersticken und erschwert
die Besichtigung um so mehr, da die Gänge so enge sind,
dass man beinahe fortwährend auf dem Bauche kriechen
muss, was eine förmliche Erschöpfung herbeiführt. Gegenwärtig werden die Katakomben von Hyänen und Schakals·
bewohnt, daher die Masse von Gebeinen solcher Thiere,
welche von ihnen dahin geschleppt und aufgezehrt werden.

Von dem einst so berühmten Pharus sieht man jezt
nichts mehr, und so sind denn, bis auf die vereinzelt ge-
bliebenen Obelisken und die Pompejussäule, alle Denkmäler
der alten Kunst in dem einst prachtvollen Alexandria verschwunden. Am 24. März fingen wir wieder an, uns zu
unsrer Abreise nach Kairo zu rüsten. In Bezug der Zutheilung Acumed Kaptans * ergaben sich plötzlich neue Schwierigkeiten, indem man darauf dachte, dass er Professor an
der Marine-Schule sey und als solcher nicht abkommen
könne; da man ferner schon anfänglich beschlossen hatte,
den zweiten Dolmetscher mir in Kairo erst beizugesellen,
so ergab sich, dass ich in dieser Beziehung nun gerade
so weit gekommen war, als ich damals war, da ich die

* Ich sehe es ein, dass dergleichen Details allerdings einem grossen
Theil der Leser etwas langweilig erscheinen werden, doch halte ich
mich verpflichtet, sie nicht zu umgehen, damit man ein klares Bild
von den Schwierigkeiten und Widersprüchen erhält, mit denen der in
jenen Ländern zu kämpfen hat, der in einem amtlichen Verbande mit
den dortigen Behörden steht und nicht blos für sich und zu seinem Vergnügen reist.

Küste von Afrika zuerst sah. Den Antrag, mir einen arabischen Bedienten mitzugeben, welcher der italienischen
Sprache mächtig sey, nahm ich in der Bedeutung an, dass ich
eines solchen Menschen allerdings bedürfe, aber dass ich ihn,
schon den gewöhnlichsten Vorschriften der orientalischen Sitte
gemäss, nie als Dolmetscher betrachten würde; abgesehen
davon, dass ein Mensch von der Bildung eines arabischen
Bedienten gar keinen Dolmetscher abgeben könne, und bestand daher auf meiner ersten Forderung. Da half denn
Hr. von DUMMREICHER aus der Verlegenheit und überliess
mir zur Reise nach Kairo und bis zur Zutheilung der geforderten zwei Dolmetscher seinen Commis, den Hrn. PFÄF-
FINGER, einen jungen Mann, gleich ausgezeichnet durch
Bildung, wie durch anstandvolles, ernstes Benehmen, der
mir als wahrer Freund lieb und theuer wurde und dem ich
unendlich vielen Dank schulde.

Die wenigen Tage, die noch bis zu unsrer Abreise
verflossen, nahmen meine Bemühungen, die Expedition flott
zu machen — was im Oriente keine Kleinigkeit ist, so dass
es sprichwörtlich wurde, nie an dem Tage fortzukommen,
an dem man sich abzugehen entschloss — grösstentheils in
Anspruch; doch blieben noch einige freie Stunden, um
sich in Alexandria selbst und seiner nächsten Umgebung umzusehen.

Der europäische Theil der Stadt, das sogenannte Frankenviertel, macht, wie schon gesagt, ganz den Eindruck
einer europäischen Stadt, und zwar einer sehr hübschen.
Man sieht auf einem grossen weiten Platze durchgehends
grosse und schöne Häuser, die zum Theil von IBRAHIM-Pascha
und einigen Privaten auf Spekulation erbaut wurden und
grösstentheils von den anwesenden Konsulaten der verschiedenen Nationen, beiläufig 20 an der Zahl, benüzt werden.
In der neuesten Zeit haben sich über 40 europäische Handlungs-
häuser in Alexandria etablirt, von denen ebenfalls die meisten
in diesem Theile der Stadt ihre Wohnungen und Comptoirs
haben. Die Anlage des ganzen Frankenquartiers ist sehr regelmässig, die Strassen sind breit, licht, gerade; wie man aber
dasselbe verlässt, geräth man entweder in die engen, krummen

Gassen des Türkenviertels, in die scheusslichen Dörfchen der Soldaten innerhalb der Stadtmauer, oder zwischen die Schutthaufen des alten Alexandria. Die Pest trat während meiner Anwesenheit in Alexandria nur sehr gelinde auf, wenige Todesfälle ereigneten sich, und die Sanitäts-Behörde — ein Institut durch die europäischen Konsulate herbeigeführt und unter einem Komité mehrerer Konsule stehend — war in voller Thätigkeit. Doch bei dem ersten Blick auf alle die vielen Hindernisse, welche die edlen Bemühungen der Europäer durch die Gleichgültigkeit der Regierung, durch die Stupidität der Bevölkerung, durch das herrschende Elend, durch die Widersprüche einer fanatischen Religion etc. finden und zu bekämpfen haben, sieht man, dass es diesen Bemühungen kaum gelingen kann, dem furchtbaren Übel einen kleinen Damm entgegenzusetzen, von Ausrottung ist gar keine Rede. Daher hört die Pest in Egypten nie auf, sondern sie dauert, wenn auch nicht gerade in so schrecklichen Formen, doch immer fort, erscheint als Typhus z. B., als Pest von gutartigem Charakter, bricht aber bei der ersten Veranlassung von Aussen in ihrer vollen Wuth als Epidemie aus. Ich werde Gelegenheit haben, auf diesen Gegenstand wieder, und zwar mehr im Detail, bei der Darstellung der klimatischen Verhältnisse Egyptens, zurückzukommen.

Noch vor kurzer Zeit war es in den Hauptstädten von Egypten eine Schande, zu gehen, und nur der gemeinste Theil der Bevölkerung that es. Seit der Zeit aber, dass die Europäer, besonders in Alexandria, ein gewisses Übergewicht bekommen haben, fängt man auch mehr und mehr an, den Gebrauch der Füsse zu üben. Früher war allgemein im Oriente den Christen das Reiten zu Pferde untersagt, und sie waren ausschliesslich auf die Esel hingewiesen; doch dieser Unterschied hat, seitdem MEHEMED-ALI als Gegner des Fanatismus aufgetreten ist, aufgehört, und jezt sind es gerade meist die Europäer, bei denen man die besten und schönsten Reitpferde trifft. Inzwischen ist das Reiten auf Eseln noch immer höchst gewöhnlich, um so mehr, da sie ganz vortrefflich sind und sehr sanft tragen. Demungeachtet muss ich gestehen, dass ich in meinem europäischen Eigendünkel und in meiner europäischen Verzogenheit mich eines gewissen unangenehmen Gefühls nie erwehren konnte, wenn ich auf einem solchen Grauthierlein im allerkürzesten Galopp zum Thor hinaussprengte; besonders aber war diess einmal der Fall, als der Treiber, der hinter mir nachlief, so oft er sein Eselchen antrieb, ausrief: „Geh du Christenhund!" Erzürnt kehrte ich mich um und that rasch die etwas dumme Frage, wen er denn eigentlich von uns beiden meine, da sagte er denn auch mit einer höflichen Verbeugung: „O Herr! ich meine den Esel, und ihn so zu nennen, ist bei uns üblich;" mit welcher Ehrenrettung ich mich natürlich zufrieden stellte.

Unter den Fabriken des Pascha ist besonders das Arsenal das Sehenswertheste. Ich besah es aber erst bei meinem zweiten Aufenthalte in Alexandria, da gegenwärtig der im Arsenal ausgebrochenen Pest halber der Zutritt untersagt war. Die eisernen Gitter waren geschlossen und Wachen vorgestellt. Auf dem Platze vor dem Eingange war eine unzählige Menge von Weibern und Kindern versammelt — die Angehörigen der im Arsenale eingeschlossenen Soldaten. Es war gerade Mittagsstunde, die Soldaten von innen, Kopf an Kopf — die Weiber aussen am Gitter, dicht gedrängt, ihre Kinder auf den Armen. Die Weiber und Mädchen alle in blauen Hemden, einige mit grossen Ringen in den Nasen, einige im Gesichte und auf den Armen tättowirt, einige sehr hübsch. Das entzückende Bild einer schönen Mutter mit ihrem Kleinen auf dem Arme fällt aber hier weg; denn ist die Form der erstern auch noch so erotisch, so ist das leztere meist desto abscheulicher. Wenige Kinder sieht man, die man liebkosen möchte; meist sehen sie fahl, kränklich und zum Entsetzen schmutzig aus; Fliegen kriechen in Schaaren um Mund und Nase, und sie dulden sie mit der Unempfindlichkeit einer Leiche.

Dicht an dem Arsenale, und damals ausser dem Bereiche der Quarantän-Sperre, befindet sich die Glashütte des Vizekönigs. Sie ist eine Hütte und bietet nichts Besonderes dar.

8 *

Alexandria hatte damals schon einige recht gute Gast-
höfe, in denen man ganz nach europäischer Sitte bedient
wurde. Auch ein Badehaus nach europäischer Manier wurde
etablirt, und ich fand es in einem Zustande, der manchem
Badehause in Europa zum Muster gestellt werden dürfte.
Gerade dadurch wurde einem wesentlichen Bedürfnisse ab-
geholfen; denn mögen auch manche Reisende die orientalischen Bäder noch so sehr loben, so glaube ich, können
ihnen doch die wenigsten Europäer wirklichen Geschmack
abgewinnen. Sie sind gute par-force-Reinigungs-Anstalten,
aber gerade wollüstig konnte ich das Striegeln, Ziehen,
Kneipen, Zwicken etc. nicht finden; wohl fühlte ich dagegen Ermüdung in Folge dieser Tortur, zulezt auch Wohl-
behagen, das sich aber von dem guten Mokka, den man mir
reichte, und von dem edlen Latakie, mit dem man meine
Pfeife stopfte, herschrieb.

Mein Freund und Gefährte, Dr. Veit, besuchte mit
dem damals in egyptischen Diensten gestandenen Flotten-
Arzte, Dr. Koch, das Militär-Spital und fand es sehr reinlich
und höchst zweckmässig eingerichtet. Diess ist unter der
Ägide des mächtigen Vizekönigs das Verdienst europäischer
Ärzte gewesen, d. h. wirklicher Ärzte, nicht jener Köche,
Pastetenbäcker und Materialisten, die unter jenem Namen
sich häufig in Egypten vorfinden und schaudervolle Gräuel
begehen, wozu ich im Verlaufe der Erzählung so manchen
Beleg geben werde. Man darf, um diese Behauptung wahr
zu finden, nur die egyptischen Spitäler und das Sanitätswesen der Armee in den entfernteren Provinzen betrachten,
wo auch sogenannte europäische Ärzte in Verbindung mit
Jüngern des Hippokrates aus Abus-abel das Regiment führen,
— aber was für eines! so dass wirklich hie und da, wie ich
mich leider nur zu sehr überzeugte, kein Einfluss von Aussen
gefährlicher seyn kann, als der der Behandlungsweise von
manchen dieser Ärzte. Unter den mancherlei interessanten
Krankheitsfällen, die Dr. Veit daselbst zu sehen Gelegenheit
hatte, fand er die verschiedenen Fälle der egyptischen
Augenentzündung besonders belehrend. Es gibt Leidende
an dieser Krankheit, bei denen das Übel so zunimmt, dass

der Augapfel des kranken Auges hervortritt und zerplazt. Auch ein sehr sehenswerther Hermaphrodit befand sich gerade im Hospitale; es war ein Knabe.

Wir gingen mit Pavich und Achmed-Kaptan an Bord mehrerer Kriegsschiffe, unter andern auch auf das Linienschiff Nr. 6, welches Hareddin - Bey kommandirte. Von Seite des Kommandanten und seiner Offiziere ward uns der freundlichste Empfang, und nach genossenem Frühstücke führte uns ersterer selbst im ganzen Schiffe herum. Ich muss bekennen, dass das freundliche, zuvorkommende Benehmen, das fast an europäische Routine gränzte, die grosse Reinlichkeit, der Glanz und die Pracht, die überall herrschten, die Augen fesselten und die Beurtheilung anfänglich sehr unrichtig machten; denn im Ganzen blieben die Schiffe doch unter aller Kritik schlecht und die Mannschaft ebenso, doch leztere immer noch besser, als auf den türkischen Schiffen. Die Erbauung eines solchen Linienschiffes sammt seiner Ausrüstung kostete den Vizekönig über 1 Million span. Thaler, und die Erhaltung desselben sammt der 1100 Mann starken Besatzung Tag für Tag wenigstens 500 Thaler. Das Schiff führte 100 Kanonen. Von da gingen wir an Bord der Fregatte Egypten, die gerade aus Syrien gekommen war, und endlich an Bord des Dampfschiffes, welches damals des Vizekönigs einziges war. Es war in Europa gebaut, die Maschine für 240 Pferdekraft eingerichtet und das Ganze sehr schön arrangirt *.

Ausser Hrn. Pfäffinger hatte sich nun unsere Gesellschaft noch um zwei Bedienten und einen Kabass vermehrt, der von Boghos-Bey als Begleiter mitgegeben wurde, und dessen Geschäft eigentlich war, alles das zu besorgen, was einen amtlichen Anstrich hatte, oder in dessen Ausführung Prügel, nach Landessitte, sich als unausweichliche Folge ergaben. Natürlich schlägt der Kabass nur die, die unter ihm stehen, diese aber auch ordentlich, und führt dazu stets die nöthigen Instrumente, Stock oder Peitsche, mit.

---

* Hinsichtlich der geschichtlichen Nachweisungen, Alexandria betreffend, verweise ich auf die kurze Skizze in Dr. Partheys Werke: Wanderungen durch Sizilien und die Levante. Zwei Bände. Berlin 1840.

Am Abende des 16. März waren unsere Effekten auf zwei grossen Segelbarken, sogenannten Dahabien, eingeschifft; wir gingen in Begleitung einiger Freunde an Bord und fuhren auf dem Kanale Mahmudieh nach Adfuch ab.

Reise von Alexandria nach Kairo und Aufenthalt daselbst.

Wir hatten conträren Wind, die Schiffe mussten daher die ganze Nacht gezogen werden. Die Barken entsprachen dem schönen Namen el-Dahabia, die Goldene, nicht ganz. Sie waren für so viele Menschen und so viel Gepäcke zu klein und liessen überhaupt Manches zu wünschen übrig. Kaum hatte die Sonne ihre lezten Strahlen in den bleichen Spiegel des Mareotis getaucht, so fing es unter dem Kajüten-Boden sich zu regen an, und, begünstigt durch den Schleier der Nacht, erschienen die langgeschwänzten Geister und begannen uns zu necken. Ich sezte mich daher vor die Kajüte und sah unsern Matrosen zu, wie sie gebückt am Ufer gingen und die Barken zogen. Ein einförmiger, aber keineswegs widerlicher Gesang, wenigstens weit hübscher als die Nasen-Melodien der Griechen, begleitete ihre Schritte und hatte meist ein ganz einfaches Gebet zum Gegenstande. So zogen die Leute die ganze Nacht fort, und ich konnte über ihre Ausdauer nicht genug staunen. Der Araber, wie jeder Sohn eines heissen Landes, ist indolent, faul, kann aber andrerseits viel aushalten und unterzieht sich Anstrengungen des Körpers mit einer unbegreiflichen Geduld und Ausdauer. Der Türke, der jezt wie ein Klotz auf seinem Divan sizt und sich Mühe gibt, nicht einmal etwas zu denken, sezt sich im nächsten Augenblicke zu Pferd und reitet ein paar hundert Meilen durch brennende Wüsten, all das Nöthige bei sich auf dem Sattel. Der Araber, auf seinen Fersen hockend, im blossen Hemd, halb nackt im Winter und Sommer, im Sturm wie im Sonnenschein, ohne andere Kost als Brod, Zwiebel, Knoblauch und Wasser, scheint festgebannt zu seyn; er springt aus Ufer, schlingt sich das Seil um den Leib und zieht nun ununterbrochen die halbe Nacht das Schiff gegen Strom und Wind. Der Araber

vereint in sich die verschiedensten Elemente, die grössten
Widersprüche, wie jeder Mensch, der abhängig vom Mo-
mente ist, und dahin gehört vor allen der Naturmensch.
Er hat so viele Normen seiner Handlungsweise, als sich
ihm Motive darbieten; denn Einheit der Norm in den
Handlungen gibt nur die höchste Kultur, die vollendetste
Civilisation, und diess gerade ist die Bedingung, wodurch
der Mensch zum Menschen wird, der Geist des humanen
Gesetzes, der göttliche Strahl, der vorzüglich vom Christen-
thume ausging.

Als es tagte, stiegen wir aus und folgten der Barke
zu Fuss längs dem Kanal, indem wir Zeit genug hatten,
den vielen Tauben und Enten nachzujagen und uns den
Braten für die Küche zu schiessen. Das Land ringsum ist
ganz eben, so weit das Auge reicht nicht ein Hügel. Nur
hie und da ein kleines Palmenwäldchen, die Stelle eines
Dorfes bezeichnend, und von Zeit zu Zeit ein kleines Dörfchen am Kanale bieten dem Auge einen Ruhepunkt. Diese
Dörfchen bestehen aus elenden Lehmhütten, eine an die
andere geklebt, die Thüre vertritt zugleich die Stelle der
Fenster und des Schornsteins, vor den Hütten der Unrath
in hohen Haufen, innen nach unsern Begriffen kaum Raum
für drei oder vier Personen, und die Atmosphäre ringsum
erfüllt von dem stechenden Qualm des Kamelmistes, des
einzigen Brennmaterials der Fellahs. Man kann sich bei
diesem Anblicke denken: ländlich-sittlich; doch der Ausdruck des Elendes im Gesichte der Bewohner dieser ekelhaften Hütten sagt mehr. Der Boden ist Nilschlamm,
wie auf dem Delta und wie überhaupt der Kulturboden in
ganz Egypten; doch fand ich ihn im Ganzen in der Nähe
des Kanals wenig bebaut; wo diess aber der Fall ist, da
entwickelte sich auch die üppigste Vegetation. Überall,
wo dieser Schlamm nicht bewässert und bebaut wird, bilden
sich in demselben Salze und nehmen so an Masse zu, dass
er in wenigen Jahren eine Art Wüste bildet, in Staub zerfällt und höchstens noch den Wuchs von Salikornien begünstigt. Die Bevölkerung in der Umgebung des an 24
Stunden langen Kanals hat seit der Zeit, als Hr. v. Prokesch

Egypten bereiste, sehr abgenommen, und jezt dürfte man selten Stellen finden, von denen aus man so viele Ortschaften bemerken würde, als es damals der Fall war.

Schon im Alterthume bestand ein Kanal von Alexandria zum Nile, er ging jedoch in einer mehr südlichen Richtung. Mit dem Erlöschen des Kultur-Aufschwunges in Egypten, und besonders in der barbarischen Zeit der Mamelukenherrschaft, verfiel dieser Kanal ganz, und erst, MEHEMED-ALI dieses Hauptbedürfniss des Landes erkennend, war der Schöpfer des neuen Kanals. Er benuzte zum Theil den alten, der gesäubert wurde; weiterhin wurde er neu gegraben und in kürzerer Ausdehnung mehr nördlich geführt, so dass er jezt den Nil bei Adfueh, beinahe Fuah gegenüber, trifft.

Zur Säuberung und Ausgrabung des Kanals wurden die Fellahs in grossen Schaaren zusammengetrieben. Man zwang sie, ohne Werkzeuge, die man nicht hatte, zu arbeiten, d. h. den zähen Schlamm mit den Händen auszuschöpfen. In Folge dieser unmenschlichen Anforderung, durch Hunger, Seuchen und Schläge, ging eine Masse dieser Menschen zu Grunde, nach Einigen 12,000, nach Andern 15,000, nach noch Andern gar 20,000. Kurz, die traurige Wahrheit liegt als Faktum da, dass eine Menge Menschen in Folge barbarischer Behandlung zu Grunde ging. Nun das kann man doch nicht einen Akt der Civilisation nennen! Wie unter solchen Prämissen natürlich, ist der Kanal schlecht gemacht. Der Damm lässt überall Wasser durch, der Kanal selbst ist seicht und schlecht unterhalten, daher er sich fortwährend stark verschlämmt, auch hat er viele Krümmungen, die man wohl hätte vermeiden können.

Die Linie der Telegraphen-Thürme zwischen Alexandria und Kairo zieht sich zum grossen Theile entlang dieses Kanals, und sehr häufig findet sich um solche Thürme ein armes Fellah-Dorf. Übrigens war der Kanal stark befahren, und eine Menge Schiffe begegneten uns hin- und zurückgehend. Alle diese Schiffe haben grosse, sogenannte lateinische, Segel und waren meist so sehr bepackt, dass das Wasser beinahe über Bord schlug, so dass die Schiffer

genöthigt waren, eine Lehmwand zu beiden Seiten des Verdeckes anzubringen.

In den Vormittagsstunden, beiläufig um 9 Uhr, begann
sich in der Ebene Fata Morgana zu zeigen. Ringsherum sahen
wir einen weiten, vom Windhauche leicht bewegten See,
aus dem die Dörfer und Palmwäldchen wie Inseln hervorragten und in dem sie sich spiegelten. Die mindesten Erhöhungen des Bodens hatten das Ansehen von Gebirgen, die
aber mit dem Luft-See wieder verschwanden, je näher man
diesen Gegenständen kam. Die Bilder waren sehr bewegt,
machten aber doch einen höchst einförmigen, trostlosen
Eindruck. Ich werde auf diese Erscheinung und auf ihre
Ursachen bei meinen Reisen durch die Wüste von Nubien
ausführlich wieder zurückkommen.

Um Mittag kamen wir in Adfueh an. Daselbst befindet
sich die grosse Schleusse, welche den Kanal vom Nile
aus mit Wasser versieht und bei niederm Wasserstande
zugleich mit der in Alexandria geschlossen bleibt, um das
nöthige Fahrwasser im Kanale zu erhalten, zur Zeit der
Überschwemmung aber zugleich mit jener geöffnet wird,
wodurch die Wasser vom Nile in der erforderlichen Quantität durch den Kanal strömen und zu seiner Säuberung
beitragen. Gerade als wir ankamen, wurde an der Schleusse
der Kanal gesäubert. Nackte Männer standen bis am Halse
im Wasser und schöpften mit den Händen den Schlamm
aus, wozu sie natürlich auch untertauchen mussten. So
sahen wir also diese uns neue Methode selbst mit eigenen
Augen. Zugleich arbeiteten ein paar plumpe Maschinen,
durch Menschenkraft bewegt, nebenbei zum gleichen Zwecke.
Adfueh ist der Hauptlagerplatz, wo alle aus Oberegypten,
Kairo und Rosette kommenden und nach Alexandria bestimmten Barken ihre Waaren löschen und auf andere Schiffe
umladen, indem kein Fahrzeug, ausser ganz schmalen Ruder-
barken, die Schleussenthore passiren kann.

Nur mit Mühe konnten die Matrosen unsre beiden
Barken durch die grosse Menge andrer Barken, welche
bei Adfueh im Hafen lagen, durchzwingen, um zur Treppe
am Landungsplatze zu gelangen. Die Masten dieser Barken

bildeten einen förmlichen Wald und gaben dem Ganzen einen höchst lebendigen Anstrich. In Adfueh befinden sich ein paar etablirte europäische Häuser, ausser diesen die grossen Waarenmagazine des Vizekönigs und ringsumher die Hütten der hier wohnenden Fellahs in armseligen Dörfchen gruppirt.

Auch wir liessen nun unsre Sachen auspacken und auf die andre Seite von Adfueh, am linken Ufer des Nils, d. h. seines einen grossen Armes, des von Rosette, bringen, während welcher Zeit der kommandirende Offizier, gespornt durch den Ferman Boghos-Bey's, sich um andre Barken zur Nilreise für uns umsah.

Adfueh beinahe gegenüber liegt die Stadt Fuah, die sich mit ihren Minarets ungemein hübsch ausnimmt. Überhaupt ist hier die umliegende Gegend überraschend freundlich und gewährt das erste lebendige Bild einer exotischen Landschaft. Der Strom hatte jezt gerade seinen tiefsten Stand, und doch war seine Breite, d. h. die des Armes von Rosette, bei Adfueh an 1500 Fuss. Die Strömung war stark, ist aber noch stärker bei hohem Wasserstande. Die Ufer des Delta uns gegenüber prangten im üppigsten Grün, wogende Saaten und das undurchdringliche Schilf am Ufer wurden durch die umfangreichen Kronen mächtiger Sykomoren überschattet, und darüber hin ragten die Dattelpalmen, ihre Federkronen hoch in den Lüften vor dem Windhauche bengend. Im Hintergrunde das stattliche Fuah mit seinen dunkeln sarazenischen Häusern und seinen weissen Minarets, dicht vor uns der heilige Strom, der ernst und stille seine aus den glühendsten Erdstrichen des Innern von Äthiopien kommenden braunen Wogen dem Meere zuführt, als wollte er sagen: ich, und ich allein bin der Weg¦, den die Natur euch und der Kultur in jene fernen Landstriche gebahnt hat. Als ich die Landungstreppe an der Schleusse hinaufstieg, durch die Menge mich drängte und nun auf einmal an dem Strome stand, der unsre Weltgeschichte unter die Perioden der seinen rechnet, die er an sich vorüber gehen sah: da schlug mir laut das Herz, und mechanisch konnte ich nur ausrufen: der Nil! Wäre er auch nicht gewesen, so würde allerdings die Kultur ihre Wege gegangen seyn; ob sie aber die gegangen wäre, die sie durch seine Vermittlung eingeschlagen hat, das ist die Frage. Indische Kultur und indischer Kultus traten nach Afrika über *, in Folge der Handelswege, die damals, und zwar zur See, beide Erdtheile verbanden, und fassten Wurzel an den Strömen Hochäthiopiens, deren gemeinschaftlicher Vereinigungsfaden der Nil ist. An seinen Ufern fanden die fremden Eingewanderten ihren ersten Ruhepunkt, er wurde den Flüchtigen zur zweiten Heimath. Der rauhe Nordländer, der dem indischen Sagenkreise seine Traditionen entnahm, führte dieselben nicht ins Leben ein. Der warme Südländer aber begnügte sich nicht mit der blossen Mythe, er entnahm dem Osten seine Bilder und gab sie wieder, wenn auch zum Theil in anderen Formen. Er wollte mit Augen sehen, weil er wärmer fühlte als sein ferner nordischer Adamsbruder; er schuf, während der andre träumte. Die Ufer des grossen Stroms wurden zur zweiten Wiege der Kunst, des Kultus; beide stiegen Hand in Hand nieder aus dem hohen Süden gegen Norden, sich Schritt für Schritt veredelnd, huldigten in Egypten der Idee der riesenhaften Pracht, wurden in Hellas, zur Vollendung sich erhebend, Eigenthum der Grazien, in Rom dem Luxus tributär, bis sie endlich im mysteriösen Style des Nordens jene ernsten, bizarren Formen annahmen, die wir unsre Baukunst nennen. Uns ist die Poesie des Lebens nur in einer solchen Dosis eigen, dass wir die Leistungen der Vorzeit ehren, preisen, auch verstehen, aber noch immer nicht erreichen; denn wir gehen einen andern Weg, auf dem die Grazien uns nicht folgen; und wo sie diess willig thun würden, da mangeln uns die lebensvollen Originale, die nur der warme Hauch des Südens schafft, denen der Meissel des Griechen die Schönheit und vollendete Wahrheit seiner Formen dankt. — Daher beuge dich, stolzer Europäer, vor dem heiligen Strome; denn wäre er nicht, vielleicht würdest du noch als Rothhaut in deinen Wäldern leben und die Rothhaut an deiner Stelle auf Akademien forschen, lehren und dich einen Wilden nennen.

* Hierüber in meiner Reise durch Nubien.

Nach einem kurzen Aufenthalte in Adfueh schifften wir uns auf unsern neuen geräumigen Barken ein und segelten mit Einbruch der Nacht nach Fuah, wo wir landeten. Die Nixen des Stroms in der Gestalt schöner Araberinnen, in ihrer ersten Jugendblüthe, machten den Reisenden am Ufer die Honneurs und suchten durch ihre Kunst im tollen Treiben des arabischen Tanzes das Bezauberungsrecht ihres Geschlechtes auszuüben, wozu freilich dieses Mittel gerade nicht das beste ist; denn die arabischen Tänze sind ohne Anmuth und zum Theil wahrhaft abscheulich. In Fuah befinden sich Baumwollen-Spinnmanufakturen, auch eine Fabrik für Tarbusche oder Fesse, die rothen Mützen der Morgenländer, wobei einige Araber angestellt sind, die in Deutschland ihre Lehrzeit verlebten und sehr fertig deutsch sprachen.

Am frühen Morgen segelten wir ab. Das Land rechts und links des Stromes wurde immer schöner; es war an beiden Ufern stark bebaut; Sykomoren, Pappeln und Palmen sind in den niedlichsten Gruppen zusammen gesellt, in ihrem Schatten manchmal ein Dörfchen, das man freilich nicht näher beschauen soll, um die schöne Illusion nicht zu stören, manchmal eine niedliche Moschee in ächt maurischem Geschmacke, manchmal das Grab eines Heiligen mit einfacher Kuppel, lauter allerliebste Bilder, die den Reisenden, noch nicht gewohnt an das eigenthümlich Schöne des Süden, bezaubern, so dass man sich Mühe geben muss, darüber das Elend nicht zu vergessen, das doch überall durchblickt. Beide Ufer waren noch stark bevölkert, und wir fuhren an vielen grossen Dörfern und Städtchen vorüber. Der Nil überschwemmt hier in der Zeit seiner Höhe das Land zu beiden Seiten des Stroms, und um dieses zu befördern, bestehen zahllose Kanäle, die besonders das Delta in allen Richtungen durchziehen und mit Schleussen versehen sind, welche die Regulirung des Wasserstandes zum Zwecke haben. Um jedoch die nöthige Bewässerung, auch ausser der Zeit der Überschwemmung, herbeizuführen, oder ihr, wenn der Nil nicht hoch genug steigen sollte, nachzuhelfen, bestehen — ein freilich nur schwaches Mittel — eine Menge sogenannter Sakien, Wasserzüge, die mit Ochsen betrieben werden. Es sind gewöhnliche

Paternosterwerke, die in einem Troge oder Kanale ausgiessen, durch den sodann das Wasser weiter in die Bewässerungs- gräben vertheilt wird. Solcher Sakien sind unzählige an beiden Ufern des Stroms, an allen Kanälen durch ganz Egypten, durch ganz Nubien, in Sennaar und am weissen Flusse, vom Mittelmeere bis beinahe zum 12. Breitengrade. Oft folgen sich diese Sakien in Zwischenräumen von wenigen Schritten auf einander, geben sich schon aus der Ferne durch das Geknarre ihrer Räder zu erkennen und werden von Oberegypten an, wo die Ufer des Stroms bereits so hoch sind, dass er in der Zeit der Überschwemmung nicht mehr austritt, als einziges Bewässerungsmittel gebraucht, bis im höhern Süden, von Dongola an, die tropischen Regen zu Hülfe kommen. Der Fellah muss von diesen Sakien eine gewisse Steuer bezahlen, und auch die Frohne wird zum Theil darnach bestimmt: eine sehr schlechte Einrichtung, die hindernd auf den Ackerbau zurückwirkt. Diese Sakien selbst sind fast durchgehends äusserst roh konstruirt und bestehen ganz einfach aus einem horizontalen Kammrade, an dem die Ochsen angespannt sind, und welches einen Trilling bewegt, der an der Welle sizt, um deren eines Ende sich das Seil oder die Kette schlingt, an welcher die Schöpfkannen angebracht sind. Da der Nil ein äusserst geringes Gefälle hat, so kann er selbst als Betriebskraft für diese Maschinen nicht benüzt werden, Holz ist nicht vorhanden, Steinkohlen sind zu theuer, und man ist also auf thierische Kraft beschränkt, die man allerdings, wenig- stens zeitweise, durch Windkraft ersetzen könnte, besonders wenn man den Maschinen nur eine etwas zweckmässigere Einrichtung geben würde.

Wir landeten bei Schibrahit, nachdem wir die grosse Ort- schaft Salamunieh am rechten Ufer passirt hatten. Die Gerste war (18. März) bereits zum Schnitte reif. Unter den Palmen des Dorfes gab ein Marionetten-Spieler seine Vorstellung; dieselbe hatte die Idee des gewöhnlichen arabischen Tanzes zu Grunde, war aber so schmutzig und abscheulich, dass ich derselben schicklich nicht weiter gedenken kann. Wir benüzten den Rest des Abends, um auf die Jagd zu gehen.

Ringsumher sahen wir das Land bebaut, eine Menge von
Dörfern mit ihren Minarets, umgeben von Palmen und Sykomoren, voller Kanäle. Was könnte ein solches Land in
den Händen einer humanen Regierung werden, welche die
materiellen Interessen des Volkes gehörig zu würdigen und
zu fördern verstünde, unter deren Schutz der Landmann
sein Eigenthum besässe, die Früchte seines Fleisses auch
ernten dürfte! Doch für dergleichen Ideen hat selbst der
alte Vizekönig keinen Sinn, den ich übrigens mit NAPIER
unstreitig für den gescheidtesten Türken halte. Am Abend
sezten wir unsre Fahrt bis zu dem grossen Dorfe Kaffr-
Sejad am rechten Ufer fort, an dem wir die Nacht über
liegen blieben.

Die Nacht durch regnete es stark, der Morgen aber
war wunderschön. Wir brachen früh am 19. auf, die Natur
war wie neu belebt, die Ufer des Stroms mit reich bebauten
Fluren bedeckt, Minarets und Moscheen stiegen zwischen
Palmen und Sykomoren empor, Büffel und Kamele zogen
zusammengespannt am Pfluge der wie immer schreienden
Araber; denn leztere thun nichts, ohne dahinterher zu schreien.
Alles lebte, alles regte sich, und hier sah man es deutlich,
dass diess das Land seyn müsse, welches einst die Korn-
kammer der alten Welt war. In Nigileh am linken Ufer
hielten wir an. Arabische Mädchen sprangen uns entgegen
und luden uns in ihre Hütten ein, arabische Frauen gingen
zum Nile, auf der Schulter den antiken Krug balancirend,
oder ihn auf der flachen, hoch emporgehobenen Hand
tragend, jede im langen blauen Hemde, den Schleier
über dem Kopfe, ein getreues Bibelgemälde. Der Flachs
war in voller Blüthe. Hier sahen wir auch mehrere aus
Reisig geflochtene und mit Büffelhaut überzogene Kähne,
in denen die Araber über den Nil setzen. Diese Kähne
sind ausserordentlich leicht. Eine ganze Büffelheerde sezte am
Dorfe über den Nil; die Thiere schwammen vortrefflich, und
die Hirten sassen auf dem Rücken der Schwimmenden. Wir
landeten noch einmal, und zwar am Dorfe Nadir, wo sich
schöne Felder, Gärten und Palmenwälder befinden, und fuhren
an Ghisahi vorüber, wo eine Menge Taubenschläge und

mehrere Öfen zur Ausbrütung von Hühnern mittelst künstlicher Wärme angebracht sind. Die Taubenschläge bilden einen integrirenden Bestandtheil der Häuser und nehmen den obern Theil ein, wo zu diesem Behufe das flache Dach mit einer Menge Spitzen und Thürmchen versehen ist, durch die sich ein gewisser maurischer Geschmack klar ausspricht. Die Dörfer werden, je näher an Kairo, desto hübscher. Man sieht nur selten hier die abscheulichen Hütten der Fellahs, wie sie am Kanal von Mahmudieh sich befinden, die Häuser werden grösser und haben ein stattlicheres Ansehen. — Abends kamen wir in Terraneh an, wo wir die Nacht über liegen blieben. Terraneh liegt am linken Nil-Ufer, es ist die Einbruchs-Station in die Makarius-Wüste zu den Natron-Seen. Daselbst wohnt der Direktor des Etablissement, welches an den Natron-Seen zur Gewinnung des Natrons begründet ist. Er ist ein Italiener, Namens BAFFI, und nicht nur der leitende Beamte für jenen Theil der Natrongewinnung, die der Vizekönig auf eigene Regie betreibt, sondern auch selbst Pächter eines Theils dieser Produktion. Da ich im Sinne hatte, auf meiner Rückreise von Kairo eine Tour zu den Natron-Seen zu machen und auch an BAFFI von Alexandria aus adressirt war, so machten wir ihm einen Besuch. Wir trafen BAFFI mit dem Gouverneur der Provinz Behera und einigen andern Türken auf eine ächt patriarchalische Weise auf Teppichen am Ufer des Nil sitzen, wo sie, umgeben von andern Offizieren, von Hausbedienten und Neugierigen, ihre Geschäfte abmachten. Wir nahmen Platz, ich übergab BAFFI, einem herzensguten Alten, einem der liebenswürdigsten Europäer, die ich in Egypten kennen lernte, meinen Brief, worauf er uns einlud, bis zur Beendigung seines Geschäftes in sein Haus einzutreten. Wir thaten diess und wurden bis zu seiner Ankunft daselbst mit Pfeifen und Kaffe bedient. — Endlich erschien unser neuer Freund, der vor Allem eine Bowle Punsch bereitete, und nachdem wir auf den Divanen umher Platz genommen hatten, sich anschickte, unser Anliegen zu vernehmen. Er war über meinen Plan, selbst zu den Natron-Seen zu reisen, sehr erfreut, gab uns über die dortige Beschaffenheit des

Terrain und über die Art und Weise seiner Manipulation vortreffliche Aufschlüsse und versprach unsern Reisezweck bei der Rückkehr auf das Thätigste zu befördern, welches Versprechen er auch getreulich hielt. Spät in der Nacht erst verliessen wir Baffi's freundliches Haus und kehrten aufs Schiff zurück.

Kaum waren wir am Morgen von Terraneh abgesegelt, als sich conträrer Wind erhob und wir genöthigt waren, den ganzen Tag durch an einer Insel im Nile liegen zu bleiben. Die Jagd versüsste uns diese Reiseverzögerung, und zwar fanden wir nicht nur die in Egypten so sehr häufigen Tauben, sondern wir hatten auch sieben Wildschweine in unsrem heutigen Revier, welche uns nicht wenig zu schaffen gaben, auch trieben wir einen Schakal auf. Nachmittags erhob sich Chamsin. Die Hitze während desselben war sehr stark und beengend, die Luft war ganz erfüllt mit Sand und Staub. Diese Erscheinung hatte jedoch bei weitem nicht jenen grossartigen Charakter, den die Chamsine in den grossen Wüsten und Savannen * des Innern beobachten lassen. Da sich Abends wieder günstiger Wind erhob, segelten wir ab und sahen bald vor uns die Wüste bis an den Strom am linken Ufer vordringen. Sie nahm von Süd in West den ganzen Horizont ein, eine röthlichgelbe Wellenlinie, ein eigenthümlicher, ich möchte sagen, trauriger Anblick; denn sie ist der mächtige, unüberwindliche Damm, welchen die Natur dem organischen Leben, der Kultur entgegensezt; jener Sandocean, den keine Macht erobern, den kein Kolonist bebauen kann, der allein dem Beduinen frei eigen ist, der sein grosses Heimathland bildet, aus dem er kommt, man weiss nicht woher, in dem er verschwindet, man weiss nicht wohin. Wir fuhren die ganze Nacht durch, blieben zwar einigemale auf den vielen Schlammbänken des Nil festsitzen, kamen aber jederzeit gleich wieder los.

* Ich bediene mich für jene ungeheuern Grasebenen zwischen den Tropen, in der trocknen Jahreszeit ein Stoppelfeld, in der Regenzeit ein Graswald, des Wortes S a v a n n e, weil dasselbe allgemein bekannt ist, das arabische Wort Chala aber doch von Wenigern gekannt seyn dürfte.

Am Morgen des 21. März, als die Sonne ihre ersten
Strahlen über das Land der Pharaonen hinsandte und wir
vor die Kajüte gingen, um uns umzusehen, waren wir durch
den unerwarteten Anblick wie betäubt. Zu unserer Linken
lag Schubra, das schöne Lustschloss des Pascha mit seinen
Feengärten, zu unserer Rechten erhoben die Pyramiden
ihre Häupter hoch über Kulturland und Wüste, vor uns lag
am Fusse des Mokattam Kairo ausgebreitet, die prächtige
Kalifen-Stadt. Garten an Garten, Gruppen von Sykomoren
und Palmen bildeten den Vorgrund, und im Hintergrunde
strahlten im Morgenroth die Minarets der Hauptstadt. Wieder
ein Blatt im Buche der Erinnerung, das man in der lezten
Stunde des Lebens noch mit Wärme betrachtet! Wie oft,
wenn ich als Knabe in meinem Bilderbuche die Pyramiden
anstaunte, dachte ich mir: welche Seligkeit mag es seyn,
sie mit eigenen Augen zu sehen! und jezt als Mann stand
ich vor ihnen. Mir war, als wenn ich träumte.

Wir waren in der Dunkelheit noch die Landspitze des
Delta (bei den Arabern: Batn' el Bagâra, der Bauch der
Kuh genannt) passirt, wo der Nil sich in die zwei grossen
Arme, in den von Rosette und in den von Damiette, theilt,
und befanden uns nun mitten in dem ungetheilten majestätischen Strom, der an den Inseln bei Bulak eine Breite von mehr
als 2000 Toisen einnimmt und doch noch bedeutend kleiner
ist, als er hie und da im südlichen Nubien erscheint. Wir
landeten, des conträren Windes halber, ganz nahe an Schubra.
Unsere Effekten wurden in einem Getreidefelde ausgeschifft,
und nachdem der Kabass die nöthigen Kamele und Esel
herbeigeschafft hatte, brachen wir auf, um unsern Einzug
in Kairo zu halten. Wir ritten eine Stunde lang durch
die schöne Alee, welche von Schubra nach der Hauptstadt
führt, die eine auch für Kutschen fahrbare Strasse ein-
schliesst und die ausschliesslich aus schönen, alten Sykomoren und Akazien besteht. Hitze und Staub waren für
uns Neulinge unerträglich lästig, und nur der schöne Anblick
des Mokattam mit seiner Citadelle und der zu seinen Füssen
ausgebreiteten Hauptstadt tröstete uns.

Kairo, bei den Arabern Mahsr genannt, welches auch

der Name des ganzen Landes ist, heisst eigentlich el Kahira, die Siegende oder die Siegreiche, wenigstens gab ihr der Stifter Moaz diesen Namen. Sie stammt aus den ältesten Zeiten des Islam, aus den Zeiten der fatimitischen Kalifen. Ihre Gründung fällt in das vierte Jahrhundert der Hedschira, ungefähr in das Jahr 984 unserer Zeitrechnung *.

Besser kann man kaum den Eindruck schildern, den Kairo auf den Eintretenden macht, als Hr. v. Prokesch es gethan hat, indem er eine Parallele zwischen dieser Stadt und Konstantinopel zieht, da er sagt: „Konstantinopel ist Dorf und Gemisch alter und neuer Barbarei, auf den schönsten Hügeln der Welt, wie zum Scherze hingebreitet, Bau, von Dienern dem gleichgültigen Herrn vorgezeichnet und ausgeführt, Tändelei im Grossen und Prächtigen, keinem Volke, keiner Zeit, keinem Style ausschliesslich angehörend. — Kairo ist Kaiserstadt und Fürstensitz, zwischen Wüste und Wüste geklemmt, ganz aus sich selbst herausgewachsen, ohne irgend eine Beimischung an Stoff, Zeichnung oder Farbe, welche der Einheit des Bildes schadete. Kairo ist weder Europa, noch Asien, noch gelungene oder misslungene Nachbildung griechischer, römischer oder fränkischer Muster. Kairo ist Sarazenenwerk und nichts als das, wie das Münster gothischer Bau in allen seinen Theilen ist."

Kairo macht mit einem Worte einen prachtvollen Eindruck, aber diese Pracht ist von einer ganz eigenen Art, es ist die einer rein orientalischen Stadt, doch nicht wie Damaskus, Aleppo etc., deren Baustyl ein Gemenge von arabischen, byzantinischen und syrischen Mustern ist. Kairo ist, sowohl im Gesammteindrucke als im Detail, ein Vorbild der altarabisch-sarazenischen Bauart, ohne Spur eines abendländischen Typus. Hohe Häuser mit platten Dächern und sonderbaren, phantastischen Formen, so dass man unwillkürlich an die Mährchen ans tausend und einer Nacht erinnert wird.

Die Häuser voller Vorsprünge und Erker, voller Fenster mit engen hölzernen Gittern und Zierrathen, keines dem

---

* Die Hedschira zählt vom 16. Juli 622 n. Chr. Geb.

andern gleich, nirgends das ängstliche Streben nach Symmetrie, aber im Ganzen doch voll Einklang. Die meisten dieser Häuser sind aus lufttrockenen Lehmziegeln aufgemauert, wenige nur aus Bausteinen aufgeführt, keines aus Holz, und viele derselben bieten in ihrem Innern ein getreues Bild des sogenannten orientalischen Luxus dar. Die eigentliche Stadt, ohne die Vorstädte Alt-Kairo, Bulak, Schubra, die Kalifenstadt und Dschiseh, ist über anderthalb Stunden lang bei einer Breite von 1 Stunde. Alt-Kairo oder Fostat und Bulak, wo die Fabriken des Vizekönigs, der Hafen oder eigentlich die Schiffslende und die Waaren-Magazine sich befinden, sind für sich betrachtet sehr beträchtliche Städte. Die Kalifen-Stadt ist die Nekropolis, wo alle Gräber der hier gestorbenen Kalifen und der spätern Herrscher liegen. Auf dem Mokattam befinden sich die Citadelle, die neue Moschee, alle Bureaux der Regierung, die Wohnungen und der Harem des Vizekönigs, welch' lezterer im Sommer seinen Aufenthalt in Schubra aufschlägt, kurz es befindet sich daselbst das ganze Serail. Dschiseh liegt am linken Ufer des Flusses, Alt-Kairo gegenüber und nimmt ebenfalls einen bedeutenden Raum ein. Zwischen Dschiseh und Alt-Kairo befindet sich im Strome die grosse Insel Roda, mit Gärten und Lusthäusern bedeckt. Diese ganze Masse von Stadt soll (genaue Zählungen finden nicht statt) vor der Cholera von 1833 und der Pest von 1834 an 500,000 bis 600,000 Einwohner gezählt haben, doch die Wuth dieser Seuchen, wo bei ersterer besonders eine Zeit lang täglich 2000 bis 3000 Menschen zu Grunde gingen und noch mehr als sie, die schonungslose Rekrutirung der leztern Zeit, haben die Bevölkerung auf nahe an 300,000 Menschen herabgebracht. Hinsichtlich des Verhältnisses der Bevölkerung zur Ausdehnung der Stadt muss man sehr berücksichtigen, dass in einer orientalischen Stadt weniger Menschen auf ein und derselben Fläche wohnen, als in einer europäischen; denn es ist im Oriente gewöhnlich und schon im Geiste des Mohammedanismus liegend, dass jedes Haus nur von einer Familie bewohnt wird. Hingegen aber kann man auch wieder annehmen, dass auf derselben Fläche mehr Häuser stehen, als

9 *

in einer europäischen Stadt, weil der freien Plätze wenige und die Strassen sehr enge sind.

Kairo zählt bei 300 Moscheen, darunter einige von ausgezeichneter Schönheit. Die zahlreichen, schlanken und mitunter meisterhaft aufgeführten Minarets, geben dem Bilde allein schon jenen eigenthümlichen Ton, der eine Vergleichung mit den Städten des Occidentes unzugänglich macht.

Wir ritten über den schönen Platz von Esbekieh, der zur Zeit der Nil-Überschwemmung zum Theil unter Wasser steht und dann besonders zur Nachtzeit einen herrlichen Anblick gewähren soll. Ein grosser Theil dieses Platzes ist mit Bäumen besezt, die förmliche Anlagen bilden, und man arbeitete damals gerade an Herstellung einer Strasse nach dem nahen Bulak; auch hat man in neuerer Zeit den Platz zu erhöhen gesucht, um ihn freier von den Einwirkungen der Überschwemmungen zu machen. Esbekieh ist der schönste Platz von Kairo und zum Theil mit sehr schönen Gebäuden umschlossen. Hier wohnte auch Napoleon mit seinem General-Stab, und man zeigt die Stelle, wo Kleber erstochen wurde.

In den Strassen des Frankenviertels, el Moski genannt, wo die christlichen Klöster und sämmtliche Konsulate sich befinden, fanden wir viel Leben. Es war ein Gedränge von Menschen, Kamelen, Pferden und Eseln. Alles reitet, nur der gemeinste Theil des Volkes geht zu Fusse, und man kann annehmen, dass immer 20,000 bis 30,000 Miethesel in Bewegung sind. Die Stadt selbst ist in mehrere Quartiere getheilt, welche in der Nacht durch feste Thore abgeschlossen werden, so dass nur ein kleines Pförtchen bleibt, das von dem Wächter auf Verlangen geöffnet wird. So bildet also jedes Quartier ein für sich ganz abgeschlossenes Ganzes, wodurch die öffentliche Sicherheit in der grossen zur Nachtzeit nicht erleuchteten Stadt ungemein befördert und kräftig erhalten wird.

Wir stiegen im Gasthofe des Italieners Zucu ab, wo wir den zweiten Stock in Beschlag nahmen und nicht nur sehr schöne Zimmer, sondern auch einen vortrefflichen Tisch fanden. Unser erster Besuch wurde dem österreichischen Vizekonsul, Hrn. Champion, gemacht, in dem wir einen biedern,

freundlichen Mann kennen lernten, der sich fortwährend
unserer auf das thätigste annahm und dem wir für unendlich
viele Gefälligkeiten grossen Dank schulden. Hier erfuhren
wir nun auch, dass der Vizekönig bereits nach dem Delta
abgereist sey, was uns um so unangenehmer war, als dadurch
der interessante Augenblick, diesen merkwürdigen Mann
kennen zu lernen, wieder ins Weite fiel.

Am Morgen des 22. ritten wir mit Konsul Champion
auf die Citadelle, um dem Gouverneur von Kairo, Habib-
Effendi, unsere Aufwartung zu machen und mit ihm das
Weitere in Betreff unserer Reise zu besprechen. Ein
Offizier des Gouverneurs hatte uns zu diesem Zwecke ab-
geholt, sowie er uns auch die nöthigen Pferde hiezu sandte.
Was leztere betrifft, so hatte man überhaupt die Aufmerksamkeit, mir bei meinem diessmaligen, sowie bei jedem
folgenden Aufenthalte, jeden Morgen einige gesattelte Pferde
sammt den Stallknechten, die hier zu Lande mitlaufen
müssen, zuzusenden, um die nöthigen Exkursionen zu machen.
Unter diesen Arabern, welche in einem eigenen Stalle zu ähnlichen Zwecken besonders gehalten und nur auf eigenen
Befehl des Gouverneurs zur Verfügung gestellt werden, befanden sich manchmal ausgezeichnete Thiere. Wir ritten
durch die engen Strassen von Kairo, was nur im Schritte
geschehen konnte, da die Volksmenge immer sehr beträchtlich
ist und der Araber mit unserm europäischen Bauern eine
Im Gedränge und bei sehr muthigen Pferden etwas fatale
Gewohnheit gemein hat, nämlich die, nur auf wiederholtes
Schreien oder durch einen Puff des Pferdes sich zum Aus-
weichen bewogen zu finden. Besonders waren in der Menge
viele Frauen, die zu ihrem Vergnügen oder in Geschäften
durch die Strassen zogen, die Armen zu Fusse, die Vor-
nehmern auf Eseln oder Mauleseln, bis an die Augen vermummt, die brennend schwarz aus der weissen Umhüllung
hervorblitzen und deren sprechender Ausdruck die Schönheit
der Besitzerin manchmal errathen lässt, manchmal wohl
auch zu Trugschlüssen führen mag, so dass mit dem Schleier
der schöne Wahn zerreisst. Die Levantinerinnen, d. h. die
Damen aus den in der Levante heimischen christlichen

Familien, zeichnen sich noch überdiess durch die grossen
Schleier von schwarzem Taffent aus, welche die ganze
Gestalt bedecken und in weitem Faltenwurfe über sie hin-
fallen, wodurch sie den Frauen auf Malta ähnlich aussehen
und an unsere Nonnen erinnern. Übrigens sind es gerade
die levantinischen Familien, in deren Kreisen man die vollendetsten Schönheiten des weiblichen Geschlechtes findet,
Pracht-Blumen, die zwar schnell verblühen, aber in der
Zeit ihrer Blüthe auch den höchsten Reiz entfalten.

Da wir in Uniform waren, wussten die Leute nicht,
was sie aus uns machen sollten; endlich kam man darin
überein, dass ich ein russischer General seyn müsse, der
vielleicht gar dem Vizekönige den Krieg anzukünden beabsichtige.

So kamen wir endlich, durch eine steil ansteigende
Strasse hinaufreitend, an den Mauern der Citadelle an.
Im ersten Hofe angelangt, befanden wir uns an jener Stelle,
wo im Jahre 1811 die Niedermetzlung der Mameluken
statt fand, durch welchen Gewaltstreich MEHEMED-ALI sich
von jener gefährlichen Soldateska befreite, die ihm stets
als Schwert des Dionysius über dem Haupte gehangen. Zur
Rechten lagen die Ruinen des Palastes SALA-ED-DINS, noch
in Trümmern prächtig. 34 Granitsäulen, jede 45 Fuss hoch,
zeugen noch für den vergangenen Glanz, und an der innern
Wand des Gebäudes bemerkt man noch am Gesimse einen
Spruch aus dem Koran eingemeiselt, dessen Buchstaben
6 Fuss hoch sind. In der Nähe dieser Ruinen erbaut
MEHEMED-ALI die herrliche neue Moschee, bei der Marmor,
Granit und Alabaster aus den Steinbrüchen von Beni-Sueff
mit verschwenderischer Pracht verwendet werden, und in
der Nähe zeigt man auch jene Stelle, wo der einzige
Mameluke, der sich aus dem Gemetzel des 1. März gerettet, in dem blutigen Momente mit seinem Pferde auf die
Mauern der Citadelle an jene Stelle vorritt, wo sie gegen
die Stadt hin abfallen: er forcirte das treue Thier, und der
edle Araber, keinen andern Willen kennend als den seines
Herrn, sprang hinab in die schwindelnde Tiefe. Zerschmettert
lag er am Boden, doch der Reiter, eines solchen Pferdes

werth, war gerettet. Er wurde vom Vizekönige, der eine kühne That zu würdigen versteht, begnadigt und lebte noch bei meiner Ankunft in dem ihm vom Pascha geschenkten Häuschen zu Alt-Kairo, noch gerne an das Gelingen seines Salto mortale sich erinnernd.

Am zweiten Thore standen ausser der Militär-Wache, die hier in der Hauptstadt bedeutend besser aussah, als es in Alexandria der Fall war, auch ein paar Scharfrichter. Dieser Gebrauch mag sehr praktisch seyn, er macht aber einen unangenehmen Eindruck. Übrigens sind diese Leute nicht sehr beschäftigt — denn Hinrichtungen werden nach und nach seltner — und also mehr als ein stehender Mode-Artikel zu betrachten.

Im lezten Hofe war eine Menge Volkes versammelt, das seine Geschäfte zu den verschiedenen Departements der Regierung führte; herrliche Pferde mit kostbarem Sattelzeuge wurden von den Reitknechten der anwesenden Offiziere herum geführt, und auch wir stiegen an der Palast-Treppe ab. Noch grösser war das Gedränge in den Vorsälen des Gouverneurs: da waren weisse, braune, schwarze Menschen im bunten Gemische aller orientalischen Trachten, gegen deren weiten Faltenwurf sich unsere knappen Uniformen sonderbar ausnahmen. Der Audienzsaal ist schön dekorirt, und schwellende Divans ziehen sich an allen Wänden hin, auf deren vordersten Habib sass, ein lieber Alter, der uns aufs freundlichste empfing. Nachdem wir Platz genommen, Kaffe getrunken, die Pfeifen empfangen und eine Menge Komplimente gewechselt hatten, die ebenso nichtssagend als langweilig sind, machte mich Habib mit einigen seiner Vorzüge bekannt, worunter er die Kunst, vier Style zu schreiben, nämlich: den poetischen, den philosophisch-religiösen, den Amts-Styl und den des gewöhnlichen Lebens, einen liess er aus, dem man in Europa bisweilen bei gelehrten Streiten begegnet, nämlich: den groben, obenan stellte. Dann schritten wir zur Verhandlung unserer Geschäfte.

Habib theilte mir den Willen des Vizekönigs mit, der dahin lautete, zuerst Ober-Egypten zu bereisen und dann erst nach Syrien zu gehen. Warum diess nicht in meinem

Plane lag, habe ich bereits auseinander gesezt, und ich protestirte daher neuerdings dagegen, indem ich Syrien und Karamanien als das Objekt der ersten Bereisung bezeichnete, worüber Habib sich vorbehielt, neuerdings an den Vizekönig zu berichten. Dr. Veit wurde als Expeditions-Arzt aufgenommen und zu meinem Dolmetscher ein Syrier aus Aleppo, Namens Cassab, vor der Hand bestimmt, der in der österreichischen Armee gedient hatte und auch etwas deutsch sprach.

Nachdem wir diesen ersten Besuch damit beendet hatten, schickten wir uns an, die Merkwürdigkeiten der Citadelle zu besehen.

Zuerst gingen wir zu dem bekannten Brunnen Josephs. Derselbe ist eine viereckige, 42 Fuss im Umfang haltende Cisterne, welche durch die Tertiär-Gebilde des Mokattam bis in den Horizont des tiefsten Nilstandes, nach der französischen Expedition: 16,27 Pariser Fuss über dem Niveau des Mittelmeers, niedergebrochen ist. Die ganze Tiefe des Brunnens beträgt nach derselben genauen Messung 278,8 Pariser Fuss *. Er besizt zwei Etagen. Durch eine Sakie wird das Wasser aus der Tiefe auf die erste Etage und von da auf dieselbe Weise zu Tage gehoben. Eine in Stein ausgehauene Treppe führt bis in die Tiefe hinab. Dicht an den Ruinen des Palastes Sala-Ed-Din's erhebt sich die neue Moschee, an welcher der Vizekönig schon seit Jahren baut. Von der Plattform hatten wir eine herrliche Aussicht über Kairo und das Nilthal. Rechts Wüste und links Wüste, zieht sich mitten durch ein grüner Streifen des herrlichen Kultur-Landes, ein grosser Garten. Dazu der majestätische Strom, an dessen rechtem Ufer sich das Häusermeer der Capitale befindet, die Vorstädte, gegenüber die Pyramiden von Dschiseh, die Gränzwächter der Kultur am Rande der Wüste, in der Ferne die Pyramiden von Sakaara, mitten in die röthlichgelbe Sand-Wüste

---

* Wie Rifaud gemessen hat, der die Tiefe des Josephs-Brunnens zu 70 Fuss angab, kann ich nicht verstehen. Man sehe seine Gemälde von Egypten und Nubien, übersezt von Wimmer. S. 38.

hingepflanzt, dazu die strahlende südliche Beleuchtung und der grelle Kontrast zwischen der üppigen Vegetation und dem fahlen Bilde des Todes — und man kann sich das Eigenthümliche dieses Anblickes vorstellen.

Weiter besahen wir in der Citadelle die Gewehr-Fabrik, die Kanonen-Fabrik und das Blech-Walzwerk für die Marine. In ersterer arbeiten über 1000 Menschen, meistens Araber; da jedoch alle Arbeiten mit Menschenhänden durchgeführt werden, so ist es für den Zeitraum von 25 Tagen nur möglich, ein Gewehr auf einen Arbeiter zu rechnen. In der Kanonen-Giesserei werden nur kleine Kanonen von Bronce gegossen. Das Blech-Walzwerk wird durch eine recht hübsche Dampfmaschine bewegt, die unter der Aufsicht von Engländern steht. Zur Bewegung der übrigen Maschinen wird thierische Kraft angewandt. Das Detail aller dieser Vorrichtungen ist äusserst mangelhaft, und besonders schlecht fand ich die Bohrung der Gewehrläufe. Es ist zu wenig Festigkeit im Ganzen, wodurch die Bohrung unsicher, vage wird. Überhaupt, so schön das Ganze Jemanden erscheinen mag, der nicht rechnet und nicht Techniker ist, so einleuchtend ist es dem Sachkenner, dass die ganze Fabrik-Anstalt eine reine Illusion ist. Denn berücksichtigt man, dass der Pascha seine Kohlen und seine Maschinen in England, sein Eisen in England, Schweden und Russland kauft, und nun mit diesen in der Ferne gekauften und aus der Ferne herbeigeschafften Gegenständen in Egypten arbeitet, der für ihn zu kostspieligen Dampfkraft halber und in Ermanglung des Gefälles aber auch noch grösstentheils mit thierischer Kraft arbeiten muss und als Vorsteher der verschiedenen Fabrik-Arbeiten Europäer benöthigt, denen er enorme Löhne zahlen muss: so ergibt sich daraus, dass er wenigstens noch einmal so theuer produzirt, als ihm ausländisches Fabrikat dieser Art zu stehen kommen würde, so dass das Unternehmen als ein offenbarer Unsinn erscheint und es höchste Zeit war, daran zu denken, sich die Materialien zu diesen Fabrikaten im eignen Lande zu verschaffen; denn in diesem Falle liesse sich das Anlegen von derlei Fabriken in dem Bereiche der Besitzungen des Pascha eher entschuldigen, obwohl es nie pekuniär vortheilhaft erscheint. Die humane Idee europäischer Staaten, auf diese Weise den Verdienst der Unterthanen zu erhöhen, ihre pekuniären Zuflüsse durch sie selbst zu vermehren, fällt hier weg; denn in Egypten ist keine Nation, ist kein Fürst; daselbst ist nur ein General-Pächter an der Spitze seiner Sklaven, um deren Wohlstand er sich wahrhaft nicht kümmert. Exempla docent. — Die Redensarten: „Geld im Lande bleiben und Geld im Sacke bleiben" sind hier offenbar identisch, und auch von diesem Gesichtspunkte ausgehend ergibt sich nothwendiger Weise ein nachtheiliger Kalkul, da unter solchen Verhältnissen Fabriken im Lande mehr Geld ins Ausland und für Ausländer erfordern, als für den Erkauf ausländischer Fabrikate ausgegeben würde. Die Münze befindet sich ebenfalls auf der Citadelle. Sie ist unter der Mittelmässigkeit. Man prägt sowohl Gold- als Silber-Münzen mit der Namens-Chiffre des Vizekönigs. Die kleinste Münze ist der türkische Para, der damals nicht in Egypten geprägt wurde, aber als der vierzigste Theil eines Piasters oder als $\frac{3}{20}$ Kreuzer pr. Stück im Kurse stand. Die kleinste Silbermünze, die aus der Münze hervorging, war der halbe Piaster oder 3 Kreuzer Konv.-Münze, die grösste der egyptische Thaler zu 20 Piastern oder 2 fl. Kn.-Münze. Die kleinste Gold-Münze war zu 3 Piaster oder 18 kr., die grösste, wenn ich nicht irre, zu 80 Piaster oder 8 fl. Kn.-Münze. Alle diese Goldmünzen begreift man unter dem Namen Cheirien. Wirklich sehr hübsch adjustirt waren die Goldthaler, jeder zu 20 Piaster. Der Münzfuss basirt sich auf die Normen von 1826 und hat die Annahme zu Grunde, dass der spanische Thaler (von 2 fl. 6 kr. zu 2 fl. 12 kr. Kn.- Münze) im Silberwerthe gleich 15 Piastern sey. Da der wahre Silberwerth des Piasters aber sich zu dem des spanischen Thalers, dem Colonnado, wie 1 : 21 verhält, d. h. im Wechselgeschäfte 21 Piaster gleich einem spanischen Thaler gestellt sind, so ergibt sich, dass dieses System höchst erschütternd auf die pekuniären Verhältnisse des Volkes, besonders aber der Besoldeten, zurückwirkte, da die Berechnung in spanischen Thalern, die Auszahlung aber in obigen Münzen geschah, die den ihnen

zugeschriebenen vollen Werth nicht hatten. Ich werde
später auf dieses Verfahren, das man mit gutem Gewissen
einen Betrug nennen kann, ausführlicher zurück kommen.
Auch ist offenbar zu wenig kleine Münze noch im Kurse,
was wieder, besonders in Betreff der Viktualienpreise,
nachtheilig wirkt.

Um die Alabaster-Arbeiten für die neue Moschee an-
zufertigen, besteht auf der Citadelle ein eigenes Atelier,
wo arabische und maltesische Künstler arbeiten, die man
füglich so nennen kann, denn ihre Leistungen verdienen es.
Der Alabaster kommt aus den tertiären Gyps-Bergen, die sich
in der arabischen Wüste östlich des Nils und 6 St. von
Benisneff entfernt befinden. Dieser Alabaster scheint in
Europa noch nicht sehr bekannt zu seyn; er ist weiss mit
gelben und braunen Wolken, seine Zeichnung ist keineswegs brillant, aber ausnehmend schön und vom edelsten
Geschmack. Man arbeitet ihn zu kleinern Säulen, zu Thür-
stöcken, Gesimsen mit Blumen und Arabesken, zu Tisch-
platten, Springbrunnen-Bassins etc., und zwar ist die Arbeit
geschmackvoll, fest und sicher. — Zuletzt besahen wir noch
die kleine Menagerie des Pascha, die ausser einer Menge
von Löwen nichts Besonderes enthielt. Die Löwen waren
in einem eigenen Gemache nur an Ketten gelegt, und man
konnte sie daher in ihrer eigenen Behausung besuchen.

Von der Citadelle ritten wir unmittelbar durch die ganze
Stadt und zum entgegengesezten Thore hinaus nach Bullak.
Daselbst befindet sich wieder eine Gewehr-Fabrik, von der alles
das gilt, was ich über die auf der Zitadelle befindliche gesagt habe. Ausserdem befindet sich daselbst eine arabische
und türkische Buchdruckerei, eine sehr schöne und zweckmässige Anstalt, die nur höchst vortheilhaft auf die Civilisation des Volkes einwirken kann und diess noch mehr thun
würde, wenn man verständiger in der Auswahl der europäischen Schriften, die übersezt werden, zu Werke ginge.
Ferner sind in Bullak eine Baumwollenspinn- und Tuch-
Manufaktur. Die betreffenden Maschinen werden auch bei
diesen durch Thiere und Menschen bewegt, und da auch
hier der Vizekönig sehr hohe Löhne an europäische Arbeiter

zu zahlen hat, so beziffert sich auch das pekuniäre Resultat dieser Anstalten vor der Hand noch schlecht. Doch, da das rohe Material aus der Produktion des Landes selbst hervorgeht und die Bevölkerung auf einen Erwerbszweig hingewiesen wird, welcher der Natur ihrer industriellen Stellung vollkommen entspricht, so tritt hier ganz ein anderer Fall ein, als der ist, welcher sich bei Betrachtung der Gewehr- und Kanonen-Fabriken darbietet: denn diese lezteren Anstalten sind dem Lande und dem Volke, das nach seiner Stellung ein Ackerbau und mit den verarbeiteten Produkten seines Bodens Handel treibendes ist, rein unnatürlich. Daher kann man nur wünschen, dass der Vizekönig in Betreff dieser anfänglich ungünstigen Resultate obiger Manufakturen sich nicht abschrecken lasse, sondern standhaft seinen Weg gehe, sich nach und nach der kostspieligen Hülfe der Europäer entschlage und stets die Pflege der Kultur- und Cereal-Pflanzen als die Hauptquelle, als die Basis der Landes-Industrie betrachte. Dadurch wird er weit sicherer auf den glänzenden Namen eines Regenerators des Landes der Pharaonen in der Geschichte Anspruch machen können, als durch seine unseligen Kriege mit der Pforte und durch die Illusionen, die ihm aus Westen in grossen, nicht homöopathischen, Dosen beigebracht werden.

In Bullak befanden sich damals gerade fünf nach Nord-Amerika bestimmte Dschiraffen, schöne Thiere, bei deren Anblick ich noch nicht wähnte, dass ich sie ein Jahr später in ihrem eigenen Vaterlande sehen sollte.

Länger konnten wir die Pyramiden nicht mehr aus der Ferne anstaunen, unsere Ungeduld, diese Riesendenkmale in der Nähe zu beschauen, war zu gross. Wir brachen am 23. Morgens frühe auf und ritten nach Alt-Kairo oder Fostat, wie es noch aus der ältesten Zeit heisst. Fostat (das Zelt) nämlich ward schon im 20. Jahre der Hedschira, oder im Jahr 642 unserer Zeitrechnung, also über 300 Jahre vor Kairo, durch Sultan Amru erbaut, sank aber später durch das Emporstreben der jetzigen Capitale, vorzüglich aber in Folge der Zerstörung durch Sultan Schachuar im Jahr 1186 zur Vorstadt herab. In Alt-Kairo halten vorzüglich alle jene Schiffe, die nach Ober-Egypten abgehen. Die Stadt ist belebt, doch nicht in dem Masse wie Bullak. Hier befindet sich auch der Wasserthurm am Ende der schönen Wasserleitung, die von Fostat nach Kairo geht, auf sehr schönen Arkaden ruht und bei einer Länge von 1600 Toisen 2,2 Pariser Fuss Gefälle hat. Im Wasserthurme werden durch eine grosse Sackie die Wasser des Nil 84,2 Pariser Fuss in zwei Etagen, wie am Josephs-Brunnen auf dem Mokattam, über den niedersten Flussstand oder zu 100,5 Pariser Fuss über das Niveau des mittelländischen Meers gehoben.

Wir ritten an der Stelle vorüber, wo der Damm von Kairo jedes Jahr in der Zeit des höchsten Nilstandes durchstochen wird, um den segenbringenden Fluthen des Stromes den Zutritt ins Land zu gestatten. In der Vorzeit, wie jezt, ist dieser Akt stets mit einer grossen Feierlichkeit verbunden: es ist ein Volksfest. Gleich südlich der Insel Roda befindet sich eine Fähre, um auf das linke Ufer des Nil, nach Dschiseh, überzusetzen, von wo man durch Kultur-Land bis zum Rande der Wüste reitet, wo die Pyramiden sich erheben. Wir hatten nun diese Riesendenkmale schon ziemlich nahe vor uns, und ich fand hinsichtlich des Eindruckes, was schon so viele Reisende vor mir gefunden haben: dass sie nämlich aus grosser Ferne gesehen, wenn sie sich am Horizonte erheben, einen weit grossartigern Effekt machen, als in der Entfernung einer Stunde. Ich fand mich unangenehm berührt; denn die schöne Illusion schien wie ein Nebelbild zerfliessen zu wollen, als der so lange und so heiss ersehnte Anblick der Pyramiden an Interesse immer mehr und mehr zu verlieren schien, je näher ich kam. Doch als wir endlich am Fusse des Cheops standen und die Gigantenmassen von Steinen mit unsern Händen berührten, hinaufblickten in die schwindelnde Höhe und wir selbst in unserer Winzigkeit als Massstab dienten für das Riesenwerk: da erst fassten wir die Grösse dieses merkwürdigen Baues auf *. Ausser

---

* Man sehe die vortrefflichen und in Kürze gegebenen geschichtlichen Mittheilungen über die Pyramiden in Dr. Partiry's Wanderungen in Sizilien und der Levante, 2. Band. Was den technischen Überblick

der Cheops-Pyramide, der grössten und höchsten aus allen, befinden sich hier noch drei andere kleinere: die Chephren-, die Mykerinos- und eine namenlose Pyramide. Die Cheops-Pyramide misst gegenwärtig 421½ Pariser Fuss senkrechte Höhe und soll einst 445 Pariser Fuss gemessen haben, folglich noch um 5 Fuss höher gewesen seyn, als das Strassburger Münster. Eine Seite der ursprünglichen Basis mass 716½ Pariser Fuss, jezt aber, da die Bekleidung der Pyramide verschwunden ist, misst sie nur noch 696 Pariser Fuss. Die Plattform der Pyramide war ihrer bedeutendern Höhe zu Folge ursprünglich viel kleiner und betrug nach Diodorus Siculus nur 9½ Pariser Fuss pr. Seite, jezt aber misst eine Seite der Plattform 30 Pariser Fuss, folglich beträgt die Area derselben 900 □Fuss und die Pyramide hat 23½ Fuss an Höhe verloren, was eine Folge der barbarischen Zerstörungen ist, die diese Denkmale in verschiedenen Zeiten und von verschiedenen Völkern erlitten. Die Chephren-Pyramide ist nur wenig niederer als der Cheops, die Mykerinos-Pyramide aber misst nur 163 Pariser Fuss, die vierte ist unbedeutend.

Die Mykerinos-Pyramide, im Kerne aus demselben Gesteine bestehend, wie die übrigen Pyramiden, nämlich aus Nummuliten-Kalk, ist mit Granit bekleidet, welche Bekleidung sich noch ziemlich erhalten hat. Auch die Chephren-Pyramide war bekleidet, wie noch der Rest dieser Decke an der Spitze deutlich zeigt; ob aber diese aus Marmor, wie Hr. v. Prokesch sagt, oder aus Granit, wie Dr. Parthey anführt, besteht, wage ich nicht zu entscheiden, da ich diese Pyramide selbst nicht erstiegen habe *. Auch die Cheops-Pyramide war ganz ohne allen Zweifel einst von Aussen bekleidet und glatt gewesen; denn die stufenartige Form der Aussenseite scheint bei den Pyramiden auf ihre

über Verhältnisse und Dimensionen der Pyramiden betrifft, bitte ich, besonders Hrn. v. Prokesch Erinnerungen aus Egypten etc. nachzulesen.

* Hr. Dr. Schubert in seiner Reise in das Morgenland 2. Band 1839 sagt ebenfalls, dass diese Pyramide mit Marmor bekleidet sey. Vielleicht bestand ihre Bekleidung anfänglich sowohl aus Marmor als Granit, was beim Cheops nach Herodot statt gefunden haben soll.

Nicht-Vollendung hinzudeuten. Doch ist von der Bekleidung
der lezt erwähnten Pyramide keine Spur mehr vorhanden.
Das Material der Hauptmasse, nämlich die grossen Quader-
steine aus Nummulitenkalk, scheint durchaus nicht, wie Herodot
meint, vom arabischen Gebirge herüber gebracht zu seyn;
denn das Gestein, woraus diese Hauptmasse besteht, ist
ganz dasselbe, worauf diese Pyramiden selbst stehen, und
es ist die höchste Wahrscheinlichkeit, dass man die nöthigen
Gesteinmassen, um unnützen Transport zu ersparen, an
Ort und Stelle gebrochen hat. Durch solche Steinbrüche
wurden natürliche Berge geebnet, um künstliche zu schaffen.
So glaube ich, dass die berühmte riesenhafte Sphinx, die
an den Pyramiden steht, nichts ist, als der Rest eines
solchen Kalkberges, den man ringsherum als Bau-Material
für die Pyramiden abgetragen hat, und dessen lezten, übrig
bleibenden Theil man in die Form einer Sphinx umwandelte
und so stehen liess. Gleich der Aussenseite der Mykerinos-
Pyramide bestehen auch einige Theile der grossen Pyramide, z. B. die Kammer des Königs, der Sarkophag etc.
aus Granit von den Steinbrüchen der Katarakten, der auf
dem Nile zu Schiffe gebracht wurde. Es ist nicht denkbar
und dem Verstande eines Volkes, das solche Monumente
baute, nicht zuzumuthen, dass es diese grossen Granit-
blöcke durch die schwierig zu passirenden und auch an
und für sich zu engen Zugänge der Pyramide hinein gebracht
habe, sondern es ist wahrscheinlich, dass man etagenweise den
Kern der Pyramide, diese verschiedenen Kammern, Schächte,
Gänge etc. vorerst ausgebaut, die Sarkophage eingesezt,
dann die Ummauerung mit Kalksteinmassen vorgenommen
und zulezt die Bekleidung mit Granit vorgenommen habe, wodurch die Arbeit ihren ganz natürlichen Gang ging, ohne
auf Unmöglichkeiten oder Absurditäten zu stossen.

Auch plagt man sich auf eine unnütze Weise mit Theo-
rien über die Art und Weise, wie die Alten ihre grossen
Steinmassen bewegten und an Ort und Stelle brachten.
Die Steinbrüche belehren uns, dass die Ausarbeitung und
Vollendung der Stücke an Ort und Stelle geschah, und
Zeichnungen auf einzelnen Monumenten, wenn ich nicht

irre, auch in den Königsgräbern von Theben, zeigen, dass
der Transport dieser Massen ganz einfach durch Bewegung
auf Walzen und Anwendung thierischer oder menschlicher
Zugkraft vor sich ging. Das Hinaufbringen auf die höhern
Etagen des Baues geschah auf schiefen Ebenen und durch
dieselbe Bewegungsweise. Unbekannter sind die Vorrichtungen der Alten zur Aufstellung ihrer Obeliske und ihrer
wahrhaft kolossalen Kolosse, so wie die Art der Form und
der Materie der Werkzeuge, deren sie sich zur Bearbeitung
der Gesteine, besonders der harten, bedienten.

Über den Zweck der Pyramiden, glaube ich, dürfte
wohl kein Zweifel seyn. Denkmale, die mitten in der
Todtenstadt des alten Memphis stehen, umgeben von Katakomben und Gräbern aller Art, die selbst in ihrem Innern
ähnliche Kammern und Sarkophage enthalten und von denen
Pyramiden, in welchen man an andern Orten, wie z. B. in dem
südlichen Nubien, Mumien oder Gerippe fand, in nichts verschieden sind, als höchstens in der Grösse: solche Denkmale
können doch nicht leicht einen andern Zweck gehabt haben,
als den, Gestorbene in ihre heiligen stillen Räume aufzunehmen. Man entwarf über die Tendenz, welche die Er-
bauer dieser Monumente mit denselben verbunden haben
mochten, die verschiedensten Theorien und brachte Hypothesen zu Tage, die man als Produkte von Geistes-Ver-
rücktheit erklären kann. So z. B. kam man auf den Gedanken,
die Pyramiden seyen natürliche Krystalle des Kalksteins,
sie seyen Brunnen etc. Leztere Idee wurde sogar öfter
aufgefasst, ohne zu berücksichtigen, dass die Schachte der
Pyramide und ihre Gänge so gestaltet sind, dass sie an
eine Vorrichtung zum Heraufheben des Wassers — was doch,
glaube ich, der Zweck eines solchen Brunnens seyn dürfte —
gar nicht denken lassen; und dass CAVIGLIA, der am tiefsten
in den Schachten und Kammern unter den grossen Pyramiden
niederdrang, nichts fand, als leere und ganz trockene
Räume. Mich erinnern diese Faseleien an eine schätzbare
Entdeckung, die in den lezten Jahren ein Europäer in
Egypten machte, welcher fand, dass der Granit der Obelisken,
Kolosse etc. keineswegs ein natürlicher Granit aus den

Katarakten-Bergen von Siene, wofür wir ihn in unsrer
Unschuld halten, sondern eine künstliche Pasta sey, welche
die Alten zu bereiten verstanden. Der Urheber dieser
Ansicht soll früher, bevor er sich den Wissenschaften in
die Arme warf, ein Koch gewesen seyn! — Das Alter der
Pyramiden ist vorgeschichtlich, und ihre Erbauung fällt in
eine Zeit zurück, in der man noch wahrscheinlich keine
Hieroglyphenschrift kannte. Haben sie vielleicht auch nicht
das Alter mancher Monumente von Theben, so zählen sie
doch wenigstens über 4000 Jahre und gehören unstreitig
unter die ältesten Monumente Egyptens.

Als wir in die Nähe der Pyramiden kamen und das
lezte Dörfchen am Rande des Kulturlandes erreichten, fielen
eine Menge Araber, Weiber und Kinder, über uns her,
um uns ihre Dienste zur Besichtigung der Monumente an-
zubieten. Sie waren äusserst zudringlich, und unser Dolmetscher mit dem Konsulats-Kabass, der uns begleitete,
hatte einen schweren Stand, aus der Menge unsern Führer
auszuwählen. Die Übrigen zu entfernen, die uns mit ihren
Dienstanerbietungen die Ohren vollschrieen, half kein Mittel
als die Anwendung der landesüblichen Methode, die so
populär geworden ist, dass man nur von ihr Abhülfe in
solchen Fällen erwarten kann.

Wir bestiegen nun zuerst die Cheops-Pyramide, indem
wir über die stufenartigen Absätze der Aussenseite hinauf-
kletterten. Diese Besteigung ist ziemlich beschwerlich, denn
die Höhe der Stufen beträgt anfänglich an 5 Fuss. Weiter
hinauf werden sie niedriger und sind zulezt nur beiläufig 2
Fuss hoch. Wer dem Schwindel unterworfen ist, darf diese
Tour wenigstens allein nicht machen; wer jedoch gleichgültig in grosse Tiefen zu schauen im Stande ist, für den
hat diese Besteigung gar keine Gefahr, da man überall
festen Tritt fassen kann. Die Neigung der Pyramide beträgt an den Kanten 58°, daher sie steil genug ist, um
einen Fehltritt lebensgefährlich zu machen. Die Fernsicht
vom Gipfel der grossen Pyramide ist bezaubernd schön;
man übersieht das Kulturland des Nil mit dem majestätischen

Strome von der Mitte des Delta bis weit nach Oberegypten. Westlich erheben sich die kahlen Berge der libyschen Wüste, und unabsehbar dehnt sich die gelbrothe Sandfläche aus; im Ost steht das arabische Gebirge wie eine Mauer da, der Mokattam mit seiner Citadelle und an seinem Fusse das schöne Kairo ausgebreitet, mit seinen zahlreichen Minarets, in einem duftigen Dunstschleier, der den Umfang der gossen Stadt bezeichnet. Zu den Füssen erscheinen die Menschen wie Ameisen im Sande; eine Menge Ortschaften bezeichnen die Ufer des Stroms, rings umher Trümmer verschwundener Grösse in der weiten Todtenstadt von Memphis, im Süd die Pyramiden von Sakaara. Gelbroth ist der Ton der Landschaft, so weit die Wüste reicht, in der Mitte ein Streifen des üppigsten Grün. Unsere Gemüthsstimmung auf der Spitze des Cheops war jener beseligende, heitere Sinn, der sich des Herzens auf den Gipfeln hoher Berge bemeistert, und der seinen Grund nur in der Beschauung einer grossartigen Natur findet, deren Einwirkung auf das Gefühl durch nichts, was Menschenwerk ist, so dauernd ersezt werden kann. Wir tranken den mit Wein vom Rheine gefüllten Becher auf das Wohl unseres schönen Vaterlandes, auf das Wohl der fernen Lieben. Das Herabsteigen vom Gipfel der Pyramide ist zwar nicht so beschwerlich, wie das Hinaufklettern, erfordert aber mehr Vorsicht; denn, wehe dem! der hier straucheln würde. Ein Engländer, der vor einigen Jahren so unglücklich war, diesen Versuch zu machen, wurde das Opfer seiner Unvorsichtigkeit. Wenn man das Andrängen des Flugsandes aus der Wüste betrachtet, so sieht man, dass zwar die Gefahr des gänzlichen Verschüttetwerdens für die Pyramiden nicht gar so gross, aber auch die Möglichkeit eines solchen Begrabenwerdens nicht ausgeschlossen ist, und dass, wenn der Mensch nicht nachhilft, es geschehen könnte, dass die Pyramiden grosse Sandberge würden.

Am Fusse der Pyramide wieder angelangt, betraten wir nun das Innere derselben. Eine Menge von Gängen, Kämmerchen und Schachten, von denen einige tief unter die Pyramide in das feste Gestein niedergehen, wurde mit unsäglicher Mühe und stellenweise nicht ohne Gefahr durchkrochen, eine Gefahr, die besonders in den Schachten, wegen der polirten Seitenflächen und der kleinen, glatten und abschüssigen Fusstritte, verbunden mit der schwarzen Tiefe, die man senkrecht unter sich hat, einen Grad erreicht, der selbst für einen an ähnliche Fahrten gewohnten Bergmann nicht angenehm ist. In der sogenannten Kammer des Königs steht der schöne Sarkophag aus Granit, der König aber ist verschwunden. Überhaupt ist es auffallend, dass man in diesen Pyramiden noch nie so glücklich war, Mumien zu finden. Wahrscheinlich wurden dieselben schon in den ältern Zeiten ausgeplündert, ohne dass der Räuber es für gut fand, seinen Vandalismus an die Nachwelt zu übertragen; vielleicht ist es aber auch der Fall, dass man bisher die eigentlichen Grabkammern noch gar nicht aufgefunden hat, dass dieselben sehr tief liegen, tiefer als man bisher niederdrang, und dass man bisher nur im Gipfel des ganzen Monumentes gewüthet hat; denn wozu sind die niedergehenden Schachte? Mit dieser Ansicht stimmen die Angaben HERODOTS überein, der mehrmals sagt, dass der Sarkophag des Cheops auf einer Insel im Nile ruhe. Das Niveau des Stroms hat man bei Öffnung dieser Schachte noch nie erreicht, die Umgebungen der Pyramiden machen es nicht unwahrscheinlich, dass der Strom sie einst umfloss, und ich glaube, dass man sehr gut thun würde, den Weisungen HERODOTS, dessen Glaubwürdigkeit sich so oft erprobte, buchstäblich zu folgen und den Schachten nach in die Tiefe niederzugehen. Auch die Wände dieser Kammer sind mit Granitblöcken ausgetäfelt, die merkwürdiger Weise hie und da mit einem Kitt oder Mörtel zusammengefügt sind, was ich sonst in Egypten unter den ältesten Monumenten nirgends gesehen zu haben mich erinnere.

Ermattet durch die dumpfe Grabesluft, durch die Hitze, die im Innern der Pyramide herrscht, durch das angestrengte Klettern, kamen wir wieder im Freien an und sezten nun unsere Tour zu den übrigen Denkmalen der nächsten

10 *

Umgebung fort. Wir besuchten die Chephren - und Mikerinos-
Pyramide. Leztere, hinsichtlich ihrer Bekleidung die schönste
von allen, hat einige Vorbaue aus riesenhaften Quadersteinen
von 8 Fuss Höhe, bei 14 Fuss Länge, die aber doch gegen
die des Fundamentes des Sonnentempels zu Baalbeck noch
klein sind. In der Umgebung dieser Pyramiden bemerkt
man eine Menge von Schachten, die brunnenartig im Gestein der Wüste niedergehen. Es sind Zugänge zu den
unterirdischen Grabstätten, zu den zahllosen Katakomben,
die hier das ganze Terrain meilenweit umher einnehmen,
und die zum grössten Theile bereits ausgeplündert und
misshandelt sind.

Der berühmte Sphinx erhebt sich südöstlich der beiden
grössten Pyramiden. Derselbe ist bis auf den Kopf und
einen Theil des Halses grösstentheils von dem Sande der
Wüste verschüttet, obgleich ihn der englische General-
Konsul Salt und der bekannte Reisende und Alterthums-
Forscher Caraviglia vor ungefähr 22 Jahren davon frei
machen liessen. Man entdeckte damals den kleinen Tempel,
der zwischen den Tatzen des Sphinxes steht, in welchen
32 Stufen niederführen und in dem selbst wieder kleinere
Sphinxe angebracht sind. Auf der Brust hat der grosse
Sphinx den Ring des Pharao Tuothmosis III. Der denk-
würdige Vers, den man damals auf der linken Pfote des
Sphinxes entdeckte:

Σον δεμας εκπαγλον τευξαν Θεοι αιεν εοντες
Φειδαμενοι χωρης πυριδα μαζομενης,

nach Joung (Mr. Russel Gemälde von Egypten in a. u. n.
Zeit. 1. Bd.):

„Deinen staunenswerthen Leib sezten hieher die unsterblichen Götter,
Schonend der Waizen tragenden Erde;"

dieser Vers deutet offenbar darauf hin, so glaube ich wenigstens, dass damals, als er geschrieben wurde (wahrscheinlich die Zeit der römischen Kolonien), die Pyramiden
mit dem Sphinx bereits in der Wüste gestanden haben und
das Kulturland beiläufig seine heutige Gränze hatte, und dass
man auch damals der Ansicht war, der Sphinx sey kein

transportirtes, sondern ein an Ort und Stelle ausgehauenes Monument. Von dem Fundamente des kleinen Tempels bis zur Stirne des Sphinxes beträgt die Höhe 65 Pariser Fuss. Die Tatzen sollen 57 Fuss Länge, 8 Fuss Höhe haben und zusammengesezt seyn. Die Höhe des Kopfes vom Kinn bis zum Scheitel ist gleich 26 Pariser Fuss. Der Leib des Sphinxes, an 90 Pariser Fuss lang, ist nach Pococke und andern verlässlichen Quellen aus einem Felsen gehauen und nicht aus grossen Stücken zusammengefügt, wie einige Reisende einander nachschreiben und sich auf die Forschungen der französischen Expedition berufen, die aber den Sphinx gar nicht entblöst sah. (Denon, Voyage dans la basse et la haute Egypte.) Von dem ursprünglichen Ausdrucke des Gesichtes, welcher der der höchsten, geistigen Verklärung gewesen seyn soll, ist jezt nichts mehr zu erkennen, weil der Sphinx eigentlich gar kein Gesicht mehr hat, wenigstens ein sehr verstümmeltes. Auch jezt beobachtet man noch Spuren, dass der Kopf einst roth angestrichen war. Der arabische Schriftsteller Abdalla-tif sah vor 700 Jahren das Gesicht des Sphinxes in frischer Röthe prangen, d. h. nach seiner Ansicht von frischem Roth; denn die Färbung scheint braunroth gewesen zu seyn, ähnlicher der Ziegelfarbe, als dem frischen Hauch von Morgenroth auf den Gesichtern von Kairo's Schönen. Pococke sah sowohl im Kopfe als auf dem Rücken des Sphinxes Spuren eines Einganges, und es scheint daher, als wenn das Monument inwendig leere Räume hätte, Kammern vielleicht, was nicht unwahrscheinlich ist. Die Zerstörung dieses edlen Denkmals fällt also in die Barbarei der neuern Zeit, in die Perioden der Araber und Türken. Unter den erstern zeichnete sich nach Makrisi besonders Schech Mohammed el Faster aus, der gegen diese Monumente ordentlich wüthete und die Verwüstung en gros betrieb.

Merkwürdig sind in der Umgebung der Pyramiden die unverkennbaren Spuren grosser Strassen, die sich sowohl nördlich als südlich zogen und die wahrscheinlich auch dazu gedient haben mögen, die Bausteine aus deren Umgebung an Ort und Stelle zu bringen. Im Sande zwischen den Pyramiden trafen wir auch zwei aus Syenit sehr schön gearbeitete Särge, die mit Hieroglyphen bedeckt und ausgezeichnet schön bearbeitet sind.

Es war schon spät, als wir die Pyramiden verliessen. Die Ermüdung durch die angestrengte Tour erlaubte uns nicht, uns auf dem Rückwege noch weiter umzusehen, sondern es ging in vollem Galopp der Hauptstadt zu, Reiter und Pferde von wüthendem Hunger getrieben.

Am andern Morgen versammelten wir uns wieder im Hause des Konsuls, der uns seiner Familie vorstellte. Der heutige Tag war zu Besuchen bestimmt, und zwar galt der erste derselben Mochdar-Bey, dem damaligen Minister der Justiz, der dieses Portefeuille späterhin verlor und dafür das des Kultus erhielt, d. h. Direktor der Schulen, Lehranstalten und Erziehungshäuser wurde. Wir fanden Mochdar-Bey in seinem Bureau auf der Citadelle, wo er mit seinen Sekretären arbeitete. Mochdar-Bey, ein noch junger Mann, von angenehmem Äussern, hatte seine Bildung in Paris erhalten, die als Frucht von sieben Jahren gerade hinreichte, ihm seine orientalische Originalität zu nehmen, aber doch nicht genügte, ihn zum Franzosen zu machen. Diess ist das gewöhnliche Schicksal vieler Eleven, die der Vizekönig nach Europa sendet. Der Türke, der Araber, der Perser, der Orientale überhaupt kennt, wie alle die, welche sich par force kultiviren und den Gang der Zeit abzuwarten, den Moment geschickt zu benützen nicht verstehen, jene Mittelstufen der Bildung nicht, die Jeder durchwandern muss, der die höhern Stufen derselben erklimmen will. Der Vizekönig will einen Arzt, er schickt also seinen Fellah auf die hohe Schule; er will einen hohen Staatsbeamten, er schickt also seinen jungen Araber oder Türken aus dem Bereiche des Frauenrockes im väterlichen Harem nach Paris und wundert sich, dass aus beiden doch nichts wird und dass sie ihm die kostspieligen Europäer noch immer nicht ersetzen können. Der Jünger des Hippokrates verlässt die hohe Schule als Fellah, wie er sie betrat. In seinem

Kopfe ist ein Chaos von unbekannten, früher nie gehörten und später nie verstandenen Dingen; er lebt und stirbt, ohne zu wissen, was man denn eigentlich von ihm gewollt hat. Der Andere kommt aus Europa zurück, spricht französisch, spielt Whist, lacht den Propheten mit seinen Albernheiten aus, bringt überhaupt alle Eigenschaften des Europäers mit, nur dessen Tugenden nicht und noch weniger dessen Kenntnisse. Und alles Diess, weil man einen einzigen Weg übersieht — den goldenen Mittelweg; weil man die Sache vom Standpunkte der Illusion und nicht von dem der Praxis aufgreift; weil man, mit einem Worte, den rohen Menschen früher nicht zum gesitteten Menschen macht, bevor man ihm den Doktor-Mantel umhängt, der ihm daher zur Zwangsjacke wird, die er abwirft, sobald er kann. Mochdar-Bey sprach fertig französisch, und die Unterhaltung drehte sich um die Geschichte seines Aufenthaltes und seiner Reisen in Frankreich. Er erzählte, dass er mehrere Grubenbaue in Frankreich befahren habe und unter andern einen Schacht hinab gestiegen sey, der über 1000 Toisen perpendikuläre Tiefe habe. Ich war so frei, meine Zweifel hierüber auszudrücken, jedoch er bestand darauf, und ich musste mich mit den Worten der Haushälterin, ich weiss nicht mehr, in welchem Roman von Cooper, trösten, die dem redsamen Hausmeister, wenn er gar zu arg aufschnitt, jederzeit zurief: O Benjamin, Benjamin! —

Damals leitete Achmed-Pascha, ein Anverwandter des Vizekönigs und später Gouverneur von Sudan, das Kriegsministerium. Wir trafen ihn in seinem, in ächt orientalischem Geschmacke eingerichteten Hause. Weite, luftige Säle, mit Marmor gepflastert, in der Mitte schön gearbeitete Springbrunnen. Achmed-Pascha macht durch Figur und durch die in seinem Benehmen sich aussprechende Originalität des Orientalen einen sehr angenehmen Eindruck. Er ist unter den Waffen gross geworden, keine missverstandene Civilisation hat an ihm gestümpert, er ist Türke geblieben, hat sich aber durch Umgang viel edlen Anstand erworben. Er empfing uns aufs Freundlichste und erbot sich, uns behülflich zu seyn, wenn wir das Interessante, was die Hauptstadt in Bezug auf Militärwesen darbietet, sehen wollten. Achmed-Pascha hat sich durch seine Rechtlichkeit, durch seine Sorge für das Wohl der Soldaten bei allen Waffengattungen des Vizekönigs sehr beliebt gemacht. Gerade darin aber mögen sich Differenzen mit den herrschenden Grundsätzen der Verwaltung ergeben haben, die bewirkten, dass er später als Pascha nach Sennaar gesandt wurde, wo ich ihn bei meiner Rückkehr aus den südlichen Negerländern wieder traf. Bei einem zweiten Ritte nach Alt-Kairo besahen wir den schönen Garten Ibrahim-Pascha's auf der Insel Roda, Fostat gegenüber. Es befand sich gerade der Harem eines der vornehmen Herren daselbst, und die Frauen mit ihren Kindern ergingen sich im Garten. Der Anstand verbot natürlich jede Annäherung, und im Fall auch irgend ein Herz mit dem Anstand davongelaufen wäre, so standen als ein anderer Anstand die Verschnittenen da, welche die reizenden Geschöpfe — für die hielt ich sie wenigstens aus der Ferne — umgaben. Das Haremsleben, tausendmal geschildert, gezeichnet, besungen, ist einer jener vielen Gegenstände, von denen bei uns in Europa im Allgemeinen ganz unrichtige Begriffe existiren. Die Frauen üben im Osten so wie im Westen ihre stille unwiderstehliche Macht aus, sie herrschen in ihrer nächsten Umgebung und üben dadurch Einfluss auf die weitere. Daher ist des Harems glücklicher Herr selten nur Herr in einer ausgedehnteren Bedeutung des Wortes, und alle die kleinen Capricen und Launen, die dem Abendländer vereinzelt entgegen treten, hat der Morgenländer in Summe und en masse zu bekämpfen; dazu das Kostspielige der Unterhaltung eines solchen Harems, abgesehen von den Nachtheilen, die der Morgenländer nicht auffasst: nämlich der Mangel an innigem, gegenseitig sich aufopfernden Aneinanderschliessen beider Theile, der Mangel an Liebe der Kinder unter sich etc. Diese Umstände erklären die Erscheinung, dass die Orientalen häufig anfangen, selbst zu verzichten auf die Vorrechte, die ihnen ihr Glaube gibt und sich im ehelichen Verbande nur einer Frau ergeben. Der

Harem ist, wie das Wort sagt, der geheiligte Ort. Wehe dem Fremden, Muselmann oder Franken, der seine Schwelle übertritt; er ist dem Willen des Herrn verfallen, und kein Gesetz, kein Konsul rettet ihn durch legalen Schutz. Die Liebe geht zwar unter jeder Zone ihre Wege, aber gerade der Weg in den Harem ist der schwierigste, der gefährlichste, und wird er gegangen und mit Glück gegangen, so ist es Wahnsinn, das Geheimniss zu entschleiern; daher fast alle Erzählungen dieser Art in das Bereich des Lügenhaften fallen.

Doch um auf den Garten zurück zu kommen, so muss ich bemerken, dass derselbe einer der schönsten Gärten ist, die ich im Oriente sah, und dass ich ihn selbst denen zu Schubra und dem des Ismael-Pascha vorziehe. Er ist theils in französischem, theils in italienischem Geschmacke angeordnet und reich an reizenden Baumpartien, zwischen denen sich unsere oben erwähnten Harems-Damen in ihren langen, weiten orientalischen Gewändern sehr interessant ausnahmen. Kleine Hügel stehen hie und da, die ausschliesslich mit tropischen Pflanzen besezt sind und alle die Karrikaturen der Kaktus-Welt, in welcher die Natur sich selbst eine Grimasse schneidet, in reicher Fülle entfalten. Da unter dem heissen und immer klaren Himmel Kairo's alle Tropenkinder aufs üppigste gedeihen, so sind auch die in diesem Garten befindlichen indischen Bäume von bewunderungswürdiger Schönheit. Zwischen den Bäumen sprangen allerliebste Gazellen herum, in Tempeln und Grotten, deren einige mit vielem Geschmacke mit Muschel-Mosaik verziert sind, plätscherte der krystallene Quell, weite Marmor-Becken umschlossen die spiegelklare Fluth, die Lüfte waren vom Dufte der Blumen durchdrungen — ich möchte beinahe fragen, kann es denn im Paradiese noch schöner gewesen seyn? — Nachdem wir uns umgesehen, wurden uns von den Gärtnern zur schönen Erinnerung gigantische Blumensträusse präsentirt, wofür sie ein Bakschisch * erhielten und womit unsere Seis (Reitknechte) beladen wurden.

* Bakschisch, Trinkgeld, ist ein Wort, welches gewiss keinem in

An der Südspitze der Insel Roda befindet sich der
bekannte Mikias oder Nilmesser. Es ist eine einfache aufrecht in einem gemauerten Bassin stehende Säule. Sie ist
achtseitig und hat ein einfaches Parallelepiped zum Knauf.
Die Eintheilung ist klar und deutlich an der Säule eingemeiselt. Die Einheit dieser Theilung ist = 0,54 Meter,
und jeder dieser Theile hat wieder 6 Unterabtheilungen,
deren jeder Werth daher = 0,09 Meter = 9 Centimeter
ist. Das Niveau des jetzigen Hochwassers liegt 1,12 Meter
höher, als das desselben in der früheren Zeit. Daher auch
die Säule das Ansehen hat, als sey ein Stück darauf gesezt. Eine Stiege führt in das Bassin hinab.

In der Nähe dieses Monumentes, das vielleicht aus den
frühen Zeiten der Araber stammt, befinden sich die Pulver-
mühlen des Vizekönigs, und in einem Garten zeigt man den
heiligen Baum der Fatime, einen sehr alten Baum, der durch
den Gebrauch, dass Frauen, welche in jenen Zustand
kommen wollen, in welchen, wie der Engländer sagt: „jede
Frau zu kommen wünscht, die ihren Mann lieb hat", Nägel
einschlagen, zu Ehren der Schönen von Kairo bereits ganz
in einen Eisenklotz verwandelt ist. Auf dem Rückwege
nach Alt-Kairo war einer meiner Freunde nahe daran, den
Hals zu brechen. Wir ritten sehr muthige Pferde, und das
böse Fatum wollte, dass ein Schimmel mit seinem Herrn
durchging. Das Thier rannte schnurgerade in die Gärten
vor dem Palaste Ibrahim-Pascha's, wo der unglückliche
Ritter mit dem Kopfe so furchtbar an einen querüber stehenden Ast stiess, dass er rückwärts aus dem Sattel fiel.

Egypten Reisenden unbekannt bleibt. Das Fordern desselben ist dem
Fellah zur zweiten Natur geworden, und oft, wenn ich einen, der Bakschisch verlangte, fragte: „warum soll ich dir denn Geld geben, hast
du etwas für mich gethan? und was?" antwortete er: ich kann mich
keines geleisteten Dienstes entsinnen, aber ich möchte ein Bakschisch.
Ganz kleine Kinder, die wirklich noch kaum den Namen Vater aussprachen, schrieen, wenn wir vorbei ritten: hát Bakschisch! gib mir
ein Trinkgeld! Es ist die Central-Idee, um die sich die ganze Konversation des Fellah und wohl auch zum Theil der Höhern mit dem
Fremden dreht.

Im Momente des Sturzes hatte ich ihn erreicht und erkundigte mich mit der höchsten Besorgniss nach seinem Befinden. Zu meinem Troste hörte ich ihn während des Aufstehens mit philosophischer Geistesruhe die Worte sagen: „Es ist im Ganzen doch gut gegangen!" Früh genug zurückgekehrt, durchzogen wir noch einige Strassen des Bazars. Das Gedränge war so gross, dass wir zu Pferde kaum durchkommen konnten und Zeit hatten, uns umzusehen. Im ganzen Oriente besteht eine Gewohnheit, die sehr viel Gutes mit sich bringt. Es sind nämlich in den Bazars die einzelnen Zünfte in gewissen Partien desselben vereint. Man sieht Strassen voll Schneider, andere voll Sattler, andere voll Schmiede, ganze Hallen von Goldschmieden etc. Dadurch wird den Käufern die Übersicht über alle Erzeugnisse einer Profession ausserordentlich erleichtert. Sie haben eine Auswahl unter den Fabrikaten, sowohl hinsichtlich des Preises als der Güte; sie kaufen wohlfeiler, weil zu hoher Preis für den Verkäufer den Nachtheil bringt, dass man sich von ihm weg sogleich zu seinem Nachbar wendet. Diese Einrichtung erleichtert die Aufsicht der Polizei, indem sie die ganze Zunft auf einem Punkte versammelt übersieht. Der Kunstfleiss, die Thätigkeit der Produzenten wird erhöht, weil einer die Leistungen des andern sieht, einer durch den andern gespornt wird und jede nachlässige, schlechte Arbeit vor den Augen der ganzen Zunft ans Tageslicht kommt. Man sollte glauben, dass durch einen solchen im Stillen fortdauernden Wettstreit und Brodneid eine Kette von Privatzwisten sich bilde, was aber ganz und gar nicht der Fall ist. Der Handwerker, der Kaufmann sizt in seiner Bude mit untergeschlagenen Beinen, wie eine Bildsäule, die Tabak raucht. Ob man sich an ihn oder seinen Nachbar wendet, das rührt ihn nicht; er bewegt sich nur dann, wenn er etwas vorzeigen muss.

Der Bazar ist übrigens in Kairo zwar reich besezt, besonders mit persischen und indischen Waaren, aber sonst gar nicht prächtig und nicht zu vergleichen mit den schönen Bazars von Damaskus, Aleppo, Konstantinopel etc. Er nimmt die gewöhnlichen Strassen der Stadt ein, die bei grosser Hitze mittelst Matten von schilfartigem Durra-Stroh bedeckt werden, die man von einem Hausdache zum andern über die enge Gasse hinzieht, und die, da sie häufig zerrissen sind, dem ganzen Bilde einen gewissen lumpichten Anstrich geben. Die Ausdehnung des Bazars ist übrigens sehr gross und nimmt beinahe den grössten Theil der ganzen eigentlichen Stadt ein. Einen Theil des Bazars bildet der Sklavenmarkt, der sich im Hofe einer grossen Okelle befindet.

Der Sklavenmarkt von Kairo ist meist einer der besetztesten im Oriente. Man bringt dahin tscherkessische, abyssinische und schwarze Sklaven und Sklavinnen aus dem Innern. Die tscherkessischen Sklaven beiderlei Geschlechts werden nicht öffentlich ausgestellt. Sie sind die kostbarsten und werden meist nur auf Bestellung gebracht. Sie dürfen nur von Muselmännern gekauft werden, werden von ihren Herrn als Glieder des Hauses betrachtet, steigen zu Offizieren empor, werden frei und erreichen oft die höchsten Aemter und Würden. Sie haben in ihrer Stellung als Hausoffiziere den Namen Mameluken beibehalten, und viele Paschen und Beys sind früher aus dieser Klasse hervorgegangen. Der chevalereske Charakter der tscherkessischen Sklaven, die Herrscherrolle, die sie einst in Egypten gespielt haben, und die Schönheit der tscherkessischen Sklavinnen sind sprichwörtlich geworden. Die braunen abyssinischen Sklaven, meist Gallas und Makadi (abyssinische Christen), sowie die schwarzen Negersklaven, werden öffentlich an Jedermann, sey er Christ oder Muselmann, verkauft. Die abyssinischen Sklaven werden meist auf den Gränzmärkten in Calabat, Roserres, Sennaar und Chardum aufgekauft. In ihrem Vaterlande selbst werden sie entweder im Wege des Handels, oder durch Kriege, die in dem in seinem bürgerlichen Verhältnisse ganz zerrütteten Lande häufig sind, erworben. Sie sind sehr gesucht und zwar besonders die abyssinischen Mädchen, die sowohl wegen ihrer wirklichen Schönheit, als wegen der Treue, die man bei ihnen entdeckt haben will, gerne gekauft werden. Der Preis einer schönen

Abyssinierin steigt in Kairo meist über 3000 Piaster (300 fl. Konv.-M.), während sie von gleicher Qualität in Chardum kaum auf 2000 zu stehen kommen würde. Die männlichen Sklaven sind bedeutend wohlfeiler. Die Negersklaven stehen ungefähr im halben Preise der abyssinischen. Sie werden fast alle durch die grausamen Negerjagden, die jährlich von Kordofan und Sennaar aus, sowohl auf Kosten und Befehl der Regierung, als im Wege der Privatspekulation unternommen werden, erworben. Diese Sklavenjagden, worauf ich bei meiner Reise im Innern von Afrika ausführlicher zurückkommen werde, sind unstreitig eines der scheusslichsten Vergehen des Menschen an der Menschheit und ein schwarzer Fleck in dem Nimbus, mit dem man Mehemed-Ali umgab. Sie dauerten entschieden noch im Jahr 1839 fort, obwohl der Vizekönig bereits ein paar Jahre früher aufs Heiligste versprochen hatte, sie einzustellen. Mit den gefangenen Negern werden zum Theil die in Sudan liegenden Truppen bezahlt, zum Theil werden sie auf Rechnung der Regierung in Chardum und Kordofan verkauft und von den Sklavenhändlern nach Egypten gebracht. Derselben Behandlung unterliegen sowohl die von den tributären Negerhäuptlingen als Tribut eingelieferten Sklaven, als auch jene, die von Privaten gefangen werden; nur sind leztere genöthigt, von ihrer Beute aus dem Treibjagen auf Menschen $\frac{1}{3}$ der Regierung unentgeltlich zu verabfolgen.

Der erste Anblick des Sklavenmarktes hat für den gesitteten Europäer anfänglich etwas Entsetzliches, Grausenerregendes. Doch muss ich gestehen, dass ich, als ich nach einigen Jahren aus den Negerländern im Innern nach Kairo zurückkam und den Sklavenmarkt wieder sah, die ganze Sache in einem andern Lichte betrachtete. Der Sklave jeder Farbe wird im Hause des Türken im Durchschnitt gut behandelt, gut beköstet und gut gekleidet. Er hat es in dieser Beziehung, mit Ausnahme der persönlichen Freiheit, besser sogar, als in seinem eigenen Vaterlande, wo er nicht nur häufig mit Mangel zu kämpfen hat, sondern auch in beständiger Fehde liegt. Auf keinen Fall ist das

Schicksal der Sklaven im Oriente mit der schrecklichen Lage zu vergleichen, in der sie sich unter der Geissel der Europäer, besonders in den amerikanischen Kolonien, befinden.

Im Hofe des Gebäudes waren eine Menge von Negersklaven beiderlei Geschlechts und von jedem Alter versammelt, einige spielten und scherzten, andere hockten auf ihren Fersen und glozten ins Blaue. Eine Menge Mädchen schäkerten unter sich ganz munter und wählten, als wir eintraten, uns zum Gegenstand ihrer Unterhaltung, d. h. sie lachten uns aus. Ernstere Gefühle erregte der Anblick einer jungen Negerin, die ihr neugebornes Kind, ihr als Sklave gebornes Knäblein, auf dem Arme hatte und mit einem Ausdruck des tiefsten Schmerzens vor sich hinstarrte. Gewiss waren ihre Gedanken nicht die, die ich an ihrer Stelle dachte, doch ihre Lage, die ihres Kindes, der Verlust ihrer Freiheit, die Sehnsucht nach dem fernen Heimathlande, nach dem Manne, den sie liebte, nach ihren Eltern, mochten ihr Herz zerreissen. Man hörte im Hofe ein Gemisch der sonderbarsten, fremdartigsten Negersprachen aus dem Innern, deren manche einen gewissen Wohlklang haben. Glücklich fühlen sich diese gesprächigen Kinder des glühenden Süden, wenn sie unter sich nur plaudern können; aber welche Lage hat der arme Neger, der aus den entferntesten Ländern denselben Weg kommt und dessen Sprache nicht eine Seele versteht, wie es sich wohl manchmal ereignet. Die Negerinnen waren bis auf den Rahád, die aus Lederstreifen künstlich zusammengesezte Schürze, die sie um die Hüfte binden, nackt, und man sah darunter viele ausgezeichnet schöne Formen. Die Haut frisch und glänzend geschmiert, die Haare in Hunderten von kleinen Zöpfchen auf den Nacken herabhängend und mit Glasperlen, zum Theil nicht ohne Geschmack, verziert, erwarteten sie ihr künftiges Schicksal. In der obersten Etage befanden sich mehrere abyssinische Sklavinnen. Sie waren in weite Gewänder gehüllt, junge Gesichtchen im Kostüme alter Mütter. Deutlich zu erkennen war bei ihnen das höher als bei den Negerinnen ausgebildete Gefühl; denn sie unterzogen sich den rücksichtslosen Untersuchungen der Käufer offenbar mit dem Ausdrucke der tief verlezten Schamhaftigkeit, und manche heisse Thräne sah ich in den Brei fallen, den man ihnen als Mittagskost vorsezte. Ein Mädchen darunter in der ersten Jugendblüthe hätte auch in Europa für schön gegolten. Ihre Farbe war ein lichteres Braun; die regelmässigen Züge hatten Ausdruck und nicht das Stumpfe, wie es bei jenen afrikanischen Völkern gewöhnlich ist; ihre Formen waren, obwohl es kaum über 10 Jahre zählte, rund und voll, und das sprechende schwarze Auge übte seinen Zauber auch auf die anwesenden, keineswegs zart denkenden Orientalen aus.

Unter die wichtigsten öffentlichen Anstalten orientalischer Städte gehören die Bäder, die besonders in Kairo mit vielem Luxus eingerichtet sind. Ich besuchte mehrere derselben mit unserm temporären Dolmetscher KASSAB. Die Bauart ist meist die maurische. Eine Menge von Kuppeln lassen durch farbiges oder mattes Glas das Licht von oben in die prächtigen mit Marmor gepflasterten und Mosaik belegten Säle einfallen und verbreiten ein die Sinne sehr ansprechendes Halbdunkel. Im ersten Saale, der mit Fontainen von heissem und kaltem Wasser und mit Ruhebetten rings an den Wänden verziert ist, wird man entkleidet und in grosse weisse Tücher gehüllt. Um den Kopf wird ein Tuch als Turban geschlungen, an die Füsse kommen statt der Schuhe mehrere Zoll hohe Schemel. So in einen des Gehens rein unfähigen Popanz umgewandelt, wird man von einem Badewärter in eine Reihe von Sälen geführt, deren einer immer eine höhere Temperatur hat, als der andere, und gelangt endlich zu einem mit warmem oder vielmehr heissem Wasser angefüllten Marmorbecken. Man wirft die lästige Hülle ab und soll in das Bassin springen, was ich aber in Befürchtung eines Schlagflusses wohlweislich unterliess; denn mir wenigstens kam die Fluth zum Brühen heiss vor. Nach dieser Tortur — das ist sie im Gegenhalt zu einem Bad im Meere oder in unsern spiegelhellen, erfrischenden Flüssen und See'n — geht man entkleidet in einen Vorsaal, sezt sich auf den schlüpfrigen Marmorboden und wird mit Seife und Bürsten bearbeitet, gestriegelt, zulezt

mit Saifenschaum und ganzen Töpfen voll kalten Wassers
übergossen. Den Kopf auf das Knie des rohen Stellver-
treters einer zarten Nymphe gelegt, der in den Haaren wüthet,
entschlüpft man endlich seinen Henkerfäusten mit einem
Gesichte, ähnlich dem eines armen Pudels, den man zum
erstenmale ins Wasser geworfen hat. Nun wird man getrocknet und wieder eingewickelt und auf ein Ruhebett
gelegt. Kaffe und Pfeifen werden gebracht, und ein Knabe
erscheint, der den Körper zu durchkneten, die Glieder zu ziehen
und zu drehen anfängt, so dass man allerdings dabei anfängt,
in einen leichten Schweiss zu kommen. Diess soll, wie die
Orientalen und auch mehrere europäische Reisende behaupten,
die eigentlich wollüstige Partie der ganzen Geschichte seyn.

Noch immer war von Seite des Vizekönigs keine weitere
Entschliessung in Betreff meiner Reise zurück gekommen.
Im Verlaufe dieses Geschäftes wurde ich mit Jacub-Effendi,
dem Dolmetscher des Habib-Effendi, näher bekannt: einem
guten alten Mann, mit dem ich mich sehr gerne unterhielt,
indem ich nur zuzuhören und nicht zu reden brauchte. Besonders interessant waren seine Mittheilungen aus den
Perioden des ersten Auftretens Mehemed-Ali's in Egypten
nach der Niedermetzlung der Mameluken; sah auch er, wie
natürlich, durch die Gläser seines Herrn, so war doch im
Ganzen die Darstellung so getreu, dass man das wahre
Licht nicht schwer erkennen konnte.

Ein Paar der folgenden Tage benützte ich zu geognostischen Exkursionen in der Umgebung von Kairo, besuchte
die grossen Steinbrüche am Mokattam, durch die das ganze
Lagerungs-System des dortigen Grobkalkes entblösst ist, der
in Egypten eine so bedeutende Rolle spielt, und begab mich
mehrmals an den Dschebel Achmar, rechts der Strasse
nach Abu's-abel, wo die tertiären Sandsteine höchst merkwürdige Veränderungen zeigen, die auf vulkanische Einwirkung hinzudeuten scheinen. Doch darüber werde ich später
bei der Darstellung der geognostischen Verhältnisse von
Unteregypten insbesondere Bericht erstatten.

Am 27. ritt ich des Morgens zeitlich mit Konsul Champion

wieder zu Habib-Effendi auf die Citadelle. Unsere Verhandlung beschränkte sich auf die Feststellung verschiedener Normen, nach denen wir während unserer Reisen behandelt werden sollten: Gegenstände, über die sich ohnehin der Kontrakt klar ausdrückte; aber gerade desshalb vielleicht und weil im Vertrage so Vielerlei angeführt wurde, was entschieden zu unserm Vortheil sprach und uns sicher stellte, suchte man neue Bedingungen einzuschmuggeln, die ich aber, als unsere Rechte und unser Interesse beinträchtigend, ein für alle Mal zurückwies. Die Konferenz mit den Zwischen-Pausen, welche durch Kaffe-Trinken und Tabak-Rauchen ausgefüllt wurden, dauerte bis in die späten Nachmittagsstunden, und am Ende war im Ganzen doch nichts geschehen. Als Dolmetscher diente mir heute ein Übersetzer aus der medizinischen Schule zu Abu's-abel, ein Pole, Namens Suwatowsky, der später mein zweiter Dolmetscher wurde, ein ganz vortrefflicher Mensch, aber in seinem Geschäfte viel zu umständlich, wodurch er nebst seinen vielen Zweifeln und Bedenklichkeiten die Sache ungemein ins Weite zog und die Verhandlungen entsetzlich langweilig machte. Überhaupt ist es in Egypten höchst schwierig, einen brauchbaren Dolmetscher zu finden. Meistens halten sich diese Leute selbst für so umsichtig, dass es ihnen um die schönen Ideen, die in ihrem eignen Kopfe auftauchen, leid thäte, wenn sie dieselben nicht auch bei Gelegenheit loslassen könnten. Indem sie diess thun, verwirren sie das ganze Geschäft, bringen das Thema auf andere Wege, entstellen die Wahrheit und verfehlen den ganzen Zweck. Ein Dolmetscher ist, wenigstens wie ihn der Reisende braucht, eigentlich eine Maschine der Form nach, ohne Verantwortung für das von den Parteien sich gegenseitig Gesagte; dem Wesen nach aber ein Mann, der nicht nur den Geist der Sprache, sondern auch den des zu verhandelnden Gegenstandes in sich aufgenommen haben muss, um die Worte in lebendiger Wahrheit, ohne Verdrehung, ohne Zuthat, ganz so wie sie kommen und was sie sagen, in den Geist der andern Sprache zu übertragen.

Nach der Audienz bei Habib-Effendi besahen wir die schönen Zimmer, welche der Vizekönig in der Citadelle bewohnt, so wie das Amtslokale der Haupt-Polizeibehörde von Kairo. Eine Masse Parteien waren da versammelt, die meisten Angelegenheiten wurden mündlich verhandelt, das Urtheil auf der Stelle gesprochen und auch ausgeführt, wozu beständig die Kabasse bereit standen. Die Übrigen vertrieben sich in so lange, bis die Reihe an sie kam, ziemlich ungenirt die Zeit, und ich sah mehrere, die sich sogar rasiren liessen und Toilette machten.

Abends begann der kleine Beiram, ein Analogon unseres Osterfestes. Kanonen-Donner und der erhaben schöne Gesang der Imams von den Minarets der Hauptstadt thaten dem Volke den Anfang der Festlichkeiten kund, die nun durch 4 Tage dauerten. Jeder wirft sich in Staat, die Geschäfte bleiben liegen, man macht sich gegenseitig Besuche. Es ist eine Zeit der allgemeinen Freude *. — Um diese Zeit erhielt ich auch Nachricht, dass in Bezug unsrer Expedition die Weisung des Vizekönigs angekommen sey, der zu Folge ich vorerst nach Syrien und Karamanien und dann erst nach Oberegyten und Nubien zu gehen habe, folglich ganz in dem Sinne meiner Vorstellung. Da jedoch während der ersten Tage des Beirams die Geschäfte ruhen, so liessen auch wir unsere Angelegenheit liegen und machten dafür Tags darauf Besuche in einigen Privathäusern levantinischer Familien, denen mich Hr. Konsul Champion vorzustellen die Güte hatte.

Das Leben in diesen Familien der armenischen, griechischen und koptischen Christen hat wegen seiner orientalischen Eigenthümlichkeiten sehr viel Interessantes, und der eigentliche Glanzpunkt desselben, besonders in den griechischen und morgenländisch-katholischen Häusern, sind die ausnehmend schönen Frauen, die man ziemlich häufig trifft. Abgerechnet das Eingesperrtseyn des weiblichen Geschlechts und die gänzliche Unzngänglichkeit desselben bei den Musel-

* Über diese und ähnliche Gebräuche, so wie überhaupt über die Sitten der Bewohner von Kairo, gibt Hr. Dr. v. Schubert schätzbare Nachrichten. Reise in das Morgenland. Band II.

männern, ist die Lebensweise in den levantinischen Häusern
so ziemlich dieselbe, und auch in den leztern sind die Frauen
nur bei Besuchen von guten Bekannten und Anverwandten
sichtbar; Fremde, ohne durch einen Freund des Hauses
eingeführt zu werden, würden sie wohl schwerlich je bei
einem gewöhnlichen Besuche zu sehen bekommen. Die
herrschende Sprache ist durchaus die arabische; selten,
dass man Frauen trifft, die italienisch, und noch seltner, die
französisch verstehen. Häuslichkeit, Bildung und alle jene
herrlichen Eigenschaften, die unsere nordischen Frauen
auszeichnen und sie noch liebenswürdig machen, ihnen noch
jenen Zauber verleihen, durch den sie herrschen, selbst
wenn die Blüthe der Jugend schon hinter ihnen liegt, jene
Eigenschaften, durch die sie den Mann noch fesseln, wenn
schon die Leidenschaften schweigen: all diese Eigenschaften
muss man bei den Orientalinnen durchaus nicht suchen. Sie
sind nur duftende Treibhaus-Blumen, hinreissend in der
Zeit ihrer Blüthe, ohne Interesse, wenn der Hauch des
frühen Herbstes über sie hingefahren ist. Ihr Kostüm hat
etwas Pittoreskes, wenn sie sitzen, lässt aber schlecht,
wenn sie auf ihren Schemeln gehen; denn man sieht in
den weiten Kleidern keine Taille, und sie stecken darin,
wie in einem Sack. Auf dem Kopfe tragen sie durchgehends
kleine rothe Fess mit einer grossen blauen Quaste, die
seitwärts auf den Nacken herabfällt und einen niedlichen
kleinen Turban, oft mit kostbaren Diademen. Die langen
schwarzen Haare hängen in Zöpfchen geflochten und am
Ende mit Goldmünzen behangen frei über die Schulter. Die
Unterkleider bestehen aus grossen, weiten seidenen Hosen,
die Oberkleider aus einem engen Kamisol mit kurzen Ärmeln, an der Brust offen, so dass der Busen entblösst ist.
Lange und feine Shawls werden um die Hüfte gebunden.
Über das enge Kamisol kommt ein weiteres mit lang herabhängenden, geschlizten Ärmeln, darüber kommt nun erst
der Kaftan, alles von Seide und meist bunt. Sehr häufig
besteht bei den Frauen der schlechte Gebrauch, dass sie sich,
mit Ausnahme des Kaftans und der Kopfbedeckung, ange-
kleidet zu Bette legen, wodurch natürlich der Garderobe sehr

11 *

übel mitgespielt und die Reinlichkeit nicht besonders befördert wird.

Wir machten in Begleitung der Frau unseres Konsuls
bei mehreren solcher levantinischen Familien Besuch, wobei
unsere liebenswürdige Begleiterin den Dolmetscher abgeben
musste, da ich noch gar nicht und mein verehrter Freund
nicht sehr geläufig der arabischen Sprache mächtig war,
was hingegen sie bei ihrer grossen Kenntniss dieser Sprache
mit einem Geiste that, der manchem Dolmetscher auf der
Citadelle sehr zu wünschen wäre.

Unsere Unterhaltung drehte sich stets um eine Menge
Fragen, die mir über die Lebensweise in Europa gestellt
wurden und worunter einige sehr komisch waren, wie z. B.,
ob es in Europa Sitte sey, dass die Frauen die Männer
besuchen? Die Frauen rauchen fast durchgehends, legen
aber des Wohlgeruchs halber Aloë, Benzoë oder eine andere
stark riechende Substanz auf den glimmenden Tabak, wodurch sich allerdings ein angenehmer Geruch verbreitet,
der aber für den Raucher selbst Schwindel erregend und
betäubend ist und an den ich mich nie gewöhnen konnte. So
haben sie auch die Gewohnheit, etwas Moschus in den Kaffe
zu thun, ebenfalls ein Geruch, der mich so stark affizirte, dass
ich solchen Kaffe gegen alle morgenländische Etiquette
zurückweisen musste. Will die Frau vom Hause ihren Gast
besonders ehren, so bedient sie ihn selbst und raucht die
für ihn bestimmte Pfeife selbst an. Die Häuser dieser
Familien waren durchgehends im orientalischen Sinne auf
das splendideste eingerichtet; sie haben weite, hohe und
angenehm kühle Salons mit Marmorpflaster und Fontainen
in der Mitte, schwellenden Divans rings an den Wänden
und kostbaren Teppichen auf den Böden, besonders auf
jener Erhöhung des Fussbodens an den Fenstern, wo die
Gesellschaft sich zu versammeln pflegt. — Von Aussen
sieht man den Häusern in Kairo die Eleganz nicht an, die
in ihrem Innern herrscht, sie sehen vielmehr oft elend aus,
um nur die Augen der Habsucht von Seite der Mächtigen
nicht auf sich zu ziehen. In dieser Beziehung haben freilich
diese Familien ohnehin nicht so viel zu fürchten, als

gewöhnliche Rajas, denn sie stehen meist unter dem Schutze europäischer Konsulate und sind der türkischen Gerichtsbarkeit nicht unterworfen.

Die arabische Sprache wird von den Frauen aufs höchste kultivirt, wozu sie Zeit haben; denn sehr viel kümmern sie sich um die Geschäfte des Hauses gerade nicht, wenn sie auch denselben nicht so fremd bleiben, wie die Frauen der mohammedanischen Harems. Sie sprechen daher auch unstreitig das reinste und beste Arabisch und fassen überhaupt den Geist der Sprache, wie den des Lebens im reinsten orientalischen Sinne auf. Ihre Sitten und Gebräuche, ihre Denkweise, ihre Herzensangelegenheiten sind getreue Bilder aus tausend und einer Nacht, ihr stilles Leben im Harem, ihre Konversation im Bade und bei Besuch umgibt ein Kreis von Sagen und Mährchen, deren tiefer Sinn, deren oratorischer Schmuck wohl werth ist, einen Sultan in selige Träume einzuwiegen. Genien und Geister* umgeben sie an allen Orten, umschweben sie in den Lüften und im Feuer, durchkriechen die Erde wie die Häuser, erscheinen in tausenderlei Gestalten. Ihre Denkweise ist daher voll Aberglauben, aber ihr Aberglaube ist schön, und es liegt in ihm die höchste Poesie.

Finis coronat opus! Das bestättigte sich auch heute; denn wir beschlossen unsere galante Salons-Reise bei S...... Ich war geblendet, als ich eintrat; denn hinter dem Halbkreis von Müttern, Tanten und Basen, die zum Glück weit genug standen, um durchsehen zu können, erhoben sich drei junge Frauen vom Divan, um uns zu begrüssen, die mich glauben machten, dass ausser Mohammed's Paradies noch ein zweites dieser Art existire. Wir hielten uns nicht lange im Salon auf, sondern gingen, nachdem uns die Frauen auf ihren Schemeln durch das ganze Haus geführt, um uns die Merkwürdigkeiten desselben zu zeigen, wozu sie auch ihre Schlafgemächer zählten, in den Garten, der von hohen Mauern eingefasst, etwas sehr Beengendes hatte. Hier

---

* Die Genien sind nur halbe Geister; denn ihre Hülle ist sterblich und sie dürften daher in vieler Beziehung gefährlicher seyn, als die rein ätherischen Wesen.

wurde im Schatten von Palmen und Bananen — was sich übrigens besser liest, als sieht: denn in solchen dünnen Schatten
kühlt sich's nicht — die Konversation, und zwar zu meinem
grössten Vergnügen mit der einen der schönen Dreien itali-
nisch fortgesezt. Der Ton, in welchem man sich unterhält,
ist sehr frei und fast etwas mehr als ungezwungen, d. h.
nach unsern Begriffen über die Wahl des Ausdruckes. Mit
Blumen nach orientalischer Sitte beschenkt und den Kopf
voller Träume ritt ich fort, durchzog die engen, finstern
Gassen von Kairo und gelangte endlich, blos von CASSAB
begleitet, ins Narrenhaus.

Einen grässlicheren Gegensatz hätte ich nicht treffen
können. Man sagt im gewöhnlichen Leben, dass die Mohammedaner ihre Narren für begeisterte Menschen, ja für
Heilige ansehen und verehren. Diess scheint jedoch nur
bei jenen der Fall zu seyn, deren Narrheit eine religiöse
Tendenz hat, wohin mehr oder weniger ein grosser Theil
ihrer Fakirs, Derwische und dgl. zu gehören scheinen.
Diese Art Narren hat — abgerechnet den grossen Vortheil,
dass sie alles mögliche dumme Zeug ungehindert reden und
ausführen dürfen — noch den, dass man gegen alle ihre un-
moralischen Handlungen eine ausserordentliche Nachsicht
hegt und sie dadurch zu den rohesten, unverschämtesten
Kerls macht, welche schamlos die sittenlosesten Handlungen
und Gewaltthätigkeiten begehen. — Sapienti pauca! —
Ganz anders verhält es sich mit jenen Unglücklichen, die
ihrer Verrücktheit nicht obige Richtung geben, sondern im
Unglücke noch so unglücklich sind, dass sie mit ihren fixen
Ideen ein anderes Feld betreten. Sie werden, wie überall, so
auch in Kairo, von der menschlichen Gesellschaft abgesondert;
aber gerade in der Art und Weise, diese Absonderung des
Unglücklichen auf menschliche Prinzipien zu gründen und
ihm dadurch die Rückkehr in die bürgerliche Gesellschaft,
den Wiedereintritt in seine Rechte möglich zu machen,
darin liegt der grosse Vorzug des gesitteten Menschen und
der vernünftigen Verwaltung der bürgerlichen Ordnung.
Diess ist dem Mohammedaner und respektive dem Türken
nicht gegeben. Unschädlich zu machen und doch menschlich

zu verfahren, diese Combination ist ihm rein unbekannt.
Das Thier, welches einen Menschen beschädigt, wird ge-
tödtet, der Mensch, der das Unglück hat, die Rechte Andrer
zu bedrohen, wird zum Vieh herabgewürdigt, und auf diese
Grundsätze basirt sich die Behandlung der Narren auch in
Kairo. Nie in meinem Leben kam mir eine so grausenvolle,
Entsetzen erregende Misshandlung des Menschen vor; der
Sklaven-Markt ist nichts dagegen, und selbst die Sklaven-
jagd tritt in Hintergrund. Beide Geschlechter sind im
Narrenhause getrennt. In einem engen Hofraume befinden
sich ringsherum in der Mauer mehrere finstere, enge Löcher,
nur so gross, dass ein Mensch zusammengekauert darin
sitzen und am Boden liegend sich ausstrecken kann. Diese
Löcher sind mit starken Gittern versehen, und in einem
solchen Käfig sich selbst überlassen, ohne Trost, ohne
eine liebende Hand, die ihn pflegt, ohne Arzt, ohne ordentliche Nahrung, ohne körperliche Reinigung, an schweren
Ketten, wie ein Tiger, angeheftet, wird der Unglückliche
eingekerkert, der den Verstand verloren hat — um ihn
wieder zu gewinnen. Ich sah in diesen furchtbarsten von
allen Zwingern einige und zwanzig nackte und halbnackte
Männer angekettet und darunter keinen einzigen wirklich
wüthenden Narren. Mehrere dieser erbarmungswürdigen
Unglücklichen waren schon über sechs Jahre eingesperrt.
Überdiess war der Hof immer voll von Menschen, die roh
genug waren, die Narren mit Stöcken, wie wilde Thiere,
zu necken. Nimmt man noch dazu den Gestank der empörend-
sten Unreinlichkeit, das Ungeziefer, welches die Armen
peinigt, und alles diess häufig in einer Temperatur von 30°,
so kann man sich das Entsetzen denken, das sich meiner
bei diesem Anblicke bemeisterte.

Nicht minder schrecklich ist das für das weibliche
Geschlecht bestimmte Lokal, nur sind daselbst die Käfige
höher und haben keine Gitter. Ich sah mehrere Weiber,
die im buchstäblichen Sinne des Wortes im Unrathe lagen
und deren Gestalt, entstellt durch Wahnsinn, Hunger, Unreinlichkeit und namenlose Leiden, nichts Menschliches mehr
hatte. Ich musste mich schaudernd wegwenden. Nun,

wenn das Civilisation heisst, dann möchte ich Barbarei
kennen! Nach dem Narrenhause durchging ich das Armen-
Spital. — Diess ist doch so eingerichtet, dass Menschen
daselbst existiren können. Sind auch hier Unreinlichkeit
und Elend bekannte Elemente, so ist doch der Hauptzweck,
dem Armen Linderung seiner Leiden zu verschaffen, nicht
so total verfehlt, wie am Narrenhause, das nur Narren
machen, aber keine heilen kann. So ist der Türke in seinen
öffentlichen Anstalten, selbst der neu civilisirte, wenn ihm
der Europäer, sein Vormund, nicht stets unter die Arme
greift. Traurig, wenn lezterer das Interesse der leidenden
Menschheit nicht für das seine ansieht und sich gar keine
Mühe gibt, seinem Zögling auch den Grundsatz beizubringen,
dass der leidende Mitbruder uns der nächste ist, wess Glaubens, wess Landes, wess Volkes er auch seyn möge; eine
energische Vorstellung von Seite eines Arztes an den Vizekönig würde, so weit ich ihn zu kennen glaube, den Zweck
gewiss nicht verfehlen.

Die Beirams-Visiten, welche uns orientalische Sitte bei den
ersten Würdenträgern zu machen gebot, waren besonders in
der Beziehung von höchstem Interesse, dass wir dabei Gelegenheit hatten, beinahe alle Racen und Kostüme zu sehen, die
dem Islam angehören. So trafen wir bei Habib-Effendi mehrere
vornehme Perser, in ihren langen Kaftanen; Scheriffs von
Hedjas und Jemen, mit ihren dunkelbraunen, ausdrucksvollen
Gesichtern und glühenden Augen, in bunten Kleidern, kostbare
Shawls zu grossen Turbanen gewunden und mit ungeheuern
Dolchen in den Gürteln; Inder mit den langen, gelben, scharf
gezeichneten Physiognomien. Ausserdem die egyptischen Offi-
ziere in ihrer geschmacklosen, rothen Uniform, mit Gold-
stickerei überladen — und inmitten all dieser orientalischen
Kostüme wir mit unsern europäischen, knapp anliegenden
Uniformen, so kann man sich nicht leicht ein bunteres
Gemenge einbilden.

Vor den Thoren versammelt sich in den Tagen des
Beiramsfestes eine Masse Volks, welches sich daselbst mit
verschiedenen Spielen beschäftigt. Die Hauptunterhaltungen

bilden Schaukeln verschiedener Art, Guck-Kästen und vor allem Marionetten. Die Vorstellungen mit leztern beschränkten sich auf das Lieblingsstück der türkischen Dramatik: Irmi und Irmi bir (zwanzig und ein und zwanzig), ein Produkt der allerschmutzigsten Phantasie, welches vor einem dichten Kreise von Männern, Frauen und Kindern, mit der unbegreiflichsten Langeweile den ganzen Tag durch bis in die späte Nacht gegeben wurde, und wobei sich die Zuschauer vortrefflich unterhielten. Die öffentlichen Tänze der Tänzerinnen, Almas, auch Gasiehs, genannt, sind grösstentheils abgekommen, und man sieht sie, seitdem sie öffentlich nicht mehr geduldet werden, nur in Privatcirkeln. Dagegen werden sie bei allen diesen Gelegenheiten durch Tänzer vertreten, Knaben von 10 bis 16 Jahren, welche in Frauenkleidern öffentlich herum gehen. Auch die Abschaffung der Tänzerinnen und die Duldung der Tänzer bilden gegenseitig einen grossen Missgriff der orientalischen Polizei in Egypten. Man hat ein natürliches Laster zum unnatürlichen potenzirt und dadurch öffentlich eine der schändlichsten Verirrungen des Menschen, der leider der Orientale und einige südliche Völker seit den Zeiten des frühen Alterthums vorzugsweise anhängen, mit der gesetzlichen Duldung honorirt.

Die medizinische Schule befand sich damals noch in Abusabel. Der Ritt dahin in der kühlen Morgenluft, anfänglich durch kleine Palmen- und Sykomoren-Wälder, weiterhin am Rande des Kulturlandes, links Gärten, rechts die gelblichrothe Wüste, war ungemein angenehm. Der Weg war belebt, wir passirten einige kleine Beduinen-Lager, Reisende auf Kamelen, Pferden, Eseln zogen hin, zogen her. Nach einem etwa dreistündigen Ritte kamen wir in Abus-abel an. Wir waren an einen Professor der Anstalt durch Clot-Bey, den Chef des Medizinal-Wesens, empfohlen und fanden daher die freundlichste Aufnahme. Clot-Bey, schon seit langen Jahren im Dienste des Vizekönigs, ist ein Mann, der in jeder Beziehung dessen höchstes Vertrauen verdient, ausgezeichnet als Arzt, einer der Wenigen, denen das Interesse des Gebieters, das Wohl des Landes wahrhaft am Herzen liegt, aber leider einer der Vielen, welche oft vergebens gegen Vorurtheile und mangelhafte Institutionen ankämpfen. Mit unsäglicher Aufopferung schuf er das schöne, künstliche Gebäude, doch die Aufführung des Grundes lag ausser seiner Macht. Die Schule, die ihm allein ihre Existenz verdankt, wäre gut und schön, wenn ihr andrerseits in die Hände gearbeitet würde, wenn sie als gelehrte Schule das lezte Glied in einer Kette von Civilisations-Anstalten bilden würde, während sie das erste Glied ist und allein da steht. Daher erfüllt auch sie ihren Zweck nicht, die Form wird auch bei ihr für das Wesen genommen, auch sie erhält sich nur durch die Machtsprüche des Herrn, nicht aber, als wenn ihr Geist in das eigentliche Leben der Nation übergegangen wäre und sie als geistiges Kultur-Eigenthum derselben über den Wechsel der Zeit und Umstände erhaben seyn würde. Solche Anstalten erscheinen und verschwinden mit dem Stifter und seinem Mäcenas; denn für ihre Fortdauer ist das Vorhandenseyn eines gebildeten Volkes conditio sine qua non, und diess wird man doch nicht in Egypten suchen? Aber die Spuren, glaube ich, werden doch bleiben, und eine spätere Zeit kann vielleicht das Mangelnde ausfüllen. Wir besuchten das chemische Laboratorium, die Bibliothek, das anatomische Theater, das physikalische Kabinet mit dem Hörsaal, in Form eines Amphitheaters, das Medicamenten-Magazin etc. und fanden alles zwar im Werden, doch recht hübsch eingerichtet. — So sind auch die übrigen Hörsäle, das Schlafzimmer, das Speisezimmer der Zöglinge sehr zweckmässig. Lezterer sind gegenwärtig (1836)* über 200, welche nicht nur unentgeltlichen Unterricht, sondern auch Kost, Kleidung und monatlich von 40 bis 100 Piaster an Geld erhalten: eine äusserst schöne Einrichtung, die bei allen Lehranstalten des Vizekönigs statt findet und manchem europäischen Lande als Muster hingestellt werden könnte für die Art und Weise, derlei Anstalten dem Volke zugänglich zu machen. Die Vorträge werden französisch

* Später wurde die Medizinal-Schule von Abus-abel nach Kairo übersezt und mit dem Spitale in Cassr el ain vereint.

gehalten und ins Arabische übersezt. Wieder ein grosser Nachtheil; denn der Gang des Unterrichts wird dadurch schleppend, unsicher, und wenn der Übersetzer nicht vom Fache ist und an literärer Bildung dem Vortragenden gleich steht, auch unverständlich. Entweder sollen die Professoren arabisch reden oder die Zöglinge vorerst vollkommen französisch lernen. Die Spital-Anstalt, worein jeder Inländer aufgenommen wird, nur nicht Militairs, die eigene Spitäler haben, ist höchst sehenswerth; die Säle sind hoch, luftig, kühl. Es herrscht durchaus eine nachahmungswerthe Ordnung, Reinlichkeit und Disciplin. Die Kranken haben gute Kost, schöne Gärten, reine Betten. Alles diess liegt aber durchaus nicht im Geiste der Verwaltung; denn die Spitäler in den Provinzen sind häufig ganz das Gegentheil, und das Medizinal-Departement der Armee, besonders der Landarmee, könnte häufig gar nicht schlechter seyn, als es ist. Die gute Einrichtung des Spitals in Kairo ist rein nur das Verdienst einiger Europäer und vorzüglich des unternehmenden Clot-Bey und unserer ausgezeichneten Landsleute Pruner und Fischer, die nicht nur als Ärzte den deutschen Namen auf das Ehrenvollste vertreten, sondern auch als Menschen zu den angenehmsten Erscheinungen in Egypten gehören und durch zahllose Gefälligkeiten sich Jeden verpflichten, der mit ihnen in Berührung kommt. Es ist auch das Verdienst des Vizekönigs, der die Bemühungen dieser verständigen Männer mit der ihm eigenen Energie unterstüzt und befördert, aber stets den gordischen Knoten zerhaut, nie löst, weil er die Ideen derselben nicht in sich aufnimmt, mit einem Worte nicht versteht, folglich solchen Leistungen keinen festen, sichern Grund zu geben weiss, was nur er allein thun könnte.

In Verbindung mit dieser Anstalt besteht auch eine Veterinär-Schule. Von Abus-abel ritten wir in das nahe Städtchen Hanka zurück, wo wir auf dem schönen Landsitze des Obersten Harrif-Bey ein Paar vergnügte Stunden zubrachten. Nicht zufrieden, uns auf seinem Grund und Boden aufs freundlichste entgegen zu kommen, sezte er sich, als wir abritten, ebenfalls zu Pferd und begleitete uns eine grosse Strecke, bei welcher Gelegenheit es die Sitte erforderte, dass wir uns gegenseitig unsere Reitkünste zum Besten geben mussten. Diese bestehen vorzüglich in einer rasenden Carriere, verbunden mit scharfen, momentanen Wendungen und, um die Narrheit vollständig zu machen, mit plötzlichem Arretiren des Pferdes in vollstem Laufe. Nachdem wir dergestalt zu gegenseitiger Zufriedenheit der chevaleresken Etiquette Genüge geleistet, trennten wir uns und wendeten uns nach Heliopolis.

Von dem Glanze der alten Hauptstadt der Weisheit ist nichts mehr übrig, als ein Erdwall, der die einstigen Mauern bezeichnen dürfte, und der hohe, schöne Obelisk. In der Nähe sieht man auch jene ehrwürdige Sykomore, deren Anblick Erinnerungen aus unsrer Religionsgeschichte hervorruft; denn es soll derselbe Baum seyn, in dessen Schatten Joseph und Maria hier mit dem heiligen Kinde ruhten, als sie auf ihrer Flucht nach Egypten kamen. — Auf dem Rückwege nach Kairo besuchten wir wieder den in geringer Entfernung von der Strasse liegenden Dschebel Achmar (der rothe Berg).

Am 2. April, nachdem die Freuden des Beiramsfestes vollkommen vorüber waren und man auch auf der Citadelle wieder ernstere Dinge zur Hand nahm, ritt ich mit Konsul Champion dahin, um unsere Abreise zu betreiben. Man sezte zwar kein Hinderniss entgegen und versprach, dass alle unsere Angelegenheiten, als Geldanweisungen, Firmane, Zelte etc. in Ordnung gebracht würden; doch glaubte ich besser zu thun, zu versichern: Ich werde keinen Fuss aus Kairo setzen, bis alles in Ordnung und mir übergeben wäre. Bei der heutigen Konferenz war ausser Habib-Effendi auch Mochdar-Bey zugegen*, und die Unterhandlungen gingen daher weit rascher, doch dauerten sie bis gegen Abend. Achmed-Kaptan, der oft schon erwähnte Marine-Offizier, wurde zum ersten und Suwatowsky zum zweiten Expeditions-

* Er starb im Jahr 1838.

Dolmetscher ernannt. Bis dahin ging Alles leicht, nun aber kam ein Kapitel, nämlich das der Geldanweisungen für die Expeditionskasse zur Bestreitung der laufenden Auslagen, als Bezahlung der Bedientenlöhne, Verpflegungskosten sämmtlicher Expeditionsglieder und dgl., bei dem oben erwähnte beide Herren Grundsätze durchzusetzen und Normalien aufzustellen suchten, die ich unmöglich billigen konnte. Den Antrag, uns ad personam Verpflegungs-Pauschalien zu zahlen, nahm man aus mir unbegreiflichen Gründen nicht an, und den Antrag, uns die Verpflegung in natura zu verabfolgen, d. h. uns sogenannte Taim wie den egyptischen Offizieren zu geben, wies ich als unwürdig für Beamte einer fremden Macht sogleich zurück. Man durchging neuerdings den ganzen Kontrakt Punkt für Punkt, als wenn er erst geschlossen werden müsste, und zeigte sich mit den einzelnen Punkten desselben unzufrieden. Man wünschte z. B., dass wir unsere Diäten in Egypten beziehen sollten, statt dass sie in Triest ausbezahlt würden, man erklärte mir, dass Dr. Veit als Expeditions-Arzt keinen Anspruch auf eine Besoldung hätte, weil im Kontrakt seiner nicht erwähnt würde, worauf ich nichts entgegnen konnte. Ich erklärte daher den Herren: „dass der Kontrakt nicht erst abzuschliessen, sondern schon abgeschlossen sey, dass derselbe Punkt für Punkt die Sanktion unsrer, d. h. der österreichischen Regierung habe, und dass daran nicht ein Buchstabe geändert werden dürfe; dass ich zur Begründung einer standesmässigen Verpflegung und zur Beförderung des Fortkommens der Expedition von Ort zu Ort die Errichtung einer Expeditionskasse für unerlässlich erachte und fest daran halte, und dass ich überzeugt sey, dass der Vizekönig mit einer Bekürzung des bestehenden Vertrags nicht einverstanden seyn könne; würde man daher nicht die gesetzten und bereits anerkannten Bedingungen eingehen, so werde ich mich desshalb an den Vizekönig wenden, mit dem ich ausschliesslich und allein im Betreff der Expedition zu unterhandeln habe und von dem allein ich weitere Weisungen annehme.“ Man versprach mir, sich an den Vizekönig zu wenden und ihm meine

Erklärung vorzulegen. Dadurch entstand eine neue Verzögerung, die ich wieder zu Exkursionen in der Umgegend von Kairo benützte *.

Der Vizekönig war noch immer im Delta abwesend, und man konnte also den Garten von Schubra, wenn nicht gerade die Frauen sich dort befanden, leicht sehen. Wir liessen uns desshalb bei Habib-Effendi melden, und er schickte hin, um uns anzumelden, damit ja keine weibliche Seele sich zur Zeit unseres Besuches etwa im Garten befände. Schubra liegt eine Stunde unterhalb Kairo, am rechten Ufer des Nils. Eine schöne Allee von alten Sykomoren führt dahin, und die Strasse ist, einige Unebenheiten abgerechnet, für Kutschen fahrbar, deren aber damals in Kairo vielleicht kaum mehr als viere waren. Die Zimmer des Harems konnten wir wegen der Anwesenheit der Frauen nicht sehen, wir mussten uns daher auf den Garten beschränken. Derselbe ist unstreitig einer der schönsten im Oriente, doch schlägt in seiner Anlage der alte französische Styl etwas vor und macht ihn steif, so dass ich im Ganzen, abgerechnet die Bau-Anlagen der grossen Fontaine u. dgl., den Garten des Ibrahim-Pascha auf der Insel Roda vorziehe. Sehr viel ist in Schubra auf Blumenkultur, auf Anlegen von Lauben aus Jasmin mit Oleander, auf prächtige Kioske inmitten von Citronen- und Pomeranzen-Wäldchen gesehen; vor Allem aber und wahrhaft prachtvoll ist die grosse Fontaine aus weissem Marmor, an der man damals gerade im Bauen begriffen war, um bedeutende Veränderungen daran vorzunehmen. Von der feenhaften Pracht dieses Meisterstückes gibt Hr. v. Prokesch in seinen Erinnerungen aus Egypten etc., 1. Bd. S. 63.,

---

* Meiner vielen Berufsgeschäfte halber war es mir nicht möglich, bei meinem ersten Aufenthalte in Kairo all die Merkwürdigkeiten dieser Kapitale zu sehen; da ich aber öfter nach Kairo kam, holte ich das Versäumte ein und werde also darauf wieder zurückkommen, wie es die chronologische Ordnung bedingt, die ich in dieser Darstellung der Reise beobachte. So lernte ich auch den interessantesten Gegenstand Egyptens in neuester Zeit, nämlich seinen Gebieter, erst bei meinem spätern Aufenthalte kennen.

eine genaue Beschreibung. In einer besondern Abtheilung des Gartens werden Thiere aus dem Innern von Afrika gehalten, die sich hier im verwandten Klima ganz wohl befinden.

Der dritte der drei schönen Gärten von Kairo ist der des IsmaEL-Pascha auf der Insel el Koratieh bei Bullak, der sich besonders durch seinen grossen Reichthum tropischer und anderer Bäume fremder Klimate auszeichnet. IsmaEL-Pascha war der Sohn des Vizekönigs, derselbe, der den merkwürdigen Feldzug ins Innere von Afrika bis nach Singe unternahm und für seine Grausamkeiten im Jahr 1822 durch Meck-Nemir (Tiger-König) zu Schendy in den Flammen seiner Hütte sammt seinen Leuten der Rache der Schwarzen geopfert wurde. Der Garten befindet sich gegenwärtig in den Händen von IsmaELS hinterlassenem Harem. Am 6. April veranstaltete ich eine grössere Exkursion. Wir brachen sehr früh auf und ritten in die Nekropolis von Kairo, in die sogenannte Kalifen-Stadt, welche sich südlich der Citadelle und am Westgehänge des Mokattam hinzieht und ganz aus Monumenten besteht. An der Nordost-Seite der Citadelle befindet sich auf der andern Seite des Mokattam eine ähnliche Todtenstadt, bestehend aus lauter Monumenten und Moscheen, auf Gräbern errichtet. Beide Friedhöfe zusammen, denn das sind sie in der wahren Bedeutung des Wortes, befinden sich in der Wüste und nehmen eine mit Grabmalen bedeckte Fläche ein, auf der füglich eine Stadt von 60,000 Menschen stehen könnte. Darunter zeichnen sich die in maurischem Style aufgeführten Moscheenartigen Grabkapellen der Häuptlinge der Mameluken und vieler andrer in der Geschichte Egyptens berühmter Familien aus. Einige dieser Moscheen sind prachtvolle Meisterstücke der alt-sarazenischen Baukunst, besonders die, welche aus dem 14., 15. und zu Anfang des 16. Jahrhunderts stammen, und worunter sich die des Sultans Keitlag und des Sultans Segu als die edelsten auszeichnen. So schön der Araber einst baute und zum Theil noch baut, wie wir an der neuen Moschee auf dem Mokattam sehen, so schlecht unterhält er die mit grossen Kosten aufgeführten Gebäude, eine Nachlässigkeit, die er mit allen südlichen Völkern gemein hat und der zufolge auch diese herrlichen Denkmale zum Theil sehr im Verfalle sind. Wie man vor das Bab el Nussr tritt, hat man rings um die Citadelle nur Behausungen der Todten. Kein Laut unterbricht die feierliche Stille, ausser dem leisen Hauche des Windes, der über die Wüste hinfährt, und dem Geheule der Hyänen und Schakals in der Nacht, die ihrem Raube nachgehen. Diese geheimnissvolle Ruhe ist es aber gerade, die jenes Leben herbeiruft, welches gerne den dunkeln Schleier sucht. Die zahllosen Ruinen sind in der Nacht der Aufenthalt des dach- und fachlosen Gesindels aller Art, das in der Hauptstadt nicht geduldet wird, und in den Zeiten, in denen die Religion den Frauen gebietet, die Gräber der Vorangegangenen zu besuchen, ist es die Liebe, die hier am Rande des Grabes ihre stillen Feste feiert und den Schmerz der Vergangenheit in der Seligkeit der Gegenwart begräbt.

In dem südlichern Theile der Todtenstadt befindet sich das Mausoleum des jetzigen Vizekönigs und seiner Familie. Es ist eine einfache, in dem edlen maurischen Style erbaute Kapelle, die zwei Abtheilungen hat, deren jede eine schöne Kuppel trägt. Düsteres Licht von oben verbreitet ein magisches Helldunkel in den heiligen Räumen der Verschiedenen, die unter einfachen Monumenten ruhen. Jedes derselben, aus Marmor verfertigt, besteht in einem Parallelepiped, worauf ein Sarg ruht, an dessen obern und untern Ende zwei stehende kleine Säulen mit Inschriften sich befinden. Der Fussboden ist durchaus mit Strohmatten belegt, über die kostbare Teppiche ausgebreitet sind. Als wir eintraten, war das Innere durch eine Menge von Hängelampen erhellt und mehrere Imams knieten an den Gräbern, die im Chore ihrer schönen Männerstimmen für die Verstorbenen beteten, so dass das Ganze wirklich einen feierlichen, rührenden Eindruck machte.

Von der Nekropolis ritten wir nach Tora, wo eine Artillerie-Schule und eine grosse Kaserne für die Kavallerie sich befindet und von wo man eine herrliche Ansicht des Schlosses auf dem Mokattam geniesst. Dicht oberhalb Tora sezten wir mit unsern Pferden auf einer grossen Barke über den Nil und ritten fast 1½ Stunden lang durch einen schön gezogenen Palmen-Wald nach Sakaara am Saume der grossen libyschen Wüste südlich der Gegend, wo einst das alte Memphis gelegen haben soll, von dem ABULFEDA vor 500 Jahren noch Trümmer sah. In der Umgegend von Sakaara und in der Wüste gelegen zählte ich 18 deutlich erkennbare Pyramiden, von denen mehrere sich durch die Zerstörung der Zeit und der Menschen in Tumuli-artige Schutthaufen verwandelt haben. Diese Pyramiden sind weder so hoch wie die von Dschiseh, noch mit solchem Material-, Zeit- und Kunstaufwand errichtet. Einige derselben bestehen sogar nur aus an der Sonne getrockneten Lehmziegeln, die nur im regenlosen Himmel von Oberegypten so der Zerstörung durch den Einfluss der Elemente zu trotzen im Stande sind. Einige sind aus Blöcken von Nummuliten-Kalk, aber mit einer Art Mörtel zusammengefügt. Alle sind geöffnet, nur ist der Zugang bei mehreren durch die fortschreitende Zerstörung ganz verschüttet und unkennbar. Diejenigen von ihnen, in welche man eintreten kann, haben, wie die von Dschiseh, eine Menge unterirdischer Kammern, Schachte und Gänge, die tief in die Felsen hineingehen. Die Kammern sind zum Theil mit Granit belegt, zum Theil bemalt, und man sieht an mehreren Stellen Hieroglyphen eingegraben, was um so wichtiger und interessanter ist, als man in den Pyramiden von Dschiseh noch niemals Hieroglyphen entdecken konnte, wodurch man schon auf den Gedanken kam, dass dieselben in der Erbauungsperiode der Pyramiden noch gar nicht existirt haben, was aber im Allgemeinen durch die hier vorliegende Thatsache widerlegt ist. Die Kammern in diesen Pyramiden, in denen man auch noch Trümmer von Granit-Sarkophagen findet, sind mitunter sehr hoch, und Hr. v. PROKESCH fand in der dreizehnten seiner Reihe eine Kammer, die hierin alle andern übertrifft, da ihre Höhe beiläufig hundert Fuss beträgt. Hr. v. PROKESCH zählte vom Gipfel der Pyramide, welche er mit 1 bezeichnete, 21 solcher Pyramiden, während ich deren nur 18 zählte, wobei ich aber bemerken muss, dass ich auf keine dieser Pyramiden hinaufstieg, folglich auch das ganze Terrain nicht so übersehen und mich leicht getäuscht haben konnte. Der Boden um die Pyramiden sieht grässlich aus, wie ein Schlachtfeld, durch die Menge von Gebeinen, Köpfen und Fetzen von Einwickelungsleinen, die von den zahllosen Mumien herrühren, welche man durch Jahrhunderte hier ausgrub, plünderte, und deren beraubte und entblösste Theile man ächt barbarisch in alle 4 Winde schleuderte. Das Gebirge und der Felsenboden in der Umgebung der Pyramiden ist ganz durchlöchert von Katakomben, die entweder stollenartige Zugänge haben, oder zu denen tiefe Schächte niederführen. Diese Katakomben sind theils mit Menschen, theils mit Thier-Mumien angefüllt und zum Theil in unerschöpflicher Menge. Seit alten Zeiten betrieben die umwohnenden Beduinen und Fellah die Ausgrabungen der Mumien ordentlich handwerksmässig, wozu sie von den Europäern, ihren einzigen Abnehmern, für jene, welche sie nicht selbst zerrissen und plünderten, gehörig angeeifert wurden. Gegenwärtig geschieht diess zwar auch noch, aber heimlicher, weil der Vizekönig alle diese Ausgrabungen verboten hat. Die Araber verstehen unter andern Künsten dieser Art auch das Nachmachen von Mumien. Hr. Rifaud bemerkte diess schon in seinem Gemälde von Egypten und Nubien und beginnt sogar in dieser Beziehung sein Werk mit dem abschreckenden Worte: Warnung. Man erzählte mir folgenden Schwank: ein Engländer, der einige Worte arabisch gelernt hatte, sey vor Kurzem nach Sakaara gekommen und habe von den Beduinen eine Mumie gekauft, die äusserst gut erhalten war. Voll Freude über den köstlichen Fund kehrte er mit seinem Dolmetscher und ein paar Trägern den andern Tag wieder, um den Schatz abzuholen. Beim Anblick der Mumie äusserte der Dolmetscher: dieselbe komme ihm so bekannt vor. Höchst erstaunt über diese Worte des kaum dreissigjährigen Mannes, der tausendjährigen Mumie gegenüber, ward sein schöner Wahn aufs härteste erschüttert.

Man untersuchte die Sache und fand, dass ein hagerer Italiener, ein Bekannter des Dolmetschers, mit Ausgrabungen in Sakaara beschäftigt gewesen und daselbst gestorben sey. Die Araber, angezogen durch seine Mumiengestalt, konnten nicht widerstehen, ihn in eine wirkliche Mumie umzugestalten, und der Engländer war so glücklich, diese Frucht ihrer genialen Betriebsamkeit zu ernten. — Trümmer von Kolossen, die hie und da im Sande liegen, zeigen, dass hier einst bedeutende Tempel oder ähnliche öffentliche Gebäude gestanden haben müssen, wenn sie nicht, was wahrscheinlicher ist, in den Vorhöfen errichtet waren, die einige dieser Pyramiden besessen haben, und wovon man noch die Reste sieht. Wie gewöhnlich eine Barbarei der andern die Hand reicht, so hat man hier, als man den tausendjährigen Schlummer der Mumien störte und sie ans Tageslicht riss, auch die Hieroglyphen beschädigt, welche die Wände und Eingänge dieser Katakomben zierten.

Mehrere Beduinen hatten sich um uns versammelt und boten sich an, uns in einige Katakomben zu führen. Sie nahmen zu diesem Zwecke die Hirnschale eines am Boden liegenden Schädels, gossen Öl hinein, rissen einen Fetzen ihres Kleides herab und machten ihn zum Dochte. Mit einer solchen Todtenlampe betraten wir das Reich der Todten, d. h. wir krochen in mehrere dieser engen Räume hinein, wo Mumien und Theile derselben bunt durcheinander geworfen sich befanden, ein Beweis, dass unserm Besuch schon viele vorangegangen waren.

Die hiesigen Beduinen unterscheiden sich sehr von ihren Landbau-treibenden Brüdern, den Fellah. Sie sind gross und zum Theil auch stark gebaut, haben einen sehr dunkeln Teint, glühend schwarze Augen und ein freieres, ungezwungeneres Benehmen, sind auch bei weitem nicht so zudringlich, kurz scheinen physisch und moralisch höher zu stehen. Wir waren noch nicht lange mit ihnen zusammen, so brachten sie uns eine ganze Mumie. Es war ein Mann und schien zur ärmsten Klasse gehört zu haben; denn das Mittel, das man zur Erhaltung der Leiche angewendet hatte, bestand in blossem Pech, und der ganze Körper schien sich

12 *

in eine von Pech durchdrungene Masse umgewandelt zu haben. Da ausser ein paar Hieroglyphen auf der Leinwand die Mumie nichts Interessantes darbot, so entwickelten wir sie. Die Hände waren wie gewöhnlich auf der Brust gekreuzt, die Knochen so mürbe, dass sie bei leiser Berührung zerbrachen, die Leinwand verwest, so dass man sie zupfen konnte. Wir nahmen von der Mumie den Kopf, die Hände und Füsse, steckten den übrigen Körper in ein Grab und zahlten den Beduinen dafür den geforderten Lohn von einem spanischen Thaler. Ich will übrigens nicht behaupten, ob nicht die Hülle dieser Mumie vielleicht ebenfalls einst einem fahrenden Alterthumsgräber angehört haben mag. Bekannt aber kam sie uns nicht vor.

Den Rückweg nahmen wir gerade durch das Kulturland am linken Ufer, das von Dämmen und Kanälen mit Schleusen durchschnitten ist und in Fruchtbarkeit schwelgt, nach dem Dorfe, oder vielmehr Städtchen, Dschiseh, Alt-Kairo gegenüber.

In Dschiseh befinden sich mehrere der bekannten Hühner-brutöfen. Das Ausbrüten der Hühner durch gewöhnliche Feuerwärme, oder vielmehr durch erwärmte Luft, ist den ältesten Zeiten der Egypter entnommen. Die Öfen, deren man sich zu diesem Zwecke bedient, sind sehr einfach. Es ist ein gemauertes, von allen Seiten geschlossenes Viereck, in welches man, nur durch ganz niedere Öffnungen kriechend, Zutritt findet. Um die Temperatur gehörig zusammenhalten zu können, muss auf diese Art das Eindringen der äussern Luft in Masse so viel als möglich vermieden werden. Der innere Raum ist in zwei Reihen von Kämmerchen getheilt, zwischen denen sich ein Gang befindet, dessen Boden mit Stroh und Mist bedeckt ist. Überhaupt wird alles angewendet, was dahin zielt, die erwärmte Luft des Innern durch schlecht leitende Körper einzuschliessen, und um die durch die blosse Wärme der die Eier umgebenden Luft, auf einem der geheimnissvollsten Wege, den die Natur geht, bewirkte Entwickelung des organischen Lebens, welches im befruchteten Eie schlummert, nicht zu stören, wird alles Geräusch sorgfältig vermieden: man spricht nur ganz leise, und es

herrscht eine Stille, in der man das Piken der kleinen, als
Waisen geborenen Hühnchen deutlich vernimmt, wenn sie im
Innern der Eier die Hülle durchbrechen, die sie, eingetreten
in die Reihe der lebenden Geschöpfe, beengt. Jedes der
obenerwähnten Kämmerchen enthält einen Ofen oder ist
vielmehr ein solcher. Die Form des Ofens ist ganz ähnlich
der unsrer Silbertreibherde, und auch die Grösse entspricht
der mittleren derselben. Seitwärts ist zum Eintragen der
Eier und zu Herausschaffung der Schalen eine Öffnung, welche
während der Brütung geschlossen wird; dagegen befindet
sich in der Mitte eine zweite Öffnung, um die Hühnchen,
welche ausgekrochen sind und die man nur ein paar Tage
in der künstlichen Wärme lässt, herausnehmen zu können.
An der Peripherie der vertieften Herdflächen befindet sich
eine mehrere Zoll tiefe Randspur, eine Feuergasse, ringsherum. In dieser wird das zur Erhitzung des Ofens er-
forderliche Feuer unterhalten. Sobald der Ofen gehörig
ausgewärmt ist, werden die Eier, wenigstens tausend auf
einen Ofen, eingelegt, das Feuer wird weggeräumt, die Ein-
tragöffnung verschlossen und die Brütung ungestört in einer
Temperatur von 28° bis 30° Réaumur fortgesezt. Die
Brutzeit beschränkt sich durchschnittlich auf 3 Wochen, in
welcher Zeit jedoch die Eier einigemal ganz leise gewendet
werden. Da die Öfen an der Decke unter sich in Verbindung
stehen, folglich die erwärmte Luft aus jenen Öfen, die
gerade geheizt werden, auch in die strömt, in denen ge-
brütet wird, so ist zwar eine zufällige Herabsetzung der
erforderlichen Temperatur um so weniger zu fürchten, doch
erfordert die zweckmässige Leitung derselben viele Geschicklichkeit. Die Eier bleiben in dem Ofen, in welchem sie
eingesezt worden; eine Übertragung derselben aus einem
in den andern findet, so viel ich erfuhr und aus leicht
einzusehenden Gründen, nicht statt. Die vortheilhafteste
Zeit dieser künstlichen Brütungen ist das Frühjahr, und ich
sah sie daher gerade im vollen Gange. Man nimmt an,
dass man 60 bis 70 $\frac{0}{0}$ der eingesezten Eier ausbrütet und
die Hühnchen daraus zu Tage fördert, welche, ausgekrochen,
allerliebst auf den noch nicht ausgebrüteten Eiern, die ihre

Kollegen umschliessen, im Ofen herumhüpfen und sich des Lebens freuen. Solcher Brutöfen dürften etwa 150 in ganz Egypten seyn, die jährlich bei 15 Millionen Hühnchen liefern. Der Brutofen zu Dschisch allein liefert Jahr für Jahr über 100,000 Stück. Man sieht daraus, dass diese Brütung eine sehr einträgliche Quelle für den Landmann war. Später hat die Verwaltung sich der armen Hühnchen angenommen und ihre Ausbrütung als Monopol erklärt; ob durch dieses ihr allein ein Vortheil zufliesst, oder ob dadurch auch der Fellah, vielleicht sogar die Hühnchen gewinnen, wage ich nicht zu bestimmen. Gewiss ist es, dass der Fellah, bei seiner angeborenen Indolenz, die Sache nicht in dem Maasstabe betreiben würde.

Bei unserer Rückkehr nach Alt-Kairo besahen wir das koptische Kloster des heiligen Sergius. Daselbst befindet sich die in eine Kirche umgewandelte Grotte, in welcher die heilige Familie einige Zeit gelebt hatte. Nahe daran steht die Moschee Amru, die älteste im ganzen Lande, von Amru, einem Feldherrn des Kalifen Omar, erbaut. Der innere Theil bildet einen unbedeckten Hof, den ein Porticus von 24 korinthischen Säulen umschliesst, welche die Bogengewölbe der nach innen offenen Seitengänge tragen. Das für die Waschungen bestimmte Bassin steht in der Mitte des Hofes unter einem von acht Säulen getragenen Dache.

Alt-Kairo gegenüber befindet sich auch die Kavallerie-Schule, auf die das bisher über die Lehranstalten Gesagte Anwendung findet, die aber übrigens eine recht hübsche Reitschule besizt.

Endlich war die Antwort des Vizekönigs angekommen, die gerade so lautete, wie ich sie von ihm erwartet; er genehmigte nämlich alle von mir vorgestellten Ansprüche und Bedürfnisse der Expedition in dem Sinne des zu Triest abgeschlossenen Kontraktes und gab mir dadurch einen neuen Beweis von der Humanität, die er und der Minister Boghos-Bey Europäern gegenüber zu beobachten pflegen. Wie man jedoch bei den ihm untergeordneten Behörden dem deutlich ausgesprochenen Sinne seiner Weisungen

nachkommt, erhielt ich sogleich wieder ein paar Beweise.
In Bullak lagen die für mich zur Rückreise nach Alexandria
bestimmten zwei Barken. Ich ritt dahin und besah sie.
Man hatte auf denselben Kalk nach Kairo transportirt,
woraus sich auf die Beschaffenheit derselben schliessen
lässt, die wirklich scheusslich war. Ich nahm sie daher
nicht an, was ich durch den Dolmetscher an Habib-Effendi
sagen liess, und miethete, ohne mich durch weiteres Nachfragen neuen Verzögerungen auszusetzen, eine grosse,
schöne Barke der englischen Assekuranz-Gesellschaft zur
Reise bis Adfueh, welche Barke gross genug war, uns alle
sammt unserm Gepäck zu fassen. Statt den vom Vizekönig
genehmigten drei grossen und zwei kleinen Zelten wurden
mir 5 ganz kleine gegeben, die ich ebenfalls zurückwiess.
Der Renegat Soliman-Effendi, der als Vorstand der Schmiede-
Werkstätte zu Bullak mit Anfertigung der für den bergmännischen Zweck der Expedition bestimmten Werkzeuge
beauftragt war und sie auch bereits hatte anfertigen lassen,
verweigerte mir die Auslieferung derselben unter dem Vor-
wande, dass er allerdings den Befehl habe, diese Gegenstände für uns anfertigen zu lassen, nicht aber den, sie uns
auszuliefern. Alle diese unendlich vielen Schwierigkeiten,
die man im Oriente zu bekämpfen hat und die aus der Unwissenheit, Trägheit und Unredlichkeit Vieler der Beamten,
aus dem schleppenden, auf keine gehörig durchdachten
Prinzipien sich sützenden Geschäftsgang, aus dem einfachen
Grunde, dass man sich dessen, was man eigentlich will,
nie klar bewusst ist, und aus der daraus hervorgehenden
unausstehlichen Unentschlossenheit zu handeln, entspringen,
erklären das arabische Sprichwort: du kommst nie an dem
Tage fort, den du zur Abreise bestimmt hast. Der Türke,
dem Araber in moralischer Kraft nachstehend, kann
sich oft schwer zu einem raschen und doch vernünftigen
Entschlusse erheben. Die bekannte Formel: bukra und
badi bukra (morgen und übermorgen) ist eine ihm zu
theuer gewordene, als dass er sich nicht durch sie dem
lästigen Drange entziehen und seiner süssen Indolenz
hingeben sollte. Er bleibt stehen, während Andere

gehen, oder rennt, ohne sein Ziel zu kennen und ohne sich umzusehen, wie ein Rasender vorwärts. Diess allein erklärt die merkwürdige Erscheinung des Riesenschrittes, mit dem diese Nation in der lezten Zeit von ihrem frühern Glanze herabstieg, getrieben ausserdem durch die fanatischen Lehren einer phantastischen und durchaus unpraktischen Religion. Um meine Zwecke zu erreichen, sezte ich nun beide Dolmetscher in vollste Thätigkeit und belagerte meinen Freund Jakub-Eftendi, der bei meinem wenig Zweifeln Raum gebenden Vortrag den Turban von einer Seite auf die andere schob, zulezt aber, in einem historischen Anfall das Dienstgespräch plötzlich abbrechend, mich fragte, ob Alexander der Grosse ein geborner Römer gewesen sey; denn für die alte Geschichte interessirte er sich ganz besonders. Durch ihn und vor allem durch die unermüdliche Theilnahme des Hrn. Konsul Champion erreichte ich endlich doch meine Absicht insoweit, dass der Abreise kein bedeutendes Hinderniss mehr im Wege stand. Wenn man in der Lage ist, mit der Verwaltung und den Beamten derselben in unmittelbare Berührung zu kommen, so kann man nicht umhin, einzusehen, dass die eiserne Ruthe, welche Mehemed-Ali über die Seinen schwingt und die er oft schwer fallen lässt, nicht im Allgemeinen, nicht geradehin zu tadeln ist, wenigstens selten dort, wo sie als moralisches und physisches Erregungsmittel für seine Beamten dient, die häufig nur ihr eigenes Interesse kennen, ihrem Herrn entweder gar nicht oder wenig nützen, oder ihn gar schamlos betrügen. Jemehr man die Untauglichkeit eines grossen Theils seines Personals kennen lernt und berücksichtigt, dass er die hohen Beamten, mit wenig Ausnahmen, nur durch unverhältnissmässig grosse Bezahlungen an sich kettet, er also mit seinen grossen Planen, mit seiner Geistesenergie und seinem eisernen Willen im Haufen der Gemeinen allein dasteht, und alles Grosse, was geschah, durch ihn geschah, aus ihm hervorging: da kann man ihm doch, wenn ihn auch die Geschichte mit Recht scharf tadelt, die vollste Bewunderung nicht versagen. Dass das Volk es mit Wohlgefallen sieht, wenn er seine Beamten mit eiserner Hand aus ihrer Letargie aufrüttelt, wenn er die Unredlichen straft, ohne dass übrigens dadurch dem Volke selbst ein Bene zukommt, ist natürlich, und er ist dadurch, dass er es thut, im Angesichte desselben noch immer in gewisser Beziehung populär, er mag es auch selbst noch so drücken und pressen. So erinnere ich mich an eine Frau, der ein arabischer Soldat in den Strassen von Kairo einen Sack entreissen wollte, der ihr gehörte. Sie sezte sich zur Wehre und rief: „Wie, ist denn keine Gerechtigkeit mehr? ist denn MEHEMED-ALI todt?" Diese Frau war bettelarm infolge des Verwaltungsystems des Vizekönigs, sie hat vielleicht den Gatten und ihre Söhne hingeopfert im Kampfe für seine Illusionen, und doch nennt sie ihn gerecht! Sie fühlte den Hauptdruck, der von oben kommt, wenn sie auch unter ihm zu Grunde geht, nicht so, wie den Biss des kleinen Blutigels. Das ist die Macht der Form! und dieses Geheimnisses Herr zu seyn, versteht der alte Vizekönig meisterhaft.

Am lezten Tag meines Aufenthalts zu Kairo besuchte ich noch die Schule der Sprachen auf dem Esbekiehplatze. Diese Anstalt ist eine der besten unter allen, die ich in Egypten traf. Es werden die Knaben noch in ganz zartem Alter daselbst aufgenommen, von denen eine gewisse Anzahl, wie in allen diesen Instituten, Kost, Wohnung, Wäsche und Lohn erhalten. Man lernt französisch, arabisch, türkisch, und persisch, und ich traf viele unter den Knaben, die einige dieser Sprachen bereits fertig lasen, sprachen und schrieben. Der Vorstand der Anstalt ist einer von den wenigen Offizieren des Vizekönigs, die durch ihren Aufenthalt in Europa wirklich gewonnen haben, und der um die Anstalt sich wesentliche Verdienste erwarb. Hier sieht man auf den ersten Blick, was sich aus dem fähigen Araber, aus dem Natursohn voll gesunden Verstandes machen lässt, wenn man ihn rationell behandelt und mit seiner Bildung dort anfängt, wo man anfangen soll, nämlich: — Vorne.

3) Reise zu den Natronseen in der libyschen Wüste.

Am 11. April Nachmittags verliessen wir Kairo, nachdem unser erster Aufenthalt daselbst 22 Tage gedauert hatte, wobei offenbar nur wir gewannen, da wir Zeit hatten, uns in der schönen Kapitale umzusehen. Unser Schiff lag bei Bullak; wir fanden bereits Alles in Ordnung und fuhren in der Nacht mit günstigem Winde stromabwärts, lenkten wieder in den Arm von Rosette ein und befanden uns am 12. bereits um 9 Uhr Morgens in Terraneh.

In Kairo hatte ich den Wunsch ausgesprochen, von Terraneh aus zu den Natronseen zu reisen, um die Art und Weise der dortigen Natronerzeugung näher zu besichtigen. Man versah mich daher mit einem Vorweis an den Mamur (Gouverneur) der Provinz, welcher den Auftrag erhielt, uns die nöthigen Pferde zu dieser Exkursion zu stellen. Der Mamur drückte schulgerecht den Vorweis an seine Stirne, als Zeichen des aufopferndsten Gehorsams; die nöthigen Thiere erhielten wir aber doch erst am andern Tage Abends, bis wo wir uns die Zeit in Baffi's gastlichem Hause vertrieben. Statt der verlangten 10 Pferde sandte der Mamur nur zwei, dagegen 10 Esel und 4 Kamele, mit der Entschuldigung, dass er im Augenblicke nicht so viele Pferde auftreiben könne, sie aber zur Rückreise nachsenden werde. Die Esel hatten keine Zügel, sondern wurden nach Landessitte so geleitet, dass man ihnen, wollte man sie zur Seite lenken, auf der Gegenseite an den Kopf schlug. Wurde dieses Manöuvre mittelst eines Prügels ein paar Mal mit Sachkenntniss durchgeführt, so sah man den glänzenden Erfolg, dass selbst der eselhafteste Esel auf einen blossen Wink gehorchte. Schlimmer stand es mit den Sätteln. Diese, an und für sich viel zu klein, wurden nur auf den Rücken gelegt, konnten aber nicht angeschnallt werden; daher der Reiter beständig die Balance halten musste, wenn er nicht unten liegen wollte. Unzählige Mal geschah es, während unserer nächtlichen Ritte, dass einer oder der andere der Reiter den Sand der Wüste küsste, besonders da gegen Morgen der Schlaf als ein schwer zu besiegender Plagegeist seine Ansprüche machte. Es war bereits 9 Uhr und Nacht, als wir vor BAFFI's Haus aufsassen und der Wüste zuritten. Nachdem wir ungefähr eine halbe Stunde durch das Kulturland geritten waren und unsere Augen sich an die Nacht gewöhnt hatten, sahen wir erst, dass es bei weitem nicht so finster sey, als wir anfänglich glaubten. — Wir hatten nun die Wüste erreicht. Hell flimmerten die Sterne am Himmel, in einer Pracht, wie wir sie noch nie gesehen: denn es war die erste Nacht, die wir in der Wüste zubrachten. Die Reinheit der Luft war ausserordentlich; ich sah mit einem kaum fünf Zoll langen Feldstecher von PLÖSSL ganz deutlich die Jupiterstrabanten. Das Licht der Sterne schien daher nicht nur weit intensiver als in unsern Breiten, sondern es war auch sicherer, es flimmerte nicht so. So weit das Auge im Dunkel der Sternennacht reichte, sahen wir nur Sandebene um uns, kein Strauch, kein Baum kein Hügel. Eine Todtenstille herrschte, kein Laut, nicht einmal ein Lüftchen regte sich; manchmal nur unterbrachen die Araber mit ihren monotonen, klagenden Liedern die Ruhe, oder wir sangen selbst, um uns den Schlaf zu vertreiben, ein Lied, Klänge aus der fernen Heimath. So zog die Karawane ruhig dahin, ihre Richtung nach den Sternen nehmend, bis wir um 2 Uhr Morgens, um unsere Thiere etwas ausruhen zu lassen, anhielten. Eine riesenhafte Laterne wurde angezündet und auf den Sand hingestellt, daneben bildeten unsere Gewehre und Säbel eine Pyramide, und rund umher streckten wir uns auf den weichen Sand der Wüste aus, neben uns unsere armen Thiere, die sich im Hungerleiden übten, und die Araber, welche uns begleiteten. Die Gruppe war höchst interessant und schien uns das beim trügerischen Scheine des Lichtes um so mehr zu seyn, als es das erste Mal war, dass wir unter dem afrikanischen Sternenhimmel kampirten. Die Ferne vom Vaterlande erschien uns grösser in diesem ernsten, feierlichen Momente, und so sehr uns früher der Schlaf geplagt hatte, so schloss er doch jezt kein Auge; denn wir waren mit unsern Gedanken im Kreise unserer Lieben. Nachdem wir uns an herrlichem Mokka gelabt und etwas ausgeruht hatten, sassen wir Morgens 4 Uhr wieder auf und sezten die Reise fort.

Um 6 Uhr, mit Anbruch des Tages, sahen wir in weiter Ferne in SW. am fahlgelben Horizonte der Wüste einen blauen Saum, es war eine niedere Bergreihe, die Fortsetzung des Mokattam in W., wo er sich am linken Ufer des Nil in die weite libysche Wüste verliert. Der Schlaf peinigte uns, noch nicht gewohnt an derlei nächtliche Ritte, fürchterlich, und nur ein rascher Galopp brachte mich manchmal wieder ordentlich zu mir selbst. Diese Nacht erfuhr ich auch schon, wie leicht man sich in der Wüste verirren kann. Da die Karawane, der bepackten Kamele wegen, sich nur langsam vorwärts bewegte, ritten ich und Adjunkt PRUCKNER, die wir die Sterne unserer Orientirung hinlänglich zu kennen glaubten, auf unsern beiden raschen Pferden voraus und kamen weit vor die Karawane. Wir schliefen endlich auf den Pferden ein, die, den unritterlichen Zustand ihrer Reiter erkennend, zu ihrer Privatunterhaltung umkehrten. In der Meinung, unsern Weg zu verfolgen, ritten wir fort und trafen plötzlich zu unserm Glücke die uns begegnende Karawane. Nun handelte es sich darum, wer falsch daran sey. Wir glaubten, unsere Gefährten seyen umgekehrt, diese aber lachten uns aus und bewiesen uns das Gegentheil. Um zehn Uhr kamen wir endlich zwischen zwei Sandhügeln auf eine Anhöhe, und sahen von da aus das libysche Gebirge gerade vor uns, eine lang gedehnte, niedere Bergkette, ohne Ausdruck, ohne Kuppen, wie ein Wall gestaltet, und vor demselben, in dem breiten flachen Thale, einen Hügelrücken, welchem entlang die Natronseen sich ausdehnen. Der Theil des Thales, der jenseits dieses Hügelrückens und am Gehänge des libyschen Gebirges sich hinzieht, führt den Namen: Bachr bela maa (moje) oder Bachr el farich (Strom ohne Wasser oder trockener Strom), indem alle Anzeichen darauf hindeuten, dass hier einst ein Arm des Nil geflossen sey, der nun eine andere Richtung hat. Der Theil des weiten Thales aber, in welchem die Natronseen liegen und der von dem Hügelzuge, worauf wir standen, östlich begränzt wird, hat den Namen der Wüste des heil. MAKARIUS, von dem griechischen Kloster des heil. MAKA-RIUS, welches in der südöstlichen Fortsetzung dieses Thales an der Karawanenstrasse nach Kairo liegt und von den Arabern el Magarin oder Abu-Makar (Vater Makarius) genannt wird. Unserm Standpunkte gegenüber, jenseits der Natronseen und am östlichen Gehänge des mittlern Hügelzuges, liegen noch zwei solche kleine Klöster, die theils von griechischen, theils von syrischen Mönchen bewohnt werden, welche in einer schrecklichen Abgeschiedenheit von der übrigen Welt ein armes Leben voller Entbehrungen führen und hinlänglich Zeit und Gelegenheit haben, den ernstesten Betrachtungen und geistigen Anschauungen sich hinzugeben. Die Namen dieser zwei Klöster sind: Labiat und U-Serian. ANDREOSSY in seinen Mem. sur l'Egypte nennt diese beiden Klöster el Baramus und Amba-Bichay. Sie sind noch Reste aus dem 4. Jahrhundert, zu welcher Zeit diese Wüste von Mönchen und Klöstern voll war. Vor uns hatten wir Sagig, eine Niederlassung der Beduinen, mit einem kleinen viereckigen, aus Lehm gebauten Kastell (das alte aus Natron [?] gebaute ist längst den Weg der Chemie gegangen), zwischen den Natronseen gelegen und zugleich Sitz des gegenwärtigen Etablissements zur Erzeugung des Natrons. Das Thal der Natronseen ist eigentlich eine Oase, deren Vegetation aber vorzüglich in hohem Schilfe besteht, das sehr grosse Flächen um die Seen herum einnimmt und beinahe die einzige Pflanze ist, die hier in Menge vorkommt, indem KOTSCHI ausser ihr kaum mehr als 4 Spezies anderer Pflanzen nachweisen konnte *.

Nach weitern 3 vollen Stunden in der drückenden Hitze der Wüste, während welchem sauern Ritte wir mehrmals bedeutende Züge von Flamingos aus dem Lande um die Seen aufsteigen sahen, erreichten wir endlich Sagig, nachdem wir, abgerechnet 2 Stunden Ruhe, volle 15 Stunden im Sattel gesessen hatten. Obgleich während dieser Zeit unsere Thiere weder zu fressen noch Wasser bekamen, waren doch die Pferde zuletzt noch so munter, dass es gar

* Man sehe über das Gesagte meine geognostische Karte von Egypten.

nicht den Anschein hatte, als hätte sie diese Anstrengung angegriffen. Wir waren von Terraneh aus beständig in der Richtung WWS. geritten, so dass die Lage des Dorfes Sagig an den Natronseen, wie sie auch ganz richtig die meisten Karten angeben, in 30° 21' 30'' nördl. Breite und 28° östl. Länge von Paris fällt.

Am Eingange des Dorfes kamen uns Baffi's Schreiber, ein Kopte und mehrere der Beduinen entgegen. Jeder derselben reichte uns seine Rechte und sprach: Selam! aber nicht Selam alecum! (Friede sey mit dir!) was der Muselmann nur zum Muselmann zu sagen pflegt. Nachdem wir müde von unsern müden Pferden und Eseln abstiegen, wurden wir in das Haus des Schreibers geführt, wo wir, umgeben von einem gaffenden Publikum, auf Teppichen uns niedersezten. Während wir Erfrischungen zu uns nahmen, bereiteten einige der Beduinen Divans zur Ruhe, die uns sehr nöthig war. Überhaupt war das Benehmen der hiesigen Beduinen höchst freundlich und anständig. Sie sind meist von hoher Statur, stark und sehnig gebaut, haben eine dunkelbraune Gesichtsfarbe und scharf gezeichnete, männliche Gesichtszüge. Ihre Kleidung bestand in leinenen Hosen, die nur bis auf die Kniee reichten, in einem Hemd und dem Bornuss, den sie sich in verschiedenen malerischen Formen um die Schultern zu werfen pflegen. Auf dem Kopfe hatten sie nichts als die Takia, ein kleines weisses Mützchen von Baumwollenzeug, welches man gewöhnlich unter dem Fess zu tragen pflegt. Ihre Waffen bestanden in Pistolen und Musketen mit aufgesteckten Bajonetten.

Nachdem wir ein paar Stunden geschlafen hatten, gingen wir mit dem Schreiber in die Manipulationsstätte, wo man sich mit Gewinnung des kohlensauren Natrons beschäftigt. Bei der Darstellung der geologischen Verhältnisse Unteregyptens zu Ende dieses Abschnittes werde ich Gelegenheit haben, auf das geognostische Detail der Gegend und auf die chemischen Schlüsse, wozu die beobachteten Fakta berechtigen, ausführlich zurückzukommen, ich befasse mich daher hier nur damit, eine kurze Beschreibung des Terrains und der stattfindenden Manipulation zu geben.

In dem weiten und flachen Thale der Makariuswüste, welche zwischen zwei parallelen Hügelzügen ein Bassin bildet, befinden sich in der Richtung aus SO. in NW. sechs Seen, von nicht unbedeutendem Umfange, aber von nur geringer Tiefe. Sie liegen in ganz geringen Entfernungen, in der Zeit des höchsten Wasserstandes sich einander ihre Wasser zusendend, in einer Reihe einer nach dem andern und führen sämmtlich ein stark salziges, ganz ungeniessbares Wasser. Man machte die Beobachtung, dass diese Seen einen periodisch verschiedenen Wasserstand wahrnehmen lassen, und zwar dass das Maximum desselben in jene Zeit fällt, wenn der Nil abnimmt, das Minimum hingegen in diejenige, wenn der Nil zunimmt. Dieses Widersprechende in den beiden verwandten Erscheinungen gab zu den sonderbarsten Hypothesen Anlass, die man darüber hie und da in Egypten äussern hört. Mir scheint jedoch die Sache auf eine ganz einfache Weise erklärlich, nur kann ich, um meine Ansicht mit Zahlen belegen zu können, nicht genug bedauern, dass ich damals noch nicht in dem vollständigen Besitze meiner Instrumente war, um den Höhenunterschied zwischen dem Terrain der Seen, dem des Nilbettes bei Terraneh und dem des Meeres ausmitteln zu können, indem ich dann mit mehr Bestimmtheit aufzutreten mich befähigt fühlen würde. Ganz bestimmt jedoch ist der Höhenunterschied zwischen den Seen und dem in gerader Richtung an 15 Stunden entfernten Nile nur ganz gering, und wahrscheinlich liegt der Grund des Bassins, wo er am tiefsten ist, d. h. dort, wo die Seen sich befinden, nicht nur zum Theil im Niveau des höchsten Nilstandes und zum Theil einige Fuss unter demselben, sondern sogar ohne Zweifel an mehreren Stellen nur im Niveau des Mittelmeers. Die Seen erhalten ihr Wasser auf einem zweifachen Weg, und auf jedem derselben bedingt die Natur nothwendiger Weise dieselbe Variation im Wasserstande. — Erstens liegen die Natronseen noch nördlich des 30. Breitegrades, folglich noch innerhalb jener Parallele des nördlichen Afrika's, bis wohin der nordische Winter dringt, der sich zwar nicht gerade in dieser Form daselbst ausspricht, aber doch als

eine Reihe von Regenstürmen darstellt, die in die Monate
unsrer Winterzeit fallen, d. h. in die Monate Dezember,
Januar und Februar, folglich andrerseits gerade in die Zeit,
in welcher der Nil theils fällt, theils seinem niedersten
Stande nahe ist. Mächtige Straten eines dichten Thons
verhindern das Versitzen der atmosphärischen Niederschläge,
die Wasser sammeln sich an, und es ist also sehr natürlich,
dass das Niveau des Sees steigt, wenn der Nil fällt, obwohl beide Erscheinungen in dieser Beziehung in gar keinem
Zusammenhange zu einander stehen.

Wenn wir zweitens das Thal der Makarius - Wüste in
SO. verfolgen, welches in dieser Richtung mit dem Thale
von Bachr - bela - maa zusammentrifft, so sehen wir, dass
dieses Thal sich in der Gegend der Pyramiden von Dschisch
und Sakaara mit dem Hauptthale des Nils vereint und dass
die nördliche Fortsetzung des Joseph - Kanals an den Mündungen dieses Thals im Nilthale vorüber zieht. Erreicht
nun der Nil seinen höchsten Stand, der 24 bis 25 Pariser
Fuss über dem niedersten Wasserstand desselben liegt, so
ist es sehr wahrscheinlich, dass ein Theil seines Wassers
zwischen den Thon- und den darauf liegenden Sand - Straten
des Thales der Makarius-Wüste eindringt, und, da das Thal
Bachr - bela - maa, so wie das der Makarius - Wüste, gegen
NW., d. h. gegen das Meer hin, abfallen, in dieser Richtung
eine unterirdische Strömung entsteht, welche, vom Sande
der Wüste bedeckt, nur dort hervortritt und Seen bildet,
wo des Thales Oberfläche im Niveau dieses Stroms oder
gar unter demselben liegt. Die Thonschichten verhindern
das Versitzen dieser Grundwasser. Wenn die Wasser des
Nils nun wieder fallen und endlich jene Punkte, wo vom
Hauptthale aus die Einströmung geschah, wieder trocken
gelegt werden, so hört der unterirdische Strom endlich auf,
seine Nahrung vom Nile zu erhalten, und versiegt nach und
nach. Diese Grundwasser haben vom Hauptthale aus bis
zu den Natronseen die lange Strecke von drei Tagreisen
zu durchdringen. Nehmen wir das äusserst geringe Gefälle,
in Verbindung mit den Hindernissen, welche die Struktur des
Bodens dem zwischen seine Schichten eindringenden Wasser

entgegensezt, so ist es erklärlich, dass dasselbe seinen
Weg nur äusserst langsam zurücklegen kann, und da sein
Eindringen erst erfolgt, wenn der Nil seinen höchsten Stand
erreicht hat, so ist es ebenfalls sehr natürlich, dass diese
Wasser im Gebiet der Natronseen erst anlangen, wenn er
schon längst wieder zu fallen angefangen hat, so dass die
Seen ihren aus beiden detaillirten Gründen combinirten höchsten Wasserstand dann erreichen, wenn der Nil am tiefsten
steht, d. h. in der Zeit unseres nordischen Winters. Aus
dem Aufhören des Zuflusses, sowohl durch unterirdischen
Strom, als durch atmosphärische Niederschläge, verbunden
mit der starken Verdunstung in der Zeit der Sommermonate,
so wie aus dem allmäligen Versitzen des Wassers nach allen
Richtungen, besonders aber aus der Neigung des Bodens
gegen das Meer hin, erklärt sich die Wiederabnahme des
Wasserstandes der Seen im Beginn des Sommers, d. h. in der
Periode des Nilsteigens, so dass im entgegengesezten Falle
ihr niederster Wasserstand mit dem höchsten des Nils beiläufig
zusammenfällt und der Prozess wieder von Vorne beginnt.

Sowohl durch Auslaugung der Salz führenden Thon-
straten des alten Meeresdiluviums, welches hier die Tertiärbildungen bedeckt, als durch chemische gegenseitige Reaktionen, Zersetzungen und Bildungen neuer Körper, in
Vermittlung der grossen Wärme, des Wassers selbst, der
Luft und vorzüglich der vielen organischen Stoffe, welche
dabei in Berührung kommen und worüber ich weiter unten
im Detail zu sprechen Gelegenheit haben werde, wandeln
sich die Wasser der Seen in eine stark salzige Lauge um,
die unter mehreren Salzen vorzüglich salzsaures Natron
und kohlensaures Natron in bedeutender Quantität enthält.
Wenn diese Seen durch klimatische Einflüsse schnell ver-
trocknen, ohne dass ihr Wasser Zeit hatte, gehörig auflösend auf den Boden einzuwirken und mit den Bestandtheilen
desselben in chemische Wechselwirkung zu treten, so lassen
sie den Sand der Wüste nur stark von Lauge durchdrungen
zurück. Das Salz efflorescirt bei der folgenden Austrocknung
durch die atmosphärische Hitze, es bildet sich eine aus
Sand und Salz bestehende und sich stark blähende Kruste

am Boden, der dadurch sehr uneben wird. Haben hingegen die Wasser vor der Austrocknung längere Zeit auf den Boden auflösend eingewirkt und haben sie mehr Salze in sich aufgenommen, so lassen sie eine dicke, oft einige Fuss mächtige Salzkruste zurück. Wenn hingegen der eine oder der andere See gar nicht austrocknet, sondern das Wasser durch Verdunstung nur allmälig sich zurückzieht, abnimmt, so erreicht die Lauge von Zeit zu Zeit jenen Konzentrationsgrad, in welchem sich Salze krystallinisch ausscheiden. Da jedoch diese Ausscheidung in Bezug ihrer Aufeinanderfolge eine verschiedene ist, nach der verschiedenen Krystallisationsfähigkeit des Salzes bei verschiedenen Konzentrationsgraden der Lauge und sich z. B. das kohlensaure Natron stets früher ausscheiden wird als das salzsaure: so ergibt sich ein schichtenweises Aufeinanderfolgen dieser Niederschläge, und wir sehen daher in diesem Falle Straten von kohlensaurem Natron mit Straten von salzsaurem wechsellagern. Dass Gemenge beider Salze, als Übergangsglieder zwischen den einzelnen Lagen derselben, statt finden, ist natürlich und begründet sich in der Art und Weise, wie dieser Prozess vor sich geht. Man bemerkt diese Erscheinung ganz ausgezeichnet am Rande und am Boden solcher Seen.

Die mit Salz gemengte Sandkruste des schnell trocken gelegten Seebodens, die Salzkruste ausgetrockneter und die lagenweisen Salzausscheidungen in langsamer Konzentrirung ihrer Lauge begriffener Seen und das Wasser dieser Seen endlich selbst bilden das Materiale zur Erzeugung des kohlensauren Natrons. Die Salzkruste und die Salzniederschläge lässt der Vizekönig für sich gewinnen. Man sammelt sie und verkauft sie in rohem Zustande, ohne auf weitere, reinere Ausscheidung des kohlensauren Natrons hinzuwirken. Das Wasser der Seen selbst wurde zur Zeit meiner Anwesenheit für sich gar nicht benützt und die Bearbeitung der mit Salz gemengten Sandkruste, des sogenannten Erdsalzes, hatte eine Gesellschaft in Pacht genommen, an deren Spitze, als leitender Beamter, mein alter Freund Baffi stand, und bei der, wenn ich nicht irre, auch der Vizekönig einige Antheile hatte.

Dieses Erdsalz nun wird mittelst eines runden Steins in einer ganz roh gebauten Mühle, welche durch einen Ochsen bewegt wird, fein zerrieben, und dieses feine Mehl sodann in viereckige, hölzerne Kästen geworfen, wo es mit Wasser begossen, fleissig umgerührt und so ausgelaugt wird. Hat die Lauge sich geklärt, so wird sie in Reservoirs abgelassen, aus welchen man sie nach und nach in die Krystallisations- oder Anschiess-Tröge vertheilt. Man gibt der Lauge durch die Auflösung des Erdsalzes, dessen Quantum man natürlich in seiner Macht hat, und durch eine Art Konzentration im Wege der Verdunstung in den Reservoirs selbst, bevor man sie in die Krystallisations-Tröge ablässt, eine Sättigung von 28° Beaumé, was einem spezifischen Gewichte $= 1,2394$ entspricht und darthut, dass, wenn man es hier mit blossem salzsaurem Natron zu thun hätte, eine solche Lauge bei 15° Réaumur gegen $30\frac{0}{0}$ an Salz enthalten müsste. Man sieht daher, dass man hier mit sehr reicher Lauge arbeitet, was nicht geradehin zu loben seyn dürfte. Die Anschiess- oder Krystallisations-Tröge, deren ich 600 zählte, sind auf vier Plätze vertheilt. Jeder dieser Tröge ist sechs Fuss lang, drei Fuss breit, und die anfängliche Tiefe der Lauge wird zu zwei Zoll gehalten. Der ganze Prozess wird ohne Brennmaterial geführt, und die Wärme der libyschen Sonne allein ist hinreichend, den obenbesagten Konzentrationsgrad herbeizuführen, was um so leichter natürlich geht, da man es von Vorne herein mit einer sehr gesättigten Lauge zu thun hat. Nach 24stündiger Ruhe in den Anschiesströgen bildet sich ein krystallinischer Niederschlag, der vorwaltend aus kohlensaurem Natron besteht, aber noch Antheile von salzsaurem Natron und andern Salzen enthält. Man lässt die Mutterlauge, die nun vorwaltend salzsaures Natron, aber noch immer auch einen bedeutenden Antheil kohlensaures enthält, unbenüzt abfliessen und sammelt den krystallinischen Niederschlag des kohlensauren Natrons, der als solcher besonders in Holland in den Handel kommt.

Ein Theil des zerriebenen Erdsalzes, der mit Salzen durchdrungenen Sandkruste, wird für sich als natürliche

13*

Soda verkauft, so auch das eingesammelte efflorescirte Salz, welches ziemlich reines, kohlensaures Natron ist. Auch wird ein Theil dieses Erdsalzes zerrieben und mit reinem, feinem Quarzsande der Wüste gemengt, befeuchtet und zu Ziegel geformt, welche als solche an Glasfabriken; besonders an die der Glasperlen zu Venedig, verkauft werden. Die ganze Manipulation ist so zu sagen noch in der Kindheit und liefert meist nur sehr unreine Produkte. Die Lauge, wie ich glaube, kommt in einem zu sehr konzentrirten Zustande in die Anschiesströge; die Krystallisation der Salze wird dadurch zu sehr forcirt und mit dem kohlensauren Natron scheidet sich zugleich eine Menge des salzsauren aus. Würde man ärmere Lauge anwenden, so würde sich bei der Ruhe und fortdauernden Verdunstung bereits früher schon kohlensaures Natron, und zwar in grosser Reinheit, ausscheiden, welches man als eine Waare erster Güte betrachten könnte. Der Prozess würde zwar länger dauern, aber man würde viel reinere Produkte darstellen. Ferner halte ich die Anschiesströge für viel zu klein; denn würde man der Lauge bei gleicher Tiefe eine grössere Oberfläche geben, so würde die Verdunstung und die krystallinische Ausscheidung schneller vor sich gehen und man würde an Arbeit bei dem oftmaligen Füllen und Ausleeren dieser Tröge ersparen. Das Ablaufenlassen der Mutterlauge, ohne weitere Benützung derselben, sehe ich ebenfalls als einen Missgriff an, und man würde, glaube ich, um den grössten Theil des kohlensauren Natrons zu erhalten, der in der Mutterlauge sich noch befindet, sehr gut thun, wenn man dieselbe zur Auslaugung des Erdsalzes benützen würde. Überhaupt aber sollte man dahin wirken, Produkte von verschiedener Güte zu erzeugen, um dem betreffenden Nachfragen einerseits zu begegnen und andrerseits nicht durch Vermengung der Salze die nöthigen Nacharbeiten zur Raffinirung des Handelsproduktes zu erschweren.

Als wir von unserer Besichtigung der verschiedenen Manipulations-Plätze zurückkamen, fanden wir bereits im Hause des Schreibers, oder vielmehr vor demselben auf der Terrasse, ein kleines orientalisches Tischchen gedeckt. Man bewirthete uns mit Pilau, gesottenen Tauben und einem ganzen gebratenen Schaf, welches zwei Männer auf einer grossen eisernen Platte herbeitrugen. Ein Beduine schlug seine weiten Ärmel zurück, packte das Schaf mit den Händen und zerriss es, indem er Jedem seine Portion vorlegte, wobei er in Betreff des Quantums eine genaue Rangordnung beobachtete. Wir sassen noch lange im traulichen Kreise beisammen, denn die milde Nacht war zu schön und unsere Umgebung, die Beduinen mit ihren Waffen, die Stille der Wüste, der Spiegel des Salzsees waren so ächt afrikanisch.

Die Beduinen gaben uns die Entfernung von Sagig nach Terraneh zu zwei Tagereisen, die nach Alexandria zu drei und die nach Siwa zu fünf an. Leztere Angabe erscheint besonders im Gegenhalt der ersten viel zu gering, und wenn auch die Tagezahl die richtige ist, so ist doch die Stundenzahl, welche auf eine solche Tagreise kommt, eine viel grössere.

Am folgenden Tage streiften wir in der Umgegend herum. Die Jagd war des hohen und sehr dichten Schilfes halber ungemein beschwerlich, und ich verirrte mich in einem Sumpfe, aus dem ich mich nur mit Mühe wieder herausfand. Die Gegend ist übrigens von Thieren sehr belebt. Wir trafen mehrere sehr schöne Arten von Enten, ganze Schaaren von Flamingos, Geyer mitunter von bedeutender Grösse und viele kleinere Vögel. Von Vierfüssern finden sich viele Schakals, Hyänen (Hyäna striata, nicht die grosse gefleckte, welche wir in Sennaar fanden) und mehrere Arten von Gazellen. In Bezug der vielen Scorpionen und Schlangen ist die Umgebung von Sagig selbst bei den Arabern etwas verrufen, und unter erstern findet sich häufig jene sehr giftige Art von schmutzig grünlich weisser Farbe, bis zur Grösse eines kleinen Bachkrebses, welche der Araber Agrab el melch, den Salzscorpion, nennt, weil sich derselbe vorzüglich in salzigem Boden findet.

In der Nacht war ein arabischer Schech mit vortrefflichen Pferden angekommen, welche uns der Mamur zur Rückreise gesandt hatte. Wir ritten daher Nachmittags wieder ab, lagerten durch ein paar Stunden in der Nacht in der Wüste und kamen am 16. vor Aufgang der Sonne wieder in Terraneh an, wo wir sogleich aufs Schiff gingen und um 10 Uhr mit günstigem Wind nach Alexandria absegelten. — Tags darauf verliess uns der günstige Wind wieder und wir hielten einige Stunden bei Nikle an, wo der Mamur des Distriktes Mahmudieh wohnt. An der Wohnung desselben befindet sich ein von ihm angelegter, schöner Garten und nicht weit davon eine Ziegelfabrik, wo man aus dem Nilschlamme Ziegel verfertigt. Zu einem Kalkofen, der in der Nähe der Ziegelhütte steht, führt man die Kalksteine von Kairo.

Am 18. gelangten wir schon am Morgen nach Adfue, wo wir zur Kanalreise eine der dortigen Assekuranz-Barken mietheten.

Der Wind war günstig und sehr stark, wir flogen dahin und kamen bereits in der Nacht vom 18. auf den 19. April, nach einer Abwesenheit von 33 Tagen, wieder in Alexandria an.

4) Zweiter Aufenthalt in Alexandria.

Die Rüstungen der Expedition zur bevorstehenden Reise nach Syrien und Karamanien gingen durch Boghos-Bey's Verwendung rasch vorwärts. Er entschuldigte die Reiseverzögerungen, welche die Benehmungsweise der Verwaltungs-Vorstände in Kairo herbeigeführt hatte, durch den Mangel an Pouvoir, welches denselben in derlei Angelegenheiten, und wie mir scheint nicht mit Unrecht, nur höchst beschränkt ertheilt ist, und versicherte mich, dass die gute Sache nur dort rasch gefördert werde, wo der Vizekönig oder er selbst ihren unmittelbaren Einfluss ausüben, was auch ganz buchstäblich wahr ist. Alle verlangten Gegenstände, als Zelte, Werkzeuge etc., kamen von Kairo an, ein Schiff wurde in Bereitschaft gesezt, um uns nach Syrien zu bringen, wozu man die Korvette Pelenk Djihaad von 24 Kanonen wählte. Da der Gesundheitszustand in Alexandria damals noch immer etwas verdächtig war, so mussten alle Reisende, welche von da nach Syrien gingen, bevor sie die Bewilligung erhielten, das Land zu betreten, in einem syrischen Hafen Quarantaine halten. Wir machten also den Plan, zuerst nach Beirut zu gehen, dort am Bord der Korvette unsere Kontumazzeit auszuhalten und dann nach Suedie zu segeln, um IBRAHIM-Pascha, der damals in Antiochia sich aufhielt, uns vorzustellen und von ihm die weitern Verfügungen in Bezug der Expedition, da ihn die Sache als Gouverneur von Syrien unmittelbar anging, zu vernehmen.

Sobald ich mich von der Verfahrungsweise der egyptischen Verwaltung durch eigenen Anblick nur in Etwas unterrichtet hatte, so gewann ich auch die Überzeugung, dass schwerlich ein Beamter einer fremden Macht, der in seinem Vaterlande durch seine amtliche Stellung sein Fortkommen begründet sieht, sich würde entschliessen können, seine Dienste für lange Zeit oder gar für immer jenem Lande zu weihen, wenn ihn nicht geradehin pecuniäres Interesse hiezu triebe; da ich aber auch einsah, dass alle unsere Entdeckungen in spe der egyptischen Verwaltung nichts nützen, wenn sie nicht brauchbare Leute hätte, die im Stande wären, die Bergbau- und Hütten-Manipulationen nach technischen Regeln und mit Beobachtung der den Bedürfnissen der Zeit und des Landes entsprechenden Prinzipien einer verständigen, durchdachten Wirthschaft zu leiten, so machte ich durch Boghos-Bey dem Vizekönig den Vorschlag: zehn seiner fähigsten Eleven aus der polytechnischen Schule zu Kairo auszuwählen und sie der Expedition zuzutheilen. Die Reisen derselben mitzumachen, bei dieser Gelegenheit im Allgemeinen das praktische Thun und Treiben des Bergmanns mitanzusehen und so einen, wenn auch nur oberflächlichen, Blick in ihren künftigen Beruf zu thun, war die Tendenz, die ich ihrer anfänglichen Verwendung gab. Nach Jahresfrist hoffte ich über ihre Befähigung ein gegründetes Urtheil abgeben und die fähigsten unter ihnen zur weitern Ausbildung bezeichnen zu können. Diese beantragte ich sodann mit einem der türkischen und arabischen Sprache mächtigen Lehrer nach Österreich zu senden, sie daselbst vorerst deutsch lernen und überhaupt erziehen zu lassen und sie dann zu ihrer technischen Ausbildung an die polytechnische

Schule zu Wien und auf die Bergschule zu Schemnitz zu senden. Dadurch würde der Vizekönig sich Beamte aus seinen eignen Landeseingebornen heranziehen, die, gewohnt an Klima und Sitte ihres Landes, der herrschenden Religion zugethan, der Sprache des Volkes mächtig, weniger hohe Ansprüche machen würden, als die Europäer es aus begreiflichen Gründen thun, und vielleicht ihm ebenso viel nützen könnten. Das Richtige dieses Vorschlages wurde vom Vizekönig, der noch immer auf dem Delta herumreiste, sogleich anerkannt, und in wenigen Tagen kamen zehn Eleven von Kairo an, darunter einige recht hoffnungsvolle, junge Araber, die auch ohne weitere Zögerung meiner Obhut übergeben wurden. Mit der speciellen Leitung des nicht technischen Theils ihrer Verwendung, mit der Unterrichtung in den Anfangsgründen unserer Sprache und mit Besorgung ihres Haushaltes beauftragte ich den Dolmetscher Suwatowsky *.

Ausser diesen zehn Arabern vermehrte sich der Personalstand der Expedition auch um den als Kunstschlosser und Waffenschmied in Alexandria lebenden Ludwig Reichard, aus Holstein, der durch Boghos-Bey als Ouvrier ihr zugetheilt wurde **.

Während der Zeit als dieses vorging, hätte die egyptische Unabhängigkeit, die als Illusion damals des besten Wohlseyns sich erfreute, bald einen Todesstoss erlitten. Auf den Werften des Arsenals befand sich ausser drei Linienschiffen auch eine Fregatte. Die arbeitenden Soldaten, den vereinten Qualen der Quarantäne, einer schlechten Behandlung, eines zehnmonatlichen Soldrückstandes etc. ausgesezt, legten Feuer in die Fregatte. Zum Glücke wurde dasselbe sogleich wahrgenommen und gelöscht, sonst wäre nicht nur das Arsenal, sondern auch die ganze Flotte und die Stadt

* Mehrere dieser Eleven wurden auch während der Zeit meiner Abwesenheit im Innern von Afrika wirklich nach Österreich geschickt. Die Art und Weise, wie man die Sache einleitete, stimmte allerdings nicht ganz mit meinem Plane, doch höre ich, dass diese jungen Leute, die sich gegenwärtig noch in Gräz befinden, mit vielem Erfolge ihrer Ausbildung obliegen.

** Reichard starb zu Gülek in Karamanien im Jahr 1839.

in die grösste Gefahr gekommen, und ein Unglück dieser Art, das die Flotte betroffen, hätte in ihr eines der grössten Schreckmittel, dessen der Vizekönig sich gegen seinen Herrn und Gebieter bediente, mit einem Male vernichtet.

Bevor ich die Lokalitäten an Bord unsrer Korvette besuchte, ging ich mit ACHMED-Kaptan auf die Admiralität, wo ich den Admiral MUSTAPHA-Pascha, den Vizeadmiral BESSON-Bey und den Contreadmiral HASSAN-Bey beisammentraf. BESSON-Bey, ein geborner Franzose, ein rechtlicher biederer Mann und ausgezeichnet als Militär, leitete eigentlich das Ganze *; denn MUSTAPHA-Pascha, ein zwar ausgezeichneter Mariner, eignete sich doch mehr zu einem wackern Steuermann, als zum Admiral. HASSAN-Bey hatte gar keine Bedeutung und scheint durch seine Reise um das Kap Horn wenig profitirt zu haben. Die Korvette war gut eingerichtet und stark bemannt. Mir wurde der Salon zur Wohnung eingeräumt.

Mit Einschluss der zehn Eleven und eines arabischen Koches, den ich in Dienst genommen hatte, bestand nun die ganze Expedition aus 25 Individuen. Am 28. April Vormittags begaben wir uns, ausgerüstet mit allem Nöthigen, an Bord des Pelenk Djihaad; um 2 Uhr Nachmittags schwellten sich mit frischem Landwinde die Segel der Korvette, und wir verliessen die Küste von Afrika.

---

* BESSON-Bey starb im Jahr 1838.

Dritter Abschnitt.

Wissenschaftliche Bemerkungen über Unteregypten.

———

Klimatische Verhältnisse des Landes und damit verbundene Erscheinungen.

Da ich erst bei meiner Rückkehr aus Karamanien nach Syrien im Oktober 1836 im Besitze meiner gesammten Instrumente zu meteorologischen und überhaupt physikalischen Beobachtungen war, und ich daher auch erst bei meinem zweiten Aufenthalt in Syrien beginnen konnte, meine eigenen Erfahrungen beziffert in einem physikalischen Journale niederzulegen, das ich bis zu meiner Rückkehr nach Europa im Jahr 1839 ununterbrochen fortsezte, so will ich hier, um die einmal festgesezte chronologische Ordnung nicht zu stören, des Details der gemachten Beobachtungen noch nicht erwähnen, sondern werde dann wieder darauf zurückkommen, wenn ich solche, insoferne sie Egypten betreffen, als ein geschlossenes Ganzes betrachten kann. Diess geschieht nach Darstellung meiner zweiten und dritten Reise durch Egypten, die sich über dieses ganze Land erstreckten. Doch glaube ich, dass es hier an Ort und Stelle ist, gewisser Erscheinungen zu erwähnen, die für Unteregypten charakteristisch sich hervorstellen und Funktionen des dortigen Klima's sind. Um diess aber in konsequenter

Folge thun zu können, ist es nöthig, wenigstens eine allgemeine Skizze dieser Einflüsse vorauszusenden, insoferne sich dieselben aus meinen eigenen Beobachtungen und denen anderer Reisender folgern.

Unteregypten, zwischen den Parallelen des 30. und 31. Breitengrades liegend, gehört noch ganz, was die jährlich sich periodenweise wiederholende Aufeinanderfolge der Jahreszeiten betrifft, dem Systeme des südlichern Europa's an, nur natürlich mit jenen Modifikationen, die den wärmern Himmelstrichen eigen sind. So hat Unteregypten seinen Sommer in der Zeit des unsrigen, eben so seinen Winter, nur mit dem Unterschiede, dass lezterer sich dort als Regenzeit ausspricht, die in unsere Wintermonate fällt. Frühling und Herbst verschwinden in heissen Klimaten fast ganz und man kennt dort nicht diese herrlichen Übergänge vom Winter in Sommer und umgekehrt, deren wir uns in gemässigtern Zonen erfreuen. Man hat in tropischen Ländern nur Sommer und zwar einen, der ganz trocken ist, und einen, während dem es mehr oder weniger regnet. Diese Regen erstrecken sich dort auf die eine Hälfte des Jahrs, während sie in Egypten, wie der nördliche Winter, nur auf wenige Monate sich beschränken. Sie bedingen natürlich nicht jenen Winterschlaf der organischen Schöpfung, besonders der Vegetabilien, der den Winter unsers Nordens charakterisirt, sondern erheben vielmehr die ganze Pflanzenwelt zur höchsten Potenz ihrer Lebensentwicklung, zur herrlichsten Entfaltung aller ihrer Reize. Daher auch Egypten eigentlich nie schöner ist als in der Zeit, wenn die Natur bei uns in Schnee und Eis starrt. Dieser Wechsel der zwei Hauptjahreszeiten, des Sommers und Winters, vertreten durch die trockene Jahreszeit und die Regenzeit, ist jedoch in der Ordnung, wie wir sie in Europa besitzen, nur dem Küstenlande des nördlichen Afrika's eigen, und namentlich beginnt in Egypten, südlich der Parallele des 30. Breitegrades, jene merkwürdige Zone, die sich bis zum 18. Breitegrad, also durch 12 Breitegrade erstreckt, und die ich, der seltnen atmosphärischen Wasserniederschläge halber, die sich innerhalb ihrer Gränzen ergeben, die regenarme Zone nenne. In das Bereich derselben fällt Afrika's Wüstenland, das dort, wo die tropischen Regen beginnen, die aber im Norden des Äquators in unsern Sommer fallen, nämlich südlich des 18. Grades, wieder endet und dem Savannenlande des Innern, den in Fruchtbarkeit schwelgenden Gegenden an den Ufern der dortigen grossen Ströme Platz macht *.

Nicht selten findet man in Darstellungen der klimatischen Verhältnisse Unteregyptens von verschiedenen Reisenden ganz kühn die Behauptung hingestellt, dass es in Kairo nicht regne. Das ist denn, einfach gesagt, nicht wahr und eine Behauptung, die zu jenen Ungeheuern gehört, welche die Wissenschaft den anmassenden Aussprüchen der Nichtberufenen, der Leichtgläubigkeit, der Selbsttäuschung verdankt. Es gibt in Egypten und Nubien keinen Distrikt, wo es gar nicht regnet, d. h. für den Physiker gar nicht regnet; denn der Bauer, der natürlich mit ein paar Tropfen nicht zufrieden ist, der urtheilt anders, und seine Aussage bedarf eines starken Korrektions-Koëffizienten, um sie der Wahrheit näher zu bringen. Es gibt aber Distrikte, wo es sehr selten regnet, und auch unter leztere ist Kairo mit seiner Umgebung nicht einmal zu rechnen, indem es daselbst Jahr für Jahr in unsern Wintermonaten Gewitter gibt, die selten ohne Regen verlaufen. So wie die Jahre 1761 und 1762, in welchen Niebuhr in Kairo ** beobachtete, unstreitig zu jenen gehören, welche sich durch die Menge der atmosphärischen Wasserniederschläge auszeichneten und sogar desshalb zu den Ausnahmen zu zählen seyn dürften, so gibt es andrerseits wieder Jahre, wo diese Niederschläge seltner als je sind, welche Jahre daher auch wieder als Ausnahme zu betrachten sind. Beide Extreme können wir daher nicht

* Meine Abhandlung: über meteorologische klimatische Verhältnisse des afrikanischen Tropenlandes in Dr. Holger's Zeitschrift für Physik und verwandte Wissenschaften. 6. Bd., 2. Heft. Wien 1840; und Beiträge zur Physiognomik und Geographie des afrikanischen Tropenlandes in v. Leonhard's Jahrbuch für Mineralogie etc. Jahrgang 1840. Stuttgart.

** Karsten Niebuhr's Reisebeschreibung nach Arabien etc. Kopenhagen 1774. 1. Bd.

als Leitfaden zur Beurtheilung der jährlichen Regenmengen im Mittel gebrauchen, und Angaben, die sich ausschliesslich auf eines oder das andere derselben beschränken, sind daher unrichtig. Die jährlichen Regenmengen nehmen südlich von Kairo gegen den Wendekreis zu stufenweise ab, wobei jedoch in der Nähe des grossen Flusses, d. h. im eigentlichen Nilthale selbst, der Regen mehrere beobachtet werden, als in den Wüsten zu beiden Seiten des Stroms. Nördlich von Kairo hingegen erstrecken sich die Erscheinungen des eigentlichen Küstenklima's nicht nur auf das Delta, sondern auf die Wüsten östlich und westlich desselben, wie Ehrenberg und Hemprich in Begleitung des Generals v. Minutoli auf ihrer Reise zur Oase des Jupiter Ammon * erfuhren, wo sie durch heftige Regen nicht wenig zu leiden hatten. In früherer Zeit scheint dieses Klima, welches jezt Unteregypten als Küstenland angehört, weit südlicher sich erstreckt zu haben; denn man findet in Oberegypten, sowohl in den Thälern des arabischen als libyschen Gebirges, d. h. des Gebirges östlich und westlich des Nils, die unverkennbarsten Merkmale stattgefundener gewaltiger Regengüsse, nämlich viele ausgetrocknete Bette von Giessbächen, die den Geschieben zufolge, die sie mitführten, und der tiefen Schluchten wegen, die sie ausrissen, tief und reissend gewesen seyn müssen.

Beobachtungen des Luftdruckes haben nur dann Werth, wenn sie so veranstaltet sind, dass man aus ihnen die Gesetze desselben klar und deutlich entnehmen kann. Es handelt sich daher keineswegs blos darum, die Barometer-Beobachtungen so zu veranstalten, dass damit 2- oder 3mal des Tages ängstlich eine gewisse Stunde eingehalten werde, wodurch ich nur Resultate erhalte, tanglich für Bestimmung von Niveaudifferenzen oder der nach den Jahreszeiten sich ergebenden Schwankungen der Luftsäule, aber keineswegs tanglich zu dem, worum es sich eigentlich von Vorne

---

* Reise zum Tempel des Jupiter Ammon in der libyschen Wüste etc. von Frhrn. v. Minutoli. Berlin 1824. — Reisen in Egypten, Libyen, Nubien und Dongola. Von Hemprich und Ehrenberg. 1. Bd., 1. Heft, Berlin 1828.

herein handelt und woraus der Kalkul das Weitere abstrahirt, nämlich zur Bestimmung der stündlichen Oszillationen des Barometers, zur Ausmittlung der atmosphärischen Ebbe und Fluth, welche wie die des Meeres binnen jeder Umdrehung der Erde zweimal ein Maximum und zweimal ein Minimum erreicht. Barometerbeobachtungen müssen daher, wenn sie diesen Zweck erfüllen sollen, von Zeit zu Zeit stündlich durch Tag und Nacht vorgenommen werden; ausserdem aber täglich, so oft als nur möglich, ohne sich ängstlich an gewisse Stunden zu binden, was ohnehin auf weiten und beschwerlichen Reisen nicht leicht thunlich wäre. Je verschiedener die Stunden der Beobachtung an verschiedenen Tagen sind, besonders wenn noch damit öfter Beobachtungen zu jenen Zeiten statt haben, in denen die Extreme eintreten, desto sicherer stellt sich das Gesetz dar; denn füllt man die Lücken eines jeden Tages durch Interpolation mit Hülfe der durch die Beobachtung gegebenen Werthe aus, so ist die Richtigkeit der Kalkule im Falle ihrer Übereinstimmung um so schlagender, je verschiedener ihre Elemente sind. In diesem Sinne wurden später alle meine Barometer-Beobachtungen ausgeführt, und ich werde auf dieselben im Detail zurückkommen, wenn es sich um die klimatischen Verhältnisse von ganz Egypten handeln wird. Vor der Hand will ich nur durch summarische Angaben der Beobachtungen früherer Reisenden im Allgemeinen durchschnittliche Werthe für den Luftdruck in Unteregypten aufstellen, um ein Bild dieses höchst wichtigen Prozesses im atmosphärischen Leben, so weit es jenes Land betrifft, zu erhalten. So beobachtete Cailliaud * zu Kairo im Jahr 1819 im Monate Oktober aus 16 Tagen, jeder mit 3 Beobachtungen:

höchster Barometerstand . . . . 765,95 MM.
niederster » . . . . . . 761,35 »
höchste Temperatur . . . . 27,8° Centigrade,
niederste » . . . . . . 20,9° »

* ·Voyage a Méroé, au fleuve blanc, au de là de fasokl cet. par Mr. Cailliaud. Tome IV. Paris 1827.

ferner im April 1820 aus 15 Tagen :

    höchster Barometerstand . . . . . . 767,25 MM.

    niederster   „   754,30   „

    höchste Temperatur . . . . . . 28,8° Centigrade,

    niederste   „   . . . . . . 14,2°   „ .

    Nehmen wir aus diesen Extremen die Mittel, so ergibt sich für Kairo: Barometerstand = 762,21 MM., mittlere Temperatur des Monats April, dessen Temperatur der mittlern des Jahres am nächsten kommt = 21,5° C. oder 17,20° R., so weit CAILLIAUD's Beobachtungen ausreichen.

    CAILLIAUD machte seine Beobachtungen um 7 oder 8 Uhr Morgens, 12 Uhr Mittags und 4 bis 5 Uhr Abends, folglich, leztere ausgenommen, nie zur Zeit, wenn eines oder das andere Extrem eintritt; da wir daher in seiner Reihe die Wendungspunkte der stündlichen Schwankungslinie nicht kennen und das Gesetz, da keine Interpolation statt haben kann, unmöglich ausmitteln können, so haben wir hier gleich einen Beweis des früher Gesagten. Derselbe Übelstand ergibt sich leider bei dem publicirten Theil von Dr. RÜPPELL's Beobachtungen, da er in sein sonst so schätzbares Reisewerk * das Detail seiner physikalischen, mit so vieler Sachkenntniss durchgeführten Beobachtungen nicht aufnahm, was doch höchst interessant gewesen wäre. Bei seinen Barometerständen, die er nur summarisch angibt, wurde bereits die Korrektion wegen der Kapillarität und die Reduktion auf die Normaltemperatur von 10° Réaum. vorgenommen und so war:

    zu Alexandria im Januar 1831 aus 6 Tagen:

Um 7 h. 30′ Morgens Barometer = 338,62‴ Paris. Lufttemperatur = 11,79 Réaum.; um 12 h. 5′ Mittags Barometer = 338,55‴ Paris., Lufttemperatur = 14,10 Réaum.; um 3 h. 55′ Abends Barometer = 338,69‴ Paris., Lufttemperatur = 13,79° Réaum.

    In Kairo beobachtete RÜPPELL im Februar und März 1831 im Mittel:

Um 9 h. 6′ Morgens Barometer = 338,579‴ Par., Lufttemperatur = 14,67° Réaum.; um 12 h. 32′ Mittags Barometer = 338,143‴ Par., Thermometer = 18,26° R.;

* Reise in Abyssinien von Dr. E. RÜPPELL. II. Bd.

um **3** h. 31' Abends Barometer = 338,785''' Par., Thermometer = 19,29° R.

Es ist längst anerkannt, dass die Erscheinungen in
unsrer Atmosphäre, namentlich der tägliche Gang der Wärme
und des Luftdruckes in heissen Klimaten, besonders aber
zwischen den Tropen, was wir später sehen werden, eine
bewunderungswürdige Klarheit ihrer gesetzlichen Anordnung
wahrnehmen lassen und in einer Regelmässigkeit auftreten,
von der man in unsern nördlicheren Breiten nichts Ähnliches
aufzuweisen hat, so dass, wie meine Beobachtungen in den
Tropengegenden zeigen werden, in der trockenen Jahreszeit
der Barometer als eine förmliche Stundenuhr zu brauchen
ist. Es ergibt sich bei stündlichen Beobachtungen des
Barometers sogleich, und zwar scharf bezeichnet, 'das Gesetz:
dass in Egypten, wie überall, wo ich in Afrika und Asien
zu beobachten Gelegenheit hatte, der Luftdruck t ä g l i c h
z w e i m a l e i n M a x i m u m u n d z w e i m a l e i n M i n i m u m
erreicht. Die Maxima treten um 10 Uhr Morgens und 10
Uhr Abends ein, die Minima von 4 bis 5 Uhr Abends und
Morgens kurz vor Sonnenaufgang, zusammentreffend mit
dem Minimum der Tageswärme. Sind auch die Differenzen
der nächtlichen Extreme manchmal sehr klein, stets bedeutend kleiner als die des Tages, so tritt der Fall, dass sie
ganz unkenntlich bei scharfer Beobachtung und vorzüglichen
Instrumenten vorüber gehen, nur selten ein. Es ist daher
nicht ganz richtig, wenn Dr. MÄDLER in Dr. RÜPPELL's Reise
nach Abessynien, 2. Bd., S. 441 sagt, dass die Beobachtungszeiten RÜPPELL's mit denen der Extreme der stündlichen
Schwankungen des Barometers zusammenfallen, wenigstens
ist es bei der Beobachtungszeit am Abend nicht der Fall.
Noch weniger aber gibt das Mittel der beiden Extreme
des Luftdruckes das Mittel des täglichen Barometerstandes,
und der Stand der Quecksilbersäule zu Mittag kann nur
zufällig dem täglichen Mittel desselben annäherungsweise
gleichkommen. Nur das arithmetische Mittel aus allen den
Tag hindurch gemachten Beobachtungen kann uns als Mittel
des täglichen Barometerstandes dienen. Der sonderbare
Umstand, dass bei den Beobachtungen RÜPPELL's in Kairo

der Barometerstand um **3** h. 31′ Abends = **338,785‴** Par.,
ein höherer ist, als der um 9 h. 6′ Morgens = **338,569‴** Par.,
was dem sich aussprechenden Gesetze gerade zuwider läuft,
lässt eine momentane Störung der Schwankungen des Luftdruckes durch Wind oder dgl. vermuthen und macht es um
so wünschenswerther, dass mein verehrter Freund seine
Beobachtungen im Detail bekannt mache. Die tägliche
Wärme zeigt in Unter-Egypten, wie meines Wissens überall,
täglich nur zwei Extreme, nämlich ein Maximum und ein
Minimum, ersteres tritt in den Nachmittagsstunden von
2 bis 3 Uhr ein, lezteres kurze Zeit vor Aufgang der
Sonne. Egypten gehört zu den heissesten Ländern der
Erde, die ausserhalb der Tropen liegen, doch gilt diess
eigentlich nur von Oberegypten; denn Unteregypten, als
Küstenland, ist der kühlenden Einwirkung der Seewinde zu
sehr ausgesezt, als dass diese die Temperatur nicht herabsetzen sollten. In Alexandria und auf dem Delta steigt die
Temperatur des Tages nur selten auf 30° Réaum.; in Kairo
hingegen, dem Seewinde nicht ausgesezt und zu beiden Seiten
Wüste habend, ist die Temperatur bedeutend höher und
steigt häufig auf 30° Réaum. und darüber im freien Schatten
eines vollkommen opaken Körpers. Die mittlere Temperatur
von Unteregypten können wir zu 17—18° Réaum. annehmen.
Da mit Einbruch der Nacht sich grösstentheils Nordwind
erhebt, so sind die Nächte im Verhältniss der Tageswärme
empfindlich kühl, und es ergeben sich oft Differenzen der
Wärme des Tages und der Nacht von 10—12° Réaum.,
die zwar unbedeutend sind gegen die Temperaturdifferenzen
zwischen Tag und Nacht im Äquatoriallande von Afrika,
aber sehr bedeutend gegen dieselben Erscheinungen in
Europa. Bei herrschenden Nordwinden, damit verbundener
starker Herabsetzung der Temperatur und nach gefallenem
Thaue, der besonders zur Zeit der Nordwinde erscheint,
geschieht es öfters, dass, besonders auf der weiten Fläche
der Wüste, die dünne Decke der Feuchtigkeit, die am Morgen
auf dem Boden liegt, gefriert und wir also die Erscheinung der Eisbildung in den Wüsten Afrika's auf einem
ganz einfachen Wege eintreten sehen. Würde auch in

diesem Falle die Temperatur der Atmosphäre keineswegs so niedrig seyn, dass durch sie unmittelbar ein Gefrieren des Thaues bewirkt würde, so geschieht diess durch die Herabsetzung der Temperatur in der flüssigen Schicht und der sie zunächst umgebenden Luft selbst, durch die rasche Verdunstung, die in Folge des schnellen Wechsels der Luftschichten, bedingt durch den herrschenden N., sich ergibt, und so sehen wir die Eisbildung nicht nur in den Wüsten Egyptens, sondern sogar, obwohl seltner, in den Wüsten des Innern von Afrika vor sich gehen.

Wie die Nordwinde einerseits die Temperatur herabsetzen, so wird dieselbe andrerseits durch die Südwinde erhöht, zu welch leztern auch, hinsichtlich seiner Richtung, der Chamsin gehört. Diese Erhöhung ist nicht unbeträchtlich und beträgt einige Grade Réaumur, so dass sich das Thermometer in Kairo beträchtlich über 30° hebt; aber gar so stark, wie sie Einige angeben, dürfte denn diese Erhöhung wohl doch nicht seyn, wenigstens ist sie es nicht in südlicheren Breiten, wo ich die Chamsine lange und genau beobachtete und wo diese Erscheinung höher potenzirt ist als in Egypten. Manchmal setzen hingegen Südwinde in Egypten die Temperatur gleich den Nordwinden herab, was dann geschieht, wenn in den tropischen Gegenden frühe und sehr starke periodische Regen eintreten.

In Bezug der während meines gegenwärtigen Aufenthaltes in Egypten im Monat April zu Kairo und Alexandria beobachteten Temperatur der Luft im Schatten und an der Sonne lege ich die folgende Tabelle bei, wo auch die damit verbundenen Beobachtungen über Windrichtung, Wolken und Witterung eingetragen sind *.

* Die Morgenstunden (M.) sind von Mitternacht bis Mittag, die Abendstunden (A.) von Mittag bis Mitternacht gerechnet.

Monat.	Tag.	Tageszeit.	Stunde.	Beobachtungsort.	Therm. im freien Schatten nach R.	Therm. an der Sonne n. Réaum.	Wind.	Wolken.	Witterung.	Bemerkungen.
März 1836.	25	M.	9	Kairo.	23,3	18,1				
			2	„	27,6	20,2				
		A.	6	„		18,6				
	26	M.	9	„		17,5				
			2	„	29,3	19,2				
		A.	6	„						
	27	M.	9	„	26,3	16,5				
			2	„	29,6	26,4				
		A.	6	„	27,2	23.				
	28	M.	9	„		16,8				
			2	„	26,5	23,2				
		A.	6	„		21.				
	29	M.	9	„	22,3	16.				
			2	„	34	27,3				
		A.	6	„		25,8				
	30	M.	9	„	29,5	19.				
			2	„	32.	25,3				
		A.	6	„		25.				
	31	M.	9	„	31,2	21,4				
			2	„	32,5	24,8				
		A.	6	„		16,8				

April 1836.

Monat	Tag	Tageszeit	Stunde	Beobachtungsort	Therm. im freien Schatten nach R.	Therm. an der Sonne. Réaum.	Wind.	Wolken.	Witterung.	Bemerkungen.
April 1836	1	M.	9	Mokattam bei Kairo.	14,1	31,8	NO. stark.	Schichtwolken.	regnerisch	Ich glaube die Bezeichnung der Wolkengestalten durchaus nicht umgehen zu dürfen; denn, sage man dagegen was man auch will, sie haben doch ihre hohe Bedeutung, das scheint ganz gewiss.
		A.	2	Kairo.	27,3		NO.	keine,	heiter,	
	2	M.	9	Kairo.	14,6		NO. stark.	im N. Haufenwolken.	trübe,	
		A.	2	,,	18,5	21,3	,, ,,	werden in SO. zusam-	heiter,	
	3	M.	9	,,			NO. schwach.	mengedrängt.	,,	
	4	M.		,,	14,3		,, ,,	im SO. geschichtete	,,	
		M.	9	,,	16,0	19,6	,, ,,	Haufenwolken.	,,	
	5	M.	9	,,	23,5	29,2	Windstille.		,,	
		A.	2	,,	26,6	29,8	NO.		,,	
		,,	6	,,	21,6	25,5	,,	in NO. Haufenwolken.	,,	
	6	,,	2	Pyramiden bei Sakaara.		32,5	,,		,,	Am 6. bei den Pyramiden von Sakaara um 2 Uhr A. die Temp. des Wüstensandes = 36,3° R.
		,,	6	Kairo.	20,4	22,8	,,		,, schön.	
		M.	9	,,	16,8	22,2	,,	in SW. Schichtwolken.	heiter.	
		A.	2	,,	19,3	24,6	NO. stark. NW.	dto. mit Haufenwolken.	,,	
	8	,,	6	,,	15,0	17,2	NW.stossweis.		heiter.	
		M.	9	,,	18,1	22,5		rein.	,,	
	10	M.	9	,,	19,0	21,6	stille.	in NO. Feder-, in SO.	,,	
		A.	2	,,	20,0	23,2		Federhaufenwolke,	,, schön.	
		,,	6	,,	24,3	30,8				
				,,	21,4					

Temperatur des Flusses um
12 Uhr M. = 17,8. Um Mittag
nimmt der Wind zu.
Temp. des Flusses = 16,0.

			Ort	Temp.	Wind	Wolken	Himmel
11	M.	9	Kairo.	19,4	stille.	in NO. Schichtwolke.	heiter.
	A.	2	Bullak.	21,0 26,8	"		schön.
12	M.	9	Terraneh.	24,0 26,9	SSO. schwach.	rein.	heiter.
	A.	2	"	27,2 31,3	OON. schwach.	"	"
13	"	9	"	22,0 24,0	stille.	"	"
	M.	2	"	16,8 27,8	OON. schwach.	"	"
	A.	2	"	20,4	" "	"	"
16	"	6	auf dem Nil.	18,0 28,3	" "	"	"
17	"	2	"	20,2 19,5	NNW. schwach.	"	"
18	"	6	"	17,8 18,6	" "	Haufenwolken.	" schön.
	M.	9	auf dem Kanal	14,3 27,0	NNW. stark.	" rein.	" heiter.
	"	9	Mamudich.	20,2	" "	"	"
	A.	2	Alexandria.	20,8	NNW. schwach.	"	"
19	"	2	"	17,0 26,8	SO. stark.	im S. Haufenwolken.	" schön.
20	M.	9	"	18,2 26,2	O. stark.	in NW. Federwolken.	heiter.
	A.	6	"	19,3	SO.	" "	"
21	"	9	"	15,8 24,8	NNW.	" "	"
	M.	2	"	16,3	NO.	in NO. Federwolken.	"
22	"	9	"	18,0	" schwach.	" "	"
	A.	6	"	14,3	stille.	"	"
23	"	2	"	20,0 18,7	NO. schwach.	"	"
	"	6	"	17,4 23,0	" "		"
24	"	2	"	15,8	NO. schwach.		"
	"	6	"	18,2 28,0	stille.		"
25	"	9	"	17,0	NO. schwach.		"
26	M.	2	"	18,6 27,8	" "		"
	A.	9	"	17,8			"
27	M.	2	"	18,3 28,2			"
	A.	9	"	18,0 18,6			"

April 1836.

Wir sehen daraus keineswegs die Gesetze des täglichen Ganges der Temperatur; denn erstens mangeln die Beobachtungen zur Zeit des Minimums und zweitens sind in der Reihe der Glieder zu wenig, um mit Sicherheit zu kalkuliren. Die späteren Beobachtungen mit mehr Musse und, aufrichtig gesagt, mit mehr Lust und Liebe durchgeführt, da ich im vollen Besitze meiner Instrumente war, umgehen diesen Mangel ganz, und wir werden daher diese Gesetze bei meinem spätern Aufenthalte in Egypten kennen lernen. Wir sehen aber aus diesen Beobachtungen so ziemlich nahe das Maximum der täglichen Temperatur und ihre Abnahme beiderseits gegen die Zeit des Minimums hin.

Die im Monat April zu Kairo beobachtete höchste Temperatur im Schatten ist = 27,3 Réaum., in der Sonne = 31,8, die niederste im Schatten = 14,1, in der Sonne = 19,0; die beobachteten Differenzen daher = 13,2 und 12,8. Diese Differenzen sind aber nicht die der Extreme, weil die Beobachtung des Minimums mangelt, daher auch aus ihnen, wenn man anders aus Extremen ein Mittel nehmen kann, kein brauchbarer Durchschnitt sich ergibt, so wie auch nicht aus der Reihe der Beobachtungen selbst, weil deren zu wenige sind.

In Alexandria war im April die beobachtete höchste Temperatur im Schatten = 20,0 Réaum., in der Sonne = 28,2; die niederste im Schatten = 14,3, in der Sonne = 23,0, folglich die Differenzen = 5,7 und 5,2, bedeutend kleiner daher als in Kairo, was zufällig mit dem Gesetze im Einklange steht, dem gemäss diese Differenzen mit der Annäherung zum Äquator wachsen, während die Differenzen der Extreme des Luftdruckes abnehmen.

Nehmen wir aus allen Beobachtungen im Schatten um 9 Uhr Morgens, beiläufig 3 Stunden nach dem Minimum, das Mittel, so ist es

für Kairo:	für Alexandria:
16,7	16,9

aus allen Beobachtungen um 2 Uhr Nachmittags, also um die Zeit des Maximums, ergibt sich:

für Kairo: für Alexandria:

23,1 18,5

folglich sind die Differenzen:

6,4 1,6

und die Mittel aus den Mitteln der beiden gleichstündigen Beobachtungsreihen für den April:

19,9 . . . . . . 17,7 Réaum.

Die Temperatur des Flusses zeigte sich meist der mittlern des Tages so ziemlich entsprechend, obwohl natürlich der Einfluss so vieler Einwirkungen von Aussen auf den Riesenstrom ein so potenzirter ist, dass wir aus der Beobachtung seiner Temperatur nicht geradehin solche Folgerungen ableiten können, wie bei einer Quelle.

Betrachten wir Beobachtungen der Temperatur in Unteregypten durch ein ganzes Jahr geführt, so sehen wir, dass die Monate Juli und August jene sind, welche die höchsten Thermometerstände besitzen, der Monat Februar aber jener, den die niederste Temperatur charakterisirt. Diess ist ein Gang der Temperatur, der ganz an Europa erinnert. Mr. CAILLAUD beobachtete zu Kairo im Oktober 1819 *:

höchste Temperatur . . . . . 22,2 R.

niederste   „   . . . . . 16,7 „

Differenz . . . . 5,5 „

Mittel der Extreme . . . . . 19,5 „

im April 1820:

höchste Temperatur . . . . . 23,0 R.

niederste   „   . . . . . 11,4 „

Differenz . . . . 11,6 „

Mittel der Extreme . . . . . 17,2 „

NIEBUHR gibt in seiner Reisebeschreibung für das Jahr 1759 und 1760 die täglichen Durchschnitte der Temperaturbeobachtungen eines gewissen Hrn. BOYER in Kairo nach Réaumur. Da dieser jedoch die Beobachtungen selbst weder zu bestimmten Stunden vornahm, noch die Beobachtungszeiten

---

* CAILLAUD beobachtete jeden Tag um 8 Uhr Morgens, um Mittag und um 4 Uhr Abends, also niemals in der Zeit eines Extrems, weder des Maximums noch des Minimums.

aufgezeichnet hatte, sondern sich nur erinnerte, täglich dreimal beobachtet zu haben, da er ferner sein Thermometer statt im freien Schatten in einem Zimmer aufgehängt hatte und sich überhaupt aus dem Ganzen nicht viel Sachkenntniss herausstellt, so übergehe ich diese Beobachtungen als unverlässlich. Ganz anders verhalten sich Niebuhr's eigene, werthvolle Temperaturangaben, die sich auf Beobachtungen stützen, welche er mit dem Fahrenheit'schen Thermometer zu Kairo täglich dreimal, und zwar Morgens meist zur Zeit des Minimums, Nachmittags in den Stunden zunächst dem Maximum und Abends, machte und vom 14. November 1761 bis zum 24. August 1762 täglich fortsezte. Damit verband derselbe Angaben der Windrichtung und mit Schluss eines jeden Monats die Entfernung der Sonne vom Zenith am Mittage. Diese Beobachtungen sind mit höchster Sachkenntniss durchgeführt und stellen Reihen dar, welche, da sie die beiden Wendepunkte der Temperaturkurve in sich schliessen und ein Mittelglied haben, welches zu verschiedenen Stunden beobachtet wurde, vollkommen sich dazu eignen, durch Interpolation die bestehenden Lücken auszufüllen. Niebuhr beobachtete die niederste Temperatur in den Morgenstunden des Februars mit 42,0° Fahrenh. = 4,44° Réaum., die höchste im Monat Juni und Juli mit 101° F. = 30,66° R., und zwar das erstemal bei Süd-, das anderemal bei Nordwind. Die Differenz dieser beiden Hauptextreme ist daher = 26,22° R. = der Hauptschwankung der Temperatur in der Zeit von 8 bis 10 Monaten; das Mittel hingegen aus diesen beiden Hauptextremen der beobachteten Temperaturen ist = 17,55° R., was ziemlich nahe der für Unteregypten angenommenen mittleren Temperatur kommt.

Die Beobachtungen Niebuhr's sind die einzigen zu Ableitung der Gesetze brauchbaren Angaben über Temperaturverhältnisse von Kairo, die bisher aufgestellt wurden. Sie bestätigen den Gang des Thermometers, der täglich ein Maximum und ein Minimum erreicht, ersteres kurz vor Sonnenaufgang, lezteres ein paar Stunden nach Mittag. Ich habe sie daher einem besonderen Kalkul unterzogen, das Thermometer Fahrenheit auf Réaumur übersezt und durch sie mit möglichster Genauigkeit die mittlere Temperatur von Kairo auszumitteln gesucht. Ich unternahm diese Arbeit auch aus dem Grunde, um in Niebuhr's Beobachtungen und den sich daraus ergebenden Folgerungen eine Controlle für meine eigene Arbeit zu besitzen, die im zweiten Bande dieses Werkes im Detail folgen wird, und die viel Interesse schon dadurch haben dürfte, da ich der Erste gewesen bin, der stündliche Beobachtungen des Luftdruckes und der Temperatur in Egypten anstellte, so dass es bei meinen Beobachtungen leichter und sicherer gelingt, die dabei stattfindenden Gesetze zu erkennen. Diesem nach ergaben sich aus Niebuhr's Tabellen im ersten Bande seiner Reisen nachstehende Daten:

	Arithmet. Mittel der Temper. im Ganzen.	Mittel der Maxima.	Mittel der Minima.
November 1761	15,33	17,37	14,03
Dezember „	11,86	15,28	9,86
Januar 1762	10,71	13,86	8,62
Februar „	11,46	15,16	9,02
März „	15,37	19,42	12,58
April „	16,84	21,06	14,88
Mai „	20,40	22,27	18,62
Juni „	22,27	26,53	19,06
Juli „	23,69	28,22	20,58
August „	24,62	28,35	21,68
Mittel	17,25	20,75	14,89

Betrachten wir diese lezteren summarischen Durchschnitte der gemachten Beobachtungen, die wir füglich als die jährlichen Mittel ansprechen können, so sehen wir, dass das arithmetische Mittel der Jahrestemperatur mit der mittlern Temperatur des Monats April am nächsten übereinstimmt. So stimmen auch die jährlichen Mittel der Maxima und Minima, das erste mit der mittlern Temperatur des Monat Mai, das leztere mit der des Monats März am nächsten überein.

Das arithmetische Mittel aus den jährlichen Durchschnitten der beiden Extreme beträgt 17,82, was wieder ziemlich genau mit dem arithmetischen Mittel der gesammten gemachten Beobachtungen stimmt, so dass wir die Grössen

17,25 und 17,82; besonders aber erstere als die mittlere Temperatur von Kairo annehmen können: was mit meinen früheren und nur ganz allgemein hingestellten Daten stimmt. Zieht man die obigen jährlichen Durchschnitte der Extreme von einander ab, so erhält man die Differenz $= 5,86$, welche uns zugleich den mittlern Umfang der jährlichen Schwankung der Temperatur anzeigt.

Dr. Clot-Bey gibt uns in seinem Apperçu général sur l'Egypte, Tome I, die tabellarischen Durchschnitte der meteorologischen Beobachtungen des Destouches, angestellt zu Kairo in den Jahren von 1835 — 1839. Da diese Beobachtungen nur monatliche und jährliche Durchschnitte geben, wir daher die täglichen und stündlichen Veränderungen des Luftdruckes, der Temperatur, der Luftfeuchtigkeit etc. daraus nicht ersehen, so leiden auch diese Beobachtungen an den schon öfter gerügten Mängeln. Hingegen geben sie uns sehr genaue monatliche und jährliche Durchschnitte und sind daher immerhin höchst werthvoll. Aus dem Durchschnitte der fünf Beobachtungsjahre ergibt sich für Kairo ein mittlerer Barometerstand von 760 MM. und eine mittlere Lufttemperatur von 17,9° Réaum. Auch Clot-Bey fand bei seinen Beobachtungen die grösste Hitze durchschnittlich im Monat Juli, dessen mittlere Temperatur ·24° Réaum. beträgt; die niederste Temperatur zeigte sich aber im Monat Januar, dessen mittlere Temperatur z. B. im Jahr 1836 nur 9° Réaum. betrug. Destouches veranstaltete auch Hygrometerbeobachtungen, bei denen jedoch Dr. Clot-Bey zufällig vergisst die Bedeutung der Zahlwerthe anzugeben. Man weiss nicht, mit was für einem Hygrometer beobachtet wurde, man weiss nicht, mit was für einer Eintheilung man zu thun hat, kurz die an und für sich gewiss sehr werthvollen Beobachtungen sind durch dieses Versehen leider unbrauchbar gemacht.

Die Richtungen der Winde in den verschiedenen Monaten stimmen mit dem bereits Gesagten überein; interessant aber sind die Zahlenwerthe der Frequenz dieser Winde. Während den fünf Beobachtungsjahren wehten zu Kairo im Mittel per Jahr:

517 Nordwinde,
33 Ostwinde,
138 Westwinde,
45 Südwinde,
141 Nordostwinde,
144 Nordwestwinde,
6 Südostwinde,
74 Südwestwinde,
11 Chamsinwinde,

woraus man das entschiedene Vorherrschen der Winde aus den beiden nördlichen Quadranten deutlich ersieht.

Die Beobachtungen der Regen sind sehr interessant, sie fallen in Unteregypten durchaus in das Bereich unsers Winters und ereignen sich vom Monate Oktober bis März und April, besonders im November, Dezember und Januar. In den übrigen Monaten regnet es zum Theil gar nicht. Die Regenmengen sind nach den Regenhöhen oder vielmehr Regentiefen zu beurtheilen, die DESTOUCHES in Metern angibt. So fand er die Regentiefe im Jahr:

$$1835 = 0,0599 \text{ Meter,}$$
$$1836 = 0,0251 \quad \text{»}$$
$$1837 = 0,0501 \quad \text{»}$$
$$1838 = 0,0271 \quad \text{»}$$
$$1839 = 0,0079 \quad \text{»}$$
$$\text{im Mittel} = 0,0340 \text{ Meter.}$$

Wir sehen daraus, wie geringe im Ganzen die Regenniederschläge in Kairo sind, während sie an der Küste mehr als das Zehnfache betragen. Aus dem fünfjährigen Durchschnitte ergeben sich ferner im Mittel für ein Jahr in Kairo:

12 Regentage.

Drücken wir die Beschaffenheit des Himmels in Zahlen aus, so ergeben sich uns für Kairo folgende Werthe:

Klarer Himmel 720,
wolkigter » 245,
bedeckter » 95,
nebligter » 25,

und zwar ebenfalls aus dem Mittel der fünf Jahre.

In dem Jahre 1837 im Monat Januar und März beobachtete Destouches zwei Erdbeben, wovon das erstere mit dem grossen Erdbeben in Syrien zusammentraf. Ich befand mich damals in Benisueff und merkte nichts.

Beobachtungen über den Feuchtigkeitszustand der Luft wurden, meines Wissens, von früheren Reisenden gar nicht angestellt, wenigstens kann ich in den mir vorliegenden Werken nur allgemein hingestellte Behauptungen finden, die zwar zum Theil ganz ihre Richtigkeit haben, sich aber, da sie keine bezifferten Daten sind, zu keinem Kalkul eignen. Bei meiner zweiten und dritten Anwesenheit in Egypten habe ich die hygrometrischen Beobachtungen mit einem genauen Thermohygrometer in derselben Reihenfolge ausgeführt, wie die Beobachtungen über Luftdruck und Temperatur. Wenn ich daher im Laufe des Textes auf meine in grosser Anzahl vorliegenden Beobachtungen zu sprechen kommen werde, so werde ich nicht nur dieselben, so wie sie sind, dem physikalischen Publikum vorlegen, sondern dort, als am geeignetsten Orte, auch die Gesetze über die Ab- und Zunahme der Spannkraft der Wasserdünste in der Atmosphäre als Funktionen des Luftdruckes und der Wärme für die betreffenden Länder auseinander setzen und nach den bestehenden Grundsätzen, die uns die Mathematik an die Hand gibt, festzustellen bemüht seyn.

Der Gang des Thermo-Hygrometers hielt sich genau an den der Temperatur und erreichte mit ihr täglich sein Maximum und sein Minimum, ersteres in den ersten Stunden des Nachmittags, lezteres kurz vor Sonnenaufgang. Je grösser also die Temperatur der Luft ist, desto grösser ist die Spannkraft der in derselben verbreiteten Dünste, welche, so lange erstere sich nicht ändert, wie bekannt, konstant dieselbe bleibt. Je höher ferner die Temperatur der Luft und die Expansivkraft der in ihr verbreiteten Dünste ist, desto stärker ist aber auch das Bestreben der Luft, neue Dunstmengen in sich aufzunehmen, was so lange geschieht, bis sie sich mit Dünsten gesättigt hat und dieselben das Maximum ihrer Expansivkraft erreichen. Jede Verminderung des Raums, jede Herabsetzung der Temperatur bewirkt nun über diesen Punkt hinaus einen Niederschlag des Dunstes, der sich nicht mehr in dem Raume, den er erfüllt, als solcher halten kann. Je stärker Raumverminderung oder Temperaturherabsetzung sind, desto stärker ist natürlich der Niederschlag, der so lange fortdauert, bis die in der Luft rückständige Dunstmenge sich in dem Zustande der Expansivkraft wieder befindet, der der Temperatur und dem Raumverhältnisse zukommt. In diesem Momente ist die Luft wieder mit Dunst gesättigt; wächst nun die Temperatur derselben, so wächst mit ihr die Expansivkraft der Dünste wieder; neue Dünste steigen wieder auf und der Prozess wiederholt sich von Neuem. Wir können daher für jeden Ort der Beobachtung jenen Moment, in dem das Vermögen der Luft, Dünste in sich aufzunehmen, ein Grösstes ist, den des Maximums der Lufttrockenheit dieses Ortes nennen, und wir sehen, dass er mit dem Maximum der Temperatur und mit dem der Differenz beider Thermometer am Thermo-Hygrometer zusammenfällt. Ganz unter denselben Verhältnissen erscheint uns der Moment des Maximums der Luftfeuchtigkeit, d. h. jenes Momentes, in welchem das Vermögen der Luft, Dünste in sich aufzunehmen, ein kleinstes ist und der mit dem Minimum der Temperatur und der Differenz der beiden Thermometer am Thermo-Hygrometer zusammenfällt. Je nachdem nun das eine oder andere dieser Extreme sich vorherrschend ausspricht, ergibt sich ein Anhaltspunkt zur Beurtheilung der Luftfeuchtigkeit verschiedener Orte, und wir sehen Obigem zufolge die Trockenheit gegen den Äquator zunehmen, dieselbe gegen die Pole hin abnehmen. Küstenländer und solche Gegenden warmer Klimate, die einen grossen Wasserreichthum in Flüssen oder Seen besitzen, bieten uns beide Extreme in einem hohen Grade dar, während die wasserarmen Länder der heissen Zone zu den trockensten, Küstenländer und wasserreiche Distrikte der gemässigten und kalten Zone hingegen zu den feuchtesten überhaupt gehören.

Wenden wir diese Grundsätze bei Beurtheilung der

klimatischen Erscheinungen Egyptens an, so erklären sich
uns manche Eigenthümlichkeiten derselben auf eine einfache,
d. h. naturgemässe Weise. Unteregypten ist Küstenland, und
zwar ein heisses. Einerseits vom Meere begränzt, ist es
andrerseits von einem grossen Strome des ersten Rangs,
dessen Armen und zahllosen Kanälen durchschnitten, die
eine ausgedehnte Fläche zur Verdunstung darbieten. Die
hohe Temperatur des Tages steigert die Expansivkraft der
Dünste, welche die Luft bereits aufgenommen hat, und bedingt
dadurch die fortdauernde Aufnahme einer grossen Menge
neuen Dunstes, die in den heissen Stunden des Nachmittags,
auf irgend eine bestimmte Zeit berechnet, ihr quantitatives
Maximum erreicht. Dadurch kommt eine solche Dunstmasse
in die Atmosphäre, dass dieselbe, wenn in der Nacht und
besonders in den Morgenstunden vor Sonnenaufgang sich
die Temperatur bedeutend herabsezt, die Expansivkraft des
Dunstes folglich sinkt, in den der Erde zunächst liegenden
Schichten mit Dünsten ganz gesättigt erscheint und bei der
mindesten fortdauernden Herabsetzung der Temperatur dieselben nicht mehr halten kann, worauf ein starker Niederschlag erfolgt, ein Thau, der in mancher Beziehung die
Stelle des Regens vertritt und in Alexandria oft am Morgen,
wie nach Regen, als Wasser auf den Altanen liegt und die
Strassen nass macht. Nordwind befördert diese Thaubildung
sehr, weil er, von der Seite des Meeres kommend, eine
grosse Menge Dünste zuführt. Südwind hingegen vermindert
die Thaubildung, weil er, aus den trocknen Wüsten des
Innern kommend, die entgegengesezte Erscheinung hervorruft. Bei Nordwinden, bei denen die Luft sich mit den
vom Meere aufsteigenden und von da herzugeführten Dünsten
erfüllt, ist dieser Thau oft salzig und zwar so stark, dass
die Kleider im Freien mit einer dünnen Salzhaut bedeckt
werden. Bei Südwind hingegen fällt oft gar kein Thau.
In Bezug des vegetabilischen Lebens wirkt dieser Thau,
wenn er nicht gar zu viel Salz enthält, sehr wohlthätig
und befördert wie ein Regen das Wachsthum der Pflanzen.
Auf den menschlichen Organismus aber äussert er durch
Erkältungen, die er leicht herbeiführt, durch Affektion

der Haut mittelst seines Salzgehaltes etc., wie wir später sehen werden, einen nachtheiligen Einfluss, obwohl vielleicht nicht in dem Grade, wie man anzunehmen gewohnt ist. Aus dem früher Gesagten erklärt sich auch, warum in Unteregypten in den Sommermonaten stärkere Thaue fallen, als in den Wintermonaten, weil nämlich in erstern die Expansivkraft der Dünste in der Luft die grössere ist und dieselbe im Verlaufe des wärmern Tages eine bedeutend grössere Dunstmenge aufnimmt. Wenn wir uns von der Küste entfernen und dem Strome nach ins Innere gehen, so sehen wir, dass in dem Verhältnisse, als die Grösse der Wasserfläche abnimmt, die täglich der Verdunstung blossgestellt ist, auch die Menge des Thaues abnimmt. So fällt schon in Kairo weniger Thau als in Alexandria und wieder weniger in Oberegypten als in Kairo. Entfernen wir uns aber beim Vordringen ins Innere auch zugleich von dem grossen Strome, so tritt diese Abnahme des Thaues noch stärker auf und in den grossen Wüsten Nubiens und auf den Savannen von Kordofan und Sennaar sah ich gar keinen Thau fallen, ausser in der Nähe der Flüsse und da selten. Noch weiter südlich aber in Abyssinien und den gebirgigen Negerländern, in der Nähe des Äquators, wo wieder grosser Wasserreichthum ist und die Temperatur einen äusserst extremen Gang beobachtet, sah ich Thau wieder öfters fallen.

Auch diese Erscheinung ist ganz leicht zu erklären. Die grosse Hitze, die in den wasserarmen Gegenden des Innern herrscht, steigert die Expansivkraft der Dünste in der Luft aufs höchste, und es findet fortwährend das sehr potenzirte Vermögen der Luft statt, neue Dünste in sich aufzunehmen. Da diese aber nicht vorhanden sind, so kann nie jener Sättigungsgrad der Luft mit Wasserdunst eintreten, selbst bei bedeutender Herabsetzung der Temperatur, dass die Expansivkraft dieses Dunstes ihr Maximum erreichen würde, und folglich kann sich auch kein Niederschlag bilden. Daher bildet sich auch so selten Regen in jenen regenarmen Gegenden, indem die Luft die Dünste, welche sie von den Wolken empfängt, die mit Nordwind gegen Süden ziehen, in sich aufnimmt, ohne, was nur selten geschieht, dadurch

die Expansivkraft des früher schon in ihr enthaltenen Dunstes
aufs Maximum zu steigern. Kommen diese Wolken jedoch
in jene Gegenden, wo das Dunstquantum, welches die Luft
in sich aufgenommen hat, bereits ein so grosses ist, dass
durch Hinzufügung der neuen Dunstmengen die Expansivkraft des früher vorhandenen Dunstes ihr Maximum erreicht
und Sättigung der Luft mit Wasserdunst eintritt, so erfolgen
wieder Niederschläge, wir sehen im tropischen Sommer
wieder Thau fallen und haben im tropischen Winter, in
welchem die nördlicher herrschenden Nordwinde die Dünste
im Äquatoriallande zurückhalten und die südlicher herrschenden Winde neue Dünste von Süden herbeiführen, die tropische
Regenzeit. Wenn dieses Zurückhalten des Zuges der Dünste
von Süden nach Norden durch Nordwinde nicht statt hat,
wie z. B. in den Monaten April und Mai, wo selbst in
Unteregypten häufig Südwinde herrschen, da sehen wir
tropische Regen sehr weit vordringen und sich in Gegenden
entleeren, wo sonst nur selten stärkerer Regen fällt; wie
aber die Nordwinde wieder beginnen und den Zug der
Dünste aus Süden nach Norden wieder aufhalten, so beschränken sich die tropischen Regen auch rein wieder auf
die Länder vom Äquator bis höchstens zum 18° n. Br.
Ähnliches findet auch auf der südlichen Erdhälfte statt,
doch werde ich dann darauf zurückkommen, wenn ich über
die tropischen Regen im Allgemeinen sprechen werde. Feuchtigkeit der Luft und so auch Regen sind daher vom Zug
der Winde sehr abhängig. Was die herrschenden Winde
betrifft, so ist, mit Ausnahme höchstens zweier Monate, der
Nordwind mit seinen Nebenwinden gegen Ost und West
bei weitem der vorwaltende. Es findet fast das ganze Jahr
hindurch eine Luftströmung vom Meere nach dem Innern
statt, bedingt durch die Verschiedenheit der Temperatur
und durch den verschiedenen Gehalt der Luft an Wasserdunst. Es erscheint gleichsam wie das Einströmen äusserer,
dichter und kalter Luft in ein Zimmer, in welchem die Luft
durch Wärme expandirt wird. Interessant jedoch ist es,
dass zum Theil zu derselben Zeit, wenn in Egypten und
namentlich in Unteregypten die Nordwinde vorherrschen,

in höhern Breiten, im Tropenlande nämlich, durchaus Südwinde wehen. In nachfolgender Tabelle gebe ich die Richtungen der Winde in Unteregypten nach den verschiedenen
Monaten, füge aber auch, um das Vorhergesagte besser
würdigen zu können, die Richtung der Winde im Tropenlande Nubiens, und zwar in der Parallele des 15. Breitengrades, bei.

Monat.	In Unteregypten.	Im Tropenlande.
Januar	N. NW. W. . . .	N. NO. NW.
Februar	N. NW. W. . . .	N. NO. NW.
März	NW. W. S. . . .	N. NO. NW.
April	S. SO. SW. . . .	N. S. SW. SO.
Mai	S. N. O. W. . . .	S. SO. SW.
Juni	N. NO. . .	S. SO. SW.
Juli	N. NW. NO. . . .	S. SO. SW. O.
August	N. . .	S. SO. SW. W.
September . . .	N. O. . .	SW. SO. O.
Oktober . . .	O. N. . .	O. SO. NO.
November . . .	O. N. . .	N. NO. NW. W.
Dezember . . .	N. WN. W. . . .	NW. NO. N.

Wir sehen daraus, dass in Unteregypten das ganze
Jahr hindurch N., NO. und NW. mit geringen Unterbre-
chungen aus O. und W. wehen und nur in den Monaten
April und Mai Südwinde sich einstellen. Im Tropenlande
hingegen, und zwar in der Parallele des 15. Breitengrades,
wehen fast sechs Monate hindurch Nordwinde, wie z. B. in
einem Theil des Oktobers, im November, Dezember, Januar,
Februar und März, die andere Zeit wehen hingegen beinahe
beständig Südwinde, die mit den südlichen tropischen Regen
vom Äquator gegen Norden vorrücken, so in den Monaten:
April, Mai, Juni, Juli, August, September und zum Theil
im Oktober. Diese Nordwinde sind es wahrscheinlich also,
wie ich vorhin sagte, welche die Dunstmengen, welche
sich im Tropenlande selbst bilden, oder durch die Regen-
stürme aus Süden dahin gelangen, oder durch die Nordwinde
selbst zugeführt werden, dort zurückhalten und mitunter
einen Grund bilden, dass die tropischen Regen in ihrem

Vorschreiten gegen Norden eine gewisse Gränze behaupten und dieselbe nur dann überschreiten, wenn die Südwinde durchaus ihren freien, ungehinderten Zug haben, d. i. in den Monaten April und Mai, welche Periode manchmal einerseits im März, andrerseits im Juni hinübergeht. Während meiner ersten Anwesenheit zu Kairo im Monat April wehte ausnahmsweise nie Südwind. In diese Zeit der Südwinde, nämlich in die Monate April und Mai, fällt nun auch die Zeit der Chamsine *. Der Chamsin hat seinen Namen von Chamsin (fünfzig), weil die Araber sagen, dass er ausschliesslich während einer Periode von fünfzig Tagen mehrmals wehe. Er wird mit dem Samum häufig verwechselt, von dem er doch wesentlich verschieden ist. Der Chamsin ist ein periodischer, jährlich wiederkehrender Wind, der stets aus Süd und Südost, seltner aus Südwest kommt, seine Entstehungsursache und seine ganze Wirkungsweise scheint rein elektrischer Natur zu seyn, während der Samum ein in seinem Entstehen gewöhnlicher Sturm der Wüste ist, der sich an keine Zeitperiode fixirt und an keine bestimmte Richtung hält, sondern aus ganz entgegengesezten Weltgegenden oft kommt. Er ist durch seine Hitze, durch seine Gewalt als Sturm, durch die Menge von Sand und Staub, die er mit sich führt, furchtbar. Die Gefahr, die sich mit dem Chamsine verknüpft, ist eine ganz andere, als die eines heissen, sandbringenden Sturms, häufig ist er sogar kein Sturm, sondern es ist eine ihm eigenthümliche und wahrscheinlich in der ausserordentlichen Anhäufung von Luftelektrizität sich begründende, positiv schädlich auf den Körper einwirkende Eigenschaft. Ist der Samum ** stark, so ist er als Wind der Wüste, indem er hinfahrend über den brennend heissen Sand sich sehr erhizt, an und für sich fast unausstehlich und durch die Massen von Sand und Staub,

* Das Ch scharf ausgesprochen wie das x im Spanischen, in den Wörtern Mexico, Quixote etc.

** Samum, vielleicht eine türkische Verstümmelung des arabischen Wortes Semen, Gift, mit welchem Namen der Araber auch manchmal die Eigenschaft des Chamsins bezeichnet und aus welchem Grunde auch vielleicht die so häufige Verwechslung der beiden Worte: Samum und Chamsin, hervorging.

die er mitführt und zu Bergen aufhäuft, Karavanen auch wirklich gefährlich. Die Thiere werden wild, werfen ihre Ladungen ab, der Mensch verliert die Besinnung, auf die Art wie auf hohen Gebirgen bei heftigen Schneestürmen, er findet sich nicht mehr zu Recht, er ermattet und erliegt endlich dem Kampfe mit Hitze, Sand und Sturm. Der Chamsin ist eigentlich selten ein Sturm von längerer Dauer, sein stärkster Anfall ist bald vorüber, lange aber bleibt die Atmosphäre ausserordentlich heiss, so dass im Schatten die Temperatur an 40° Réaum. betragen soll (ich habe über 38° Réaum. nie beobachtet), die Luft ist erfüllt mit ganz feinem Sand und Staub, der überall durchdringt, gegen den keine Hülle, kein Fenster schützt, das Athmen ist erschwert, das Blut dringt zum Kopfe, und Personen, die sehr vollblütig sind, oder deren Nervensystem angegriffen, geschwächt ist, laufen Gefahr, am Schlagflusse zu sterben. Übrigens sind dergleichen Fälle selten und seltner geschehen, als erzählt. Die Chamsine folgen meist vorhergegangener drückender Hitze, die Luft ist jederzeit aussergewöhnlich trocken. Ferne am Horizonte, meist in Südost, erheben sich dichte, schwarze Wolken, denen bald feuerrothe folgen und mit erstern eine Masse bilden, ganz ähnlich den aus einer brennenden grossen Stadt aufsteigenden Brandwolken. Ein fahles, röthlich gelbes Licht verbreitet sich, drückende Hitze, Windstille, eine peinliche Ruhe herrscht in der ganzen Natur, Thiere und Menschen verbergen sich. Ein dumpfes Brausen, Knistern lässt sich hören, die Wolken langen, sich auf der Erde hinwälzend, an, und in einem Augenblicke ist der Sturm da, man befindet sich in einem Meere von Sand und Staub, gegen die man sich durch Verhüllen nur schwer schützt. In Egypten enden diese Chamsine meist ohne Regengüsse. Nicht so in südlichern Breiten. Überhaupt treten daselbst alle Erscheinungen der Chamsine deutlicher und schärfer ausgesprochen auf. In den Wüsten des südlichen Nubiens und auf den unermesslichen Grasebenen von Kordofan und am weissen Flusse hatte ich oft Gelegenheit, derlei Chamsine in ihrem ganzen Verlaufe und mit guten Instrumenten versehen zu beobachten. Ich werde daher an Ort und Stelle

15 *

auf diese merkwürdige Erscheinung zürückkommen und versuchen, dieselbe durch die erhobenen Fakta auf Naturgesetze zurückzuführen, denen zufolge alle Momente des Phänomens sich consequent erklären. Nur wiederhole ich hier noch einmal, dass der Chamsin durchaus nichts mit gewöhnlichen Winden, die ihren Ursprung der Störung des Gleichgewichts der Luftstraten auf rein mechanischem Wege verdanken, gemein hat, sondern dass er ein rein elektrischer Wind ist, sowohl in Bezug seiner Entstehung, als seines Verlaufes *.

Wie ich schon im Anfange dieses Abschnitts bemerkte, hält sich das Klima Unteregyptens überhaupt nur mit denen für wärmere Zonen eigenthümlichen Modificationen an den Typus des südlichen Europa. Wir haben, wie dort, die heftigen Winterstürme aus Nord und besonders aus Nordwest an den Küsten, die Stürme zu den Zeiten der Äquinoktien, Regen in den Monaten November, Dezember und Januar, häufig in Alexandria, seltner in Kairo, und jederzeit beinahe nur in Folge von Gewittern. Ausser diesem ist der Himmel fast immer klar und rein, die Luft am Tage trocken, in der Nacht feucht, so dass in den Sommermonaten jeden Morgen sehr starker Thau fällt. Ausser den Wintermonaten regnet es in Alexandria selten, in Kairo im Durchschnitte gar nicht. Das Anschwellen des Nils ist rein eine Folge der tropischen Regenzeit und zwar nicht bloss in so ferne sie Abyssinien betrifft, sondern in so ferne sie alle die Länder anbelangt, welche ihre Wasser dem Flussgebiete des Nils und seiner beiden grossen Arme, des blauen und weissen Flusses, zusenden. Dabei kommen weder das Schmelzen des Schnees, noch das Fallen desselben auf den Hochgebirgen Abyssiniens in Betracht, denn dasselbe ist von gar keinem Belang und seine Einwirkung auf den Nilstand eine jener Illusionen, die absurde Hypothesen hervorrufen, welche einer dem andern oft Jahrhunderte hindurch mit allen Qualen der Pedanterie nachschreibt. Wer eine oder mehrere Regenzeiten des innern afrikanischen Tropenlandes selbst mit

---

* Meine Abhandlung über die klimatischen Verhältnisse des afrikanischen Tropenlandes. Zeitschrift für Physik und Mathematik von Dr. Holger. 6. Bd. 2. Heft. Wien 1840.

angesehen hat, der wird ihren Einfluss auf das Anschwellen
der Ströme recht gut begreifen. In Unteregypten bemerkt
man dieses Anschwellen des Nil erst im Monat Juni, und
im September erreicht der Fluss seinen höchsten Stand.
Zu dieser Zeit ist sein grosses Bette ganz voll, und die
nächsten Ufer sind hie und da mit Wasser bedeckt, keineswegs aber, dass das ganze Land das Ansehen eines grossen
Sees gewinnt, denn die Wasser sind überall durch Dämme
eingeengt, verbreiten sich nur in Kanälen und die Kommunikation zwischen den Dörfern und Städten ist für Fussgeher
und Reiter selten gehemmt. Ende September nimmt der
Fluss wieder ab, und im Oktober und November beginnt
man bereits mit der Kultivirung der Grundstücke, die man
von den Kanälen aus unter Wasser gesezt hat. Die Fruchtbarkeit des Landes infolge dieser Überschwemmung und
der künstlichen Bewässerung ist der der gesegnetsten Länder
der Erde nicht nur gleichzustellen, sondern dürfte die meisten
noch übertreffen. Sie beschränkt sich aber nur auf den
Theil des Landes, den der Fluss sich selbst geschaffen hat
und dem er jährlich den befruchtenden Segen seiner Fluthen
spenden kann: alles andere Land ist Wüste. Im Monat
Oktober und November, wenn die Wasser des Nil sich
zurückziehen und der Schlamm sich gesezt hat, wird die
erste Aussaat der Getreidefrüchte vorgenommen, welche bereits
im Monat Februar und März geerntet werden. Im April
nimmt man bereits wieder die zweite Getreidesaat vor, deren
Ernte noch vor der nächsten Überschwemmung zu Stande
kommt. In die Zwischenzeit fällt die auf andern Äckern
vorgenommene Ernte der Dezember- und Januar-Saaten.
Man bedient sich behufs des Ackerbaues durchaus des
Pfluges oder der Haue, manchmal beider zugleich. Nach
der Überschwemmung wird auch die Aussaat der Baumwolle
vorgenommen, zu welcher der Acker ebenfalls mit Pflug und
Haue bearbeitet wird. Nach drei Jahren, obwohl die Staude
länger lebt und trägt, wird die Baumwollensaat erneuert,
da es sich darum handelt, immer frische, ganz kräftige
Stauden zu besitzen. Die Bewässerung derselben ist rein
künstlich; denn der Überschwemmung dürfen die Pflanzen

nicht ausgesezt werden. Diese künstliche Bewässerung findet im Winter in Zwischenräumen von 12 bis 14 Tagen, im Sommer in solchen von acht Tagen statt. Die Staude trägt bereits im ersten Jahre, und die Ernte ihrer Frucht fällt in den Monat Juli, von wo sie bis in den Winter fortgesezt wird. Der Ertrag einer gesunden Staude steigt bis zu zwei Pfund Baumwolle jährlich. In die Zeit der ersten Getreidesaat fällt in Egypten die Ernte der Früchte verschiedener Fruchtbäume. Im Januar säet man Bohnen, Lupinen, Flachs, die in dem ersten Stadium des Sommers wieder geerntet werden. Im Februar wird die Saat des Reises vorgenommen, dessen Ernte in den September fällt; in welchem Monat auch die Orangen-, Citronen- und Oliven-Bäume ihre reifen Früchte spenden. Im Januar schneidet man in Unteregypten das Zuckerrohr. Im Mai reifen Trauben, Feigen und Johannisbrod. Der Klee wird dreimal im Jahre geerntet. So ist in dem herrlichen Lande kein Monat, in welchem die Natur nicht Blumen und Früchte darbietet. Was könnte ein solches Land in den Händen einer weisen, die Interessen des Volks und der Industrie bloss der guten Sache wegen befördernden Regierung seyn? welcher Wohlstand müsste aufblühen und welches Elend herrscht jezt! Das kann doch kein Kriterium einer zweckmässigen Behandlung abgeben. In jedem Falle ist das Klima von Unteregypten als das glücklichste zu betrachten; denn es befördert die Kultur aller südeuropäischen Pflanzen aufs höchste und erlaubt die der meisten aus den warmen Tropengegenden. Ich glaube, dass nachstehende tabellarische Übersicht der auf jeden Monat fallenden Saaten und Ernten zur Erkenntniss der Kulturverhältnisse Unteregyptens nicht uninteressant seyn dürfte. Die Angaben stützen sich theils auf meine eigenen Erfahrungen, theils auf die Daten anderer Reisenden [*].

[*] Prokesch, Erinnerungen aus Egypten.

Champollion-Figeac, Beschreibung von Egypten. 1841. Stuttgart.

Niebuhr, Reisebeschreibung nach Arabien.

Monat.	Aussaat.	Ernte.
Januar.	Lupinen, Bohnen, Flachs.	Zuckerrohr (in Oberegypten im Juni) Senne, Klee.
Februar.	Reis, Mais, Durahirse.	Gerste, Kohl. Gurken, Melonen.
März.	Baumwolle.	Getreide, Mais, Durahirse (vom vorigen Herbste).
April.	Getreide, Baumwolle.	Rosen, Klee.
Mai.		Wintergetreide, Trauben, Feigen, Johannisbrod, Safran, Datteln als Frühfrucht.
Juni.		Safran, Lupinen, Bohnen.
Juli.	Pflanzen des Reises, des Mais und der Durahirse.	Flachs, Leinsamen, Baumwolle, Trauben.
August.		Klee.
Septemper.		Reis, Orangen, Citronen, Tamarinden, Oliven.
Oktober.	Getreide, Mais, Durahirse.	Reis, Gräser als Weide, Granatäpfel.
November.	Getreide, Gemüse.	Datteln, Mais, Durahirse (leztere vom Februar).
Dezember.		Gräser als Weide, Blüthezeit der Frühblumen.

So productiv der Kulturboden Egyptens, der durchaus nur Nilschlamm ist, sich zeigt, so lange er bebaut und bewässert wird, so merkwürdig ist seine schnelle Umwandlung in Wüste, sobald der Mensch sich seiner nicht mehr annimmt. Es bilden sich Salze, besonders viel Salpeter; der an und für sich fette Boden trocknet schnell aus, zerfällt in Staub, der ein Spiel des Windes ist, und keine Vegetation wurzelt mehr in dem Grunde, der bei der mindesten Nachhülfe in Fruchtbarkeit schwelgt.

Die grossen Ebenen Unteregyptens, wie die Ebenen der Wüsten und die weiten Grasebenen im Innern, bieten häufig das Phänomen der Luftspiegelung dar, nur leztere in einem noch weit grossartigeren Massstabe, als erstere. Wir haben bei der Luftspiegelung selbst zwei Arten derselben wesentlich zu unterscheiden. Bei der ersten ereignet es sich, dass die von einem Körper unter dem Horizonte, sey er nun Land oder Wasser, nach oben ausgehenden Lichtstrahlen durch Beugung in unser Auge gelangen und wir also einen an und für sich unsichtbaren Gegenstand im Bilde und zwar in der Luft sehen. Wir können auch zwei Bilder sehen, von denen das eine verkehrt erscheint. Diese Luftspiegelung ereignet sich vorzüglich zur See und oft an den Küsten Siciliens, Kalabriens, im hohen Norden etc. Sie ist in Egypten und in den Wüsten selten, und ich habe sie in leztern nur ein paar Mal gesehen. Häufig hingegen, und bei schöner Witterung täglich, sieht man die zweite Art der Luftspiegelung, die sich nur auf dem Lande zeigen kann. Bei ihr wird die dem Boden zunächst aufliegende Luftschicht sichtbar. Die Luft stellt sich in gewisser Entfernung und unter einem gewissen Winkel angesehen als ein Fluidum dar, dem Wasser eines Sees ungemein täuschend ähnlich, der sich zum Theil mit seiner unabsehbaren Fläche am Horizonte verliert, zum Theil durch Erhöhungen des Bodens mit Ufern eingeengt erscheint. Erhabene Gegenstände, Berge, Felsen, Bäume etc., welche dieser Luftsee umgibt, stellen sich als Inseln dar, Thäler werden zu Häfen und Buchten. Durch die Isolirung dieser Gegenstände, durch das sie umgebende Fluidum erscheinen sie erhöht, Karavanen in einiger Entfernung von uns wandernd gehen in der Luft, was ich besonders schön in den Wüsten Nubiens sah. Diese Gegenstände spiegeln sich nun wieder in dem Luftsee, und wir sehen in ihm, wie bei einem gewöhnlichen See oder Teich, das verkehrte Bild des Gegenstandes. Diese Luftspiegelung ist eine Folge des Lichtreflexes auf einem Boden, der dazu durch Färbung, Fläche und vielleicht auch durch Erwärmung befähigt ist. Sie unterliegt, wie ihre Schwester, den optischen Gesetzen. Der Boden der Wüste oder Savanne, beide hiezu vorzüglich geeignet, spielt die Rolle des Spiegelamalgams, die demselben zunächst aufliegende Luftschicht die Rolle des Glases und das Ganze stellt einen grossen, planliegenden Spiegel vor. Schiefe Stellung der Objekte, Unebenheiten der Bodenfläche, verschiedene Dichtigkeit der Luftstraten, Bewegung derselben durch Wind und dgl. bedingen verschiedene Verzerrungen der Bilder, denen die Einbildungskraft zur Darstellung verschiedener Gegenstände mehr als auf halbem Wege entgegenkommt. Höhe der Sonne und Stellung des Beobachters sind wesentliche Bedingungen zur Beobachtung dieser Erscheinung. Sie beginnt beiläufig um 9 Uhr Morgens und endet um 3 Uhr Abends, und der Standpunkt

des Beobachters muss so seyn, dass die Höhe, auf der er
sich über der Bodenfläche befindet, zu seiner Entfernung
vom Luftsee in einem solchen Verhältnisse steht, dass der
Sehwinkel ein sehr schiefer ist. — Sehr bezeichnend für
die Höllenqualen, welche der arme Reisende in wasserlosen
Wüsten, gepeinigt von namenlosem Durste, empfindet, wenn
er beständig Wasser vor sich sieht, das er nie erreichen
kann, weil es nicht existirt, nennt der Araber diese Luftspiegelung: Bacher el Afrid (den See oder den Fluss des
Teufels). Ich habe bei meiner Reise im Innern von Afrika
diese Erscheinung oft und in mannigfaltigen Formen, weit
schöner, als Unteregypten sie darbietet, gesehen, und werde
daher oft Gelegenheit haben, darauf zurückzukommen.

Häufig liest man: „das Klima von Egypten ist sehr
gesund; jedoch die herrschenden Krankheiten: Pest, Cholera,
Dissenterie, Ophthalmie, Aussatz und dgl. sind zu fürchten.“
So auch bei unserm vortrefflichen VOLNEY *. Ich schlage
daher die Lesart vor: wenn man vom Klima Egyptens
alle seine schädlichen Eigenschaften subtrahirt, so bleibt
der Rest sehr gut. Wenn wir berücksichtigen, dass die
oben genannten herrschenden Krankheiten, mit Ausnahme
der Cholera, ihre Begründung rein in den klimatischen Verhältnissen des Landes oder in den damit in eugster Beziehung
stehenden Erscheinungen haben, wie wir gleich sehen werden,
so erhellt, dass man das Klima von Egypten nicht unbedingt
ein gutes nennen kann, und dass dasselbe es nöthig macht, alle
mögliche Vorsicht zu empfehlen, um sich vor seinen schädlichen Einflüssen sicher zu stellen **.

Die Cholera dürfen wir zu diesen klimatischen Krankheiten nicht rechnen; denn sie ist in neuester Zeit in Egypten
eingewandert, wo sie früher auch nur immer in diesem
Charakter, nie als einheimische Krankheit, auftrat. Sie
erreichte im Jahr 1834 jene entsetzliche Höhe, auf der

* C. F. Volney, Voyage en Egypte et Syrie; Paris, 1788.

** Ich bitte bei nachstehenden Zeilen zu berücksichtigen, dass ich
Nichtarzt bin und dass ich meine gemachten Erfahrungen als Reisender
nur ganz einfach, ohne weitere Ansprüche und ohne meine Ansicht als
die absolut richtige geltend machen zu wollen, hinstelle.

sie in Kairo selbst noch die Pest vom Jahr 1835 weit
hinter sich zurückliess. Später wanderte sie weiter nach
Süden und drang endlich bis Kordofan vor, wo' ich sie im
Jahr 1837 traf. Sie beschränkte sich auf die Hauptstadt
el Obechd, unterm 13. Grad der Breite und mitten in den glühenden Savannen des Innern liegend, raffte viele Opfer
hinweg und erlosch einige Wochen nach ihrem Auftreten
ganz. Unter gleichen Verhältnissen hatte sie sich auch in
einigen Orten am weissen Flusse und in Sennaar gezeigt.
Bei meiner Rückkehr nach Egypten aus dem Süden, im Jahr
1838, traf ich sie wieder in Kairo. Sie trat jedoch bereits
in sehr milden Formen auf, und die meisten der Erkrankten
wurden bei zweckmässiger Behandlung geheilt. Rein klimatische Krankheiten aber glaube ich die Dissenterie, die Pest,
die Ophthalmie und den Aussatz nennen zu dürfen.

Der starke Wechsel der Temperatur, die grosse Hitze
des Tages und die darauf folgende Kühle der Nacht, der
starke Thau, der schon oft nach Untergang der Sonne zu
fallen beginnt, befördern Erkältungen um so mehr, je
grösser der Gegensatz dieser Elemente ist. Der vom heftigen,
strömenden Schweisse erschöpfte Körper, das dadurch für
alle äussern Eindrücke äusserst empfänglich gewordene Hautsystem, sezt besonders den neu angekommenen Europäer der
Gefahr der Dissenterie aus, die, wie alle Krankheiten
dieser Art, im Süden einen höchst rapiden Verlauf hat. Je
heisser das Klima ist, desto grösser ist der Gegensatz der
Temperatur zwischen Tag und Nacht und desto grösser ist
die Gefahr der Erkältung, die häufig eine so starke Dissenterie
zur Folge hat, dass der Tod oft in wenigen Tagen erfolgt,
oder dem Leidenden, der ohnediess bei dieser Krankheit
die allerstrengste, nur auf den Genuss von Gerstenwasser,
Reiswasser und arabischen Gummischleim beschränkte Diät
zu beobachten hat, nichts mehr helfen kann, als augenblickliche und sehr bedeutende Änderung des Klima, und
zwar wirkt dieses um so energischer, je stärker der klimatische Gegensatz ist, dem man den Kranken unterzieht.
Manchmal nimmt die Dissenterie einen förmlich epidemischen
Charakter an, so einmal im Militär-Hospitale zu Alexandria,

wo einer der sogenannten europäischen Ärzte, die den Segen der Heilkunde in Egypten verbreiten helfen, den originellen Einfall hatte, seine Kranken mit grossen Dosen von Bittersalz zu behandeln. Nachdem 40 Ermordete vor ihm lagen, fiel diese Wirthschaft der Regierung doch auf, und unsere geschickten und thätigen Landsleute Pruner und Schreiber machten der Kunstausübung dieses Herrn ein Ende.

Viel, sehr viel wurde schon seit alter Zeit über die Pest geschrieben und gesprochen, noch aber ist man immer nicht über eine der ersten Hauptsachen einig, über die Beantwortung der Frage nämlich: ist die Pest contagiös oder nicht? Wenige Ärzte und Nichtärzte dürfte es in Egypten geben, die, wenn sie es wagen, sich über blinden Autoritätsglauben hinauszusetzen, die Kontagiosität der Pest bezweifeln möchten; denn es sprechen doch gar zu viele Thatsachen dafür. Dass jedoch, wiewohl bei den meisten ansteckenden Krankheiten, eine gewisse Stimmung des Körpers dazu gehört, um dem Kontagium seine ganze Wirksamkeit einzuräumen, das ist nicht zu läugnen. Dass die Muselmänner die Pest nicht für ansteckend halten, wie es in einem unlängst erschienenen Werkchen * über Egypten heisst, ist nicht richtig. Der Muselmann stellt den Satz nur so: die Pest ist für den ansteckend, den Gott hiezu bestimmt hat; denn dass sein Fatalismus so weit geht, dafür habe ich häufige Beweise erhalten, da ich die Pest an mehreren Orten, obwohl nicht in ihrer schrecklichsten Form, gesehen habe. Die Beantwortung der Frage über die Kontagiosität der Pest hat schon manchem geschickten Arzte das Leben gekostet, der als freiwilliger Märtyrer der Wissenschaft sich mit edler Selbstaufopferung hingab. Bulard's Forschungen sind höchst verdienstvoll, und sollten sie sich erwahren und eine Regulirung der Quarantainen herbeiführen, so ist sein Verdienst unvergänglich, das er sich im Kampfe gegen einen der grössten Feinde des socialen Lebens erwarb. Clot-Bey hat Jahre umfassende Erfahrungen für sich und benützte sie mit Scharfsinn und Sachkenntniss. Er gehört jedoch zu den eifrigen Anticontagionisten.

* Egypten, wie es jezt ist, von *r; Leipzig, 1841.

Sehr häufig stellt man auch die Frage auf: ist die Pest in Egypten einheimisch oder nicht? und VOLNEY mit mehreren Andern sagt geradehin, sie sey aus Konstantinopel nach Egypten gekommen. Leztere Ansicht ist nun die meine durchaus nicht, und ich glaube vielmehr gerade umgekehrt, dass die Pest aus Egypten nach Konstantinopel gekommen sey. Erstens wissen wir aus geschichtlichen Daten, dass die Pest früher in Egypten als in Konstantinopel existirt habe und dass sie also auf keinen Fall von dort gekommen seyn könne. Wir finden im Ganzen über das früheste Auftreten der Pest weniger Aufschluss durch die Mittheilungen alter Ärzte, als durch die der alten Geschichtschreiber. Alle Daten jedoch, soweit wir sie zurück verfolgen können, nennen uns Egypten als das Land, wo diese furchtbare Krankheit stets entstand und von wo sie sich verbreitete. Die Bibel nennt die Pest geradehin eine der egyptischen Plagen, THUCIDIDES lässt sie aus Äthiopien kommen; wir sehen die Pest unter den Israëliten zu DAVIDS Zeiten in Palästina, zu MOSES Zeiten in Egypten. Alle diese Pesten, deren HERODOT, LIVIUS, DIODOR, EUSEBIUS etc. erwähnen, sind zwar meist in Europa beobachtet, aber als eingeschleppt betrachtet und keinem dieser höchst werthvollen Geschichtschreiber wäre es eingefallen, anzunehmen, dass die Pest nach Egypten von Europa gebracht worden sey. Die grosse Pest, welche von 542 an ein halbes Jahrhundert lang Europa verwüstete, geben PROKOPIUS und mehrere als entschieden aus Egypten eingeschleppt an und zwar über Syrien, Klein-Asien und Konstantinopel. Über die Pest und die damit verbundenen Erscheinungen finden wir umständliche Aufschlüsse in:

Dr. LORINSER. Die Pest des Orientes. Berlin 1837.

CLOT-Bey, de la peste observée en Egypte; Paris 1840.

Recherches sur l'origine de la peste par Dr. LAGASQUIE; Paris 1834.

Dr. BRAYER. Neuf années à Constantinople. Paris 1836.

Dr. BULARD über die orientalische Pest. Leipzig 1840.

Dr. J. GRUBER neuere Stimmen aus der Levante. Wien 1839.

etc. in mehreren Werken der neuern und neuesten Ärzte.

Ferner sehen wir überall, wo die Pest hingebracht

wird, dass sie sich schnell von Ort zu Ort durch die verschiedensten Klimate verbreitet und nur durch die sorgfältigst bewachten Kordone zurückgehalten werden kann. Sie erscheint an diesen Orten und verschwindet wieder, Jahre lang ausbleibend, bis eine neue Mittheilung des Krankheitsstoffes geschieht. In Egypten hingegen beschränkt sie sich vorzüglich auf Unteregypten und dringt so weit nach Oberegypten, als die periodischen Überschwemmungen des Nil reichen, dann hört sie plötzlich auf und erscheint nicht wieder, ausser in dem Äquatorialland von Afrika. Tritt sie südlicher auf, so ist Ansteckung nachweisbar, sie endet aber auch an solchen Orten bald wieder. Kann nun jenes Prinzip, was scheinbar die Verbreitung der Pest in Unteregypten auf eine so denkwürdige Weise befördert, nicht gerade der Grund zur Bildung der Krankheit an jenen Orten seyn? Drittens endlich erlischt die Pest in Egypten nie ganz. Sie tritt nur nicht immer in ihrer grausenvollen Form als Epidemie auf, sondern nimmt einen mildern Charakter an, der häufig Heilung zulässt. Selten ein Jahr, dass sich nicht in Alexandria und Kairo Pestfälle dieser Art ereignen sollten, Fälle, die häufig gar nicht zur Kenntniss der Behörden kommen. Sollte sich aber auch kein wirklicher Pestfall selbst ereignen, so sehen wir an ihrer Stelle und in der ihr eigenthümlich zukommenden Zeitperiode bösartige Fieber, Typhus etc. auftreten, die ich für die mildesten Formen dieser Plage halte; denn sie selbst ist ja wahrscheinlich nach der Meinung vieler Ärzte nichts anderes als ein höchst potenzirter Typhus. So schlummert dieser Funke in Egypten beständig unter der Asche, und der geringste Anlass von Aussen, Einwirkungen, die wir noch nicht ganz kennen, fachen ihn zur Flamme an. Das Klima von Konstantinopel ist an und für sich von der Art, dass eine konstante Entwicklung dieser Krankheit nicht denkbar ist, und wenn die Pest daselbst auftritt, so trägt sie stets einen mildern Charakter an sich, als es in Egypten der Fall ist. Wohl aber sehen wir auch an andern Orten warmer Zone, wo grosse Ströme periodisch einen Theil des Landes überschwemmen, z. B. in Südamerika, in Ostindien etc., sich böse Fieber, Typhus

u. dgl. bilden, die manchmal in Bezug der Verwüstungen, die sie anrichten, der Pest nicht nachstehen. Z. B. das gelbe Fieber.

Das Gesagte schliesst die Möglichkeit einer ähnlichen Fortdauer der Pest in Konstantinopel, in Smyrna etc. nicht aus; denn einmal dahin gebracht, kann ja das Übel fest gewurzelt seyn, auch ist es sehr leicht möglich, ohne den Grundsatz: „die Pest ist in Egypten zu Hause" umzustürzen, dass sie manchmal in diesem Lande, wo es nur der leisesten Anregung bedarf, in ihrem Ausbruche durch Zubringung von Aussen zufällig befördert wurde. Sehr häufig sezte man die Grundursache der Pest in die Hitze, in das Elend, auf Rechnung der hohen Temperaturdifferenzen, der Unreinlichkeit etc., welche in Egypten herrschen, und zwar, wie ich glaube, sehr mit Unrecht. Befördern mögen allerdings diese Umstände den Ausbruch und die Fortdauer der Pest, sie aber nicht als Grundursache bedingen. Alle diese erwähnten vermeintlichen Ursachen sind in höhern Breiten, in Nubien, in Sennaar, in Kordofan etc. in weit höherem Grade auftretend, und doch ist daselbst keine Pest, ja Nubien selbst kann man unbedingt, was seinen nördlichern Theil wenigstens betrifft, zu den gesündesten Theilen der Erde rechnen.

Ich halte die Entstehung der Pest, die Entfaltung des stets vorhandenen Keims der Krankheit und seine Potenzirung zur vollendeten Epidemie für rein eine Folge der Überschwemmungen des Nil, in Verbindung mit den eigenthümlichen, klimatischen Erscheinungen Unteregyptens. Ich hielt mich zwei Regenzeiten hindurch im Innern von Afrika auf und zwar in jenen Ländern, wo der weisse Fluss, wie der blaue, aber besonders erstrer, ihre ebenen Ufer periodisch übertreten und über das ganze Land hin die tropischen Regen sich jährlich zur bestimmten Zeit in grosser Menge ergiessen. Sechs Monate des Jahrs hindurch fällt kein Tropfen Regen, der Himmel ist immer klar und rein, die Hitze sehr gross, viel grösser, als in Unteregypten. Der Boden trocknet aus, er wird ganz dürre, tiefe Spalten öffnen sich, er dürstet. Wie nun die Regen beginnen, saugt dieser ausgetrocknete Boden begierig die Wasser ein; durch

die Hitze der Sonne befördert, bedingt vielleicht, treten die
vegetabilischen Bestandtheile desselben in chemische Wechselwirkung mit der zuströmenden Feuchtigkeit, Zersetzungen
scheinen zu erfolgen und sich Gase zu bilden, Miasmen der
schädlichsten Art, die in der Luft sich verbreiten und die
bösartigen, galligen, typhösen Fieber erzeugen, die in dieser
Periode herrschen und durch die auch ich mein Personal
verlor. Im Verlaufe der Regenzeit, wenn der Boden mit
Wasser gesättigt ist, so dass sich alle Regenströme füllen,
sich Teiche und Seen bilden und also Wasser genug vorhanden ist, um wahrscheinlich die sich entwickelnden Miasmen
wieder zu absorbiren, vielleicht auch ihre Entwicklung von
Vorne herein unterbrechend, da hören diese Krankheiten
wieder auf. Wie die tropische Regenzeit jedoch endet,
die Austrocknung des Bodens wieder beginnt, die chemischen
Thätigkeiten seiner Bestandtheile wieder Platz greifen und
die Miasmen sich wieder entwickeln, da beginnt auch wieder
die Periode der Krankheiten und dauert so lange, bis die
truckne Jahreszeit, die eintretenden Nordwinde, die herrschende Trockenheit der Luft etc. allen Krankheiten ein
Ende machen und eine sehr gesunde Periode beginnt, trotz
Hitze, Elend, Schmutz und Temperaturdifferenzen. Dasselbe ist der Fall in den südlichen Theilen Nubiens, bis
wohin die tropischen Regen reichen. Gehen wir nördlicher
in Nubien und nach Oberegypten, beide in der regenarmen
Zone liegend, wo dem Boden weder durch Regen, noch,
der hohen Ufer wegen, durch Überschwemmung ein bedeutendes Wasserquantum zugeführt wird. Rechts und links
sehen wir Wüste, nur am Flusse einen schmalen Streifen
Kulturlandes, der durch künstliche Bewässerung mühevoll
erhalten und stets bebaut wird, und wir sehen ein ganz
gesundes Klima; keine Pest, kein Typhus, keine galligen
Fieber-Epidemien. Kommt Pest durch Ansteckung in diese
Gegenden, so erlischt sie bald gänzlich wieder, sie kann
sich nicht halten in der reinen, trocknen Luft der Wüste.

Gehen wir wieder weiter in die nördlichsten Theile von
Oberegypten und nach Unteregypten, so haben wir wieder
ein Land vor uns, welches einen Theil des Jahres hindurch,

nämlich in unserm europäischen Sommer, wenig oder gar
keinen Regen hat und grosser Hitze ausgesezt ist. Dieselben
Erscheinungen des Bodens wie im Süden, er lechzt. Nun
kommen die Überschwemmungen des Nil. Das Wasser
bedeckt rasch das ausgedorrte Kulturland in den Monaten
August und September, noch ist der Zustand der Sanität
der beste. Die Wasser des Stroms ziehen sich zurück,
der Boden trocknet aus, die chemische Thätigkeit seiner
vegetabilischen und auch animalischen Theile beginnt, in
Berührung mit der Feuchtigkeit, Miasmen entwickeln sich,
es zeigt sich die Pest im Monate November, oder an ihrer
Stelle treten bösartige Fieber auf. Die Regenzeit des Küstenlandes beginnt, Nordwinde häufen Dunstmengen in der Atmosphäre an, die das Stadium ihrer grössten Feuchtigkeit
erreicht, d. h. das Vermögen derselben, neue Dünste in sich
aufzunehmen, wird ein kleinstes. Dieser Zustand der Luft
scheint der Entwicklung des Pest-Miasma besonders günstig
zu seyn, zu dessen Potenzirung und Verbreitung noch andere
atmosphärische und terrestrische Zustände beitragen mögen,
die wir nicht kennen. So will man z. B. die Beobachtung
gemacht haben, dass sich die Pest besonders stark bei
Gewittern entwickle. In der Periode der Wintermonate
erreicht die Pest ihren höchsten Grad, der manchmal in
sehr bevölkerten Städten, wie Kairo ist, ans Unglaubliche
gränzt. So hat diese Krankheit daselbst im Jahre 1835,
in Verbindung mit der Cholera von 1834, an 300,000
Opfer gefordert. Wenn der Boden ausgetrocknet ist, die
Regenzeit sich endet, die Feuchtigkeit der Luft sich mindert,
die Temperatur sich erhöht, da verliert die Krankheit an
Rapidität. Überhaupt herrscht in Egypten allgemein die
Ansicht, dass grosse Überschwemmungen des Nils und sehr
regenreiche Winter die Vorzeichen von starken Pestepidemien
seyen. In den Monaten, wo die Tagestemperatur ihr Maximum
erreicht, wo die Trockenheit der Luft ein Grösstes wird
und in der Nacht sich dieselbe ihres Dunstgehaltes durch
starke Thauniederschläge entledigt, da endet denn die Krankheit als Epidemie, tritt endlich in der milden Form der
Fieber auf und verschwindet.

Wenn wir diesen auf lauter Thatsachen sich stützenden Gang dieser Erscheinung verfolgen, so bemerken wir eine grosse Analogie mit dem Auftreten der bösen Fieber in dem Äquatoriallande von Afrika, und wir können nicht umhin, die Pest als eine Funktion der klimatischen Ereignisse und der damit in Egypten verbundenen Erscheinungen zu betrachten und sie für heimisch in diesem Lande zu erklären. Wie ich schon früher sagte, so bin ich vollkommen der Ansicht, dass Unreinlichkeit, Elend und dergleichen Umstände die Ausbreitung der Pest befördern. Was ein zweckmässiger Kordon und scharfe Quarantaine-Anstalten vermögen, das hat, glaube ich, Österreich dem ganzen Europa mehr als irgend eine andere Nation bewiesen. Keine Kosten scheuend, hat es allein der Pest auf dem Festlande jenen merkwürdigen Damm entgegengesezt, der als Kordon die Militärgränze gegen alle türkischen Nachbarprovinzen umzieht, eine Einrichtung, durch welche sich unser Vaterland die ganze europäische Menschheit zum Schuldner gemacht hat. Dass eine solche Quarantaine-Anstalt, ein Kordon, seinen hohen Zweck aber ganz erfülle, dazu ist das harmonische, kräftige Zusammenwirken aller polizeilichen Massregeln unumgänglich nothwendig, und gerade diess ist die Klippe, an der alle die edlen Aufopferungen und Bemühungen der Europäer unter den Orientalen scheitern. So lange der Türke Türke ist, so lange sich seine auf Fatalismus, Fanatismus und unverständliche Dogmen stützende Religion erhält und er an ihr hält, so lange diese allein das positive Gesetz und das Band der bürgerlichen Ordnung bildet, so lange ist an eine energische Begegnung der Pest, auf deren sichern Erfolg gerechnet werden könnte, nicht zu denken. Welcher Arzt z. B., welcher Diener der Sanität dringt in die Geheimnisse des Harems, wenn daselbst die Pest ausbricht? und wenn der Herr, wie es häufig der Fall ist, fest an den alten Dogmen und Gebräuchen hängt? Ich war einst während der Pest in Jerusalem. Eine aus drei Europäern bestehende und mit der nöthigen Militärwache versehene Kommission wurde dahin gesandt, um die Absperrung und Bewachung kompromittirter Häuser und Personen vorzunehmen und so dem Übel am Orte seiner Entstehung Gränzen zu setzen. Die Anzeigen von Pestfällen in den Familien jedoch, besonders in den türkischen, ergingen an diese Kommission meistens dann erst, wenn schon der Tod erfolgt war, weil ohne Bewilligung der polizeilichen Behörde keine Beerdigung stattfinden durfte. Die Kommission erschien, sah den Leichnam in der Mitte der klagenden Verwandten, die sich häufig schon in seine Kleider und seine übrige Hinterlassenschaft getheilt hatten, und war also genöthiget, die Absperrung vieler Personen statt der einer einzigen vorzunehmen. Zulezt endete die Geschichte mit einer Durchprügelung dieser Kommission von Seite der Einwohner, wenn ich nicht irre, im nahen Bethlehem, wo auch die Pest war, und mit einer Einschliessung der unglücklichen Stadt mittelst eines engen Kordons. Wie diese Kordons die Idee der Absperrung auffassen, sah ich ebenfalls auf eine Weise, die es ganz ausser Zweifel sezt, dass man eigentlich nicht weiss, was man will. Ich ritt mit einigen Arabern von Jerusalem nach Jaffa. In ersterer Stadt war die Pest, leztere war rein. In Ramlah war der Kordon gezogen. Ich und meine Araber waren als kompromittirt betrachtet und hatten einen Soldaten als Quardian bei uns, der uns bis zum Kordon begleitete. Auf dem Wege nach Ramlah holten wir mehrere Bauern ein, welche aus umliegenden, ausser dem Kordon sich befindenden Dörfern waren, in denen sich bisher noch keine Pest gezeigt hatte. Diese Leute vermischten sich mit meinen und kamen zusammen am Kordone an. Erstere wurden durchgelassen, leztere, aus Jerusalem kommend, mussten bei mir zurückbleiben. Der Abschied war zärtlich und ungenirt, in Gegenwart des Kordonoffiziers. Später wurde Markt am Rastell gehalten, die Kompromittirten rechts, die Bürger von Ramlah links, in der Mitte die egyptischen Soldaten mit ihrem Offizier, der eine Amtsmiene machte, die nichts zu wünschen übrig liess. Die Soldaten hielten dem andringenden Volke die Bajonnete vor und drohten jeden zu erstechen, der die Vorschriften der Sanität übertrete, und ihre grimmigen Gesichter verbürgten, dass es ihnen Ernst war. Wir wollen unsere

Früchte verkaufen, schrieen die einen; wir wollen sie kaufen, schrieen die andern. So gebt denn eure Tücher her, sagte der Offizier, sich des Gedankens freuend, der in ihm auf-loderte. Die Soldaten nahmen den Ramlahern die Tücher ab und gaben sie den Kompromittirten vor der Skela, diese banden ihre Früchte hinein, und die Soldaten übergaben, ohne Anstand zu nehmen, die Päcke den Ramlahern. Das Geld, welches zurückkam, wurde früher in Wasser geworfen. Ist das im Sinne einer Quarantainanstalt?

Noch gräulichere Dinge sah ich im Jahr 1838 und 1839 in Alexandria. Der Admiral MUSTAPHA-Pascha traf bei Grundgrabung für sein neues Haus am Serail einen alten Todtenacker. Leichen wurden ausgegraben und lagen offen da, das Haus jedoch wurde demungeachtet an dieser Stelle aufgeführt. Auf dem Wege von dem österreichischen Kon-sulate nach dem europäischen Bade befand sich auf einem Platze mitten in der Stadt ein Kirchhof. Dieser Platz wurde für die Anlage eines Dörfchens für die Familien eines Theils der Garnison benüzt. Man sezte die Hütten auf den Kirchhof, und die Leichensteine befinden sich jezt unter Dach und Fach. Unter der Erde schläft ein Mensch seinen ewigen Schlaf, wenige Zolle darüber schläft ein anderer den zeit-lichen, bei dem man sich Nachts niederlegt und Morgens aufsteht. Kann unter solchen Umständen, und ich möchte sagen bei solchen Barbareien, von den Bemühungen der europäischen Sanitätsbehörden der gehoffte Erfolg zu er-warten seyn? Sind denn solche Quarantaine-Anstalten nicht als eine Satyre zu betrachten, und ist das Egyptens berühmte Civilisation der neuesten Zeit? Diese Fragen drängen sich doch nothwendig auf.

Eine andere Egypten, und namentlich Unteregypten, eigen-thümlich angehörende und, wie ich glaube, aus seinen klima-tischen und örtlichen Verhältnissen hervorgehende Krankheit ist die Ophthalmie oder die egyptische Augenkrankheit. Sie tritt in Egypten zu jeder Jahreszeit auf und bindet sich nicht an gewisse Zeitperioden, wie die Pest. Durch äus-sere Einflüsse erhöht, durch Umstände, wie Unreinlichkeit, schlechte Nahrung, Hitze etc. befördert, nimmt sie manchmal

16 *

einen äusserst bösartigen und förmlich epidemischen Charakter an, in welchem Grade sie furchtbare Verwüstungen bedingt. Man sehe z. B. die Geschichte der französischen Expedition unter NAPOLEON, wo sie in den Reihen der Armee wüthete. Jedem, der Egypten betritt, ist die Menge der Einäugigen und ganz Blinden auffallend, welche man bemerkt und die an manchen Orten über 20 und 30 Prozent der ganzen Bevölkerung betragen. Die egyptische Augenkrankheit hat sich, nur nicht in so rapider Intensität und nicht in so schrecklichen Formen, auch ausser Egypten, so in Europa gezeigt. Ob örtliche Verhältnisse, denen in Egypten ähnlich, sie daselbst erzeugten, ob Ansteckung sie hervorrief, diess zu entscheiden, gehört nicht in den Bereich meiner Forschungen, liegt auch nicht in dem Kreise meiner Kenntnisse. Die Entzündung, die das höchste Stadium der Krankheit durch eine gewaltige Auftreibung des Augapfels charakterisirt, wird oft so heftig, dass dieser ganz hervortritt und zerplazt. Erblindung erfolgt oft schon in kurzer Zeit, und auf jeden Fall rufen die namenlosen Schmerzen des Leidenden in ihm einen verzweiflungsvollen Zustand hervor. Die Türken und Araber sind der Krankheit mehr unterworfen, als die Europäer, die Bewohner der Küste mehr, als die des Innern, die Bewohner des Kulturlandes ausschliesslich, nicht die der Wüste: denn unter den Beduinen ist sie eine Seltenheit, die Bauern mehr, als die Städter. Wenn man nun die Umstände, denen die genannten Klassen in den erwähnten Örtlichkeiten ausgesezt sind, näher analysirt und jene besonders hervorhebt, welche sie als eigenthümlich wahrnehmen lassen und nicht mit den übrigen theilen, so glaube ich, kommt man auf den Weg, die Grundursache zu finden, die in jenen Umständen also, umgekehrt geschlossen, nicht liegen kann, die alle diese verschiedenen Klassen und Örtlichkeiten mit einander gemein haben.

Der Umstand, dass Türken und Araber mehr der Krankheit unterworfen sind, als Europäer, ist sehr wichtig und liegt nicht in der Verschiedenheit der Lebensweise: denn die ist im Oriente häufig gleich; sondern es muss ein andrer Grund seyn, und ich suche ihn in einem diesen Völkern

eigenen Vergehen gegen die Natur, wozu die bei ihnen
herrschende Mode treibt, welche der Europäer im Durchschnitt nicht mit ihnen theilt; ich meine den Gebrauch,
den Kopf ganz zu rasiren und nur einen kleinen Zopf am
Hinterhaupte zu tragen. Wir bemerken in allen heissen
Klimaten einen besonders stark hervortretenden Andrang
des Blutes und andrer in unserm Organismus sich beständig
ausscheidender Flüssigkeiten zum Kopfe; wir beobachten die
sich höher potenzirende Bestrebung des Kopfes, sich beständig in einem gewissen Grade von Ausdünstung zu befinden,
und wissen, dass uns die Natur die Haare als die natürlichen
Ableitungswerkzeuge gab, womit ihre Röhrenstruktur übereinstimmt. Der Türke und Araber beraubt sich dadurch,
dass er sich den Kopf rasirt, von selbst dieses ihm von der
Natur dargebotenen Hülfsmittels und vermehrt den schädlichen
Einfluss dadurch, dass er seinen Kopf beständig bedeckt
hält, folglich die freie Ausdünstung desselben hindert und
ihn in beständiger Berührung mit dem scharfen Schweisse
lässt, der nie verdunsten kann. Daher sehen wir bei ihnen
die häufigen Krankheiten der Kopfhaut, eine Menge von
Grindköpfen. Die Beduinen, seltener die Nubier und die
Neger, rasiren sich zwar auch am Kopfe, tragen aber
denselben meist ganz unbedeckt oder nur sehr leicht bedeckt,
daher der Hautausdünstung kein Hinderniss entgegengesezt
wird, und bleiben von den Hautkrankheiten des Kopfes
ungleich mehr verschont. So gut sich nun der schädliche
Einfluss dieser gestörten Ausdünstung und der gänzlichen
Unterbrechung der Absorption durch die Haare auf das
Hautsystem äussert, so gut kann er sich, nur in andrer
Form, auf das durch Hitze, Andrang des Blutes, Staub,
intensives Tageslicht, Feuchtigkeit der Luft etc. mehr zur
Entzündung gestimmte Auge äussern.

Die Bewohner der Küste sind der Einwirkung der salzigen Dünste der Atmosphäre in einem hohen Grade ausgesezt, so namentlich in Unteregypten und in Syrien. Der
Salzgehalt der Dünste ist, wie gesagt, oft so gross, dass er
schon durch den Geschmack des Thaues stark sich zu erkennen gibt, und es kann nicht fehlen, dass derselbe auf

den Kopf und dessen edelsten Theil einen höchst nachtheiligen Einfluss, besonders auf Menschen, äussert, die viel
im Freien schlafen, wie die Fellahs. Im Innern von Syrien
hingegen schläft man im Sommer durchgehends im Freien,
so auch in Abyssinien und im afrikanischen Tropenlande,
in den Wüsten etc., und dieser schädliche Einfluss zeigt
sich daselbst doch nirgends, wahrscheinlich, weil der grosse
Salzgehalt der Dünste in der Luft mangelt. Ich selbst habe
mit meinen Gefährten auf meinen Reisen in Syrien, in
Arabien und im Innern von Afrika Jahre lang beständig
kampirt und häufig nicht im Zelte, sondern im Freien geschlafen, und doch keine Unbequemlichkeit davon verspürt.
    Der Sand der Wüste irritirt unstreitig das Auge, je-
doch kann er keine bedingende Ursache der Ophthalmie
geradehin seyn, sonst müssten derselben die Beduinen unterworfen seyn, was nicht der Fall ist. Eine grosse
Rolle jedoch und, wie ich glaube, die grösste spielt zur
Begründung dieser Krankheit der Staub des Kulturlandes.
Das Kulturland Egyptens besteht durchgehends aus Nilschlamm, der die charakteristische Eigenschaft hat, dass
er, wenn er nicht beständig bewässert ist, zu einem äusserst
feinen Staub zerfällt, der durch den leisesten Windzug sich
hebt. Wie die Bewässerung des Nilschlamms mangelt, bildet
sich in ihm sogleich eine Masse von Salzen, vorzüglich
salzsaures Natron, schwefelsaures Natron, kohlensaures
Natron, Salpeter etc., deren quantitative Menge immer
zunimmt und endlich dem Boden, wenn er nicht stark bewässert wird, seine ganze Produktionskraft nimmt. Diese
Salze heben sich mit dem feinen Staube in die Luft und
bilden ein sehr mächtiges und nothwendigerweise Entzün-
dungen hervorrufendes Reizmittel für die Augen. Daher
sehen wir den Bauern mehr leiden als den Städter,
daher sehen wir die Ophthalmie beinahe ausschliesslich auf
das Kulturland beschränkt, daher sehen wir sie in Unteregypten vorherrschender als in Oberegypten, weil daselbst
dieser salzige Staub noch mit anderen bedingenden Ursachen
dieser Krankheit zusammenfällt, nämlich mit den salzigen
Dünsten der Atmosphäre. — Diesen salzigen Staub, ganz

eigenthümlich für Egypten, halte ich daher für das Haupt-
erregungsprinzip der Ophthalmie, und sehe Egypten als die
eigentliche Heimath dieser Krankheit an.

Dieser salzige Staub, und noch mehr die salzigen Dünste
der Atmosphäre, bedingen auch noch eine andere Krankheit,
nämlich jenen eigenthümlichen Hautausschlag, der besonders
in Alexandria vorkommt und von den Arabern daselbst das
Esch min Mahssr (Brod von Kairo) genannt wird. Derselbe
bildet sich durch den Einfluss dieser Salze auf die durch
die Hitze, die starken Schweisse und die weit geöffneten
Poren im höchsten Grade irritirbar gewordene Haut. Diese
Krankheit spricht sich in kleinen Beulen aus, welche die
Haut bedecken, besonders im Gesichte und auf den Händen
und Armen. Diese Beulen schmerzen, entzünden sich und
gehen in Eiterung über. Das Beschmieren der Haut mit Öl,
als Präservativ angewendet, hilft, weil es mechanisch die
Haut von der Einwirkung der salzigen Dünste schüzt. Diese
Krankheit findet sich auch an den grossen Strömen im
Innern von Afrika, besonders in der Regenzeit, tritt aber
nicht so heftig auf und scheint mehr Folge der grossen
Hitze, der scharfen Schweisse und des Genusses des trüben,
Salze-haltigen Wassers zu seyn. Die Eingebornen schützen
sich durch Einschmieren mit Öl.. Durch den Genuss eines
schlechten salzigen Wassers wird auch, glaube ich, diese
Krankheit in Alexandria auf das Höchste gesteigert; denn
in den Zeiten des tiefsten Nilstandes, in der Zeit unseres
europäischen Winters, trinkt man das stehende, durch organische Materie grün gefärbte, stinkende Wasser des Kanals
Mahmudieh, welches zu dieser Zeit einen bedeutendern
Salzgehalt zeigt, als in der Zeit des höhern Nilstandes,
weil da das Wasser des Nils durch den Kanal zieht. Man
fürchtet diese Krankheit übrigens nicht, sondern sieht sie
vielmehr als eine sehr heilsame Reaktion des Körpers an.

Ausser diesen erwähnten Krankheiten gibt es noch mehrere,
die vorzugsweise in Egypten und namentlich in Unteregypten
auftreten, die aber, da sie auch andern Klimaten und Ländern
angehören, nicht zu den klimatischen Krankheiten Egyptens
zu zählen sind. , Dahin gehören verschiedene Arten von

Aussatz, von Fiebern, die Elephantiasis, Gehirnentzündungen
infolge von Sonnenstich, Blattern etc., von denen einige oft
sehr verheerend auftreten; so wie überhaupt in heissen
Klimaten der Verlauf vieler Krankheiten weit rapider ist,
als im Norden, während für andere Krankheiten, wie z. B.
für die Syphilis, das egyptische Klima, besonders weiter südlich, sich äusserst günstig zeigt, so dass man fast nie Miss-
staltungen durch dieselbe sieht, wie sie einst im Norden so
häufig waren und hie und da zum Theile noch sind.

Der Schutz gegen alle diese Krankheiten und gegen die
schädlichen Einflüsse des Klima's ist theils ein geistiger, theils
ein physischer. Unter den erstern zähle ich eine gänzliche
Furchtlosigkeit, heitern Lebenssinn, Vertrauen auf eine
höhere Macht und fortdauernde angestrengte Beschäftigung
des Geistes, kurz Entwicklung hoher moralischer Kraft. Zu
den physischen Schutzmitteln rechne ich: fortwährende starke
Bewegung, besonders zu Pferd, nicht mehr als den nöthigen
Schlaf, keine Ruhe, die in ein dumpfes Hinbrüten übergeht,
keine ängstliche Änderung der gewohnten Lebensweise,
grosse Mässigkeit im Genusse geistiger Getränke, aber
durchaus keine gänzliche Beseitigung derselben, das fortdauernde Tragen einer leichten Flanellbinde auf blossem
Leibe, tägliche Bäder in frischem Wasser, wo es nur seyn
kann, tägliches und, wenn möglich, wiederholtes starkes
Waschen des Kopfes und der Brust mit frischem Wasser,
so kühl als möglich: überhaupt die grösste Reinlichkeit;
öfteres Auswaschen der Augen, besonders bei Wind, der
Staub trägt; öfteren Genuss säuerlicher Getränke, besonders
von Tamarinden-Decoct, um die Entleerungen des Körpers
stets in Ordnung zu erhalten, indem Verstopfungen in heissen
Klimaten höchst gefährlich sind, daher man gegen eine
solche, wenn sie vorfällt, längstens am dritten oder vierten
Tage energisch mit einfachen Purgiermitteln, am Besten
mit Ricinusöl, zu Felde ziehen muss; einen hinlänglichen
Vorrath von schwefelsaurem Chinin für Wechselfieber und
von Brechweinstein und Kalomel für gallichte, bösartige
Fieber. Die Lancette und der Schnepper sind nie zu vergessen; denn Aderlässe sind es oft einzig und allein, die

schnell und sicher retten. Der Homöopath hat bei dem
äusserst rapiden Verlauf der Krankheiten nie oder selten
Zeit, den Triumph seiner Heilmethode zu sehen. Sorgfältige
Vermeidung von Erkältungen und des Schlafes im Freien,
und zwar vorzüglich in Unteregypten. Hütung vor positiver
Ansteckung in den Zeiten der Pest, daher Vermeidung der
Berührung mit fremden Personen, besonders aus der niedern
Volksklasse. Sorgfältige Berathung mit einem wirklichen
Arzte gleich in den ersten Momenten einer Erkrankung.
Viele dieser Maasregeln sind von der Art, dass sie jeder
Vernünftige, lebe er nun in was immer für einem Klima,
selbst beobachtet. Wie sehr die Beobachtung derselben für
meine körperliche Beschaffenheit entsprechend war, beweist
der Umstand, dass ich nach Beendigung meiner mehr als
fünfjährigen ununterbrochenen Reise von der Nähe des Äquators bis jenseits des Polarkreises keinen Abgang an körperlicher Kraft und Gesundheit verspüre und mich ebenso fühle,
als damals, wo ich die Reise antrat, obwohl diese selbst
unstreitig zu den beschwerlichsten und mitunter auch zu
den gefährlichsten gehört, die man auf der Erde machen kann.

2) Physiognomie und geognostische Verhältnisse von Unteregypten.

Unteregypten stellt sich uns in zwei Extremen dar:
theils ist es eine ganz unwirthbare Sandwüste, theils ein
in höchster Fruchtbarkeit schwelgendes Kulturland. Eine
flache, sandige Küste, die stellenweise dem Auge nur in
der Entfernung weniger Seemeilen sichtbar ist und die daher
für Schiffe, besonders bei stürmischer Witterung, die Annäherung sehr gefährlich macht, bildet in einer Ausdehnung
von 27 Miriametern, gleich 36,4 geographischen Meilen * oder
beiläufig 73 Stunden, von der Canopischen Nilmündung bis
zur Pelusischen, den Nordrand von Unteregypten. Zwei
grosse Arme des Nil, der von Rosette und der von Damiette, schliessen gegenwärtig ein Terrain ein, welches seiner

* 1 Miriameter = 10,000 Meter = 1,348 geographische Meilen,
15 auf einen Grad des Äquators. 1 geographische Meile ist also = 0,742
Miriameter und auch = 2 geographischen Stunden.

Form nach unter dem Namen Delta hinlänglich bekannt ist. Diese Arme sind gegenwärtig die beiden einzigen, in denen sich der Nil seinen Weg als Strom zum Mittelmeere bahnt; denn von den im Alterthume bekannten 7 Armen existiren die meisten nur mehr stellenweise und als Kanäle. Unter diesen 7 alten Nilmündungen gibt uns Herodot zwei als gegraben an. Ihre Namen waren aus West in Ost gezählt: Die Kanopische Mündung natürlich, bei Abukir,

„ Bolbitinische   „   gegraben, Arm von Rosette,
„ Sebennitische   „   natürlich,
„ Bukolikische   „   gegraben, Arm von Damiette,
„ Mendesische   „   natürlich,
„ Tanitische   „   natürlich,
„ Pelusische   „   natürlich, an der Landenge von Suez.

Dass die Bolbitinische und Bukolikische Nilmündung gegrabene und nicht natürliche Flussbette waren, müssen wir Herodot glauben; denn von einer künstlichen Entstehung dieser Flussarme ist jezt nichts mehr wahrzunehmen. Das ganze Land zwischen diesen Flussarmen, zwischen dem äussersten westlichen, dem kanopischen und dem äussersten östlichen, dem pelusischen, das damalige Delta nämlich, war ein grosses Netz zahlloser Kanäle, welche die Fruchtbarkeit des Bodens aufs Höchste steigerten und das Land zu einem grossen, prachtvollen Garten machten. Früher scheint dieses Nildelta eine noch grössere Breite gehabt zu haben, indem es aller geologischen Anschauung zufolge keinem Zweifel unterliegt, dass ein Theil des Nil durch jene Partie der libyschen Wüste abgeflossen sey, welche wir unter dem Namen der Thäler der Natronseen und des Bacher bela maa bereits kennen. Dieser Arm scheint sich westlich vom Thurm der Araber ins Meer ergossen zu haben, und daher fiel ein grosser Theil der jetzigen libyschen Wüste in den Bereich des damaligen Kulturlandes innerhalb des Flussgebietes der Arme des majestätischen Stroms. Das eigentliche heutige Delta, das Land zwischen dem Bolbitinischen und Bukolikischen Arme, oder zwischen dem Arme von Rosette und dem von Damiette, ist daher viel kleiner als das einstige. Seine Dreiecksbasis, d. h. die Länge der

Küste zwischen den beiden Mündungen, ist nach ihren Krümmungen nur beiläufig 14 Miriameter, = 19 geographischen Meilen, = 38 Stunden, und die gerade Länge des Dreiecks vom Mittelmeere bis zum Theilungspunkte des Nil bei Batn el Bagàra, drei Meilen nördlich von Kairo, beträgt 15 Miriameter, = 20,2 geographischen Meilen, woraus sich für das heutige Nildelta ein Flächeninhalt von 200 ☐Meilen beziffert. Da das Land westlich und besonders östlich dieses Stromdelta's durch viele Kanäle noch immer in einer Ausdehnung kulturfähig erhalten wird *, die der des Delta zu Herodot's Zeiten (des Landes zwischen dem kanopischen und pelusischen Arme) ziemlich gleich kommt, so begreife ich unter dem Namen von Unteregypten auch heutzutage noch diesen ganzen Landstrich, zwischen der libyschen und arabischen Wüste eingeklemmt, ein grosses Dreieck, dessen Basis oder Küstenlänge von Alexandria bis zur Stelle des alten Pelusiums, wie früher gesagt, 36,4 geographische Meilen, dessen Länge aber vom 31° 35′ 30″ n. Br. bis zum 30° n. Br., vom Mittelmeere bis Kairo, 17 Miriameter oder gegen 23 geographische Meilen beträgt. Sein beiläufiger Flächeninhalt berechnet sich daher nahe auf 400 ☐Meilen **.

Dieser ganze Landstrich, nämlich Unteregypten, in der so eben angegebenen Ausdehnung, ist eine weite Ebene, ohne alle nur irgend bedeutende Erhöhung, mit einer äusserst geringen Erhebung über der Meeresfläche und einzig und allein gebildet durch die Anschwemmungen des Nil, der die weite Bucht zwischen den Hügelzügen der libyschen Wüste, westlich des kanopischen Arms, und den Bergen der arabischen Wüste mit den welligen Sandflächen der Meerenge von Suez, östlich des pelusischen Arms, mit kulturfähigem Schlamm ausfüllte, diese Ausfüllung noch fortwährend vergrössert und gegen das Meer hin ausdehnt. Auf diese Weise schuf er das Land, das durch Jahrtausende zu

---

* Man sehe das System dieser Kanäle und überhaupt das des Stromgebietes in Unteregypten in Professor Ritter's klassischem Werke: die Erdkunde im Verhältniss zur Natur und zur Geschichte des Menschen. I. Band.

** Man sehe die geognostische Karte von Egypten.

den fruchtbarsten der Erde gehörte, das noch heutzutage
trotz den Stürmen der Zeit und der Barbarei, die über
dasselbe hereinbrachen, mit Dörfern, Städten und Feldern
bedeckt ist und noch jezt unter dem Segen einer weisen
Regierung seinen alten Ruhm behaupten könnte. Denkt man
sich ein grünes Saatfeld in der Form eines Dreiecks, bedeckt
mit zerstreuten Ortschaften, durchschnitten von zwei grossen
Stromarmen, jeder einen Strom des ersten Ranges darstellend,
durchschnitten ausserdem von zahllosen Kanälen, links hügelige, fahlgelbe Sandwüste, rechts ebenso, nur mit einigen
schärfer gezeichneten Bergformen, so hat man, das Ganze
in einem grossen Massstabe gedacht, ein klares Bild von
Unteregypten.

Wenn man die Anschwemmungen des Nil, welche das
Kulturland bilden, näher untersucht, so sieht man:

Erstens: dass die Sedimente der jährlichen Anschwemmungen aus wechselnden Bänken von Sand und Gruss und
aus fruchtbarem Nilschlamm bestehen, was den Gesetzen
der Schwere vollkommen entspricht, indem jedes Jahr das
Alluvium des Stroms aus diesen Elementen zusammengesezt
ist, von denen sich jederzeit der Sand und Gruss zu unterst
absezt, während sich eine Strate Schlamm darüber hinbreitet.
Diese Anschwemmungen, welche das Nilthal ausfüllen (man
sehe die beiliegende Zeichnung), haben häufig einen merkwürdigen Durchschnitt. Wir sehen in der Mitte den Nil
und zu beiden Seiten Erhöhungen des Bodens a, wie zwei
Dämme, die dem Fluss parallel laufen und seine Ufer bilden.
Über diese hinaus vertieft sich der Boden wieder und bildet
Einsenkungen b, die meist tiefer liegen als das Strombett,
so dass dieses gleichsam auf einem grossen Damme sich
befindet. Diess erklärt sich dadurch, dass der Strom in
seiner unmittelbaren Nähe mehr Alluvium aufhäuft, welches
aber grösstentheils aus Sand und Gruss besteht, während
er in grösserer Entfernung an Stellen, wo er nur zur Zeit
der Überschwemmung hingelangt oder durch Kanäle hingeführt wird, weniger Alluvium im Ganzen aufhäuft, da er
aber längere Zeit hindurch dort ruhig steht, mehr fruchtbaren Schlamm absezt; daher die vermehrte Fruchtbarkeit

des Kulturlandes gegen die Wüste hin, daher die mächtigern Schlammablagerungen daselbst, die mächtigern Sandstraten aber in der Nähe des Strombettes. Wir kommen auf diese Erscheinung bei den Oasen zurück. Das Materiale, welches der Strom dabei aus seinem eigenen Bette nimmt, ist das, was er dem Meere zuführt und wodurch er ihm Platz abgewinnt. Der Nilschlamm hat eine dunkelaschgraue Farbe und ganz das Ansehen eines magern Lehms. Nach Professor John, der einen vielleicht Jahrhunderte alten Nilschlamm aus einer Wand zu Theben analysirte und nach Régnault, der zur Analyse frischen Nilschlamm aus einem Kanale, 500 Klafter vom Flusse entfernt, nahm, besteht derselbe in 100 Theilen *:

	nach John	nach Régnault
1) Sand, Wasser und durch Eisenoxyd gefärbter Thon mit kleinen Körnern von Quarz und Glimmerblättchen	76	—
2) kohlensaurer Kalk	10	18
3) kohlensaure Bittererde	1	4
4) Eisenoxyd	3	6
5) schwefelsaurer Kalk	3	—
6) in kohlensaurem Kali auflöslicher Extraktiv-Stoff	5	—
7) in Wasser auflöslicher Extraktiv-Stoff	2	—
8) Wasser. In Nr. 1 nach John .	—	11
9) Kohlenstoff. Wahrscheinlich Nr. 6 und 7 nach John	—	9
10) Kieselerde. In Nr. 1 nach John .	—	4
11) Thonerde. In Nr. 1 nach John	—	48
	100	100

John's Analyse hat offenbar meiner Meinung nach mehr chemischen Werth an sich, obwohl sie auch durchaus nicht den Charakter der Genauigkeit an sich trägt, den die Wissenschaft fordert und fordern kann; Régnault's Analyse aber

* Reise zum Tempel des Jupiter Ammon etc., von Freiherrn von Minutoli. Berlin 1824.

hat das für sich, dass sie frischen Nilschlamm zum Gegenstand nahm, während es Jonn mit sehr altem zu thun hatte, der im Laufe der Zeit mannigfaltigen, wechselseitigen chemischen Reaktionen seiner Bestandtheile in Berührung mit Luft und Wasser ausgesezt war.

Ich kann, ohne die Herausgabe meines Reisewerkes zu sehr zu verzögern, die Analysen der von mir selbst mitgebrachten Quantitäten von Nilschlamm und andern verwandten Gegenständen nicht abwarten, da dieselben durch die vielen Berufsgeschäfte des General-, Land-und Haupt-Münzprobirers, meines Freundes Löwe, der diese Analysen vorzunehmen die Gefälligkeit hat, verzögert werden. Sobald die Resultate dieser Arbeiten festgestellt sind, werde ich nicht ermangeln, sie dem geehrten Publikum mitzutheilen.

Aus Jonn's und Regnault's Analysen sehen wir jedoch deutlich, dass die Bestandtheile des Schlamms, ausser der aufgenommenen organischen Materie, grösstentheils aus den Bestandtheilen des Grobkalkes und seiner ihm untergeordneten Straten bestehen. Der Grobkalk und die in ihm auftretenden Schichten von Eisenoxyd führendem Thon, von Gyps etc. spielen unter den Felsgebilden Egyptens die Hauptrolle. Sie sind es, welche die zur Bildung des so zusammengesezten Schlamms nöthigen Quanten von Thonerde, Gyps, kohlensaurer Bittererde, Eisenoxyd, Kieselerde und mancherlei Salzen abgeben, während die Quarzkörner ihr Vorhandenseyn wahrscheinlich der Zerstörung oberer tertiärer Sandsteine, die den Grobkalk bedecken, verdanken und die Glimmerblättchen vielleicht aus den Granitbergen der Katarakten von Assuan stammen. Überhaupt bin ich nicht der Ansicht, dass der Strom seine Alluvionselemente sehr weit, wenigstens nicht von Abyssinien bis Egypten, über 1000 geographische Meilen, fortschleppe, sondern dass er sie früher absezt und grösstentheils neue dafür aus seinem Bette und seiner Umgebung empfängt; wenigstens sehe ich in der Analyse Jonn's und in der Regnault's einen Beweis, dass der untersuchte Schlamm zum grössten Theile aus der Zerstörung der Tertiärgebilde und der krystallinischen Felsarten der Katarakten hervorging.

Ferner erklärt sich aus den beiden Analysen die Befähigung dieses Schlamms zur höchsten vegetabilischen Produktion, so wie aus seiner Zusammensetzung das Bestreben
hervorgeht, unter gewissen Verhältnissen Salze zu bilden,
welche ursprünglich nicht in ihm enthalten zu seyn scheinen.
Befeuchtet und durchdrungen von Salze führendem Wasser,
ausgetrocknet in einer hohen Lufttemperatur und nicht fortwährend bewässert, d. h. ausgelaugt, treten die Elemente
zur Salzbildung und zum Theil auch die Salze als solche,
namentlich salzsaures Natron, schwefelsaures Natron und
kohlensaures Natron gegenseitig in chemische Wirksamkeit.
Trennungen, neue Verbindungen erfolgen, die organischen
Stoffe zersetzen sich, und ihre Elemente geben neue Verbindungen ein; so sehen wir salpetersaures Kali in ihm durch
Vermittlung seiner organischen Bestandtheile in Berührung
mit Luft und Feuchtigkeit und durch Begünstigung der hohen
Temperatur sich bilden. Dass erstere drei Salze, die nothwendigerweise Bestandtheile des Nilwassers durch Auslaugung des Bodens sind, bei einer sorgfältigern Analyse sich
in ihm gar nicht erkennen lassen sollten, kann ich kaum
glauben.

Bei Betrachtung der Nilanschwemmungen des Delta,
deren Mächtigkeit man gar nicht kennt, sehen wir zweitens:

Dass das Delta den jüngsten geologischen Bildungen,
dem Alluvium, angehört, dass seine erste Entstehung weit
über den Bereich jeder geschichtlichen Überlieferung hinaus-
geht, dass sich aber seine fortdauernde Vergrösserung
mit geschichtlicher Genauigkeit nachweisen lässt. Die Fakta
einiger Örtlichkeiten, z. B. der Städte Rosette und Damiette,
die einst am Meere gelegen haben, jezt sich aber in beträchtlicher Entfernung davon befinden, sind zu bekannt, als
dass ich derselben näher hier erwähnen sollte; nicht so aber
kann ich Girard's höchst interessante Forschungen umgehen;
denn sie stützen sich ebenfalls rein auf Thatsachen, die er
der genauesten Würdigung durch Kalkul unterzog*.

Durch eine genaue Untersuchung und Vergleichung
des jetzigen höchsten Nilstandes mit dem frühern an den

* Girards observations sur l'Egypte.

Nilometern auf der Insel Elephantine und auf der Insel
Rhoda bei Kairo zeigte sich — da wir die Wassermasse des
Nil durchschnittlich dieselbe nennen können, die sie vor
Jahrtausenden war — dass sich das Nilbett und die Umgebung
des Nil durch die jährlichen Überschwemmungen fortwährend
erhöhen müssen; denn der höchste Stand des Flusses nimmt
gegenwärtig ein weit höheres Niveau ein, als früher. Noch
schlagender für diese Annahme war aber eine andere Thatsache, welche erstere zur vollsten Gewissheit erhob. Wenn man
nämlich die Monumente von Theben, die alten Dämme von
Siut, den Obelisken von Heliopolis etc. betrachtet, so sehen
wir, dass der Nilschlamm oder, überhaupt gesagt, das Alluvium des Nil, an diesen Gegenständen bis zu einer gewissen
Höhe reicht, sich um sie herum abgelagert hat und ihren
Fuss bedeckt, was früher natürlich der Fall nicht war.
Girard unterwarf diese Fakta den genauesten Messungen
und scharfsinnigsten Berechnungen und fand nachstehende
Resultate:

An der Insel Elephantine hat sich der Boden seit
Septimus Severus, in 1600 Jahren, um 2,11 Meter erhöht,
folglich berechnet sich für diesen Theil von Oberegypten
eine Bodenerhöhung von 0,132 Meter auf jedes Jahrhundert.

Bei Kairo hat sich der Boden seit dem Kalifen Mota-
wakel *, d. i. seit dem Jahr 847 n. Ch. G., um 1,149 Meter
erhöht, folglich berechnet sich auf das Jahrhundert eine
Bodenerhöhung von 0,120 Meter.

Aus der Betrachtung der Monumente von Theben berechnet sich eine Bodenerhöhung für das Jahrhundert von
0,106 Meter für die Ebene der Thebais.

So ergab sich aus der Tiefe der Verschlämmung des
Obeliskes zu Heliopolis eine Bodenerhöhung für das Jahrhundert von 0,150 Meter, welche man, gering angeschlagen,
auch für das Delta annehmen kann, da offenbar, des geringen
Gefälles wegen, die Anschwemmung daselbst stärker seyn
muss, als in Oberegypten, wo der Strom ein weit stärkeres
Gefälle hat.

* Ritters Erdkunde etc. I. Bd. Marcel, mémoires sur l'Egypte.
Tom. II.

GIRARD macht nun aus diesen Ergebnissen seiner Forschungen Rückschlüsse auf das Alter der Monumente und folgert z. B. für die Errichtung von Schuttterrassen, worauf das alte Theben seiner Ansicht nach gestanden habe, ein Alter von 4760 Jahren, für die Erbauung von Luxor, welches er, wie ich glaube, irrig von Theben trennt, ein Alter von 3200 Jahren etc. Diese leztern Schlüsse halte ich aber für falsch, und die Angaben betragen vielleicht nur einen grossen Theil des wirklichen Alters dieser weit über alle Geschichte und die ältesten Traditionen hinausreichenden kolossalen Niederlassungen des merkwürdigsten Volkes, das je die Erde trug; denn wir können doch unmöglich denken, dass die Verschlammung der Monumente sogleich nach ihrer Errichtung begann, sondern dürfen wohl eher glauben, dass sie durch mächtige Wasserbaue vielleicht durch Jahrtausende vor jedem Andrange des Stroms gesichert, im Glanze ihrer Vollendung dastanden. Auch die sogenannten Pharaonenringe deuten auf ein weit höheres Alter hin, doch davon später.

Geschwindigkeit und Wassermasse sind beim Nil nach seinem verschiedenen Stande verschieden. Messungen zu Siut in Oberegypten zeigten nach GIRARD, dass der Nil, wenn man das Quantum berücksichtigt, was er bereits oberhalb an Kanäle abgibt, in der Zeit seines höchsten Wasserstandes beiläufig 26mal mehr Wasser führe, als in seinem niedersten Stande, indem er im ersten Stadium in jeder Zeitsekunde 10247 kubische Meter in Maximo, im zweiten Stadium aber 679 kubische Meter Wasser in Minimo dem Meere zusendet. Die mittlere Geschwindigkeit der Strömung beträgt zu Siut bei niederstem Wasserstande 1,21 Meter, bei höchstem Wasserstande bis 1,97 Meter auf die Zeitsekunde. In Unteregypten nimmt diese Geschwindigkeit des geringern Gefälles wegen ab und die Differenz der Wassermassen in den beiden Hauptströmen ist wegen der Vertheilung des Wassers in einer Menge von Kanälen bedeutend kleiner, so dass sie im Durchschnitt beiläufig nur 9mal grösser bei höchstem Wasserstand, als bei niederstem ist. So dass im Durchschnitt bei ersterm in der Zeitsekunde 6524 Cubik-Meter, bei leztern aber 782 kubische Meter Wasser passiren.

Die Erhebung des Kulturlandes in Unteregypten über
die Fläche des mittelländischen Meeres, welches den Ergebnissen der französischen Expedition zufolge 30,5 Pariser
Fuss unter dem Spiegel des rothen Meeres liegt, ist äusserst
gering, und ein grosser Theil des Landes würde bei heftigen
Nordwinden der Überschwemmung von Seite der Meereswogen ausgesezt seyn, wenn nicht die Natur denselben in
den Felsenriffen der Küste einen Damm entgegengesezt
hätte. Daher kommt auch der bedeutende Einfluss der
Nordwinde auf die Überschwemmung des Landes bei hohem
Nilstande, indem dieselbe die Wasser des nur wenig Gefäll habenden Flusses oft sehr bedeutend zurückschwellen.

In der Periode des höchsten Wasserstandes liegt der
Spiegel des Nil zu Bulak bei Kairo, folglich 23 geographi-
sche Meilen in gerader Linie und 32 geographische Meilen
den Krümmungen der beiden Ströme entlang von der Küste
entfernt, nur 40,77 Pariser Fuss ober dem Niveau des
Mittelmeers und bei niederstem nur 16,27 Pariser Fuss.
Daraus berechnet sich auf die geographische Meile im ersten
Falle ein durchschnittliches Gefäll von 1,27, im zweiten
Falle von 0,51 Pariser Fuss, was natürlich äusserst gering
ist. Dieses Gefäll des Flussbettes gibt uns zugleich den
Massstab zur Beurtheilung der Neigung des Kulturlandes
von Unteregypten gegen das Meer. Da der Platz am Josephs-
brunnen auf der Citadelle zu Kairo 296 Pariser Fuss und
das Ende der Wasserleitung, welche in Alt-Kairo beginnt,
nämlich ihre obere Linie, 98,48 Pariser Fuss in Kairo über
dem Mittelmeere liegt, so dürfte man der Wahrheit ziemlich
nahe kommen, wenn wir die mittlere Erhebung des Bodens
von Kairo über das Mittelmeer zu 60 Pariser Fuss annehmen,
folglich zu 30 Pariser Fuss über dem Spiegel des rothen
Meeres.

Aus den Kalkulen der französischen Expedition und
aus meinen spätern Beobachtungen ergibt sich nachfolgende
Übersicht der Erhebung mehrerer interessanter Punkte zu
und um Kairo über das Mittelmeer:

	Par. Fuss.
der niederste Nilstand	16,27
„ mittlere „	28,52
„ höchste „	40,77
Spiegel des rothen Meeres	30,5
Tagkranz des Josephs-Brunnen auf der Citadelle	296,27
Gipfel des Mokattam	420,0
„ „ Dschebel Achmar	360,0
der höchste Punkt der Wasserleitung am Wasserthurm zu Alt-Kairo	100,5
oberes Ende dieser Wasserleitung zu Kairo	98,5
der Mikias auf Roda, oberes Ende der Treppe	38,8
Dorf Dschisch am linken Ufer des Nil . .	37,8
„ Kuneisch „ „ „ „ „ . .	39,9
„ Talbich „ „ „ „ „ . .	29,7
„ Neslet el Akta am link. „ „ „ . .	33,1
Gränze des Kulturbodens an der libyschen Wüste	40,0
die grosse Sphinx	85,4
Fuss der grossen Pyramide	170,1
mittlere Linie der Stadt Kairo	60,0

Entferntere Punkte.

| Plateau der libyschen Wüste, nach Ehren- berg, im Mittel . . . . | 400 |

Unter dem Mittelmeer.

| Die bittern Seen auf dem Isthmus von Suez | 20 |
| die Oase Siwah, nach Cailliaud . . . . | 96 |

Diese Differenz des Niveau des mittelländischen und
rothen Meers wurde häufig als ein Haupthinderniss angegeben, das sich der Vereinigung der beiden Meere durch
einen Kanal entgegenstellt. Dass es dasselbe nicht ist, das
würden ein paar angebrachte Schleusen bald darthun und
dass diess Hinderniss in früherer Zeit nicht gefürchtet wurde,
beweisen die grossartigen Unternehmungen der Alten, die
diese Verbindung schon bewerkstelligt hatten,
indem sie einen Kanal von Bubastis, heutzutage Tell Busta,
über Serapeum und durch die sogenannten bittren Seen nach

17 *

Arsinoe 1½ englische Meilen nördlich von Suez gezogen hatten *. Die gerade Richtung von den äussersten Punkten des rothen Meeres zu denen des mittelländischen beträgt 75 englische Meilen. Will man jedoch, wie natürlich, mit einem Kanale all die schwierigern Stellen umgehen und die gelegnern aufsuchen, so dürfte ein solcher Kanal an 92 englische Meilen betragen. Man fing schon an, die wirkliche Existenz dieses merkwürdigsten der Kanäle, der Afrika zur Insel machte, zu bezweifeln, aber die Franzosen 1799 sezten das Vorhandenseyn der Reste des Kanals ausser allen Zweifel, und Jeder, wie ich mich selbst an Ort und Stelle überzeugte, wird von der Richtigkeit ihrer Angaben wirklich durchdrungen seyn.

Der Kanal mündete sich bei Bubastis im pelusischen Arme. Er führte durch Kulturland, wenigstens jezt ist es solches, 12 englische Meilen nach Waddi Abaseh. Von da lässt sich der alte Kanal durch Waddis zwischen flachen Hügelzügen der Wüste, namentlich durch das lange Waddi Tumilat 40 englische Meilen lang verfolgen, während welcher Strecke man fast immer im gleichen Niveau mit dem Nile bei Bubastis und folglich auch im fast gleichen Niveau mit dem mittelländischen Meer sich befindet. Auf diesem Weg berührte der Kanal Hieropolis, ging an dem Bacher el Temsach (Krokodilsee) vorüber und traf bei Serapéum in das weite, 27 englische Meilen lange und 6 Meilen breite Bassin der bittern Seen ein. Diese bittern Seen, el Mamleh genannt, bilden sich durch eine Depression des Bodens von 20 Pariser Fuss unter das Niveau des Mittelmeers, folglich von 50 Fuss unter das des rothen Meers. Von hier an ging der Kanal durch ein Waddi 13½ englische Meilen lang gerade zum nördlichsten Ende des Meerbusens von Suez bei dem alten Arsinoe. Man sieht noch die Spuren der Dämme. Diese lezte Strecke scheint mir die wichtigste zu seyn, denn sie ist jene, in welcher ohne Anstand die Ausgleichung der Niveaudifferenz zwischen dem rothen und mittelländischen Meere durch einige Schleusen vorgenommen werden könnte, so dass man im Bassin der bittern Seen

* Russel, Gemälde von Egypten in alter und neuer Zeit. Leipzig 1830.

den Kanal bereits in das Niveau des Nil bei Bubastis oder,
da derselbe daselbst nicht mehr fliesst, in das des nächsten
Punktes des Arms von Damiette legen könnte. Hiezu eignet
sich die Kürze der lezten Strecke und vorzüglich die tiefe
Lage der bittern Seen, wodurch man zur Niveauausgleichung
ganz freie Hand erhält. Überhaupt sehe ich der Anlage
eines Kanals zwischen dem mittelländischen Meere oder
eigentlich dem Nile und dem rothen Meere in der angegebenen Richtung der Alten, unstreitig der zweckmässigsten,
ausser langen Dammbauen sich kein schwieriges Hinderniss
entgegenstellen. Das Terrain ist fest genug, um den Dämmen
haltbaren Grund zu geben, und nicht zu fest, um sich durch-
zuarbeiten; denn einerseits kann man den alten Kanal benützen, andrerseits hat man es nur mit den obern tertiären
Gebilden Unteregyptens zu thun. Von Versaudung des
Kanals ist keine Rede; denn die Wüste ist daselbst ein
fester Sand- und Gruss-Boden und kein Flugsand. Ob jedoch ein solcher Kanal kostenlohnend seyn würde, woran
ich übrigens gar nicht zweifle, das müssen genaue Kalkule
darthun, wozu mir die Daten mangeln. Hätte übrigens
Mehemed-Ali jene Summen, die auf zum Theil sehr unver-
nünftige Weise zur Regulirung des Nilstandes, zur Anbringung der Dock yards in Alexandria und auf hunderterlei
andere Weise ins Wasser geworfen wurden, mit Sachkenntniss und Ausdauer auf die Anbringung dieses Kanals verwendet, so glaube ich denselben bereits vollendet. Vielleicht
fürchtete er die Ersäufung eines Theils von Unteregypten
im Falle eines Kriegs durch Niederreissung der Schleussen
oder stimmten ihn andere politische Gründe dagegen.

Die oben angegebene Flächenausdehnung des Kulturlandes von Unteregypten, von beiläufig 400 geographischen
□Meilen, wird durch die Menge grosser Lagunen, die sich
besonders längs der Küste finden, sehr herabgesetzt. Die
durch ihre Grösse ausgezeichnetsten Salzseen dieser Art
sind: der Mareotis, der See von Abukir, der See Burlos,
der See Menzaleh, der grösste von allen und die jedes Jahr
mehrere Monate durch überschwemmte Ebene von Dakhelieh.

Die Länge des Menzaleh beträgt von dem Vorgebirge

bei Damiette bis Rhas el Moje 15, die grösste Breite 5,4
geographische Meilen. Kleinere Seen sind: die Natronseen
der Makarius-Wüste, der Birke el Hadschi bei Abus-abel,
der Bacher el Temsach. Alle diese Seen haben nur ganz
geringe Tiefe und ein Theil derselben trocknet in der trocknen
Jahreszeit aus. Sie erhalten ihren Salzgehalt theils durch
ihre Verbindung mit dem Meere, theils durch Auslaugung
des Salze-haltigen Bodens.

Eine bedeutende Veränderung des Habitus seiner Oberfläche erlitt Egypten durch das Andringen des Flugsandes
aus der libyschen Wüste. Seine Monumente wurden verschüttet, das Kulturland stellenweise bedeckt, zurückgedrängt, selbst in Wüste umgewandelt. Man hört daher
häufig die Besorgniss aussprechen, dass ganz Egypten einst
im Sande begraben werde. Nun diese Gefahr sehe ich denn
so nahe noch nicht und glaube überhaupt, dass der Sand
jezt nicht stärker andringe, als er früher angedrungen habe;
denn die Wüste war immer Wüste und bleibt Wüste. Der
Mensch aber stellt sich ihr weniger kräftig entgegen, weniger
kräftig durch das jezt in Egypten herrschende Entvölkerungs-
system. Würde das Kulturland vorgerückt, würden die alten
Kanäle geöffnet, die Gränzen stets durch Palmenwälder
geschüzt, die Bewässerung ausgedehnt — denn Wasser ist in
diesen Breiten der grösste Feind der Wüste — so würden wir
stat eines Vordringens ein Zurückweichen der Wüste sehen,
und diess würde ich eine Regeneration des alten Landes
der Pharaonen nennen. Übrigens sezte die Natur selbst
dem Andringen des libyschen Sandes durch das tiefe Thal
des Bacher bela Maa, das aus SO. in NW. längs des
ganzen Landes sich hinzieht, einen gewaltigen Damm entgegen, an dem sich der Flugsand der Wüste abstösst. Die
Gefahr droht also nur von dem Theil der Wüste, der zwischen
dem Bacher bela Maa und dem Nil liegt, und da ist sie
nicht gross, weil der Boden dieser Wüste sehr wenig ausgedehnt, sehr fest und kein Flugsandboden ist. Grösser
dürfte diese Gefahr wohl an einigen Punkten Oberegyptens
seyn. Die ganze Küste von Unteregypten, vom Thurm der
Araber bis zur pelusischen Mündung am Isthmus von Suez,

bildet ein hie und da von Dünen-Sand bedecktes Felsenriff. Das Gestein dieser Riffe, die sich den Wogen des Meers wie ein mächtiger Damm entgegenstellen, ist eine fortdauernde Felsbildung, ein aus lauter zerriebenen Konchylienschalen und mikroskopischen Konchylien zusammengesezter jüngster Meeressandstein. Man findet unter den organischen Resten, welche diesen Meeressandstein bilden, auch häufig Süsswasser- und Landkonchylien, die beide vom Nil ins Meer geführt und vom Meer, gemengt mit Meerkonchylien, wieder an die Küste getrieben worden. Se. Excellenz der Herr Vizepräsident v. HAUER hatte die Güte, den von der Küste von Alexandria durch mich mitgebrachten Meeressand auf mikroskopische Schalthierchen zu untersuchen und fand:

Polystomella cripsa. D'ORB.,
Rosalina Beccarii „
Troncatulina tuberculata „
Triloculina,
Quinqueloculina,
Peneroptis,
Rotalina,
Serpula,
Cornubina Ehrenbergii. MÜNSTER,
Rotalia subrotunda?

ferner mikroskopische Echinusstacheln und Warzen; walzenartige und schraubenartige, unbestimmte Konchylien; Poliparien, Schneckendeckel, Krebsscheren und dergleichen Trümmer von Schalthieren. Die Farbe dieses Meeressandsteins ist ein schmutziges Graulichweiss, seine Konsistenz ist nicht sehr stark, doch stellenweise so fest, dass er als Baustein benüzt wird. Die Alten haben in diesem Gestein zahllose Katakomben ausgebrochen, darunter auch die sogenannten Bäder der KLEOPATRA. Ein eigenes Interesse gewinnt dieser Sandstein durch die vielen Bohrmuscheln, die ihre Wohnung in ihm aufschlagen und durch die Zerstörungen durch Meeresbrandung, infolge der er ein zerfressenes, zelliges Ansehen gewinnt.

Das Kulturland Unteregyptens wird, wie gesagt, zu

beiden Seiten von der Wüste begränzt und zwar östlich
von der arabischen und westlich von der libyschen; die
erstere ist die nördliche Fortsetzung der Wüste, welche in
ganz Egypten und Nubien bis zur Gränze der tropischen
Regen das Land zwischen dem Nil und dem rothen Meer
einnimmt. Sie spricht sich in Egypten als eine Bergkette
aus, die den Nil am rechten Ufer durch das ganze Land
begleitet und unter dem Namen „das arabische Gebirge"
bekannt ist. Sie gehört dem Gebirgssystem der Küste des
rothen Meeres an und besteht ihrer Form nach aus lauter
Ausläufern desselben, Zweige, die sich aus Südost nach
Nordwest erstrecken und im Nilthale enden. In Bezug der
geognostischen Struktur aber ist dieses Gebirge von seinem
Stammgebirge am rothen Meere wesentlich verschieden.
Wir haben es hier, von Unteregypten ausschliesslich han-
delnd, nur mit dem Theile der arabischen Wüste zu thun,
die sich von Kairo, von der Gruppe des Mokattam, nördlich
über den Isthmus von Suez bis zum Mittelmeer erstreckt.
Unsere Untersuchung beginnt daher mit dem Waddi el Tyh
(das Thal der Verirrung), das sich, südlich vom Mokattam,
aus Nordwest in Südost erstreckt und eine Länge von
15 geographischen Meilen hat. Nördlich dieses Thals steigt
das Gebirge des Mokattam empor, welches dicht an Kairo
oberhalb der Citadelle seine grösste Höhe von 420 Pariser
Fuss über das Mittelmeer erreicht und sich ebenfalls durch
eine fortlaufende Reihe niederer Berge den höhern Gebirgen
der Westküste des rothen Meers, namentlich dem Dschebel
Attaka, anschliesst. Weiter nördlich reiht sich an den Mokattam die isolirte Berggruppe des Dschebel Achmar (der
rothe Berg), rechts der Pilgerkaravanen-Strasse von Hanka
nach Suez, und noch nördlicher beginnt ein welliges Hügelland, wechselnd mit Ebenen, von denen einige unter dem
Horizonte des Meeres liegen und welche zusammen den
Isthmus bis zur Nordküste konstituiren. Die Gebirge am
rothen Meere, und zwar Suez gegenüber an der afrikanischen
Küste, unter denen übrigens nur der Dschebel Attaka
innerhalb der uns hier gesezten Gränzen fällt, gehören der
Kreide an, deren Straten hier die tiefste, für Unteregypten

nachweisbare Felsablagerung darstellen. Weiter westlich sowohl als nördlich lagern sich sogleich tertiäre Bildungen auf, die Kreide wird in ganz Unteregypten nirgends mehr sichtbar, hingegen ist es der Grobkalk, der die ganze Gruppe des Mokattam und seine mit ihm verbundenen Berge des Waddi el Tyh zusammensezt. Gegen Nord und besonders auf dem hügeligen, welligen Terrain des Isthmus, ist der Grobkalk von Sandsteinen bedeckt, die zu den jüngsten Tertiärsandsteinen gehören mögen, die ich aber für Meeresdiluvium, jünger als die subapenninischen Bildungen, ansehe. Ich will nun, indem ich bei meiner Reise nach Arabien ohnehin auf die Kreideberge an den Küsten des rothen Meers wieder zurückkomme, mich hier vorzüglich mit den Grobkalk- und Sandstein-Ablagerungen der arabischen Wüste in Unteregypten beschäftigen und dann auf die libysche Seite übergehen.

Der Mokattam erhebt sich dicht an der Ostseite von Kairo, und ein Theil seines Gehänges wird theils durch die Stadt selbst, theils durch die Citadelle eingenommen, theils ist er durch Ruinen und Schutt bedeckt. Hinter der Citadelle befinden sich ausgedehnte Steinbrüche, die seit der Zeit, als Mehemed-Ali der barbarischen Zerstörung der Monumente Einhalt gethan hatte, das Baumaterial für die Kapitale liefern. Diese Steinbrüche sind für den Geognosten der geeignetste Punkt, die Lagerungsverhältnisse des Mokattam zu studiren. Zu unterst bemerkt man daselbst einen dichten, hie und da etwas erdigen, meist schmutziggelb gefärbten Kalkstein, der eine Menge von Versteinerungen, besonders Nummuliten, führt*. Da sich dieses Auftreten der Nummuliten in einer obern Bank wiederholt, so nannte ich diesen Kalkstein den untern Nummulitenkalk des Mokattam. Seine Schichten liegen horizontal, und nur stellenweise schien es mir, als sey eine schwache Neigung derselben gegen Nord zu beobachten. Nach diesem Schichtensystem richten sich zwar die Straten der darauf liegenden Felsgebilde in Bezug ihrer Lage, doch scheint nach der Bildung des untern Nummulitenkalkes eine Pause eingetreten zu seyn; denn wir sehen die wellenförmigen Biegungen desselben ohne Einfluss auf die

---

* Man sehe den beiliegenden Durchschnitt.

zunächst folgenden Ablagerungen in Bezug ihrer geognostischen Struktur. Die organischen Reste, die dem untern
Nummulitenkalk angehören, sind nicht durch die ganze Masse
desselben zerstreut, sondern meist auf stockartigen Räumen
vereint, die zwar eine gewisse Anordnung in Bezug des
Niveau, welches sie einnehmen, zeigen, aber durchaus nicht
als Muschelbänke ihrer Form nach betrachtet werden können.
Sehr häufig umschliesst der untere Nummuliteukalk Nester
von Feuerstein, Hornstein, Jaspis, Karniol, Gypsspath und
von einem eigenthümlichen, schwarzen, Basalt ähnlichen
Gestein. Alle diese Einflüsse, leztere vielleicht ausgenommen,
scheinen Konkretionen der Gemengtheile dieses Kalksteins
selbst zu seyn. Der Gypsspath kommt besonders häufig vor
und ist mitunter in Massen bis zur Grösse eines halben
Kubikfusses ausgeschieden. Einen höchst interessanten besondern Einschluss dieses Kalksteins, sowie der obern darauf
liegenden Straten bildet das sogenannte fossile Holz der
Wüste, welches nicht allein dieser Formation angehört,
sondern auch in den darauf liegenden Sandsteinen und in
den wahrscheinlich ältern Sandsteinen von Nubien in grossen
Massen auftritt. Dieses fossile Holz besteht meist aus Stamm-
stücken, zum Theil von kolossaler Grösse und regellos
durcheinander geworfen, seltner geregelte Straten bildend.
Die eigenthümliche Struktur des Holzes, welches in eine
hornsteinartige, viel kohlensauren Kalk haltende Masse
umgewandelt ist, ist zwar nicht zu verkennen, doch war
ich geneigt, viele Arten des Vorkommens desselben nur für
Konkretionen der kieseligen Materie in der Felsmasse zu
halten und die holzähnliche Struktur dieser Konkretionen
zwar nicht für zufällig — denn konstant sich wiederholende
Formen solcher Konkretionen können nicht zufällig seyn, —
aber doch für unabhängig von einer frühern organischen
Natur derselben anzusehen. Als ich meine Sammlung hier
auspackte, wählte ich gerade solche Stücke aus, von denen
ich ihren organischen Ursprung am meisten bezweifelte und
übergab sie meinem verehrten Freunde, dem hier anwesenden
Bergrathe und Professor Heidinger. Dieser liess die Stücke
in dünne Platten schneiden und poliren, wobei denn die

Jahrringe und alle Bedingnisse der Holzstruktur so ausgezeichnet hervortraten, dass an dem organischen Ursprung dieses fossilen Holzes durchaus kein Zweifel mehr seyn kann. Die Stämme sind ihrer Struktur nach gut erhalten und scheinen meist Dikotyledonen anzugehören, was bei denen, die man näher untersuchte, dem Gesagten zufolge, sich ganz entschieden darthat. Sehr häufig liegen die Stücke dieses fossilen Holzes zerstreut auf dem Boden der Wüste umher und bedecken grosse Flächen derselben. Es ist diess ganz dieselbe Erscheinung, wie bei dem Vorkommen der losen Wüstenkiesel. Wir sehen nämlich oft in den Wüsten grosse Flächen derselben mit losen Stücken von Karniol, Jaspis, Feuerstein, Agat etc. ganz dicht besäet, so dass oft solche Flächen sich schon in grosser Ferne durch ihre dunkle Farbe mitten in dem röthlich gelben Thon der Wüste zu erkennen geben. Ihrer rundlichen Form wegen sah man diese Wüstenkiesel für Geschiebe an und suchte wie gewöhnlich die Erklärung ihres Vorkommens im Weiten, während sie doch so nahe liegt. Es sind nämlich nichts anders, als die kieseligen, stets rundlich gestalteten Konkretionen der Tertiärbildungen der Wüste. Das Gestein verwittert, zerfällt zu Staub, der durch die heftigen Wüstenstürme weiter geführt wird, während die kieseligen Einschlüsse, als schwer verwitterbar, liegen bleiben und das Räthsel auf die einfachste Weise lösen. So wie diese Einschlüsse sich, in unserm untern Nummulitenkalk z. B., nur stellenweise häufig vorfinden, stellenweise aber gar nicht darin vorkommen, so findet man auch die Wüstenkiesel nur stellenweise wie angesäet, stellenweise aber wieder gar nicht. Derselbe Fall ist es mit dem fossilen Holze, dessen Masse ebenfalls eine kieselige, folglich schwer verwitterbare ist. Das Gestein zerfällt zu Staub, dieser wird vom Wind weggeführt, häuft sich als Flugsand in Thälern und Schluchten an, das fossile Holz aber bleibt in Stücken liegen.

Auf dem untern Nummulitenkalke liegt eine 26 Fuss mächtige Schicht eines schneeweissen, erdigen, Kreide ähnlichen Kalksteins, der, was das Vorkommen organischer. Reste betrifft, sich in zwei scharf getrennte Straten scheidet

Die untere führt sehr viele Versteinerungen, besonders Nummuliten, schliesst sich also dem untern Nummulitenkalke an, während die obere Strate sehr wenig Versteinerungen enthält, mitunter ganz frei davon ist, folglich ein scharf ausgesprochenes Mittelglied zwischen dem untern und obern Nummulitenkalke darstellt. Dieser Kalkstein hat geringe Festigkeit, ist zerreiblich, enthält als Einschlüsse Nester von Feuerstein, Hornstein etc., und zwar vorherrschend in seinen untern Lagen. Unter diesen stock- und nesterförmigen Einschlüssen zeichnet sich ein ganz eigenthümlicher Quarzsandstein aus, der von Eisenocker und Eisenoxydhydrat so durchdrungen ist, dass ich ihn füglich einen Eisensandstein nennen kann. Auf den ersten Blick erinnert dieser Eisensandstein sehr an den Sandstein der Tertiärzeit am Nordrande unserer Alpen, am Saume der baierischen Ebenen, wo derselbe bei Achthal z. B. durch den linsenförmigen Thoneisenstein sich auszeichnet, der einen seiner vorwaltenden Gemengtheile daselbst bildet. Die obern Schichten dieses weissen erdigen Kalksteins zeichnen sich ausserdem, dass sie bedeutend ärmer an kieseligen Ausscheidungen und Versteinerungen sind, noch dadurch aus, dass sie gegen ihre obere Gränze zu häufig Nester von einem sehr eisenschüssigen Thon, der in einen erdigen Thoneisenstein übergeht, führen.

Auf den erdigen, weissen Kalk folgt eine 18 bis 20 Fuss mächtige Schicht eines sehr festen, dichten, gelblich grauen, von kieseliger Materie ganz durchdrungenen Kalksteins, der hie und da das Ansehen eines kalkhaltigen Hornsteins gewinnt. Dieser Kalkstein führt Versteinerungen, theils durch seine ganze Masse verbreitet, theils wechselt er mit mehrere Zolle mächtigen Muschelbänken und mit Lagen von gelbem und grauem, versteinerungslosem Thon. Das Vorkommen von Deutalium, wahrscheinlich mehrere Species, aber schwer zu bestimmen, da man nur Steinkerne findet, ist für diesen dichten, kieseligen Kalkstein bezeichnend; da er aber auch Nummuliten in grosser Menge führt, so nannte ich ihn im Gegensatze zur untersten bekannten Ablagerung des Mokattam den obern Nummulitenkalk desselben.

Eine drei Fuss im Durchschnitt mächtige Schicht von sandigem und sehr eisenschüssigem Thon bedeckt diesen mit Muschelbänken und Thonstraten wechselnden Kalkstein in seiner ganzen Ausdehnung. Dieser gelbe, eisenschüssige Thon enthält, so viel ich sah, keine organischen Reste, ist aber salzführend und von dünnen Gypslagen, parallel der Schichtung, durchzogen. Er tritt stellenweise in den zunächst darunter liegenden Kalkstein über und wechsellagert in diesem Falle mit demselben. An manchen Stellen nimmt seine Mächtigkeit bis zu sechs Fuss zu, während sie an andern wieder bis auf einen Fuss herabsinkt.

Auf dieser Thonstrate endlich, und die oberste Ablagerung des Mokattam bildend, liegt ein 40 Fuss mächtiger, dichter, ins Körnige übergehender Kalkstein, der so von Kieselmasse durchdrungen ist, dass er am Stahle Funken gibt, beim Zerschlagen wie Hornstein klingt und einen flach muschligen Bruch hat. Er ist ziemlich reich an organischen Resten, welche aber bei weitem nicht so gut erhalten sind, als die der unterhalb liegenden Straten. Charakteristisch jedoch für ihn sind Lager von ockerigem Thoneisenstein mit vielen Gypsspath-Krystallen, welches Mineral ohnehin häufig in ihm vorkommt. Das bedeutendste dieser Lager von Thoneisenstein geht in einer Mächtigkeit von 6 bis 10 Zoll auf dem Gipfel des Mokattam zu Tage und lässt sich auf eine weite Strecke verfolgen. An der Oberfläche zeigt sich dieser Kieselkalk durch Verwitterung stark zerfressen und in tiefe Spalten gerissen, die sich regellos nach allen Richtungen durchkreuzen. Der Mokattam also * besteht durchaus

---

* Ich habe im Verlaufe meiner Reise, vorzüglich um im Falle eines Unglückes das Verlorengehen meiner gesammelten Daten zu umgehen, von Zeit zu Zeit geognostische Skizzen in deutsche gelehrte Journale einrücken lassen. Skizzen sage ich, denn mehr sind sie nicht und sollen sie nicht seyn. Jezt, da ich die ganze Sache mit Musse durcharbeite und mich durch meine europäische Reise mehr dazu vorbereitet habe, sehe ich so manchen Gegenstand ganz anders an und sehe zugleich ein, dass ich offenbar mehrmals eine ganz irrige Ansicht hatte. Wo sich daher Differenzen zwischen meinen gegenwärtigen Ansichten und meinen frühern ergeben, bitte ich jene als die begründeteren anzusehen und für meine jezt gewonnene Überzeugung gelten zu lassen.

aus tertiären Ablagerungen, die, wenn wir auf die Versteinerungen sehen, sehr viele Ähnlichkeit mit den Meeresgebilden über der Kreide im südlichen Frankreich zeigen, die uns Marcel de Serres beschreibt. Besonders tritt eine Ähnlichkeit mit den dortigen thonigen, blauen Mergeln hervor, welche der subapenninischen Periode angehören, so wie mit den dortigen gelben Kalkmergeln und mit dem Calcaire moëlon. Ich glaube, dass wir es beim Mokattam mit einer ausgedehnten, mächtigen, aus unter sich in ihrem mineralogischen Habitus verschiedenen, in ihren Versteinerungen aber ganz übereinstimmenden Straten bestehenden Ablagerung von Grobkalk zu thun haben, der jedoch nicht mit dem des Pariser Beckens von gleichem Alter, sondern jünger seyn und vielleicht den subapenninischen Gebilden näher stehen dürfte. Diese Grobkalkbildung liegt unmittelbar auf den Ablagerungen der Kreide am rothen Meere.

Was die Versteinerungen betrifft, so zeigen zwar die Straten des Mokattam jene Eigenthümlichkeit, dass sie eine oder die andere Art vorwaltend in sich aufgenommen haben, aber ausschliesslich eigen ist keine derselben irgend einer bestimmten Schicht, sondern sie durchwandern, nur im verschiedenen quantitativen Massstabe des Vorkommens, das ganze Gebilde, daher ich sie auch, sowie sie mir bisher bekannt geworden sind, zusammen anführe.

Die Bestimmungen der nachstehenden Arten sind nach unserm verdienstvollen Brocchi* vorgenommen und theils nach selbst gesammelten Exemplaren, theils nach solchen, die sich in der schönen Sammlung des Apothekers Zucchi zu Alexandria fanden. Das Verzeichniss ist bei weitem nicht vollständig; denn viele der Versteinerungen sind, da sie nur Steinkerne bilden, sehr schwer, manche vielleicht gar nicht zu bestimmen. Sobald ich einmal die hiesige Sammlung in Ordnung haben werde und im Stande bin, unsern Autoritäten in der Petrefaktenkunde die zweifelhaften Gegenstände

---

* Der ausgezeichnete Reisende Brocchi starb zu Chardum im Lande Sennaar. Er wurde ein Opfer jener bösen klimatischen Fieber, durch die auch ich meine Leute verlor und zwar an demselben Orte.

vorzulegen, hoffe ich ausführlichere Verzeichnisse mittheilen zu können, daher ich dieses nur vorläufig übergebe.

Versteinerungen des Mokattam:

Nerita helicina.	Cardium clodiense.
Conus virginalis.	Voluta scrobiculata.
„ pirula.	Bulla striata.
„ turricula.	„ ovulata.
„ Aldrovandi.	Serpula amonoides.
Buccinum orbiculatum.	Chama intermediaria.
„ gibbum.	Orgaline Laqué.
„ pinguosum.	Echinus spinosus.
„ 2 unbest. Arten.	Belemnites, unbest. Spezies.
Venus islandica.	Dolium, 2 „ „
„ circinnata.	Nummulus, 2 „ „
„ senilis.	Strombus, 1 „ „
Area inflata.	Cassis, 1 „ „
Mia glabrata.	Cyclostoma, 1 „ „
Anomia biplicata.	Dentalium, wenigstens 2 un-
„ radiata.	bestimmte Spezies.
Murex intermedius.	

In dem untern Nummulitenkalk fanden sich bei meinem zweiten Aufenthalte zu Kairo zwei Arten fossiler Krebse, Knochen mehrerer Wirbelthiere, Zähne eines Hippotherium (equus caballus?) und Zähne von einer Art Squalus. Fische und Pflanzenreste, mit Ausnahme des häufig vorkommenden fossilen Holzes der Wüste, bekam ich nie zu sehen.

Dieselben Felsformationen, welche wir am Mokattam sehen, setzen auch das arabische Gebirge weiter südlich zusammen, wie wir bei meiner Reise nach Oberegypten sehen werden. Zunächst dem Mokattam im Süden und so zu sagen einen Theil desselben bildend, liegt das Gebirge bei Turra, durch welches sich das schon erwähnte Waddi el Tyh als die unmittelbare südliche Gränze des Mokattam gegen das rothe Meer hinzieht. In diesem Waddi (Thal) sehen wir den erdigen weissen Kalk des Mokattam und den obern Nummulitenkalk mit dem Kieselkalk, der die oberste Ablagerung des Mokattam bildet und hier unmittelbar auf dem obern Nummulitenkalk liegt, als die herrschenden Gebilde, die zwischenliegenden Straten scheinen hier sehr wenig entwickelt. Das Gebirge ist ausgezeichnet geschichtet, die Schichten zeigen eine Mächtigkeit von 1 bis 2 Fuss und sind sehr sanft in NO. geneigt. In diesem Thale sind auch jene zwei merkwürdigen Punkte, welche unter dem Namen des versteinerten Waldes bekannt sind.

Der erste Punkt liegt eine Stunde östlich vom Dorfe Besettin, im Anfang des Waddi, wo eine Menge dieses fossilen Holzes in einem tiefen Thaleinschnitte liegt, als hätte ein Giessbach dasselbe dort zusammengeschwemmt. Zugleich mit dem fossilen Holze findet man daselbst eine Menge der schönsten Wüstenkiesel lose am Boden liegen. Der zweite Punkt liegt in demselben Thale weiter östlich, ungefähr sieben Stunden von Kairo entfernt, wo das fossile Holz, mitunter in mehr als 70 Fuss langen Stämmen, die am Boden liegend meist die Richtung aus NO. in SW. haben, die ihnen wahrscheinlich durch die Fluth gegeben wurde, welche sie hier entweder umwarf oder zusammenschwemmte, in weit grösserer Menge sich findet, als an der erst erwähnten Stelle. Auch hier kommen mit dem fossilen Holz eine Menge Wüstenkiesel vor. Da dieses fossile Holz sich hier nicht nur im Thalgrunde selbst, sondern auch auf den Höhen umher in der Ausdehnung einer □Meile findet und man die Stämme nicht nur liegend, sondern auch noch, obwohl sehr selten — man müsste denn die von den Arabern als Wegzeiger aufgestellten dafür ansehen — aufrecht im Kieselkalke und obern Nummulitenkalke beobachtet, so bin ich der Ansicht, dass, wenigstens hier, das fossile Holz nicht angeschwemmt ist, sondern sich an seiner ursprünglichen Stelle, dort, wo es zu Grunde ging, befinde und man es daher mit einem wirklichen versteinerten Walde zu thun habe. Hier scheinen die Stämme einer Vegetation angehört zu haben, der heutigen ganz ähnlich, nämlich aus Sykomoren und Palmen bestehend, mit denen aber auch Bambusrohrartige, gigantische Schilfrohre vorgekommen sind.

Nördlich und östlich vom Mokattam werden die Glieder des Grobkalks durch einen Sandstein bedeckt, der grösstentheils aus Quarz, Agat, Feuerstein, Chalzedon, Hornstein

und Kieselschieferkörnern besteht, fast durchgehends ein
mittleres Korn zeigt, mitunter sehr bedeutende Festigkeit
besizt, sehr wenige Versteinerungen von Meeresthieren
führt und meiner Ansicht nach ein altes Meeresdiluvium ist.
Dieser Sandstein bildet meist ein flachhügeliges Plateau,
steigt aber auch hie und da zu isolirten Berggruppen empor,
deren Höhe jedoch die des Mokattam nicht erreicht. Er
ist das herrschende Gestein des ganzen Isthmus und wird
an der Küste vom jüngsten Meeressandstein überlagert, von
dem ich bereits gesprochen habe. Dieser Sandstein führt
kieselige Einschlüsse, von der erwähnten Natur, in grosser
Menge, besonders auch fossiles Holz, das durch ihn ganz
in eine kieselige Masse umgewandelt ist. An manchen
Stellen lässt dieses Felsgebilde merkwürdige Umwandlungen
wahrnehmen, von denen man beim ersten Anblicke fest
überzeugt seyn könnte, sie seyen auf vulkanischem Wege
herbeigeführt. Die Körner des Sandsteins nämlich zeigen
sich zusammengebacken, wie gefrittet, eine rein kieselige
Masse scheint das Gemenge zu durchdringen, das durch sie
immer homogener wird, bis endlich eine harte, hornstein-
bis obsidianartige Masse daraus entsteht, von einem flachmuschligen Bruche und beim Zerschlagen klingend, wie
Phonolith. Das Ansehen dieses Gesteins ist zum Theil
ausserordentlich schön, es lässt alle Farben wahrnehmen,
in einem Glanze, der zwischen Fett- und Glasglanz mitten
inne steht. Die grössern Einschlüsse zeigen sich wenig
verändert, doch sind sie an ihren Rändern mit der ganzen
Masse wie verflossen, das Gestein hat frappante Ähnlichkeit
mit Sandsteinen, welche eine lange Zeit hindurch im hohen
Ofen oder im heftigen Feuer eines Glasofens einer sehr
hohen Temperatur ausgesezt waren, so dass der reine Quarz
und seine verwandten Stoffe eine Art leichter Schmelzung
erlitten. In dieser Form bedeckt dieser gefrittete und halb
geschmolzene Sandstein grosse Flächen der Wüste und sezt
ganze Berge zusammen. Wir sehen diese Erscheinung nicht
nur im Bereiche des Diluvialsandsteins von Unteregypten,
sondern auch in dem der tertiären Sandsteine Oberegyptens,
des rothen Sandsteins am Sinai, der tertiären, bunten und

rothen Sandsteine von Nubien, und zwar, Unteregypten ausgenommen, häufig in der Nähe von Durchbrüchen abnormer
Felsgebilde, als Granite, Porphyre, Trachyte etc. Dieser
leztere Umstand besonders ist es, der uns beim Anblick
dieser merkwürdigen Erscheinung an Vulkanismus denken
macht, besonders da wir einmal von der Idee ausgehen und
auch zum Theil ausgehen müssen, dass bei der Bildung
der erwähnten krystallinischen Felsarten Feuerskraft mit im
Spiele war. Doch kommen wir häufig wieder an Stellen,
wo es wirklich einer grossen Anhänglichkeit an eine vor-
gefasste Idee bedarf, um Spuren von vulkanischer Thätigkeit
entdecken zu können. Wo sich uns ganz dieselbe Erscheinung in der weiten Ebene der Wüste, weit entfernt von
sogenannten abnormen Felsgebilden, ohne Spuren einer Erhebung, einer Zerklüftung, eines Durchbruches, darbietet,
wo ist da der Herd vulkanischer Kraft gewesen?

Es scheint daher, dass wir es hier mit zwei Kräften
zu thun haben, die, an und für sich verschieden, auf verschiedenen Wegen dieselben Wirkungen nach sich geführt,
dieselben Erscheinungen bedungen haben. Für den einen
dieser Wege halte ich den des vulkanischen Einflusses, der
in der Nähe krystallinischer Felsgebilde vielleicht stattgefunden hat und mit ihrem Emportreten verbunden war. Der
andere Weg scheint der eines Ausscheidens der kieseligen
Materie im Sandsteine, ein Zusammentreten derselben an
gewissen Stellen zu seyn, wo sie die Gemengtheile des
Sandsteins zu einem mehr oder weniger homogenen Gebilde
vereinte und so denselben Akt hervorrief, der der Bildung
der kieseligen Konkretionen zu Grunde liegt. Nur mit dem
Unterschiede, dass die Konkretion im gewöhnlichen Sinne
ein Zusammentreten dieser sich ausscheidenden Materie für
sich ist, folglich einen mineralogisch einfachen Körper bildet;
während die Konkretion in unsrer leztern Bedeutung die
Erscheinung darbietet, dass die sich ausscheidende Materie
nicht für sich allein zusammentritt, sondern gemeinschaftlich
mit den unveränderten oder veränderten Gemengtheilen des
Felsgebildes, in welchem dieser Akt vor sich geht, einen
neuen Körper, ein neues zusammengeseztes Gestein darstellt,

das um so homogener erscheint, je grösser in Masse und
Wirkung auf die Gemengtheile die sich ausscheidende Materie erwies.

Welchen Weg die Natur von diesen beiden in einzelnen
Fällen gegangen ist, wage ich nicht zu entscheiden, und ich
setze es mir daher zur Aufgabe, so oft sich dieser Fall
darbietet, die Umstände der Lokalität so zu detailliren, dass
Jeder, der sich mit dem reinen Faktum nicht begnügt, sich
seine Hypothese, seine Theorie, oder wie wir es nennen
wollen, selbst ableiten kann.

Einer der interessantesten Punkte für das Vorkommen
dieses verglasten Sandsteins ist der Dschebel Achmar (der
rothe Berg), nördlich vom Mokattam und nur durch eine
Schlucht von ihm getrennt *. Man sieht diesen in scharfen,
spitzen und zerrissenen Formen bis zu 360 Pariser Fuss
Meereshöhe ansteigenden Berg rechts von der Strasse, welche
von Kairo nach Abus-abel führt. An diesem Berge scheinen
Spuren eines vulkanischen Durchbruches wirklich deutlich
zu erkennen zu seyn. Schon aus der Ferne angesehen
zeichnet er sich durch seine Kegelberge aus und zieht durch
seine, gegen das fahle Gelb der Wüste sehr abstechende
braunrothe Farbe das Auge gleich auf sich. Der Dschebel
Achmar besteht eigentlich ganz aus verglastem Sandstein
und bildet eine kleine Gruppe von Kegelbergen für sich.
In der Mitte dieser Kegelberge befindet sich eine weite,
Krater-ähnliche Vertiefung, deren Boden grosse Unebenheiten
zeigt und die gegen NW. und SO. offen ist. Die Haupt-
gruppe, welche den Krater, wenn wir ihn so nennen wollen,
umgibt, hat einen Umfang von beiläufig 4000 Klaftern. Am

---

* Schubert in seiner Reise in das Morgenland, Bd. 2, S. 245,
nennt diesen Berg Dschebel Ascher; warum, ist mir unbekannt; denn
ich hörte diesen Namen nie, häufig aber hörte ich ihn Dschebel Asrak
(blauer Berg) nennen, was keinen Sinn hat; denn er ist ja nicht blau.
Der Kalife Omar jedoch (Abdallatif, Descr. de l'Egypte ed. de Sacy 4,
p. 10, not. 11) nennt ihn Dschebel Jahmum, d. h. der rothe Berg, und
da dieser Benennung die Bedeutung „Achmar" ganz identisch ist, so
glaube ich den richtigern Namen in jedem Fall zu geben, wenn ich ihm
den unter dem Volke üblichen, nämlich Dschebel Achmar, beilege; um
so mehr, da er, von Ferne angesehen, wirklich roth gefärbt erscheint.

18 *

Grunde dieses Kraters befinden sich mehrere Löcher von mir unbekannter Tiefe, vielleicht Gesteinspalten, die bei der Eruption, wenn anders eine solche statt gefunden hat, ein wichtige Rolle gespielt haben mögen. Die Wände dieser schräge niedergehenden Kanäle sind vollständig verglast, und von einer Entstehung oder auch nur einer Nachhülfe durch Kunst ist keine Rede. Eine dieser Spalten ist noch in eine bedeutende Tiefe offen, dann aber trifft man sie verbrochen. In der umliegenden Wüste sind noch mehrere solcher Kegel nicht nur bekannt, sondern man sieht deren viele vom Dschebel Achmar aus; keiner davon kann sich aber mit diesem an Umfang messen. Es scheint wirklich, dass hier der ganze Boden unter der Grobkalkablagerung des Mokattam in vulkanische Thätigkeit gerieth und dass sich die geschmolzenen Massen an vielen Orten Durchbruch verschafften und sich über die Oberfläche ergossen, wobei neue sekundäre Schmelzungen und Veränderungen der Gesteine statt gefunden haben. Daher sehen wir ausser den verglasten Sandsteinen am Dschebel Achmar mehrere Gebilde, die ganz und gar nichts anders zu seyn scheinen, als die verglasten und halb geschmolzenen Gesteine des Mokattam *. Wir sehen im Ganzen daselbst den Sand der Wüste zusammengefrittet, geschmolzen, so auch den Diluvialsandstein des Isthmus. Wir sehen den sandigen, eisenschüssigen Thon, der zwischen dem Kieselkalk und dem obern Nummulitenkalk liegt, gebrannt und geschmolzen. Wir sehen geschmolzenen und verglasten Kieselkalk, verglasten erdigen, weissen Kalkstein und ebenso geschmolzenen Nummulitenkalk mit allen seinen Einschlüssen und seinen — durch Feuer umgeänderten Versteinerungen. Wir fanden ausserdem in dem halb geschmolzenen, eisenschüssigen Thon fossiles Holz, dem gewöhnlichen des Mokattam und seiner Umgebung ganz ähnlich, aber durch und durch in Hornstein umgewandelt; ferner ein weisses, körniges

---

* Die Hauptsammlung, welche alle während der ganzen Reise gesammelten geognostischen Suiten enthält und die einen vollständigen Überblick des nordöstlichen Afrika's vom 31. bis zum 10. Breitengrad gibt, befindet sich in den Händen der k. k. Hofkammer im Münz- und Bergwesen zu Wien und ist im Haupt-Münzamte aufgestellt.

Quarzgestein, gefrittet, vielleicht ein geschmolzener, tiefer
liegender Sandstein; ferner fanden wir endlich Basalt-ähnliche
Gesteine, aber ohne Olivin, daher ihre basaltische Natur
allerdings etwas zweifelhaft ist; auch sie scheinen aus grösserer Tiefe zu kommen: denn anstehend sah ich sie nicht.
Berücksichtige ich, dem Gesagten zufolge, das Ansehen der
Lokalitäten, das Vorkommen aller der Gesteine des
Mokattam, aber in einem veränderten und, wie es scheint,
durch Feuer veränderten Zustand; berücksichtige ich endlich
nicht so sehr die Area, welche diese merkwürdige Felsbildung einnimmt, als ihre Masse, die Klüfte in dem Krater-
ähnlichen Becken mit verglasten Wänden u. dgl., so kann
ich mich einerseits nicht dem Gedanken hingeben, dass wir
es hier mit Konkretionsgebilden der kieseligen Materie allein
zu thun haben, noch weniger glaube ich an ehemalige Einwirkung jezt versiegter Thermen; andrerseits mangeln mir,
um mich entschieden auf die Seite vulkanischer Entstehung
hinzuneigen, viele Kriterien des vollendeten Vulkanismus.
Ich vermisse bis auf die wenigen basaltischen losen Trümmer
jedes Gestein erloschener oder noch thätiger Vulkane, jede
eigentliche Lavabildung, sogar jedes sogenannte plutonische
Gestein. Ich vermisse einen klar als solchen sich aussprechenden Krater, Bildung von Strömen etc., kurz die Übereinstimmung mit einem oder dem andern der später von mir
gesehenen Vulkane, in Bezug auf Gesteinsnatur, auf Bau,
kurz in Bezug des ganzen Habitus. — Sollten wir es hier
mit einer Umwandlung des Gesteins durch heisse Dämpfe
zu thun haben? Mit einem Prinzipe, dem ähnlich, welches
auf Milos den Thon in Porzellan-Jaspis umgestaltet hat?

Ich glaube jeden Reisenden von geologischem Berufe,
der das Pyramidenland betritt, auffordern zu dürfen, den
Besuch des Dschebel Achmar ja nicht zu beseitigen; denn
ich, der erste, der meines Wissens diese Stelle vom Gesichtspunkte der Wissenschaft aus betrachtete, ich bin, aufrichtig
gestanden, keineswegs von der Richtigkeit meiner Ansicht
überzeugt, was Jeder verstehen wird, der die Stelle betritt,
aber vorurtheilsfrei betritt.

Im Westen wird Unteregypten von dem nördlichen Theil

der libyschen Wüste begränzt, ein Stück des weiten Wüsten-
landes, welches die grosse Bucht von Afrika zwischen seinen
Gebirgssystemen am atlantischen Ocean und am rothen
Meere erfüllt, eine Fortsetzung der Sahàra, der grössten
Wüste der Welt. Die libysche Wüste zeigt an den Gränzen
von Unteregypten dieselbe geognostische Konstitution, wie
die arabische Wüste daselbst, welche wir bereits kennen *.
Die Bergkette, welche in der Richtung SO. in NW. von
dem Gebirgssysteme der Westküste des rothen Meeres aus-
geht und wovon der Mokattam am rechten Ufer des Nils
bei Kairo einen Theil bildet, sezt auf dem linken Ufer des
Stroms fort, bildet weiter in NW. die Thäler Bacher bela
maa und die Makariuswüste, schliesst sich an das Wüstenplateau, welches die grossen Bassins der Oasen umgibt, an **
und verliert sich im hügeligen Wüstenlande der nordafrika-
nischen Küste. Nirgends erhebt sich diese Kette zu der
Höhe des Mokattam, sondern bildet einen niedern, höchstens
zu 300 Fuss über das Mittelmeer ansteigenden Bergrücken,
ohne pittoresken Ausdruck, wie eine Mauer gestaltet, der
östliche Abfall des Plateau's der libyschen Wüste, rechts
und links ein weites, röthlichgelbes Sandmeer. Das herrschende Felsgebilde ist die tertiäre Ablagerung des Mokattam,
Nummuliten- und Kieselkalk, beide, wie in der Wüste des
Isthmus, überlagert von Meeresdiluvium. Die interessanten
Felsformen des verglasten Sandsteins, wie wir ihn am
Dschebel Achmar kennen lernten, sah ich auf meiner Route
nirgends, was aber natürlich sein Vorkommen nicht ausschliesst.

* Über die Hauptgebirgssysteme Afrika's werde ich nach Beendung
meiner afrikanischen Reisen sprechen.

** Über die Theile der libyschen Wüste zwischen Unteregypten
und der Regentschaft von Tripolis sehe man:

Reisen in Egypten, Libyen, Nubien und Dongola von EHRENBERG
und HEMPRICH. Berlin 1828.

Reise zum Tempel des Jupiter AMMON in der libyschen Wüste etc.
von Baron v. MINUTOLI. Berlin 1824.

Voyage a Meroe, au fleuve blanc etc. à Syouah et dans cinq autres
oasis par Msr. CAILLIAUD. Paris 1826.

Reise in die Gegend zwischen Alexandria und Parätonium etc. von
Dr. SCHOLZ. Leipzig 1822.

Südlich dieses Zuges bei den Pyramiden von Dschiseh und Sakaara schliesst sich die Fortsetzung des libyschen Gebirges an, welches den Nil an seinem linken Ufer bis zu den Gränzen Nubiens begleitet. In der Umgebung der Pyramiden tritt, ausser den beiden Nummulitenkalken und dem Kieselkalke des Mokattam, vorzüglich der weisse, erdige Kalkstein auf, der ebenfalls Nummuliten führt und hier an Ort und Stelle das Material zu den Riesenbauen der Pharaonen lieferte. Die Wüste, welche diese Denkmale umgibt, zeichnet sich, wie ihre Nachbarin am rechten Stromufer, durch die in Menge vorkommenden Karniole, Agate, Feuersteine etc. aus, welche sie oft auf weite Flächen bedecken und worunter Stücke von fossilem Holze nicht mangeln. Ein grober Wüstensand, dem Winde leichter widerstehend, als der feine, bedeckt weiter nördlich alle höher liegenden Ebenen der Wüste, während der feine als Flugsand die Thäler erfüllt. Beide, grösstentheils ein Glied des Meeresdiluviums bildend, zum Theil auch entstanden durch die Zerstörung des jungen Sandsteins, bedecken häufig die ältern Ablagerungen der Tertiärgebilde, so dass man ihre Lagerungsfolge, die übrigens ganz dieselbe ist und mit denselben Versteinerungen vorkommt, wie am Mokattam, nur in den tiefern Thaleinschnitten des libyschen Gebirges verfolgen kann. Die interessantesten Theile dieser Fortsetzung des Mokattam in NW. sind das Thal Bacher bela maa und das Thal der Natronseen, beide Lokalitäten habe ich in der Darstellung meiner Reise in die Makarius-Wüste bereits so beschrieben, dass ich den Leser als orientirt ansehen kann, und ich wende mich daher jezt mehr zur geognostischen Auffassung des Gegenstandes.

Das Plateau der libyschen Wüste wird an seinem Ostrande durch das tiefe Thal des Flusses ohne Wasser (Bacher bela maa) abgeschnitten und begränzt, wodurch dasselbe sozusagen als Sandfang für die libysche Wüste betrachtet werden kann und daher auch mit grossen Massen von Flugsand erfüllt ist. In diesem quellenlosen Thale, das sich längs der libyschen Fortsetzung des Mokattam in NW. erstreckt, findet sich das schon oft erwähnte fossile Holz

in grosser Menge und zum Theil in Stämmen von 40 Fuss
Länge, die in eine hornsteinartige Masse umgewandelt sind.
Die französischen Gelehrten sollen in diesem Thale den
Rückenwirbel eines grossen Fisches gefunden haben, dessen
nähere Bestimmung mir aber unbekannt ist. Wüstenkiesel
finden sich in Menge. Von dem Thale der Natronseen oder
der Makarius-Wüste ist das Thal des Flusses ohne Wasser
durch einen niedern Bergrücken geschieden, der zum Theil
mit Sand bedeckt ist und eine Breite von $1\frac{1}{2}$ Stunden hat. —
Das Thal der Natronseen, von dem östlichen Gehänge dieses
Bergrückens angefangen, an dem die Klöster liegen, bis
zu der Reihe der Sandhügel, welche die östliche Gränze
bilden, hat eine Breite von mehr als 7000 Meter und besizt
in seinen Niederungen jene Wasserbehälter, die wir als die
sogenannten Natronseen kennen gelernt haben und über
deren wahrscheinliche Abhängigkeit vom benachbarten Nile
in Bezug ihres Wasserstandes ich bereits ausführlich sprach.
Übrigens ist das Vorkommen solcher Salzseen in den Wüsten
nichts Seltenes, es ist vielmehr für sie charakteristisch, und
da sich dabei fast immer dieselben Verhältnisse wahrnehmen
lassen, so kann man auf eine grosse Verbreitung jener
Formation schliessen, die eigentlich die Bildung dieser Seen
bedingt. Bei einer spätern Reise in die Makarius-Wüste *
untersuchte ich die Lagerungsverhältnisse der obern Straten
des Diluviums durch einen Schacht und fand meine bei der
ersten Anschauung der Natronseen gefasste Ansicht bestättigt. Auf dem Quarzsandsteine, der die Tertiärbildungen
der Wüste bedeckt, und den wir als das Meeresdiluvium,
welches den Isthmus bildet, bereits kennen, liegt eine im

---

* MEHEMED-ALI kam im Jahre 1838, als ich gerade nach Arabien
abgehen wollte, auf den Gedanken, in der Makarius-Wüste müsse Gold
seyn. Vergebens waren meine Vorstellungen, er drang in mich, dasselbe
zu suchen. Ich ging also dahin ab, in Begleitung eines Generals, RHUSTAN-
Bey, dem ich das Unsinnige unseres Unternehmens endlich begreiflich
machte. Doch geschehen musste etwas und ich liess einen Schacht ab-
teufen, dort wo es RHUSTAN-Bey zu bleiben Vergnügen machte; denn mir
war die Wahl des Platzes ganz gleichgültig. Durch diesen Schacht
hatte ich Gelegenheit, das Lagerungsverhältniss des Salzthons der Wüste
etwas näher kennen zu lernen.

Durchschnitt 20 Fuss mächtig gefundene Lage von Thon.
Dieser Thon hat eine schwärzlichgraue Farbe und ist stellenweise sehr kompakt. Seine untern Schichten sind stark von
Salz durchdrungen und führen vielen Gyps, welch lezterer
in den obern Schichten mehr und mehr verschwindet, in
denen sich auch der Salzgehalt bedeutend vermindert. Auf
diesem Thon liegt wieder der Sand der Wüste, in den
Niederungen von grosser, auf den Plateau's nur von geringer,
oft kaum zwei Fuss betragender Mächtigkeit *. Dieses
Lagerungssystem des Diluviums ist nicht nur beckenartig,
Vertiefungen der Wüste eigen, sondern zeigt sich auch auf
den Plateau's, nur dass an erstern Orten die Mächtigkeit
der Thone wahrscheinlich eine viel bedeutendere ist, so dass
wir dieses geognostische Bild als den Typus der Lagerungsverhältnisse der Salz-führenden Wüste in dieser Gegend
ansehen können. Die Lagerung des Salzthons ist der Gestalt des Terrains zufolge wellenförmig, sie hebt und senkt
sich mit dem Boden und sehr wahrscheinlich findet zwischen
dem Salzthone und dem Sandsteine und Sande der Wüste
Wechsellagerung statt, so dass sich diese Thonbildungen
nach unten mehrmals wiederholen dürften. Der Gyps tritt
entweder in einzelnen Krystallen zerstreut in der ganzen
Masse des Thons auf, oder, was besonders die untern Straten
des Thons auszeichnet, er wechselt mit demselben in ganz
dünnen Lagen, gemengt mit Wüstensand und Salz. Der
Gyps ist theils von dichtem, theils von körnigem Gefüge,
theils in grossen Tafeln krystallinisch auftretend, theils bildet
er ein Bindemittel, indem er den Sand zu einer Art Gypssandstein, möchte ich ihn nennen, verbindet. In den beckenartigen Vertiefungen des Terrains, die im Niveau des Nils,
häufig auch unter demselben, ja unter dem Niveau des
Meeres, liegen, sammeln sich durch atmosphärische Niederschläge und durch das Eindringen des Nils nach der bereits
im ersten Kapitel dieses Abschnittes besprochenen Weise,
die Wasser an, die durch die mächtigen Thonstraten zu
versitzen gehindert, anslangend auf die Masse des Salzthons
wirken und so die Natronseen bilden, deren aus SO. in

* Man sehe den beiliegenden Durchschnitt.

NW. sechs in einer Reihe liegen, von denen man aber
vorzüglich nur die mittleren, Birke el Duahr genannt, welche
auch schon beschrieben wurden, zur Darstellung des Natrons
benützt. Interessant ist es, dass man ganz nahe an den
Natronseen solche Wasseransammlungen trifft, oder mit
Brunnen in geringer Tiefe erbaut, die, man kann zwar nicht
sagen ein süsses, aber doch ein trinkbares Wasser enthalten.
Entweder gehören diese Wasser andern, nicht salzführenden
Straten an und dringen nur hier empor, oder sie befinden
sich in einem schon ausgelaugten Terrain, oder ein und
derselbe Thon, der hier ihre Unterlage bildet, ist lokal
nicht salzführend. Der Thon zeigt durchgehends einen
bedeutenden Gehalt an kohlensaurem Kalk.

Das Wasser wirkt, wie es auch ganz naturgemäss ist,
nicht sogleich auf den Salzthon ein, sondern man beobachtet,
dass die Seen nach der Zeit, in der sie sich bilden, noch
lange nicht jenen Gehalt an Salz erhalten, der sie zur
Benützung befähigt, sondern dass dieses erst nach und nach
geschieht. Die Salz-haltigsten Seen sind daher jene, deren
Wasser nie ganz vertrocknet, sondern die kontinuirlich auf
den Salzthon und seine Bestandtheile einwirken können.
Diese Einwirkung ist aber nicht bloss eine mechanische,
nicht blos eine Auflösung der Salze im Salzthone, sondern
es geht hier durch Vermittlung des Wassers, der starken
Sonnenwärme und vielleicht auch der organischen Körper,
welche in dem Wasser der Seen ihrer Verwesung entgegen-
gehen, z. B. eine Menge des Schilfes, welches die Ufer
einfasst, ein rein chemischer Akt vor sich. Die Körper
heben die Verbindungen ihrer Bestandtheile zum Theil gegenseitig auf, neue Verbindungen bilden sich. Der kohlensaure
Kalk, das schwefelsaure und salzsaure Natron des Salzthons
zersetzen sich theilweise, es bilden sich schwefelsaurer Kalk,
salzsaurer Kalk, kohlensaures Natron. Beide leztere lösen
sich mit dem nicht zersezten salzsauren Natron und schwefel-
sauren Natron im Wasser der Seen auf, welches daher
eine Lauge bildet, die

salzsaures   Natron,

kohlensaures   „

schwefelsaures Natron,
salzsauren Kalk
enthält, womit Löwe's vorläufige qualitative Analyse des
Erdsalzes der Natronseen vollkommen übereinstimmt. Dieses
Erdsalz ist nicht zu verwechseln mit obigem Salz, welches
im Wege der Krystallisation aus der künstlichen Lauge,
entstanden durch Auflösung eben dieses Erdsalzes, durch
Kunst erzeugt wird, oder welches die Natur selbst durch
Verdunstung der natürlichen Lauge, aus dem Wasser der
Seen krystallinisch ausscheidet. Diese Salze nämlich sind
frei von unauflöslichen oder nicht krystallisirbaren Substanzen, sollten es wenigstens von erstern seyn, wenn genau
gearbeitet wird, und enthalten also nur obige Bestandtheile
mit Ausnahme des schwer krystallisirbaren salzsauren
Kalkes. So enthält nach LAUGIER die egyptische Soda

kohlensaures	Natron	0,2244
schwefelsaures	»	0,1835
salzsaures	»	0,3864
Wasser		0,1400
Unreinigkeiten		0,0600
		0,9943
Verlust		0,0057
		1,0000

Ganz anders verhält es sich aber mit dem Erdsalz,
welches sich nicht durch krystallinische Ausscheidung aus einer
künstlichen oder natürlichen Lauge bildet, sondern welches
der Rückstand einer ganz verdunsteten Lauge, eines aus-
getrockneten Salzsee's ist und folglich alle löslichen und
nicht löslichen, schwer, leicht und gar nicht krystallisirbaren
Substanzen, gemengt mit Thon und Sand, enthält und als
Kruste den Boden bedeckt. Dieses Erdsalz ist es also,
welches uns, wie ich glaube, den meisten Aufschluss über
den Weg geben muss, den hier die Natur geht, um unsere
geognostische Theorie darauf zu bauen *. Im Erdsalze,

* Ich gehöre zu jener Sekte, die eine jede Theorie aus dem Bereiche der Geologie, welche vor dem Richterstuhle der Chemie positiver
Widersprüche halber nicht besteht, für schwankend halte. Man erklärt
dagegen nichts durch Elektrizität, Magnetismus u. dgl. Zauberkräfte;
denn sie sind es ja gerade, die unsrer Chemie zu Grunde liegen, die

welches man zur Darstellung des kohlensauren Natrons sowohl, als auch für sich im rohen Zustande zur Glas-fabrikation benüzt, müssen wir alle Verbindungen also treffen, welche hier statt haben. Um so mehr machte es uns staunen, dass bei der qualitativen Analyse Löwe's sich keine Spur von Ammoniaksalzen zu erkennen gab, die sich, der organi-schen thierischen Substanzen halber, wenn auch in geringer Menge, hätten vermuthen lassen, und noch mehr mussten wir staunen, als sich im Erdsalze ein Körper fand, der entweder ein Arseniksalz oder eine eigenthümliche organische Ver-bindung zu seyn scheint. Wo der Arsenik ursprünglich herkommen sollte, das ist schwer zu bestimmen. Viel-leicht führen uns nachfolgende sorgfältige Analysen aller der Körper, welche hier in chemische Thätigkeit treten und treten können und in deren Besitz ich bin, ihm auf die Spur. Ist er vielleicht in den Raseneisensteinen enthalten, die hie und da in ganz kleinen Quantitäten mit dem Salz-führenden Thon auftreten? oder sollte er sich, was ich kaum zu denken wage, unter besondern, uns nicht bekannten Umständen bilden? Von einer zufälligen Verunreinigung mit Arsenik kann bei der Sorgfalt, mit der ich selbst die Flaschen füllte, nicht leicht die Rede seyn. Wie, in welcher Ver-bindung aber ist er vorhanden? Darüber werden uns die Analysen den gehörigen Aufschluss geben, vor der Hand sey es mir nur erlaubt, meine Vermuthungen da-rüber auszusprechen. Die räthselhafte Substanz ist in Wasser löslich und ohne Zweifel als Säure an eine Base ge-bunden. Dieses arseniksaure, arsenigesaure oder organische Salz muss aber sehr schwer krystallisirbar seyn, weil es sich in den durch Krystallisation bei langsamer Verdunstung der Laugen ausgeschiedenen Salzen nicht findet. Sollte es also vielleicht arsenigesaures Natron seyn, welches in dem Wasser der Seen aufgelöst sich befindet und beim gänzlichen Verdampfen derselben mit allen übrigen Salzen zurückbleibt?

vielleicht die lezte Potenz derselben bilden, nur im Gesetz wirken und nur gesetzlich auftreten und keine Ausnahme zulassen, ausser scheinbar dort, wo der Verstand der Verständigen nicht ausreicht und wo es keine Schande ist, zu sagen: ich weiss es nicht!

Durch das Vorkommen des Arseniks würde sich übrigens sehr natürlich das Gesuchtseyn des Erdsalzes zur Glasfabrikation erklären. Auch könnten dadurch, und zwar besonders beim Vorkommen von arsenigesaurem Natron, zwei andere interessante Fakta eine Erklärung finden. In dem Wasser der Natronseen befindet sich nämlich ein dunkelgefärbtes Sandsediment, welches einen sehr unangenehmen Geruch hat, der einerseits zwar einen Gehalt von Hydrothionsäure zu verrathen scheint, andrerseits aber doch ganz etwas Eigenthümliches an sich hat. Die Hydrothionsäure könnte sich allerdings durch die Verfaulung organischer Substanzen erklären lassen, aber sie ist es nicht allein, die hier die Geruchsorgane affizirt. Ferner zeigt das Wasser einiger Seen und namentlich das desjenigen, wo ich das Erdsalz einsammelte, eine röthliche Farbe, die bis ins Purpurrothe geht und schon von Ferne auffällt, da ein See mit rothem Wasser, umgeben von gelblichröthlichem Sande der Wüste, einen eigenen Eindruck macht. Ich hielt diese Erscheinung anfänglich für die Folge eines organischen Pigmentes, um so mehr, da mir die fette Substanz nicht entging, welche dabei wie eine dünne Haut das Wasser bedeckt, obwohl von Erdöl hier ringsherum keine Spur ist. Auch diess erinnert an die gelblichen, stinkenden Flüssigkeiten, welche arseniksaures Natron, Kali und Ammoniak bilden *. — Wenn wir das über die geologischen Verhältnisse Unteregyptens Gesagte durchgehen, so sehen wir das ganze Terrain in vier scharf getrennte Distrikte zerfallen und zwar:

a) Die Küste. Dünensand und jüngster Meeressandstein. Fortdauernde Bildung.

b) Das Delta. Kulturland, blos durch Nilschlamm, Sand und Gruss gebildet. Fortdauernde Bildung.

c) Die östliche oder arabische Wüste. Tertiärgebilde: Grobkalk, Nummulitenkalk. Diluvialsand und Sandstein. Vulkanische? Umwandlung, Verglasung des Sandsteins und der tertiären Felsarten.

d) Die westliche oder libysche Wüste. Tertiärgebilde:

* Die näheren Untersuchungen dieses Salzes werden in Bälde unternommen und ihr Resultat als Anhang zu diesem Bande gegeben.

Nummulitenkalk, Grobkalk. Diluvialsand und Sandstein mit Salzthon. Salzseen.

3) Ueber Beiträge zur Fauna und Flora von Unteregypten.

Mit Absicht gab ich diesem Kapitel die Aufschrift: „über Beiträge", denn es ist hier durchaus nicht meine Sache, selbst Beiträge zu liefern, sondern nur ein paar Worte über das, was von Unteregypten bekannt ist, im Allgemeinen zu sagen. Unteregypten ist seit der Zeit der französischen Expedition, seit dem Anfang unsers Jahrhunderts viel mehr untersucht und zum Theil auch bearbeitet worden, als mancher Bezirk unseres heimathlichen Europa's, z. B. Albanien, einige türkische Provinzen, der höchste Norden von Norwegen etc., und infolge dessen ist es auch so bekannt, dass es in vielen, ja den meisten Abtheilungen der Thier- und Pflanzenwelt, sehr schwer seyn dürfte, die Wissenschaft mit etwas Neuem zu bereichern. Die Herren Kustoden des hiesigen k. k. Naturalienkabinetes, welche für mich so freundlich denken, dass sie die Bearbeitung der botanischen und zoologischen Verhältnisse der betreffenden Länder übernehmen, welche Arbeit einen schönen Anhang dieses Werkes bilden wird, haben mit Recht ihr ganzes Augenmerk auf Karamanien und das Innere von Afrika geworfen, aus deren Bereich wir viel, zum Theil sehr viel Neues mitbrachten. Da jedoch diese Abhandlung über das Innere von Afrika nothwendigerweise, um etwas Ganzes zu seyn, Egypten als den Punkt, woran sich die weitern Untersuchungen reihen, nicht umgehen darf, so werden wir darin eine wissenschaftliche Beleuchtung des bisher über die Fauna und Flora dieses Landes Gelieferten nicht vermissen. Ich gebe daher hier nur eine ganz leichte Skizze der organischen Physiognomie des Terrains von Unteregypten, sowie sie ein Uneingeweihter dem Theil des Publikums vorlegen kann, der auch sozusagen nicht vom Fache ist, sich aber doch, wie recht und billig, dafür interessirt, und verweise die Sachkundigen auf die am Schlusse dieses Bandes folgende ausführlichere Arbeit.

Die Erkenntniss dieses Landes in Bezug auf den Habitus

seiner organischen Natur ist leicht zu überblicken; denn es
ist, was Mannigfaltigkeit der Organismen betrifft, nicht so
reich als manch anderes Land. Es enthält z. B. an Pflanzen
zusammen nicht mehr als 500 bis 600 Arten. Der vegeta-
tionsfähige Boden ist durchaus in Kulturland umgewandelt,
und wir haben es daher nur mit wenig Pflanzen zu thun,
die nicht in der Reihe der Kulturpflanzen stehen. Die Vegetation der Wüste ist ärmlich, weil sie die einer Wüste
ist, was aber ihr Interesse nicht ausschliesst. Die An-
siedelungen der Menschen, ihre häufigen Nachstellungen,
haben die wilden Thiere zurückgedrängt: kein Löwe brüllt
mehr in der libyschen Wüste, kein Krokodil, kein Hippo-
potamus haust mehr in den trüben Fluthen des Nils in
Unteregypten. Erstere erscheinen erst in Oberegypten, und
leztere findet man erst im südlichen Nubien. Nur jene
Thiere sind geblieben, die entweder der Mensch sich unterwarf und die zum grossen Theil dieselben sind wie in
Europa, oder jene, die wegen ihrer Unbedeutenheit in Bezug auf Grösse und pekuniären Gewinn seiner Verheerungs-
wuth weniger sich aussetzen. Manche der europäischen
Hausthiere ändern mit dem Klima und den Gewohnheiten
des Menschen ihre Stellung zu ihm. Manche veredeln sich
zur höchsten Vollkommenheit, die ihrem Geschlechte zukommt, z. B. das Pferd; andere steigen herab und nähern
sich wieder mehr ihrem ursprünglichen Zustande, d. i. dem
der Wildheit, so der Hund; beide doch, wenn der Mensch
versteht, sie an sich zu ziehen, zu den schönsten Eroberungen gehörend, die er im Thierreiche gemacht hat.

Unter den naturwissenschaftlichen Arbeiten aus dem
Bereich der organischen Natur von Egypten, und namentlich
von Unteregypten, stehen die unserer ausgezeichneten Landsleute Ehrenberg und Hemprich oben an. Ausser ihnen sind
es vorzüglich Hasselquist, Forskal, Geoffroy, Rüppell,
Delile, Viviani, Visiani und deren mehrere, welche durch
sehr verdienstvolle Arbeiten* uns die Schöpfungen dieses

* Literatur für Botanik Egyptens, ausser den vielen in Journalen
zerstreuten Abhandlungen:
Prosper, Alpinus, de plantis Egypti liber; 1592.

Landes kennen lehren. Kulturboden und Wüste sind in
Egypten scharf getrennt; beide begränzen sich, ohne Übergänge zu bilden; und ebenso scharf trennt sich ihre Vegetation. In der Wüste hat die Natur freie Hand, im Kulturlande hingegen haben wir es häufig mit Pflanzen zu thun,

VEHLING, de plantis Egypti observationes; 1638.
DAPPER, afrikänsche Gewchten van Egypten; 1668.
PETIVER, plantarum egyptiacarum icones; 1717.
FORSKAL, PETER, floia egyptiaco-arabica; 1775.
NECTOUX, voyage dans la haute Egypte, avec des observations sur les
   diverses espèces de Sené repandus dans le commerce; Paris 1808.
DELILE, flore d'Egypte, faisant partie de voyage etc.
VIVIANI, plantarum egyptiacarum decades; Genua 1834.
VISIANI, plantæ quædam Egypti ac Nubiæ enumeratæ atque illustratæ,
   Patavis 1836.
Museum Senkenbergianum.
Annales des sciences naturelles, n. S.; 1835.
CAILLIAUD, centurie des plantes d'Afrique du voyage à Meroe; Paris
   1826. (Dieses Werk umfasst ausschliesslicher Theile der südlichern
   Flora.)

Für die Zoologie Egyptens haben wir ausser den in Zeitschriften
zerstreuten Arbeiten:

BELON, PIERRE, observations de plusieurs singularités et choses me-
   morables trouvées en Grecque, Asie, Indie, en Egypte etc.; Paris
   1553—1555.
- LEBRUN, CORNEILLE, voyage au Levant, en Egypte et en Syrie; Amster-
   dam 1714.
LUCAS, PAUL, voyage dans la Turquie, l'Asie, la Taurie, la Palestine,
   la haute et la basse Egypte; Paris 1719.
HASSELQUIST, voyage en Palestine et en Egypte; Stockholm 1757.
FORSKAL, descriptiones animalium, quæ in itinere orientali observavit;
   Kopenhagen 1775.
GEOFFROY, voyage en Egypte par l'ordre de l'Empereur NAPOLEON.
   Grosses Werk der Expedition.
EHRENBERG und HEMPRICH, symbola physica; Berlin.
DE JOANNIS, observations sur les poissons du Nil, in GUERINS Magazin
   de Zoologie; 1835.
Museum Senkenbergianum.

Mehr nur für die Fauna südlicherer Gegenden bestimmt sind nachstehende Werke:

RÜPPEL, EDUARD, neue Wirbelthiere zur Fauna von Abyssinien gehörend;
   Frankfurt am Main 1835.
—— Zoologischer Atlas; Frankfurt 1829.
CAILLIAUD, voyage à Meroe etc. etc.

welche der Mensch durch Kunst heranzog und die sich, wie manche Thiere, so an seine pflegende Hand banden, dass sie den wilden Zustand zum Theil ganz verlassen haben. Der heisse Himmel Egyptens eignet sich bei gehöriger Bewässerung für alle tropischen Pflanzen und der herrschenden Nordwinde wegen und des Regenwinters halber gedeihen auch solche des südlichen Europa's. Clot-Bey zählt uns in seinem Apperçu général sur l'Egypte 46 Arten der interessantesten exotischen Pflanzen auf, welche in Unteregypten, d. h. im Freien, gedeihen, und worunter die meisten Bäume sind, die Früchte tragen. So sah ich im Garten des Ibrahim-Pascha sehr kräftige Exemplare von Anona squamosa, von Bambus, Kaffe, Tamarinden etc., eine Erscheinung, die mich an Siziliens glücklichen Himmel erinnert, wo man z. B. im Garten des Fürsten von Butera neben unsern nordischen Bäumen die Kinder der heissen Zone sieht, so frisch und gesund, als ständen sie in ihrem Vaterlande. Weniger gut gedeihen unsere Obstarten von Mitteleuropa, unsere Birnen, Aepfel, Trauben etc., bei denen es aber, wie ich glaube, nicht so sehr am Klima, als an der Behandlung und der Wahl der Stammbäume liegt. Gut dürfte es allerdings für diese Gewächse seyn, wenn sie erst nach und nach acclimatisirt würden, wenn man sie nicht sogleich in das heisse Klima bringen, sondern Mittelstationen, z. B. die griechischen Inseln, wählen möchte. Von einheimischen Bäumen, von denen zwar auch einige exotischen Ursprunges sind, aber bereits das Bürgerrecht in Egypten sich erwarben, zählen wir zusammen beiläufig 40 Arten, von denen aber manche, wie z. B. die Akazienarten, nicht dem Kulturlande ausschliesslich angehören, sondern sich auch in den Thälern der Wüste finden, obwohl stets in einem kümmernden Zustande. Die Oasen-Vegetation dürfen wir nicht mit der der Wüste verwechseln, indem jene der des Kulturlandes des Delta bei weitem ähnlicher, ja häufig ganz dieselbe ist. Ich spreche hier natürlich nur von den Oasen in den Breiten-Parallelen Unteregyptens. Unter den einheimischen Arten von Bäumen beobachten wir ferner 4 Monokotyledonen, nämlich die Musa paradisiaca

(die Banane), die Phönix dactylifera (Dattelpalme), die
Cucifera thebaica (Dom oder thebaische Palme), sie beginnt
erst in Oberegypten, und die Chamerops humilis (die europäische Fächerpalme). Selbst an Akazienarten ist Egypten
arm, obwohl eigentlich Afrika das Vaterland einer Menge,
ja der meisten Akazien und Mimosenarten ist. Wir sehen
daselbst vorzüglich nur die Acacia nilotica *Willd.*, die Acac.
farnesiana und die Acac. Lebekk. *Willd.* Wir haben nur
eine Tannenart, die Pinus halepensis, und diese sehr sparsam
vorkommend. Hingegen sahen wir nebst der Dattelpalme
die Sykomore (Ficus sycomorus) häufig die Hauptrolle unter
den Bäumen Unteregyptens spielen. Der Ölbaum, olea
europaea, der früher in Egypten ganz unbekannt war, wurde
erst durch Mehemed-Ali nebst der Baumwollenstaude, der
Seidenzucht etc. eingeführt, wobei er im Kampfe gegen
absurde Vorurtheile der Menge mit einer Festigkeit ver-
fuhr, die man bewundern muss. Das Zuckerrohr (Sacharum
officinarum) wird an 12 Fuss hoch und besonders häufig in
Oberegypten gebaut. In Rhadamun existirt eine Zucker-
und Rum-Fabrik, die nicht allein auf die Deckung des Bedarfes im Lande hinarbeitet, sondern auch einige geringe
Quanten in den auswärtigen Handel, besonders nach Syrien
und Arabien, bringt, im Ganzen aber doch pekuniär keineswegs glänzend gestellt ist, theils wegen der unentsprechenden
Bewirthschaftung, theils in Folge der in Egypten mit dem
Mangel an Brennmaterial, mit dem System der hohen Besoldungen höherer Beamten und Ausländer von vorüherein
verbundenen theuern Produktion. Von Getreidearten und
Hülsenfrüchten findet man in Unteregypten an 20 Arten.
Darunter befinden sich unsere sämmtlichen Cerealien, die
unter jenem schönen Himmel in ausgezeichneter Vollkommenheit gedeihen und bei denen die Produktion unter dem Zusammentreffen der günstigsten Umstände bis zum hundert-
fachen Korne steigt. Wir haben unter den Getreidearten
Unteregyptens sechs Hirsearten und darunter die für Afrika
charakteristischen, die Dura (Sorghum cernuum und Sorgh.
vulgare *Linn.*) und den Dochen (Sorghum saccharatum *Linn.*),
die sich, besonders lezterer, bis ins tiefste Innere erstrecken

und in Kordofan, Sennaar etc. die allein herrschenden Getreidearten bilden. Die sogenannte weisse Dura (S. cernuum) ist ein Herbstgetreide. Die Kultur des Reises beschränkt sich, der erforderlichen Lokalität wegen, Bewässerung halber vorzüglich auf Unteregypten. Mehemed-Ali beabsichtigte den Reisbau in Sennaar einzuführen. Es muss aber bei der Absicht geblieben seyn; denn ich sah bei meiner Anwesenheit keinen Erfolg. Unter den Hülsenfrüchten spielt die faba sativa *Linn.* die grösste Rolle, indem sie nicht nur einen der ersten Nahrungsgegenstände des Landes, sondern auch einen nicht unbeträchtlichen Ausfuhr-Artikel bildet.

Ausser diesen bisher erwähnten Pflanzen zählt uns Dr. Clot-Bey noch 212 Arten auf, die dem Kulturlande Unteregyptens angehören, was aber zu wenig seyn möchte, da ihre Zahl ausser den schon Erwähnten doch an 300 betragen dürfte. Weniger gelehrt als zweckmässig fasst er die Darstellung und Aufzählung derselben von einem mehr populären Gesichtspunkte auf und theilt sie nach ihrer Verwendung ein, wodurch er auch dem nicht botanischen Publikum, das doch die Mehrzahl bildet, ein klares Bild der Vegetation des Landes vorlegt, das nicht ohne Verdienst ist.

Unter diesen Pflanzen stehen in Bezug ihrer Wichtigkeit für das industrielle Leben des Landes der Hanf, der Flachs und die Baumwolle oben an. Leztere, Gossypium vitifolium *Linn.*, wurde ebenfalls erst durch den Vizekönig eingeführt und bildet jezt eine der Haupteinnahmequellen des ganzen Landes, eines der wichtigen Arkana, durch welche das kleine Unteregypten es ist, welches die ungeheuren Kosten der ganzen Landarmee, der Seemacht, des Beamten-Status etc. zum grössten Theil trägt, und sie ist es, durch deren Verkauf der Vizekönig zum Theil im Stande war, bisher seine drohende Stellung seinem rechtmässigen Herrn gegenüber zu behaupten. Bis zum Jahr 1823 beschäftigte man sich ausschliesslich mit dem Anbau der gemeinen Baumwolle, von da an aber warf man sich ganz auf die Kultur der sogenannten Mako oder Jümel-Baumwolle, und zwar gleich mit einer solchen Kraft, dass ihr Verkauf von 1824 auf 1825

19 *

schon nahe an 5 Millionen Thaler Ertrag abwarf und sie
im Jahr 1826 die gemeine Baumwolle schon verdrängt hatte.
Unter den Färberpflanzen zeichnen sich der Saflor
(Carthamus tinctorius *L.*) als Handelsartikel, die Henne
(Lawsonia alba) durch ihre eigenthümliche Verwendung und
die Indigo-Pflanzen (Indigofera argentea und Polygonum
tinctorium *Linn.*) dadurch aus, dass ihre Anwendung zur Farbe-
Erzeugung in Egypten auch erst durch MEHEMED-ALI ins
Leben gerufen wurde, aber in Bezug des Klima und günstiger
Lokalitäten vorzüglich auf Oberegypten und Nubien beschränkt bleibt. Die Henne ist, wie bekannt, die Pflanze,
mit welcher sich die egyptischen Damen die Fingernägel
und die innere Fläche der Hand gelb färben; weniger bekannt ist es aber vielleicht, dass sie getrocknet, zerstossen
und mit Wasser zu einem dicken Brei angemacht, auf Brand-
wunden, durch Feuer entstanden, gelegt, ein vortreffliches
Heilmittel ist.

Von Tabak-Pflanzen haben wir in Egypten die Nicotiana tabacum und die Nicotiana rustica *Linn.*, die an und
für sich gut gedeihen, aber in Bezug des Tabaks, den
sie liefern, weit hinter den Tabakarten aus Syrien, hinter
denen von Latakia und denen von Dschebel zurückstehen,
welche beide leztere den vorzüglichern der amerikanischen
Sorten zur Seite gestellt werden können.

Auf Zierpflanzen hält der Orientale sehr viel, und
namentlich stehen sie unter dem besondern Schutze der
Frauen, was ganz naturgemäss auch in anderer Herren Ländern
der Fall ist. Im Oriente jedoch sind Florens liebliche
Kinder so recht bedeutungsvoll in das stille Leben der
Frauen übergegangen, sie bilden so zu sagen einen Theil
ihres gemüthlichen Seyns und sind in ihrer Farbenpracht
die geeignetsten Boten ihrer Gefühle. Wir sehen in Egyptens
Gärten nicht nur alle Blumen des mittlern und südlichen
Europa's, sondern auch viele tropische im Freien wachsen
und gedeihen, worunter besonders viele Ostindier sind.
Die Kultur der Rosen, besonders der Centifolia, wird sehr
betrieben und ist in Fajum so stark, dass nach CLOT-BEY
im Jahr 1833 nahe an 40,000 Pfd. Rosenwasser von

verschiedener Qualität sollen erzeugt worden seyn. Die
Zahl der offizinellen Pflanzen ist sehr gross im Gegenhalt
der übrigen Vegetation und beträgt nach Clot-Bey allein
über hundert Arten. Viele darunter sind exotisch, gedeihen
aber in Egypten so gut als in ihrem Vaterlande, so z. B.
die Cassia fistula, die nebst noch vier andern Cassia-Arten
ganz heimisch in Egypten geworden ist. Man findet das
namentliche Verzeichniss aller dieser Pflanzen im 1. Bd.
von Clot-Bey's Werk.

Spärlicher, aber auch interessanter, ist die Flora der
Wüste, zu welcher alles Terrain zu rechnen ist, welches
nicht im strengsten Sinne zum Kulturlande des Delta oder der
Oasen gehört; denn Egypten hat keine Wälder, keine Auen,
keine Wiesen, keine Alpen, kurz es hat, wie gesagt, nur Ackerland und Wüste. Clot-Bey zählt uns aus dem Bereiche
der Wüsten einige und achtzig Spezies auf, durch welche
Anzahl er jedoch nur die wichtigern derselben umfassen kann.

An den Natronsee'n sind die vorherrschenden Pflanzen:
Arundo donax und Typha latifolia, in ihrer Umgebung aber:
Nitraria Schoberi *Linn.* und Hyoscyamus datura *Forsq.*

Nach Minutoli finden sich in der libyschen Wüste an
der Küste: Lichen prunastri auf Licium barbarum, einige
Arten Asparagus, Reaumuria vermicularis, Echium Reu-
wolfii, Salsola fragus und mehrere Salsola-Arten, ein En-
jiginin u. dgl. m., worüber Ehrenberg's und Hemprich's schätzbare Forschungen nähern Aufschluss geben. Tiefer im
Lande finden sich in den Thälern, aber höchst sparsam und
immer kümmerud, wie es der Charakter der Wüste mit sich
bringt: Phönix dactylifera, Chamerops humilis, Mimosa nilotica, Hedysarum Alhagi, und an feuchten, morastigen
Stellen die Poa multiflora etc. Im Ganzen genommen zeigt
die Pflanzenwelt, in Bezug auf Mannigfaltigkeit der Arten,
jene Entwicklung in Unteregypten, die der Mediterran-Flora
eigenthümlich ist. So wie die Kultur des Bodens die Pflanzen
in ihrer freien Entwicklung, man kann zwar nicht sagen
hindert, doch in gewisse Formen zwingt, ihre Anzahl auf
eine gewisse, dem Menschen und seinen Bedürfnissen gerade zusagende, reduzirt, so auch in der Thierwelt. Die

wilden Thiere fliehen, die zähmbaren werden zu Hausthieren, und deren Zahl hinsichtlich ihrer Arten richtet sich wieder nach dem Willen des Menschen und nach seinen Bedürfnissen.

Unter den Vierfüssern sind es vorzüglich zehn Hauptarten, die als Hausthiere unser Interesse in Anspruch nehmen, und darunter stehen in Bezug auf Unteregypten das Pferd und das Kamel oben an. Ersteres ist von der edelsten Race, ächtes anatolisches oder arabisches Blut. Über die Güte des arabischen Pferdes wurde bereits so viel gesprochen und geschrieben, dass man es kaum glauben sollte, dass über dieses Thier noch so unrichtige Ansichten herrschen sollten, wie es wirklich zum Theil der Fall ist. Häufig hört man die Äusserung, z. B. dass das arabische Pferd sehr klein sey, was durchaus nicht der Fall ist. Ein kleines Pferd ist freilich überall klein, so auch ein kleines arabisches; wer aber die prächtigen Dongola-Pferde, die edlen Racen von den Ufern des Euphrats, die feurigen Braunen aus Jemen in Masse und nicht blos in einigen miserablen Exemplaren, wie man sie von jeder Race und in jedem Lande findet, gesehen hat, der kann dieser Meinung nicht anhangen. Das arabische Pferd leistet das Höchste, was ein Pferd nur leisten kann, aber in seinem Vaterlande, in seinem Klima. Dreissig Stunden gesattelt zu seyn, ohne zu fressen und zu saufen, fünfzehn Stunden in der glühenden Hitze der afrikanischen Wüste zu laufen, ohne Nahrung, ohne Wasser zu erhalten, drei bis vier Stunden im Galopp zu rennen, ohne dass ihm Ruhe gegönnt wird, das sind Aufgaben, die ein arabisches Pferd löst, aber nur, glaube ich, in seinem Vaterlande löst. Daher halte ich alle Vergleiche mit europäischen Racen in der Art unsicher, wenn sie Proben bestehen müssen ausser dem Bereiche ihres von Jugend an gewöhnten Klima's. Ich glaube, in England wird das arabische Pferd gegen das englische verlieren, und umgekehrt das englische gegen das arabische in Arabien. Es handelt sich daher, dabei auszumitteln, ob das englische Pferd in England Das leisten kann, was das arabische in Arabien leistet, und in diesem Falle, glaube ich, dürfte der

Sieg dem arabischen werden, welches ich wenigstens für das vollkommenste, vollendetste Geschöpf seines Geschlechts halte. — Welchen Einfluss der Mensch und sein Benehmen auf die Thiere haben, zeigte sich mir bei diesen Pferden recht augenscheinlich; denn während der vier Jahre, während welcher ich beständig anatolische oder arabische Pferde ritt, kam mir fast kein einziges wahrhaft boshaftes, störrisches, unartiges Pferd vor, sondern ich fand es ganz buchstäblich wahr, dass das arabische Ross im Durchschnitt keinen andern Willen hat, als den seines Reiters, der es zu behandeln versteht, und dass der Araber vollkommen Recht hat, wenn er sagt, dass sein edles Ross ihn durch Feuer und Wasser trägt.

Dem Pferde zunächst hinsichtlich des Gebrauches, und noch weit über demselben hinsichtlich seines zweckmässigen Baues für seinen ihm von der Natur gegebenen Zweck steht das Kamel. Das egyptische Kamel ist identisch mit dem arabischen und sehr verschieden von dem baktrischen, das eigentlich dasjenige zu seyn scheint, welches man in Europa unter dem Namen Dromedar bezeichnet, eine Benennung, die der gemeine Araber gar nicht kennt. Als wesentliches Unterscheidungszeichen gibt man dem Dromedar zwei, dem Kamel aber einen Höcker; das baktrische hingegen hat fast durchgehends zwei Höcker, während das arabische nur einen besizt, der oftmals sehr lang gedehnt ist und manchmal nur sich theilt, was aber der Araber sehr naturgemäss für keinen zureichenden Grund ansieht, zwei verschiedene Arten zu bilden. Er unterscheidet nur den Hegin oder Hedschin, einen Schnellläufer, einen Bassgänger, der nur zum Reiten dient, und das gewöhnliche Kamel, gemmel oder Dschemmel genannt, welches ausschliesslich nur zum Lasttragen verwendet wird. Der leichtern Sattlung wegen richtet man durchgehends die Kamele mit langgedehnten Rücken oder mit gespaltenem Höcker zum Reiten ab, während man die mit einem Höcker als Lastkamele betrachtet. Das Lastkamel macht bei grossen Wüsten-Reisen mit einer Last von 3, höchstens 4 Zentner täglich 10 Stunden im Schritte, wobei man, ohne es zu forciren, alle 4 oder 5 Tage doch auf einen Wassertag und alle 8—10 Tage auf längere Ruhe rechnet. Das Reitkamel hingegen geht einen Bass, dem ein Pferd nur im schärfsten Trab oder Galopp folgen kann. Auf diese Weise kann es an einem Tage auch 15 bis 20 geographische Meilen zurücklegen; macht es hingegen täglich in 10 bis 12 Stunden nur 10 bis 15 geograph. Meilen, so kann man bei sehr guten Thieren auf eine Ausdauer wie beim Lastkamele rechnen. Der gewöhnliche Schritt des Lastkamels ist so, dass man in der Ebene auf 1 Grad des Äquators beiläufig 24 Karavanen-Stunden rechnen kann.

So wenig der Lappländer auf seinen unwirthbaren Bergen und in seinen schneebedeckten Thälern sein Nomadenleben leben könnte, wenn er nicht das Rennthier besässe, so wenig wäre der Araber der freie Sohn der Wüste, wenn die Natur ihm nicht das Kamel gegeben hätte. Nur durch dieses Thier allein ist er im Stande, die weite Wüste zu durchziehen und den Sandocean seine weite Heimath zu nennen, in der er für europäische Waffen ewig unerreichbar bleibt. Die nördliche Gränze des Vorkommens des Kamels als einheimischen Thiers ist uns genau bekannt, nicht so aber sind es die Hindernisse, die sich weiter im Süden seiner Ausbreitung entgegen stellen. Jenseits der Breiten-Parallelen von Kordofan und Sennaar, jenseits des 13. Breitegrades ungefähr, ist es schwer, und weiter südlich fand ich es fast unmöglich, das Kamel fortzubringen. Bei bestem Futter, hinlänglichem Wasser und geringer Anstrengung wird es matter und matter, erholt sich bei wochenlanger Ruhe nicht und stirbt, wie ich glaube, rein durch den Einfluss des Klima. Das arabische Kamel ist ein Thier der Wüste und für die Wüste geschaffen. Gewohnt an reine trockne Luft und salziges Wasser, findet es in jenen feuchten, tropischen Gegenden mit durchaus süssen, zum Theil harten Wassern viele der gewohnten Elemente des Lebens nicht und erliegt. Die Eingebornen, wie wir bei meiner Reise ins Innere sehen werden, sind der Meinung, dass es in jenen Gegenden kleine Fliegen gebe, denen sie verschiedene Namen beilegen, die vorzugsweise nur die Kamele stechen, Menschen, Pferde und Esel aber verschonen, und deren Stich

so giftig ist, dass die Kamele daran sterben. Niemand hat
noch diese Fliege wirklich gesehen, und ich weiss daher
nicht, ist sie nur ein Phantasiegebilde oder existirt sie in
der That; das Faktum bleibt, dass das Kamel in jenen
Breiten auf eine auffallend rapide Weise unterliegt. Meine
Vermuthung bestättigt sich auch noch durch den Einfluss
jenes Klima's auf den Menschen und die übrigen Thiere,
z. B. auf das arabische Pferd, das sehr häufig in jenen
Gegenden seine Haare verliert und nackt wird, was doch
nicht im Stiche von Insekten begründet seyn kann.

Die übrigen Hausthiere sind der Esel, das Maulthier,
der Ochs, der Büffel, mehrere Arten von Schafen, besonders
das mit dem Fettschwanze, Ziegen, darunter die kleine,
äusserst niedliche Sennaarziege, Hunde, Katzen und Schweine, leztere nur bei den nicht mohammedanischen Einwohnern.
Der egyptische Hund ist meist wild, scheu, an den Menschen
nicht gewohnt und aufgewachsen in allen Ungezogenheiten
eines Gassenhundes, nicht zu vergleichen mit seinem gesitteten nordischen Kollegen. Er ist meist von mittlerer
Grösse, stockhaariger Spitz, von röthlicher Farbe. Die
Katzen sind für Egypten in den Zeiten der Pest ein sehr
gefährliches Thier; sich von Haus zu Haus schleichend,
alle Vorschriften und Einrichtungen der Quarantaine kühn
umgehend, tragen sie das Übel von Ort zu Ort, daher auch
sehr häufig bei solchen Gelegenheiten eine Art sizilianischer
Vesper unter diesem Geschlechte abgehalten wird.

Unter den wilden vierfüssigen Thieren Unteregyptens
haben wir: den Schakal; die Hyäne (Hyäna maculata, nicht
striata; leztere ist viel grösser und findet sich erst im südlichen Nubien), beide in ziemlicher Menge; den Fuchs, nach
Clot-Bey den europäischen Wolf, was ich fast bezweifeln
möchte; wilde Schweine; Gazellen; den Erzählungen der
Araber zufolge wilde Schafe, was ich, für Unteregypten
wenigstens, ebenfalls bezweifle; Igel, Marter, Ichneumons,
zwei Arten von Luchs, zwei Arten von Springhasen (dippus,
Jerboa), Hasen, Ratten und überhaupt mehrere und zum
Theil sehr interessante Arten von Nagern und Flatterfüssen.
Durchaus aber keine grössern reissenden Thiere.

Unter den Hausvögeln treffen wir in Unteregypten
unsere bekannten aus Europa wieder, besonders eine wirklich ungeheure Anzahl Tauben und Hühner. Unter den im
wilden Zustand lebenden Vögeln sind die meisten wohl
Strich- und Zugvögel, theils aus Norden kommend, theils
aus Süden, wenige nur dürften wahrhaft einheimisch seyn.
Afrika ist ein wahres Asyl für Raubvögel aller Art, und
besonders sind es die Länder des Innern, doch trifft man
auch in Egypten schon von Geyern 5 bis 6 Arten, mehrere
Arten von Adlern und wenigstens 8 bis 9 Arten von Falken.
Erstere, besonders der gemeine und stinkende Catharthes
percnopterus, der sich in ganzen Schaaren findet, von der
Natur angewiesen, den Menschen in Aufrechthaltung der
Reinlichkeit in den Strassen der orientalischen Städte zu
vertreten, werden allgemein als nützliche Thiere geschont
und geachtet. Dadurch werden sie mit dem Menschen
vertraut und so zahm, dass man sie in den Strassen von
Kairo fast mit den Händen fangen kann. Sie sind die
steten Begleiter aller Karavanen, da sie, besonders bei
grössern Wüstenreisen, täglich etwas aufzuräumen haben,
und ich vermuthe fast, dass die Adler Gottes, die Herr
v. LAMARTINE in Syrien über seinem Haupte zu sehen glaubte,
eben solche Aasgeier gewesen seyen.

Von Fischadlern (Pandion) finden wir in Unteregypten
drei Arten, ausserdem sieht man Bussards, Stösser, Milan
etc. in mehreren Spezies. Zahlreich ist ebenfalls das Geschlecht der Eulen, man zählt deren bis 10 Arten, die in
den Monumenten nebst den Fledermäusen das Unterkommen
finden, das ihnen am meisten zusagt. Von Caprimulgus
schoss ich in Egypten zwei Spezies. Auch dieses Geschlecht
wird weiter ins Innere sehr reich an Arten. Von Sperlings-
vögeln findet sich eine sehr grosse Anzahl von Arten, die
zwar grösstentheils Wanderer sind, von denen aber doch
viele für gewöhnlich nicht zu uns nach Europa kommen;
für gewöhnlich sage ich, denn manchmal machen Vögel
ausserordentliche Züge, so dass man nicht einmal ein Ver-
schlagenwerden durch Sturm in dem Grade annehmen kann.
In dem Naturalienkabinete zu Christiania, wenn ich nicht

irre, aber ganz bestimmt in einem norwegischen Kabinete, sah ich z. B. zwei Ibisse von jener stahlgrünen Spezies, welche ich nur am weissen Flusse im Innersten von Afrika getroffen hatte und die in Norwegen selbst geschossen wurden. Diese Ibisse hatten also wenigstens 50 Breitengrade nur in gerader Richtung passirt. Viele der Sperlingsvögel Egyptens tragen bereits die schönen südlichen Kleider, und zugleich mit dem Auftreten derselben bemerkt man bereits ein Abnehmen unserer lieben nordischen Sänger, was, je weiter man in Süden kommt, desto fühlbarer wird.

Sehr bedeutend ist die Anzahl der Arten von den Hühnervögeln und noch bedeutender die der Stelz-, Sumpf- und Wasservögel, da leztere die Sandbänke des Nils, besonders weiter im Süden, in Schaaren von Tausenden bedecken und aufgeschreckt sich in Wolken erheben. An den Natronseen findet man häufig den Flamingo (Phönicopterus ruber L.), und in den libyschen Wüsten trifft man als Repräsentanten der Rennvögel bereits den gemeinen Strauss (Struthio Camelus), der Afrika in seiner ganzen Ausdehnung bewohnt.

Die Insekten sind zahlreich, aber ebenfalls bereits sehr bekannt, seltner sind Conchylien. Unter den Landkonchylien trifft man vielleicht nur Helix irregularis, an den Ufern des Nils finden sich Paludinen und in ihm selbst leben: Unio, Iridina, Cyrena etc.

Charakteristisch als Nilbewohner ist die Trionyx egyptiaca, die weiche Nilschildkröte, die sich weiter im Süden häufiger findet und die ganz kleinen Krokodile verzehrt, von den grossen aber selbst gefressen wird. Beides fällt in Unteregypten weg, da sich daselbst gar keine Krokodile finden. Sie wird zwei bis drei Fuss lang und ist ein starkes, wehrhaftes Thier.

Unter den Sauriern finden wir den Waran, und zwar sowohl den Varanus niloticus als den Varanus terrestris. Leztrer bleibt an Grösse hinter ersterm zurück, der fünf bis sechs Fuss lang wird, ist aber kühner, und ich erinnere mich, dass ein solcher Waran, den ich einst in der libyschen

Wüste mit einigen meiner Gefährten zu Pferde in die Enge trieb, meinem Pferde an die Beine sprang, um es zu beissen. Ferner haben wir einige Arten von Stellio, Agama, Gecko, Chamaeleon, bei 10 Arten von Skink und mehrere Arten von Eidechsen; rechnet man nun dazu noch das in Oberegypten auftretende Krokodil, so sehen wir, in welchem ganz andern Massstabe das Geschlecht der Saurier sich an den Flüssen Afrika's entwickelt, während wir in Europa, wo einst die Giganten der Saurier lebten, rein auf die Gattung Lacerta beschränkt sind. Welch eine gewaltige Umänderung in Klima, Bodengestalt, hydrographischem Verhalten, kurz im ganzen Habitus unseres Welttheils hat da stattgefunden. Dieses geschah ohne Zweifel nicht plötzlich, sondern in einer Reihe von Übergängen, und in dieser, glaube ich, waren wir auf einem Punkte, wo unsere einstigen Stromthäler denen des heutigen Nils, Senegals, Nigers etc. hinsichtlich der Physiognomie der organischen Natur sehr glichen, und zwar bedeutend mehr als ähnlichen Lokalitäten andrer Welttheile.

Das Geschlecht der Schlangen tritt in Unteregypten, so häufig sie auch erscheinen, nicht in vielen Arten auf. So haben wir von Eryx eine Art, von Coluber vier oder fünf Arten, ferner die gehörnte Viper und die durch die Gauklerkünste der Schlangenbeschwörer bekannte Brillenschlange, die Najahaje. Ferner die Scythale der Pyramiden und noch ein paar andere Arten.

An Fischen ist hingegen Unteregypten wieder bedeutend reich. Die der Lagunen an der Küste sind dieselben, wie die des Mittelmeers. Von den Selaciern ist es besonders der gemeine Hai (Squalus Carcharias L.), der die Küste des Mittelmeers häufig besucht und in Alexandria z. B. sich so oft einfindet, dass er den Badenden sehr häufig gefährlich wird und nicht selten Unglücksfälle sich ereignen. Von den Fischen des Nils zählt uns Dr. Clot-Bey in seinem Werke 52 Arten auf. Darunter befinden sich der elektrische Aal und der phantastisch gestaltete Tedron lineatus, eine Art der Gattung Fahaka, aus der Ordnung der Kugelfische. Die von Clot-Bey gegebene Zahl der Arten dürfte wohl nicht vollständig seyn, und ich glaube, dass im Bereich der Nilfische den Naturforschern noch mehr Raum gegeben ist, neue Entdeckungen zu machen. Auch gehören mehrere der im erwähnten Verzeichnisse angegebenen Fische Oberegypten ausschliesslich an.

4) Der Mensch in Unteregypten und seine bürgerlichen Verhältnisse.

Wenn wir von der Geschichte Egyptens reden, ist es offenbar die Geschichte Unteregyptens. Hier in der Nähe des Meeres, unter den Mauern des alten Memphis und der einst prächtigen Alexandria, fand der grosse Wechsel der Begebenheiten statt, hier lebte Egypten seine neuere Geschichte durch. Oberegypten, dessen Vorzeit der graue Schleier der Mythe deckt, stand später nie für sich separirt da und hatte nie mehr eine getrennte Geschichte, sie war stets mit der Unteregyptens aufs engste verknüpft. An den Pyramiden und an den Küsten des Mittelmeers drängte sich die ganze Reihe der Ereignisse zusammen, hier geschah Alles, das Alte, wie das Neue.

Ich halte es hier durchaus nicht für an Ort und Stelle, eine Übersicht der politischen Verhältnisse des Landes, des Volkes und seiner Herrscher zu entwickeln und dabei einen Blick auf die Ereignisse der neuesten Zeit zu werfen, indem ich Unteregypten nur als einen kleinen Theil eines Länderkolosses ansehe, dessen Geschichte in Eins verflossen ist und die darzulegen erst dann Zeit ist, wenn wir einmal die ganze Masse dieser Länder kennen, die sie betrifft, wenn wir einmal die bürgerliche Stellung, die Bedürfnisse, die Meinung des Menschen kennen, der in diesen Ländern lebt, und wenn wir einmal durch Erfahrung des Details die Lage kennen, in die sich die ganze Masse zur übrigen Welt gesezt hat. Alles diess kann daher erst den Schluss meiner Beobachtungen über die unter den Befehlen des Vizekönigs zur Zeit seiner grössten Machtentwicklung gestandenen Länder bilden, und ich beschränke mich hier nur auf die Darlegung der bürgerlichen Verhältnisse des in Unteregypten lebenden Menschen.

Die Geschichte Egyptens gehört, was die Interessen
der Menschheit betrifft, unter die folgenreichsten, was die
geistige Ausbildung der übrigen Welt anbelangt, ist sie,
zunächst der indischen, vielleicht selbst die folgenreichste
gewesen, indem sie mit ihr die grossen Ereignisse späterer
Jahrhunderte hervorrief, jene gewaltigen Reformen in der
Kulturgeschichte des Menschen, die eine Welt zum Schauplatz hatten und leztern der höchsten geistigen Veredlung
entgegenführten, deren er fähig ist. Völker haben sich um
das herrliche Land gestritten, es als Perle ihrer Besitzungen
betrachtet, sie sind im Drange der Zeitereignisse gekommen
und gegangen. Aus allen Perioden der Geschichte Egyptens
sehen wir noch Reste, und der Mensch der ältesten Zeit ist
nicht spurlos verschwunden; denn die riesenhaftesten Monumente der Erde stehen seit Jahrtausenden als Zeugen seiner
Kraft, und noch können Jahrtausende über sie hingehen,
bevor sie verschwinden.

Wir sehen in Egypten noch heute Kopten, Berber,
Araber, Türken, Levantiner und Europäer als Abkömmlinge
der verschiedenen Völker, die sich nach einander in den
Besitz des Landes theilten. Die Kopten sieht man fast
durchgehends als die Reste der alten Egypter an und sucht
diese Hypothese auf mancherlei Weise zu begründen.
VOLNEY's Meinung über die ursprüngliche Identität des griechischen Wortes'Αιγύπτιος mit dem arabischen Kubti (Qoubti)
ist in der That sinnreich und hat viel für sich. Man findet
Ähnlichkeiten der Physiognomien der heutigen Kopten mit
den Gesichtern der alten Egypter, wie wir sie auf ihren
Monumenten als Skulptur und gemalt häufig sehen, sowie
überhaupt diese Abbildungen die Darstellung mehrerer
Völker, welche das Land der Pharaonen bewohnt zu haben
scheinen, oder, an die Triumphwagen der Sieger gekettet,
dahin gebracht wurden, zum Gegenstande haben. So
finde ich eine grosse Ähnlichkeit zwischen dem Kopfe
des heutigen Berbers in Nubien und dem des alten,
braunen Egypters der Monumente, eine Ähnlichkeit, die
frappant auffällt und die sich sogar auf die Art und
Weise, die Haare zu tragen, erstreckt, welche vor

4000 Jahren ganz dieselbe war, wie wir sie noch heut zu Tage in Nubien bei den Berbern beobachten. Vorzüglich aber bestimmt mich ein negativer Grund zur Theilung der Annahme, dass die Kopten die Nachkommen des altegyptischen Volkes seyen, nämlich der, dass ich mir durchaus nicht denken kann, was sie denn sonst seyn sollten. Die Idee, dass sie eine Mischung aus verschiedenen Racen sind, ist meiner Ansicht nach ganz unstatthaft; denn der Kopte hat eine nationelle, stetige, von jeder andern Race scharf gesonderte Physiognomie; in ihr ist nichts Variables, nichts Vages, was die Mischlinge bezeichnet. Von einer Negerabkunft kann gar keine Rede seyn. Mit all den Völkern, die über Egypten sich in älterer Zeit schon verbreiteten, mit den Persern, Griechen, Römern, Arabern haben sie nichts, gar nichts gemein, weder in ihrem körperlichen Habitus, noch in ihrer Sprache. Aus zweiter wären doch Klänge geblieben, und sie wäre kaum, bei ihrer ihnen eigenen Abschliessung ihrer Kaste, spurlos verwischt und gegen eine andere eingetauscht worden. Doch der Kopte steht ganz abgesondert da, der Rest eines unbekannten Stammes. Als die Macht der Pharaonen, 542 vor Christus, unter PSAMMENIT durch den Einfall der wilden Perser unter KAMBYSES gebrochen war, blieb das egyptische Volk bis zur Eroberung Egyptens durch ALEXANDER den Grossen, im Jahre 331 vor Chr., unter dem Drucke der Perser. Die Epoche der Ptolemäer unter Griechenlands Herrschaft machte noch einmal den Genius der Kultur, der Künste und Wissenschaften aus den blutigen Trümmern der Perserherrschaft auftauchen, doch es war der Grieche, der da waltete, der Egypter blieb ein untergeordnetes, erobertes Volk. Im Jahr 29 v. Chr. dehnte Roms Weltherrschaft seine Riesenarme auch über Egypten aus, das Christenthum fand im ersten Jahrhundert Zutritt, und fand natürlich von vorne herein, bis dessen beseligende Lehre allgemein erfasst wurde, den meisten Eingang bei dem armen beherrschten Volke, das Trost und Hülfe in jeder Änderung suchte, so fand es auch in Egypten seine

ersten Eroberungen in der Klasse der Eingebornen. Die
spätern und zum Theil blutigen Religionsstreitigkeiten,
welche die Christen in Parteien spalteten, die sich unter
den Byzantinern mit Wort und Schwert wüthend bekämpf-
ten, obwohl keine der Parteien die Dogmen, um deren verschiedene Deutung sie sich balgten, klar verstand oder
verstehen konnte, trennten auch die Eingebornen — noch
haben wir immer Egypter und deren Herren —
von der Masse der übrigen Christen und stellte sie isolirt.
Die Schwäche des römischen Reichs, ein abgelebter Koloss,
dessen Theile morsch sich vom Ganzen trennten, das seinem
Verfalle mit Riesenschritten entgegenging, war so weit
gediehen, dass es nur eines gewaltsamen Stosses von Aussen
bedurfte, um ganz darnieder zu stürzen. Dieser Stoss geschah zuerst im Süden und trennte Egypten von der Römer-
und Byzantiner-Herrschaft. Des Islams Feuer hatte sich
in Arabien entzündet und mit der ganzen Kraft des Fanatismus verbreitete sich die neue Lehre mit Feuer und
Schwert. Noch sassen die nächsten Anverwandten des
Propheten auf dem Throne der Kalifen, sie und ihre
Araber waren des Islams Vorfechter, sie waren auf dem
geraden Wege zu dem höchsten Gipfel des Ruhms, der
Macht, des Glanzes des arabischen Namens, ihrem Schwerte
widerstand nichts. Amru, der Feldherr Omars, der Gründer
von Kairo, führte, 640 n. Chr., seine sieggewohnten und
kampflustigen Araber nach Egypten, eroberte es durch
Kraft der Waffen und durch die Stimmung des damaligen
Statthalters Makaukas, eines der angesehensten Egypter,
eines Kopten, der diese Gelegenheit mit Freuden ergriff,
sich vom Drucke der Römerherrschaft los zu machen.
Alexandria fiel, verlassen von den Eingebornen, von den
Arabern Kopten genannt, nach verzweifeltem Wider-
stande der Griechen (Byzantiner), wurde von diesen wieder
genommen, fiel wieder, der Kampf um die prachtvolle Stadt
wiederholte sich, und sie fiel endlich unter Konstans II.
und unter Amru und Makaukas arabischer Seits dem Heere
der Verbündeten für immer zu. Dieses bestand aus Arabern
und Kopten, den Eingebornen des Landes. Der

Araber Herrschaft war anfänglich kraftvoll und weise, doch
auch sie ging den Weg des Irdischen. Egypten kam
1250 unter die Herrschaft der Mameluken, noch waltete
das arabische Prinzip. Im Jahre 1517 aber eroberte Sultan
SELIM Egypten, stürzte den Thron der Kalifen, und die
Dynastie der tscherkessischen Mameluken, die der der
baharitischen gefolgt war, hatte ihr Ende erreicht. Noch
blieb zwar die Herrschaft Egyptens bis zu dem Blutbade
auf der Citadelle zu Kairo im Jahr 1811 in den Händen
der Mameluken-Häuptlinge und ihrer Vasallen, jedoch war
Egypten türkische Provinz geworden, der Sultan war der
Oberherr, und an die Stelle des arabischen Prinzips trat
das türkische und blieb bis auf den heutigen Tag. In den
Perioden der Araber - und Türkenherrschaft sinken die
Kopten mehr und mehr in ein moralisches und physisches
Nichts herab, wir sehen sie, deren Voreltern noch unter
MAKAUKAS auf den Mauern von Alexandria gekämpft und die
Lorbeeren mit den Söhnen der Wüste getheilt hatten, zulezt
als die Rechnungsführer der türkischen Beamten-Soldateska
mit dem Hauptbestreben, das im Oriente zur Dienstangele-
genheit geworden zu seyn scheint, mit dem Bestreben
nämlich, den Herrn zu betrügen, wie und wo es möglich
ist. Wir haben keinen Grund, zu vermuthen, dass die
Kopten unserer Tage andere Kopten ihrem Ursprung nach
seyen, als die, welche an der Seite AMRU's fochten; wir
haben keine Ursache zu behaupten, dass die als die Eingebornen des Landes von den Arabern bezeichneten Kopten
andere Eingeborne seyen, als die, welche die Perser und Griechen sich unterwarfen, kurz ich sehe in dem Überblicke der Geschichte den besten Beweis, dass die Kopten wirklich die Abkömmlinge der alten Egypter seyen, ich sehe in der Geschichte gleichsam die Stammtafel dieses Volkes. Dass dessen
Sitten, dessen Sprache, dessen körperlicher Habitus sogar
sich geändert haben, das ist, blicken wir nur auf die Geschichte anderer Völker, nicht zu verwundern. Der Eroberer
besteht nie neben dem Eroberten, beide ihre Originalität
behaltend. Einer oder der andere, meist beide zugleich,
ändern sich, sie assimiliren sich gegenseitig zu einem

neuen Ganzen, dessen Theile über ihr einstiges selbstständiges Seyn nur Winke geben. Der Kopte hat seine Sprache noch nicht verloren, aber für die arabische umgetauscht. Seine heimathlichen Töne sind ihm fremd geworden, er versteht selbst, mit Ausnahme einiger Priester, die Bücher nicht mehr, die noch in seiner Sprache bestehen und in derselben beim Gottesdienste gelesen werden. Gesprochen wird das Koptische seit ein paar Jahrhunderten nicht mehr. Selbst die Lehre des Christenthums ist bei den Kopten nicht in ihrer Reinheit geblieben; denn ihre Religion ist ein Gemenge desselben mit dem Glauben Israels und den Lehren des Islam. So kann ich mich erinnern, dass öfter Kopten sich weigerten, mit uns zu speisen, weil wir die Thiere auf eine andere Art schlachten als sie; doch wenn sie sahen, dass wir Wein zu Tische tranken, so beschwichtigten sie meist die religiösen Zweifel, die anfänglich in ihnen aufgestiegen waren.

Der Kopte ist aber nur zum Theil Abkömmling der alten Egypter; denn das Land der Pharaonen war auch schon in den ältesten Zeiten von mehreren Völkerschaften bewohnt. Wir unterscheiden in den Abbildungen auf den Monumenten drei scharf gesonderte Menschenrassen, nämlich weisse, braune und schwarze. Die lezten sind Neger und also solche Völker, die als Sklaven aus dem Innern nach Egypten gebracht wurden, damals wie heute, Überwundene, Kriegsgefangene; denn unter dem egyptischen Himmel hat die Bildung von Negervölkern wohl nie stattgefunden. Die braunen sind, wie ich glaube, den unteren Klassen angehörig gewesen, Landvolk und nomadisirende Hirtenvölker, wahrscheinlich die Blemier der Alten, wie man auch aus den bildlichen Darstellungen sieht. Sie sind dem heutigen Berber in Nubien so täuschend ähnlich, dass es unmöglich ist, diese frappante Ähnlichkeit nicht aufzufassen. Züge, Farbe und, wie schon gesagt, die Methode, die Haare zu tragen, alles stimmt ganz genau. Ich sehe daraus, dass der heutige Berber ehemals in Egypten lebte, dass dieser Rasse die sogenannte untere Volksklasse angehörte und dass sie wahrscheinlich ein älteres, später unterjochtes Volk gewesen

Ist. Die Partei der Sieger scheint die weisse Rasse gewesen zu seyn; dieselbe, von der unsere Kopten stammen, dieselbe, der die hohen Kasten, Priester, Krieger etc., angehörten. Dürfte nicht die braune Rasse, also Egyptens Urvolk, identisch mit den alten Äthiopiern gewesen seyn? und können wir nicht den Berber in Nubien als den Nachkömmling des ältesten Volkes in Egypten und allgemein gesprochen in Äthiopien betrachten? Ist der weisse Egypter der Monumente, den wir in unserm Kopten wieder finden, nicht der später in Egypten eingewanderte Mensch, der das Land eroberte und das braune Urvolk sich unterwarf? Doch wo kam er her, sollte er indischen Ursprungs seyn und vielleicht mit dem Kultus der alten Egypter, der entschieden indischen Charakter an sich trägt, von der Ostküste Afrika's ins Innere eingedrungen seyn, die Priester-Staaten im südlichen Nubien, Meroe etc. gestiftet, die Felsentempel des nördlichen Nubiens gebaut haben und von da aus als Eroberer dem Nil entlang nach Egypten gegangen seyn, dem Lande neue Götter, neuen Kultus, neue Verfassungs-Ideen bringend? Ich glaube, wir werden in der Folgezeit dahin kommen, diese Fragen beantworten zu können, und wie ich so bei mir selber dachte, wenn ich zwischen jenen Trümmern unnennbarer Grösse, die nach Jahrtausenden rechnen, herum ging, werden wir sie mit Ja! beantworten. In Egypten sehen wir in der ganzen Reihe seiner Riesen-Denkmäler nichts Gemeines, nichts Rohes, nichts mit einem Worte, was auf eine totale Kindheit der Kunst hindeuten möchte, wir sehen nur Hohes, Herrliches, Vollendetes. Ein Volk, welches solche Werke liefert, muss herangezogen werden durch Jahrhunderte, durch Jahrtausende, wenn seine Werke original sind, wie die egyptischen, und dann wird man nicht nur die Werke seiner Meisterschaft sehen, sondern den ganzen Gang seiner Ausbildung noch in den Trümmern entnehmen können. Da diess aber in Egypten entschieden nicht der Fall ist, so muss das Volk, dessen Werke wir anstaunen, schon in der höchsten Kunstausbildung dahin gelangt seyn, und gehen wir den Strom hinauf, so finden wir den Weg, den es

20 *

wahrscheinlich machte, wie wir später sehen werden. Berber trifft man in Unteregypten als eigentliche Volksmasse gar nicht, nur im südlichsten Theile von Oberegypten nehmen sie einzelne Dörfchen - ein, in Nubien aber bilden sie die vorherrschende Bevölkerung, sich in verschiedene Stämme theilend, die wir in jenem Lande selbst näher kennen lernen werden.

Das herrschende Volk Unteregyptens wie Egyptens überhaupt sind der Anzahl nach die Araber. Sie sind seit ihrem ersten Auftreten unter AMRU im Jahre 640 allgemein im Lande verbreitet, obwohl jezt den Türken unterthan. Sie theilen sich ihrer Lebensweise nach in Ackerbau treibende Stämme (Fellahs, Bauern) und in nomadisirende Hirtenvölker (Beduinen, Bedaui). Die Fellahs sind, wie es oft bei den an bestimmte Plätze gebundenen Völkern der Fall ist, eine sehr gemischte Rasse, der Beduine hingegen ist Araber von reinem Blute, die weite Wüste ist seine Heimath. Der Stolz auf seine Freiheit, die Eifersucht, mit der er für die Reinheit seines Stammes wacht, erklären die Erscheinung, dass er durch Jahrtausende derselbe blieb.

Die Hirtenvölker der alten Egypter waren zwei Hauptnationen angehörend, der der Hyksos und der der Blemier. Beide wesentlich von einander unterschieden, beide aber Nomadenvölker, in ihrer Lebensweise als solche einander gleich. Beide standen der geregelten Verfassung Egyptens feindlich gegenüber, wie noch heut zu Tage der Natursohn der Wüste der geborene Feind der ansässigen, Ackerbau treibenden Volksklasse ist, die er in seinem ungezügelten Hang zur Freiheit verachtet, verfolgt, beraubt. Ich kenne meiner Ansicht nach nur einen Beduinen, den Nomaden. Wenn derselbe vom flüchtigen Dromedare steigt und nicht mehr wandert, den Pflug ergreift und eine Hütte sich baut, statt die Wüste zu durchziehen und sein Zelt aufzuschlagen, so ist er kein Beduine mehr, er wird Fellah, d. h. Bauer. So sieht auch der Araber die Sache an.

Der Beduine Egyptens ist der der arabischen und libyschen Wüste, derselbe wie der der Sahára, wie der der Raubstaaten, wie der Arabiens, wie der aus der Wüste

Syriens, derselbe, der vom atlantischen Ozean bis zum persischen
Golfe zieht, derselbe in Sitten, körperlichem Ansehen, Sprache,
wenn auch leztere in ganz verschiedenen Dialekten redend. Er
ist der Kern der arabischen Nation, die reinste arabische Rasse.

Der Hyksos ist der Vorfahre des heutigen Arabers,
er ist der alte Araber, der wandernde Chaldäer, dessen
Pferde schnellfüssiger sind, wie die Leoparden, dessen Auge
schärfer sieht als der Wolf des Abends, dessen Reiter sich
weit ausbreiten und von Ferne kommen, fliegen wie die
Adler zum Frasse. So sagt der Prophet, und treffender kann
man den Beduinen nicht schildern. Die Bibel gibt uns überhaupt
in ihren Darstellungen * des Nomadenlebens eines ABRAHAM
und der übrigen Stammväter das klarste Bild der Lebensweise
dieser Hyksos und ihrer direkten Abkömmlinge unsrer heutigen Beduinen, die seit Jahrtausenden dieselben geblieben sind,
durch und durch in ihrer Denkweise, wie in ihrem Äussern.

Die Hyksos bedrängten die Pharaonen oft stark, ihre
Einfälle erstreckten sich verheerend über das Land, und
stets kamen sie aus Ost und Nordost, und oft, obwohl nach
langen und blutigen Kämpfen, wurden sie wieder dahin zurückgeworfen. Zweitausend Jahre v. Chr. brach ein solcher Schwarm
von Hyksos aus Osten in Egypten ein und behauptete sich
in den Wüsten am rothen Meere durch fast 300 Jahre,
bis es den Pharaonen gelang, sie zu vertreiben. Dergleichen
Einfälle mussten auch von Westen her befürchtet worden
seyn, daher die Spuren von Mauern und Wällen gegen
das libysche Gebirge zu, z. B. in der Gegend von Theben.
Beiläufig 1300 Jahre v. Chr., wie MANETHO und die griechischen Geschichtschreiber der ersten christl. Jahrhunderte
sagen, geschah ein neuer Einfall der Hyksos, die der PHARAO,
SETHOS und RHAMSES aus der 19. Dynastie wieder nach
Syrien zurücktrieb. Solcher Einfälle der Hyksos waren
mehrere und sie scheinen sich mehr und mehr in den
Wüsten, welche Egypten einschliessen, festgesezt zu haben.
Sie wurden von dem Strome der Araber, die im 17. Jahr-
hunderte sich über Egypten ergossen, nicht unterjocht, nicht

* v. PROKESCH's treffliche Schilderung der Beduinen in Egypten,
in seinen Erinnerungen aus Egypten und Kleinasien. Bd. 2.

vertrieben. Natürlich — denn sie waren ja selbst Araber, Zweig eines und desselben Stamms.

Die Blemier sind mit den Hyksos und ihre Nachkommen mit denen der Hiskos, mit unsern heutigen Beduinen, nicht zu verwechseln. Die Blemier kamen stets aus Süden, waren nicht arabische, sondern äthiopische Nomaden, eine braune Rasse. Wir finden sie heut zu Tage in Nubien wieder; denn allen Kriterien zufolge sind die Bischariin, Kababisch, Hassanieh, Hadendoas, Schukoje, Hanauits, Bagaras etc. die direkten Abkömmlinge dieser innerafrikanischen Wandervölker. Sie reden ihre eigene Sprache, ähnlich der der Berber, aber durch die arabische verändert, von der sie eine Menge Worte aufgenommen haben.

Auch sie standen Egypten stets feindlich gegenüber und ihre Einfälle waren den Pharaonen nicht weniger gefährlich, als die der Hyksos. Sie kamen mit den Äthiopiern nach Egypten, stifteten unter Sabako die 25. Dynastie und wurden erst unter Stephinatis (nach Manetho), dem ersten Könige der 26. Dynastie, der von Sais, etwa 674 v. Chr. wieder vertrieben. Ein zweiter Einfall der Äthiopier geschah in den lezten Zeiten der schwächer und schwächer werdenden Römerherrschaft, doch Petronius warf sie in die Sandwüsten Nubiens zurück und eroberte ihre Hauptstadt Napata. Die Blemier erschienen zwar später neuerdings in Oberegypten, wurden aber neuerdings zurückgeworfen. So verschwand das eine dieser Hirtenvölker, die Blemier, wieder ganz aus Egypten, das andere, aber die Hyksos, blieb bis auf den heutigen Tag.

Seit der Eroberung Egyptens durch Sultan Selim im Jahre 1517 sind die Türken die Herren des Landes und treten unter den Nationen auf, die wir in Egypten finden. Sie bilden jedoch keine Volksmasse, sondern sind rein die Eroberer; über das Land hin zerstreut, weder Bauern, noch Handwerker, gehören sie keiner der produzirenden Klassen an, sind sie ausschliesslich die herrschende Klasse, alle bedeutendern Stellen in der Armee und im Civildienste einnehmend. Der Araber hasst sie mit dem Gefühle des Unterdrückten, der Türke verachtet die Araber mit dem Stolze des Unterdrückers. Die Indolenz, mit der der Türke alles betreibt, was nicht gerade in das Bereich seines von vorne herein chevaleresken Charakters fällt; die Unwissenheit, in der er beharrt und andrerseits die weit höhere moralische Kraft und Entwicklung des Arabers, der eine glänzende Periode in seiner Geschichte hat, die der Türke nie erreichte, machen, dass der Araber doch immer im Stillen eine gewisse geistige Oberherrschaft ausübt; und jene Umstände werden das arabische Princip erhalten, wenn das türkische längst seinen Untergang gefunden haben wird. Das einzige Band, was beide Völker an einander hält, ist die Religion, und der fanatische Hass gegen alle jene, die nicht derselben Meinung sind; der einzige Grund, der das eine Volk dem andern unterthan erhält, ist die Furcht vor der grössern militärischen Kraft, durchaus nicht Anhänglichkeit. Der Araber ist noch der alte Araber im Kampfe gegen die Feinde seines Glaubens; er sieht noch im Gefechte, wie der Koran sagt, vor sich das Paradies, hinter sich Tod und Teufel. Der Türke sieht alles durcheinander und weiss nicht wohin. Eine missverstandene Civilisation hat ihm den Kopf verrückt; seine Sultane haben ihre mehr patriarchalische Stellung aus dem Auge verloren, die einzige, die der Nation, wie sie ist, angemessen wäre; sie haben sich aus den Reihen des Volkes weg hinter Formen geflüchtet und mit Formen umgeben, die der Natur des Türken als solchem zuwider sind, und Änderungen, auf welche die Nation moralisch nicht vorbereitet war, haben den Nerv der alten Sarazenen-Kraft unheilbar durchhauen. So stehen in Egypten arabische und äthiopische Völker den Türken gegenüber; von allen gehasst, ist es in Unteregypten einerseits die Furcht vor der grössern Anzahl derselben, welche das Band erhält, andrerseits ist der Fellah der zahlreichste der Bewohner, durch Druck und Elend so herabgekommen und so entwürdigt, dass er eigentlich gar keine Meinung mehr hat und ihm nichts Schrecklicheres begegnen kann, als dass man ihn geradezu todtschlägt. Anders ist es weiter im Süden, wo die Macht der Türken mehr und mehr zerstreut, folglich weniger gefürchtet ist. Daher die kleinen Revolte die sich häufig in Oberegypten zutragen, daher die Stimmung, die allgemein im Innern, in Nubien, Sennaar und Kordofan gegen die Türken herrscht, so dass in diesen Ländern es nur eines sehr geringen Impulses bedürfte, um die Einwohner zu einem Versuche zu bewegen, das Joch der fremden Eroberer abzuschütteln. Der Name: MEHEMED-ALI ist vorzüglich der mächtige Talisman, der den Zauber fortwährend festhält; wie er sich löst, wenn jener Stern erbleicht, das muss die Zukunft lehren. Man sehe auf die neuesten Ereignisse in Syrien und Arabien.

Die Levantiner bilden einen nicht unbeträchtlichen Theil der Bevölkerung Egyptens, sie sind nebst den Kopten, die man grösstentheils zu ihnen rechnet, die Rajas. Theils stammen sie noch aus den alten Zeiten, als die christliche Religion in jenen Ländern Wurzel schlug, theils sind es später eingewanderte christliche Familien, die theils unmittelbar unter der türkischen Herrschaft stehen, theils sich unter den Schutz der einen oder andern der europäischen Mächte, respective ihrer Konsulate, gestellt haben. Nur die erstern werden zu den Rajas gerechnet. Die andern nennt man österreichische, französische, englische etc. Unterthanen, je nachdem sie dem Konsulate der einen oder andern Nation untergeordnet sind. Sie gehören ihrer Abstammung und ihrer Religion nach verschiedenen Völkern an, und wir sehen unter ihnen Griechen, Armenier, Syrier, Katholiken, Maroniten etc. Alle reden sie, ausser ihrer Nationalsprache, auch · arabisch und italienisch *. Ihr vorherrschendes Geschäft ist der Handel, weniger gehören sie dem eigentlichen Handwerker-Stande an. In ihren Händen ist die meiste pecuniäre Kraft, und unter ihnen sind sehr achtbare und reiche Häuser, daher sie auch auf die öffentliche Verwaltung keineswegs ohne Einfluss sind, der mitunter sogar sehr bedeutend ist. Ihre Sitten tragen ganz die Farbe des Orientes, und erst in neuerer Zeit fangen sie an, den Kaftan mit dem Frack, den Turban mit dem Hute zu vertauschen, bleiben aber doch Levantiner.

* Die sogenannte Lingua franca ist nichts anders als italienisch, eine Sprache, die sich aus der Zeit der Venetianer und Genueser-Herrschaft in der Levante herschreibt.

Den Levantinern stehen in vieler Beziehung die Juden
sehr nahe. Sie sind seit den ältesten Zeiten in Egypten,
kleiden sich wie die Rajas, bekleiden oft hohe Posten, sogar
Konsulate, und unter ihnen herrscht zum Theil sehr viel
Wohlstand. Wie überall leben sie abgeschlossen für sich
und vermischen sich nicht leicht durch Heirathen mit andern
Völkern, die nicht ihres Glaubens sind. Ihr ausschliessliches
Geschäft ist der Handel. Mit den Levantinern theilen sie
eine Eigenthümlichkeit, das ist die Schönheit ihres weiblichen
Geschlechtes, die man in Kairo wirklich auffallend findet.
Ihre bürgerliche Stellung ist nicht die angenehmste; denn
Türken und Araber hassen und verachten sie, und sie können
diesen Verfolgungen nichts entgegenstellen, als Ränke und
Geduld.

Seit dem Einfall der Franzosen, im Jahr 1798, steht
Egypten den Europäern ungehindert offen, die bei ihrem
Scharfblicke und ihrem industriellen Unternehmungsgeiste
auch sogleich die ganze Wichtigkeit des Aufenthalts in
diesem Lande für den Handel im Mittelmeere und die Verbindung Europa's mit Ostindien erfassten. Anfänglich er-
schwerte zwar der Fanatismus der Mohammedaner die Existenz der Franken, wie man alle Europäer nennt, und sie
mussten sich so manche Kränkung gefallen lassen. Später
aber, durch die eiserne Hand MEHEMED-ALI's in Schranken
gehalten, hörten alle diese Beleidigungen, Verfolgungen und
Erpressungen auf; der Europäer geht jezt ruhig seinem
Erwerbe nach, ruhig durchreist er das Land von einem
Ende zum andern. Während er früher starke Bedeckung
brauchte, um vor die Mauern einer Stadt hinausgehen zu
können, macht er jezt allein Reisen, die früher sammt Bedeckung ein Wagestück gewesen sind. Man trifft in Unter-
egyyten, namentlich in Alexandria, Europäer von allen
Nationen, vorzüglich aber Griechen, Malteser, Italiener,
Franzosen etc., von denen, ausser den Konsuln der verschiedenen Mächte und deren Beamten, die meisten sich
mit dem Handel und mit Betreibung von Handwerken beschäftigen. Viele der in Egypten auftretenden Europäer
sind reine Abenteurer, vertriebene Vagabunden, der Strenge

des Gesetzes in ihrem Vaterland Entflohene etc., die in
Egypten ihr Glück suchen und dasselbe manchmal auch
finden. Durch das Monopolsystem des Vizekönigs und die
durch den vermehrten Zufluss der Europäer erweiterte Kon-
kurrenz ist zwar jene goldene Zeit verschwunden, wo der
Franke in kurzer Zeit ein reicher Mann werden konnte;
aber noch immer ist Gelegenheit für jeden arbeitslustigen,
ordentlichen Menschen, besonders für Handwerker, sich ein
bedeutendes Vermögen zu sammeln.

Betrachten wir, welchen Schutz der Franke in Egypten
geniesst, wie viele Europäer in Egypten Ruhe, Glück, Reichthum fanden, so können wir nur sagen, dass alle Nationen
Dem dafür verpflichtet sind, von dem diess Alles ausging,
und diess ist einzig und allein der Vizekönig, der sein Land
gastlich Jedem öffnete — den er brauchte, wird man vielleicht sagen — und wenn auch, sey das Motiv, welches es
seyn möge, von dem Faktum haben Tausende von Europäern
Nutzen gezogen, und eine Menge derselben würde vielleicht
in Armuth zu Grunde gegangen seyn, hätte sie nicht dieses
Land freundlich aufgenommen, wo ihre Ideen mit Gold auf-
gewogen wurden, Ideen, zu deren Realisirung sie in dem
kenntniss- und erfahrungsreichen Europa weder Vertrauen
noch Geld erhalten hätten. Der Europäer untersteht den
türkischen Behörden, überhaupt den Landesbehörden gar
nicht, sondern steht unmittelbar nur unter dem Konsulate
seiner eigenen Regierung und unter den Gesetzen seines
Landes oder dessen, dem er sich in die Arme warf. In
Ausübung ihrer Religion sind die Europäer gänzlich unbe-
schränkt; sie haben in Kairo und in Alexandria ihre eigenen
Kirchen, Kirchhöfe, Priester, Klöster, Schulen, Missionäre,
kurz alle Zugeständnisse, die sie vernünftigerweise in einem
Lande ansprechen können, dessen herrschende Religion dem
Christenthum so feindlich gegenübersteht. Alle diese Vortheile haben sie aber nicht wegen eines Vorgerücktseyns
der Mohammedaner in der Kultur des Geistes zu geniessen —
keineswegs: denn die sind in neuerer Zeit wie angewurzelt
stehen geblieben, trotz des Genius der modernen Civilisation,
der sie umflatterte; sondern desswegen, weil der Vizekönig

es so wollte und vor seinem Worte sich Alle beugten, vom Taurus bis zu den Mimosenwäldern von Kordofan. Es ist kein Land in Europa, wo der Mensch einer solchen Freiheit geniesst, als der Europäer in Egypten, keines, wo er einer solchen Freiheit geniessen kann; denn sein Zustand daselbst gränzt ans Gesetzlose, daher die scheusslichen Handlungen, die man von einigen Europäern in Egypten begehen sieht, unter denen ich nur auf den abscheulichen Sklavenhandel, mit allen seinen Gräueln, den einige im Grossen betreiben, aufmerksam mache.

Angaben über die Bevölkerung Egyptens in quantitativer Beziehung zu geben, ist sehr schwer, da Volkszählungen mangeln. Man schäzte damals, als ich in Egypten mich befand, die ganze Bevölkerung auf beiläufig 3 Millionen Menschen, was der Wahrheit auch so ziemlich nahe kommen mag. Auch Clot-Bey nimmt diese Grösse beiläufig an und theilt nun die Bevölkerung nachstehend ein:

Fellahs und überhaupt egyptische Mohammedaner	2,600,000
Beduinen	70,000
Türken	12,000
Kopten	150,000
Negersklaven	20,000
Berber	5000
Abyssinische Sklaven	5000
Tscherkessische, mingrel. u. gnorische Sklaven	5000
·Juden	7000
Syrier	5000
Griechen ⎫ Rajas, Levantiner	3000
Armenier ⎭	2000
Europäische Griechen	2000
Italiener	2000
Malteser	1000
Franzosen	800
Engländer	100
Österreicher	100
Russen	30
Spanier	20
Von den übrigen europäischen Staaten . . .	100
	2,890,150

Diese Angaben sind, wie gesagt, nicht offiziell, und die
Summe dürfte gegen den wirklichen Bevölkerungsstand um
wenigstens 100,000 Seelen zu gering seyn. Namentlich
stehen die Angaben der Anzahl der Rajas und Europäer
gegen die Wirklichkeit sehr zurück, indem z. B. in Alc-
xandria allein wohl an 7000 bis 8000 Europäer, mit Einschluss
der Malteser und europäischen Griechen, leben dürften.

Von dieser summarischen Bevölkerung Egyptens kann
man im Verhältnisse des Kulturlandes für Oberegypten ein
Drittheil, für Unteregypten, mit Einschluss von Kairo, zwei
Drittheil rechnen. Merkwürdig ist aus dieser Übersicht das
Verhältniss der türkischen Bevölkerung zur arabischen, der
herrschenden zur beherrschten, wobei man sieht, dass erstere
in quantitativer Beziehung gegen leztere fast verschwindet.

Eine in einem starken Verhältnisse vorschreitende Entvölkerung des Landes seit der Besitznahme durch die Türken
und besonders in den lezten Perioden der Mamelukenherrschaft und in der neuesten Zeit ist nicht zu verkennen. Viele
Gründe wirken auf diese Erscheinung ein, von denen einer
den andern hervorzurufen scheint. Auf die zügellose Herrschaft der Mameluken, die die Kultur des Landes nicht im
mindesten vor Augen hatte, Kanäle verfallen liess, dem
Lande die Bewässerung entzog und der Wüste selbst das
fruchtbarste Land der Erde zum Verschlingen darbot: auf
diese Gräuelperiode folgte, als MEHEMED-ALI die Zügel mit
sicherer Hand ergriff, eine Epoche des Aufschwungs, der
Kultur und der Bevölkerungszunahme. Kanäle wurden gegraben, das Land wurde zweckmässiger vertheilt, bestimmte
Vorschriften regelten dessen Bewirthschaftung, der Ölbaum,
die Seidenzucht, die Baumwollenkultur u. dgl. wurden eingeführt, und Egyptens blutgedüngter Boden verwandelte
sich wieder in ein üppig grünendes Land. Doch so konnte
es nicht lange bleiben; die Produktion und der dadurch
sich beziffernde Erlös standen in keinem Verhältnisse zum
Bedarf. Die Vermehrung der Lasten stieg ins Unglaubliche.
Die grosse Armee forderte eine Menge gesunder Arme, sie
wurden dem Landbau entrissen, schonungslos, barbarisch entrissen. Die Entvölkerung während der schlechten Wirthschaft

der Mameluken war planlos, zufällig, stückweise; nun wurde sie systematisch, allgemein, jezt erst wurde sie Entsetzen-erregend und das ganze Land erschütternd. Dazu kommen schwere Heimsuchungen des Himmels, Missjahre, Pest, Cholera, die das Volk zu Tausenden hinrafften. Kein Wunder also, wenn das Elend des Landes aufs Höchste gesteigert wurde und die Entvölkerung mit Riesenschritten vor sich ging. — Nur durch ein Mittel wäre Egypten zu retten gewesen, dadurch, wenn MEHEMED-ALI alle seine Eroberungs-, seine Unabhängigkeitspläne aufgegeben oder rasch durchgeführt hätte; diess geschah jedoch bei seinem eisernen Willen einerseits und durch die obwaltenden Umstände andrerseits nicht, und das Land ging darüber zu Grunde.

Unteregypten wurde in neuester Zeit in vier Gouvernements eingetheilt, deren jedes einen Mudir zum Chef hat, daher man sie Mudirlik nennt. Jedes dieser Mudirliks wurde wieder in Provinzen, diese in Departements und diese endlich in Bezirke eingetheilt.

Das erste Mudirlik umfasst die Provinzen Bacherieh, Dschiseh und Keljub. Mit den bedeutenden Städten: Alexandria mit 60,000 Einwohnern, Abukir, Derut, Teraneh, Ranime, Daschkum, Dschiseh, Sakarah, Kairo*, Schubra, Hauka, Abus-abel, Materieh etc.

Das zweite Mudirlik umfasst die Provinzen Menuff und Garbieh. Bedeutendere Städte sind: Menuff, Rosette, mit 15,000, Damiette mit 28,000, Mehalet el Kibir mit 18,000 Einwohnern etc.

Das dritte Mudirlik beschränkt sich auf die Provinz Mansurah mit den Städten Fareskur, el Arisch, Tine, Mausura etc.

Das vierte Mudirlik endlich umfasst die Provinzen Scharkieh und Adfeh, mit einigen weniger bedeutenden Städten.

Zur Handhabung der Justiz, Eintreibung der Steuern, Aufrechterhaltung einer gewissen polizeilichen Ordnung in

---

* Kairo steht nicht unter dem Mudir, sondern hat seinen eigenen Gouverneur. CLOT-BEY gibt dessen Bevölkerung zu 300.000 Seelen an, welche Angabe ich zu gering finde, wie ich schon erwähnt habe.

allen diesen Theilen des Landes stehen unter dem Mudir oder Gouverneur die Mamurs als Chefs der Provinzen, unter diesen die Nasirs als Chefs der Departements, unter diesen endlich für die einzelnen Bezirke und Ortschaften die Schechs el Beled, d. h. die Häuptlinge des Landes. Die höheren Chargen dieser Beamten sind alle durch Türken oder Freigelassene von tscherkessischer, georgischer oder mingrelischer Abkunft besezt, die früher Sclaven bei diesem oder jenem Pascha oder Bey waren und durch Anhänglichkeit, Geschicklichkeit oder sonst auf irgend eine Art, wie es im Oriente gewöhnlich ist, sich die Gunst ihrer Herren erwarben, frei wurden und von Stufe zu Stufe stiegen.

Der Schech el Beled ist der unmittelbare Vorgesezte des Fellah, er ist das ihm nächstgestellte Mittelorgan zwischen der eigentlichen Volksmasse und ihrem Beherrscher, dem Vizekönig. Er wacht für die Aufrechterhaltung polizeilicher Ordnung in seinem Bezirk, nimmt alle kleinern Streitigkeiten und Prozesse auf und legt sie entweder im Wege der Ausgleichung bei, oder bringt er sie vor die höhere Behörde. Er sammelt die Steuern ein. Diese Schechs sind durchaus Eingeborne.

Die Nasirs wachen für die Exekution des Urtheils, welches vom Gerichte des Mamur gesprochen wurde, haben aber übrigens mehr die Stellung als Kameral-Beamten denn als politische Behörden. An sie gehen die Steuern des ganzen Bezirks, sie führen Aufsicht und Rechnung bei allen öffentlichen Bauten.

Die Kultur des Landes steht unter der unmittelbaren Aufsicht des Mamur. Er nimmt die Vertheilung der Ländereien vor, bestimmt die einzelnen Kulturzweige für diese oder jene Abtheilung des Terrains. Er überwacht die Eintreibung der Steuern und die Ablieferung der Landesprodukte in die Schonen oder öffentlichen Magazine der Regierung.

Der Mudir empfängt unmittelbar seine Befehle vom Vizekönig oder vom Conseil; er ist die höchste Mittelsperson zwischen dem Volke und der Person des Vizekönigs, in seinen Händen liegt die ganze Ausübung der Justiz, er übt die höchste Aufsicht aus über Kultur des Landes, Polizei, Steuerwesen etc. Der Mudir sowohl als der Mamur legen ihre Wochenberichte dem Ministerium vor, von dem die Entscheidung des Vizekönigs darüber eingeholt wird. Die Mudirs sind durchaus Türken, unter den Mamurs jedoch finden sich auch Eingeborne und sogar Christen, wie namentlich in Oberegypten, wo die Mehrzahl der noch existirenden Kopten sich befindet. Ausser dem Schech el Beled ist noch in jedem Bezirke ein eigener Choly oder Vorstand der Landeskultur, der zugleich die Ausmessung des Terrains, Behufs der Kultivirung desselben, über sich hat. Ausser diesem hat jeder Bezirk seinen Seraf, welcher die Geldbeträge der Steuern oder sonstige Abgaben in Empfang nimmt und an den Staatsschatz abführt. Jedes Gouvernement hat seinen Kadi oder Oberrichter, und diese Kadi's haben wieder ihre Abgeordnete, Schaheds, in allen Bezirken, die gleichsam die Stelle von Advokaten vertreten, und deren Aussprüche, als die der Gesetzkundigen, bei allen Gerichtssitzungen gelten. Dieses ganze Gebäude von Justiz- und Kameral-Beamten untersteht eigenen Minister-konseils, deren zu meiner Zeit (1835—1839) folgende waren, als : Konseil des Kriegs, Konseil der Marine, das des Handels, das der Landeskultur und des öffentlichen Unterrichts, das des Sanitätswesens, das des Innern oder der Staatsrath, in dessen Bereich die ganze Justiz und Kameral-Verwaltung des Landes fällt. Alle Verhandlungen, das Äussere betreffend, waren entweder ausschliesslich vom Vizekönig sich vorbehalten, wobei er häufig Konsule der auswärtigen Mächte, die gerade sein Vertrauen genossen, zu Rathe zog, theils waren sie dem Minister des Handels, dem gewandten Boghos-Jussuff-Bey, zugewiesen. So war das ganze Gebäude auf dem Papiere wirklich schön anzusehen, einfach, umfassend, den Bedürfnissen des Landes und des Volkes ganz angemessen. Aber auch hier fand wieder das orientalische Stammübel statt, das überall bebemerkt wird, wo man kultivirt, ohne selbst kultivirt zu seyn : es wurde nämlich die Form für das Wesen genommen. Im Bereich der Justiz ist der Koran die Grundlage, auf

welche sich die ganze Rechtsverwaltung stüzt; er allein
existirt als eigentliches Gesetzbuch in den Händen der
Mohammedaner; denn die Übersetzungen der europäischen
Gesetzbücher, des Code Napoleon etc., waren die Früchte
von Illusionen und traten nie ins Praktische des bürgerlichen
Lebens ein; es war die Geschichte des Bauern, der sich
ein Gesetzbuch kauft und nun ausruft: jezt brauche ich keinen
Juristen mehr! Nie kamen diese Gesetze in Anwendung,
wer hätte sie anwenden sollen? Der Türke denkt nur türkisch; um aber ein europäisches Gesetz anzuwenden und
mit Erfolg anzuwenden, muss man europäisch denken. Der
Koran sammt den vier übrigen religiösen Büchern des
Islam ist ein buntes Gemenge christlicher und jüdischer
Dogmen mit den eigenen Ansichten des Propheten in dem
Kleide des Mysticismus, voll Phantasie, voll Fanatismus;
ihm mangelt die positive Klarheit und Bestimmtheit, die
dem Gesetze zu Grunde liegen müssen, die gänzliche Aus-
schliessung einer jeden andern Deutung als der gegebenen.
Er könnte das Material zu einem Gesetzbuche werden, aber
selbst ist er es nicht. Daher kommt es, dass jeder theils
das Gesetz auslegt, wie es gerade die Zeit und die Bedürfnisse erfordern, theils gar keinen Anhaltspunkt hat und
sich rein auf die eigene Ansicht des Gegenstandes verlässt.
Das Gesetz der Mohammedaner ist aus einer Zeit, als der
wilde Araber glühend von Hass gegen Andersmeinende,
begeistert von einer südlichen Phantasie, seine siegreichen
Waffen weithin ausdehnte; unverändert stüzt er sich jezt
noch in einem Zeitalter darauf, wo sein Glanz längst verschwunden ist und er dem kalt berechnenden Europäer
gegenüber steht, der ihn nicht mehr fürchtet. — Die Geschäfts-
männer des Orientes werden in den Divans ihrer Befehls-
haber gebildet. Schweigend steht der Sklave vor seinem
Herrn, hört und sieht, wie er Gerechtigkeit übt und spricht, was
er hört und sieht wird Norm für sein Leben, er hat keinen
andern Anhaltspunkt als ein Buch, das er nicht versteht,
das zum Theil der selbst vielleicht nicht verstand, welcher
es schrieb. Er wird frei, aus dem Sklaven wird ein Mameluke, später ein Offizier. Nun übt er selbst Gerechtigkeit,

so wie sein Herr einst gethan hat, ebenso dumm oder
eben so gescheidt in bekannten Fällen, willkürlich in
unbekannten. Das sind, mit Ausnahmen, die sogenannten
praktischen Geschäftsleute des Orientes. Noch schlechter
steht es mit vielen theoretischen. Aufgewachsen zum
Knaben unter der Herrschaft des Frauenrockes in der
Stille des Harems, den Kopf voll Eigendünkel und Fanatismus, gewohnt an Ränke aller Art, tritt er in die Welt.
Er besucht eine Schule und lernt viel, was er ohne Vor-
bereitungsstudium nicht lernen soll. Mit verschrobenen
Ansichten wird er nach Europa gesandt. Das Leben behagt
ihm, er legt den Türken bei Seite und macht sich alle
Laster des Europäers eigen, nur dessen Tugenden nicht.
An fremde Sitten und fremde Normen gewöhnt, ist er
seinem Volke fremd geworden und bleibt ihm fremd,
wenn er nicht zu seinem alten Schlendrian zurückkehrt,
was meist geschieht. Daher sehen wir im ganzen Justiz-
verfahren nirgends Einheit, nirgends Übereinstimmung;
daher sehen wir überall Willkür, Abhängigkeit vom Eindruck des Momentes, vorwaltendes Bestreben, seinen eigenen
Vortheil zu Rathe zu ziehen und sich zu bereichern, was
überall der Fall ist, wo der Mensch keine Garantie für die
Dauer seiner Stellung in der bürgerlichen Gesellschaft hat.
Dort, wo der rein theoretische Europäer organisirte, steht
es meist nicht viel besser. Der Ankömmling kennt die
Sitte, die Sprache, die Bedürfnisse des Landes nicht, er
überhäuft den Natursohn mit einem Chaos von Formen,
er fängt dort an, wo man aufhören sollte, und erstickt
den Neuling mit Doktrinen, ihn, der nur durch die
Energie und Kraft der That zu fesseln ist. Daher das
Missverhältniss zwischen Wesen und Form in den europäisch organisirten Zweigen der egyptischen Verwaltung,
z. B. im Sanitätswesen, namentlich dort, wo die Ausübung
nicht in den Händen verständiger, europäischer Ärzte ist.
Wozu sind z. B. in den entfernern Provinzen, wo jene
zum Theil durch Pfuscher, durch Abenteurer von allen
Farben ersetzt werden, all die Ordinations - Vorschriften,

-

pharmazeutischen und Rechnungsformularien in den Feld-
apotheken, in denen selten, mitunter auch nie, Medikamente sich fanden? wozu die auf Menschlichkeit und
Civilisation sich stützenden Vorschriften für die Spitäler,
wenn man in denselben, mitten im Frieden, die armen
Kranken elend, auf blosser Erde liegend, zu Grunde
gehen lässt? — Selbst gesehen! — MEHEMED-ALI konnte
sich mit seinen weit aussehenden Eroberungs- und Unab-
hängigkeits-Ideen nie einem ruhig denkenden, praktischen
Geiste ganz in die Arme werfen; denn hätte dieser wirken
sollen, so hätte er jene aufgeben müssen. Es waren daher
häufig Träumer, die ihm am meisten zusagten, man umfing ihn
mit einem Schleier von Illusionen und in diesen ging der
ausserordentliche Mann unter, weil er den Zeitpunkt ver-
kannte, für den jene Träume gepasst haben könnten und
der — noch nicht gekommen war.

Noch trauriger, als mit der Justiz, steht es mit der
Finanzverwaltung des Landes, die hinsichtlich ihrer Wirkung auf die Bevölkerung wohl eher den Namen eines
Auspressungssystems verdiente *. Die Einkünfte des Landes,
oder vielmehr des Vizekönigs, fliessen aus dem Grundbesitz,
aus den Handelsmonopolien, aus den ordentlichen Steuern,
die sich in direkte und indirekte theilen, und aus den ausserordentlichen Auflagen. Der Vizekönig ist der ausschliessliche Grundbesitzer des Landes, Egypten ist sein,
nicht in der Idee eines europäischen Regenten, sondern
mehr in der eines Gutsbesitzers, der im Gebrauche seines
Eigenthums keiner Einschränkung unterworfen ist, welchen
Namen sie immer habe.

Die Idee Landesherr und Volk nach unsern civilisirten

---

* Da Egypten und namentlich Unteregypten nur einen kleinen
Theil der ganzen Ländermasse bildet, über die MEHEMED-ALI's Herrschaft
sich erstreckt, so können wir viele, mit Zahlen belegte, Wirkungen der
Verwaltungsweise erst kennen lernen, wenn wir ein klares Bild der
ganzen Masse in ihrem jetzigen Zustande aufgefasst haben werden,
daher ich auch Obiges nur als eine vorläufige Skizze des Systems in
Bezug auf Unteregypten zu betrachten bitte.

Begriffen findet daher hier durchaus nicht statt. Wir sehen in Egypten nur den Herrn des grossen Gutes und dessen Dienstleute, oder nach dortigen Begriffen den Herrn und seine Sklaven. Durch die Abhängigkeit von der Pforte, die aber eigentlich nur auf dem Papiere bestand und sich höchstens in der Entrichtung eines Tributs aussprach, zu welcher der Vizekönig meist im Wege der Drohung angehalten werden musste, wurde er eigentlich nach unsern Rechtsbegriffen in die Stellung eines Pächters versezt, aus der er sich jedoch in die des unabhängigen Herrn zu versetzen stets bemüht war, als welchen er sich auch ansah. Wie sich diese Verhältnisse nun durch Zurückführung in die anfängliche Stellung durch die Waffengewalt der Alliirten gestalten werden, muss die Zukunft lehren, ich spreche von der Periode meiner Anwesenheit in Egypten.

Die Aufhebung des sämmtlichen Grundeigenthums der Unterthanen im Jahr 1808 und die Einziehung des Grundeigenthums der Moscheen und frommen Stiftungen in den Jahren 1810 bis 1812 sind zwei Gewaltthaten, die einerseits, wenn wir das Gewagte, besonders der lezten Unternehmung, einem fanatischen Volke gegenüber nehmen, einen Muth von Seite des Vizekönigs voraussetzen, der Bewunderung erregen muss, andrerseits hingegen sich durchaus nicht billigen lassen, wenn wir nur als Europäer denken; betrachten wir aber Egypten und sein Volk wie es war und wie es ist, so scheint mir dieser Schritt des Vizekönigs bei weitem nicht so tadelnswerth, und ich glaube Manches zu sehen, was zur Entschuldigung der Sache, aber nichts, was zu der der Form, wie dieselbe behandelt wurde, dienen könnte. Vor Allem stellen wir das Prinzip auf: der Vizekönig wollte sein Land kultiviren, gleichviel, aus welchem Grunde, er wollte es kultiviren. Er wollte die Kultur der Baumwolle, der Seide, des Olivenbaums, des Indigo etc. einführen, gleichviel für unsern Fall, „warum?" er wollte es so. Das Land war sehr herabgekommen, der Fellah ist indolent, faul im höchsten Grad, es war unmöglich, die Idee zu realisiren, so lange dieser Herr und Grundbesitzer seines Bodens

21 *

blieb. Anstatt einer zweckmässigen Vertheilung des Landes, anstatt der Aufstellung eigener Kulturgesetze und der scharfen Überwachung der Befolgung derselben, wählte der Vizekönig den kürzesten Weg, ganz nach türkischem Ideengange, und erklärte sich zum ausschliesslichen Besitzer des Bodens. Die Güter der Moscheen wurden auf eine schändliche Weise verwaltet. Die Einkünfte waren durch Betrügereien und Diebstähle auf alle mögliche Art geschmälert. Der Vizekönig brauchte Kulturland, um die Einkünfte des Landes aufs Höchste zu potenziren, da fasste er die Idee, sich die Vortheile, welche andere daraus ziehen, selbst zukommen zu lassen, und wohl wissend, dass durch diese Stiftungen die eingehenden Summen nicht ins Leben treten, nicht in Verkehr kommen, streckte er kühn seine Hand auch nach diesen Gütern aus und zog sie ein. Auf diese Weise verwirklichte er seine Idee in einer Art, wie es vor ihm in jenem Lande schon öfter, z. B. unter den Pharaonen zu Moses Zeiten, geschehen war, und sein Schritt ist daher geschichtlich keineswegs neu.

So machte sich also Mehemed-Ali zum alleinigen Besitzer des Grund und Bodens in ganz Egypten und den Fellah zu seinem Taglöhner. Vor dieser Zeit war der Fellah im freien Besitze seines Landes zwar nicht rechtlich geschüzt, er war aber doch theils Pächter, theils wirklicher Besitzer und die Kultur seiner Grundstücke war ganz seiner Wahl überlassen. An Abgaben war es vorzüglich die Grundsteuer, die er von den der Überschwemmung ausgesezten Grundstücken, die künstlich bewässerten ausgenommen, zu entrichten hatte. Von übrigen Auflagen war er nominell frei, unterlag aber allen willkürlichen Erpressungen und Gewaltthätigkeiten der Mameluken. Leztere hörten nun allerdings mehr auf, als Mehemed-Ali an die Spitze trat. Der Fellah wurde nun nicht mehr blos nach den Launen eines Mameluken-Bey's, sondern regelmässig und systematisch ausgeplündert, so dass er im Ganzen doch nicht bei diesem Tausche gewonnen haben dürfte. Anfänglich liess man dem Fellah einen Theil der ihm zugewiesenen Äcker frei, um

dieselben mit Cerealien zu bebauen, deren Verwerthung und
eigenen Verbrauch man seiner Disposition überliess. Es
wurde nämlich die Zuweisung des Ackerlandes so eingetheilt,
dass $\frac{2}{3}$ desselben mit den für die Regierung bestimmten
Kulturpflanzungen, als Baumwolle, Zucker, Indigo, Hanf,
Flachs, Safflor etc. besezt werden mussten, während $\frac{1}{3}$
dem Fellah blieb, das er mit Getraide, Bohnen, Gemüsse
u. dgl. bebauen konnte. Späterhin wurde die Area dieser
sogenannten Freiäcker schmäler, man belegte endlich die
Erzeugnisse derselben mit Steuern, besonders wurde die
Grundsteuer darauf radicirt, die der Fellah merkwürdiger-
weise entrichten musste, ohne Grund zu besitzen. Bei
Systemisirung der Bearbeitung der dem Vizekönig nun zu-
gefallenen Grundstücke ging man von dem Grundsatze aus,
dass der Fellah mit dem Betrage eines Piasters, d. i. 6 kr.
Konv.-Münze, mit seiner Familie des Tages leben könne,
wornach sich beiläufig der Betrag des Lohns belief, den
man ihm als Taglöhner für die Bearbeitung des Bodens per
Tag berechnete. Ausserdem wurde ihm für jenen Theil
der Bodenproduktion, welchen die Regierung ausschliesslich
in Anspruch nahm, eine gewisse Vergütungssumme berechnet,
so betrug diese für die gereinigte Baumwolle z. B. in den
Jahren 1827 bis 1830 in loco des Magazins, wohin der
Fellah sie bringen musste, per Centner von 11 bis 15 fl.
Konv.-Münze. Ähnliche Beträge wurden den Fellahs auch
für die übrigen der Regierung gehörenden Erzeugnisse berechnet, sie änderten sich jedoch nach Zeit und Umständen.
Die zur Bestellung der Äcker nöthigen Thiere und Werkzeuge erhielt der Fellah gegen Verrechnung von der Regierung. Von diesen dem Fellah zugeschriebenen Beträgen
wurden die indirekten Steuern abgeschrieben, und er erhielt
für den Rest einen Schein auf den zu vergütenden Geld-
betrag. Die auf den Theilen des Ackerlandes, welches dem
Fellah zu seiner Disposition blieb, erzeugten Cerealien stehen
demselben zwar zum Verkaufe frei, auf ihrem Betrage jedoch
lastet die Grundsteuer, und beim Verkaufe des Restes hat
sich der Fellah allen den indirekten, mitunter enormen

Auflagen zu unterziehen, deren Betrag sich auf 60 bis 80 % des Werthes vom Ganzen beläuft. Betrachten wir dieses System, so sehen wir sogleich, dass es eine veränderliche Funktion des Betrages der Steuern und Auflagen ist, die, wenn sie beträchtlich höher werden, woran sie nichts hindert, als der Wille des Vizekönigs, den Erlös des Fellah nicht nur auf Null herabsetzen, sondern ihn sogar negativ machen, d. h. den Fellah in Schulden stürzen können, was auch häufig geschieht. Ein solches System könnte nur bei der väterlichsten Fürsorge, in der Idee einer Vormundschaft und bei der weisesten Einschränkung der Verwaltungsauslagen sich mit dem Wohle der den Boden bearbeitenden Taglöhnerklasse vereinen lassen. Beides aber wird man doch nicht in den Institutionen der egyptischen Regierung suchen wollen? Nehmen wir ferner auch an, dass nach Abzug aller direkten und indirekten Steuern und der ausserordentlichen Auflagen beim Verkauf der Produktion etc. sich für den Fellah eine Vergütungssumme beziffert, die seine Existenz sicher stellen möchte, von Wohlstand will ich gar nicht sprechen, so existirt eine solche Gutschreibung doch rein nur auf dem Papier; denn hier haben wir es mit der Verwaltung eines Landes zu thun, die durch das ungeheure Missverhältniss ihrer Einnahme zu ihren Auslagen so herabgekommen ist, dass sie den Sold der Truppen, ihre einzige und ausschliessliche Stütze, bis zu zwei Jahren in Ausstand lassen musste, dass sie die Besoldungen ihrer Beamten, auf deren Ehrlichkeit und Ergebenheit sie ihre pecuniäre Existenz wenigstens zum Theil gründen sollte, ebenso lange rückständig blieb, und wir können uns daher leicht vorstellen, dass eine solche Verwaltung sich nicht sehr beeilen wird, die pecuniären Anforderungen der Fellahs zu befriedigen, einer armen Volksklasse, die sie bei ihrer militärischen Stellung und Macht nicht fürchtet, nicht berücksichtigt, die sie als Sclaven betrachtet. Selbst für den Fall aber, wenn es dem Fellah denn doch gelingen sollte, eine seiner Anweisungen zu realisiren und den auf jeden Fall kleinen Betrag zu erheben, so sind eine Menge von Bediensteten, die mit ihm theilen. Von den höchsten Beamten bis zu den niedersten herab sind,

mit wenigen Ausnahmen, im Oriente alle der Bestechung
mehr oder weniger zugänglich, sehen sie sogar ganz ungenirt
und offen als eine ihrer Einnahmequellen an. Nasir und
alle die vielen kleinen Blutegel, wie sie da heissen mögen
bis zum Kabass, Tschausch und gemeinen Soldaten herab,
wollen beschenkt seyn. Der Fellah muss geben, will er
nicht eine Zukunft voller Prügel vor sich haben. Was
bleibt ihm nun, frage ich, was hat er seinen nackten, hungernden
Kindern nach Hause zu bringen? Man muss länger in
jenem Lande gelebt, muss das Volk kennen gelernt haben,
seine Sprache reden und sich in seinen Verhältnissen um-
sehen, um das Prahlende und Lächerliche solcher Äusse-
rungen würdigen zu können, wie einst Mokdar-Bey mir
eine machte, indem er sagte: „der egyptische Bauer lebt
glücklicher als der französische (einen andern kannte er
nicht), Alles, was er einliefert, wird ihm vergütet etc." Ein
solcher Galimatias kann doch nicht als Beleg für die Glück-
seligkeit eines Landes oder Volkes dienen!

Die pekuniäre Wirkung der Einziehung des Grundeigenthums durch den Vizekönig war in Egypten ausserordentlich; sie verdoppelte sogleich, in Verbindung mit den
übrigen Finanz-Operationen, die Einnahmequellen, deren
Betrag aber doch mit den Kosten in keinem Verhältnisse
stand, welche die Idee der Erlangung der politischen Selbst-
ständigkeit über das unglückliche Land brachte. Durch
den Besitz des Grund und Bodens hat sich der Vizekönig
der Erzeugung der hauptsächlichsten Landesprodukte be-
mächtigt, durch das Handels-Monopol sichert er sich
den grossen Gewinn, der aus der Verwerthung dieser
Produkte entspringt. Das Monopol dehnt sich zwar nicht
auf alle Gegenstände der Bodenkultur aus, umfasst aber
doch alle die, welche einige Bedeutung haben, als: Baumwolle,
Reis, Gummi, Indigo, Zucker, Hanf, Flachs, Safflor, Opium
etc., so dass die Reihe der dem Monopole nicht unterstehenden Artikel ausser den Cerealien und einigen Hülsenfrüchten von keiner Bedeutung ist. Durch das Monopolsystem wurde der Handel Egyptens nicht gehoben, sondern darnieder gedrückt. Wenn auch Aus- und Einfuhr sich beträchtlich

vermehrten, so ging dadurch dem Lande gar kein Vortheil
zu; denn alle Ausfuhr-Artikel von Bedeutung nahmen ihren
Weg durch die Hände des Vizekönigs, dem, sowie einigen
der von ihm begünstigten Handelshäuser, denen er z. B.
die Baumwolle für einen gewissen Preis überliess, der ganze ungeheure Gewinn zufiel, wodurch diese Handelshäuser sich auch
in kurzer Zeit zu einem mehr als gewöhnlichen Reichthum
aufschwangen. Hätte dieser Handel selbst als Monopol des
Vizekönigs allgemeiner sich in der Klasse des Handels-
standes verbreitet, hätte der Vizekönig z. B. bei der Ver-
abgabung der Baumwolle in den weitern Verkehr, statt nur
einzelne wenige Häuser damit zu bedenken, den Weg der
Pluslizitation eingeschlagen, so hätte nicht nur er selbst
vielleicht einen höhern Gewinn errungen, sondern der hohe
Betrag, der für die endliche Ausfuhr der Baumwolle in die
europäischen Häfen in Egypten einging, hätte sich mehr
unter der europäischen Bevölkerung vertheilt und folglich
mehr auf das allgemeine Wohl der ganzen Bevölkerung
zurückgewirkt. Die Einfuhr ging rein durch die Hände der
europäischen Häuser, und ihnen allein, nicht der Bevölkerung
im Allgemeinen, die ihrer Armuth wegen auch daran nicht
Theil nehmen konnte, floss der Gewinn zu, der aber durch
den Vizekönig wieder dadurch herabgesezt wurde, dass er
die einheimischen Kaufleute zwang, die theuern und schlechten
Fabrikate seiner eigenen Fabriken und Manufakturen in
Handel zu bringen. Hohe Zölle vertheuerten die europäischen
Handelsartikel, die Krämer in den Provinzen waren die
gezwungenen Abnehmer der inländischen Fabrikate, jede
Verarbeitung der Landesprodukte, z. B. der Baumwolle, war
den Einwohnern untersagt, und so kam es, dass der Fellah
das Hemd, welches die von ihm gepflanzte und eingelieferte
Baumwolle werden liess, nicht selbst erzeugen durfte, sondern
eigentlich dem Vizekönig abkaufen musste; kurz das ganze
System wirkte drückend auf das Volk zurück und schuf für
dasselbe eine Reihe der unglückseligsten Kombinationen.

Unter leztere gehören unstreitig die Geldspekulationen
des Vizekönigs hinsichtlich des von ihm eingeführten Münz-
fusses, indem er zweimal eine ihrem effektiven Werth

nach zu niedrig stehende Münze in Umlauf sezte. Als Anhaltspunkt wurde der allgemein im Oriente im Kurs stehende spanische Thaler (Säulenthaler, il colonnado) zu Grunde gelegt. Im Anfang seiner Regierung gab der Vizekönig Silber-Münzen aus, die den Piaster zur Einheit hatten. Sie kamen mit Rücksicht auf den spanischen Thaler = 1 : 4 in Kurs, vier derselben waren nämlich einem spanischen Thaler gleichgesezt. Der wirkliche Werth war aber 1 : 15, den sie endlich in den Jahren 1824 und 1825 im Kurse erhielten. Wucher sezte sie noch weiter herab. Im Jahr 1826 kamen diese Piaster ausser Kurs, und es wurden neue Silber-Münzen ausgegeben mit Rücksicht auf den span. Thaler = 1 : 15, ihr wahrer Werth aber war 1 : 21. Bei meiner Anwesenheit in Egypten war ihr Nennwerth wieder gleich dem wirklichen. Zugleich waren damals einige kleine Goldmünzen im Umlauf, die ebenfalls um einige dreissig Prozente zu gering ausgeprägt waren. Diese Geld-Manipulationen waren für die Bevölkerung, besonders für die von der Regierung bezahlte Klasse, ein entsetzlicher Schlag, denn alle ins Land kommenden europäischen Waaren mussten mit wirklichen Thalern bezahlt werden, wodurch sich hinsichtlich der in Piastern ausgezahlten Beträge von Seite der Regierung ein grosser Verlust ergab *.

Die Steuern, welche der Bevölkerung auferlegt sind, zerfallen in ordentliche und ausserordentliche; erstere wieder in direkte und indirekte. Von direkten Steuern haftet auf jenem Theil des Kulturbodens, der den Fellahs zu ihrer Disposition überlassen bleibt, also respektive auf der Produktion der Cerealien und Hülsenfrüchte etc., die Entrichtung des Grundzinses für den dem Fellah im Ganzen zur Kultivirung übergebenen Grund und Boden. Derselbe beträgt auf den Feddau im Durchschnitt 10 Franken ** oder beiläufig 4 fl. Konv.-Münze, der ganze Betrag dieser Grund-

---

* Ich verweise hinsichtlich dieser und ähnlicher Verhältnisse auf die vortreffliche Abhandlung des Hrn. Dr. Rüppel in seiner Reise nach Abyssinien, I. Bd. Einleitung, in welcher derselbe mit vieler Wahrheit dieser Umstände im Detail gedenkt.

** 1 Feddau = 40,833, ares = 4083,33 . . . ☐Meter.

steuer dürfte sich für Egypten auf 28 bis 30 Millionen Franken belaufen.

Als die zweite direkte Steuer, welche auf dem dem Fellah gebührenden Ablösungsbetrage für die eingelieferten Quantitäten von Baumwolle, Indigo, Zuckerrohr, Hanf, Flachs etc. lastet, welche davon abgerechnet wird, und welcher auch die andern Unterthanen unterworfen sind, haben wir in Egypten die Personen- oder Kopf-Steuer. Sie ist eine zweifache: der Firdet el russ wird von Muselmännern und Rajas entrichtet und zwar ohne Unterschied der Religion von 15 bis 500 Piaster oder von 1 fl. 30 kr. bis 50 fl. Konv.-Münz., in grossen Städten nach den Individuen, in den Dörfern und kleinen Städten nach den Häusern. Diese Steuer beträgt in Egypten zwischen 8 und 9 Millionen Franken. Die zweite Art ist der Karatsch; diesen zahlen die Rajas noch insbesondere und zwar mit 8 bis 10 Piaster oder 48 kr. bis 1 fl. Konv.-Münze per Kopf, eine Summe für Egypten von nahe an 100,000 Franken ausweisend.

Ausser diesen beiden direkten Steuern sind mit Abgaben belegt und zahlen indirekte Steuern: Verkauf des Schlachtviehes, dessen Häute überdiess an die Regierung abgeliefert werden müssen, 20 bis 70 Piaster oder 2 bis 7 fl. Konv.-Münze per Stück. Kamele und Schafe per Stück 4 Piaster, die Barken, die auf dem Nile gehen, 200 Piaster oder 20 fl. K.-M. per Jahr, die Dattelbäume 1 bis 2 Piaster per Stück jährlich. Leztere Abgabe, so klein sie scheinbar ist, wirkt so drückend und entmuthigend auf den Landmann zurück, dass ich mehrmals die herrlichsten Palmen umhauen sah, blos um dieser Steuer zu entgehen.

Ausserdem gehören zu den indirekten Steuern die Zölle, welche an Spekulanten verpachtet sind. Solche sind nicht nur von den Waaren, welche der Ein- und Ausfuhr unterzogen werden, in verschiedenem Masse zu entrichten, sondern auch von den Waaren, welche Gegenstand des Binnenhandels sind, und von allen Viktualien, welche die Fellahs zu Markte bringen. — Die europäischen Waaren zahlten an Einfuhr $3\frac{0}{0}$, die türkischen $5\frac{0}{0}$; beide, wenn sie nach Kairo kamen, neuerdings $4\frac{0}{0}$. Die Karavanen-Artikel, wenn

sie nach Kairo kamen, 9 $\frac{0}{0}$. Bei der Ausfuhr zahlen die
Artikel 3—5 $\frac{0}{0}$. Der Binnenhandel ist verhältnissmässig
noch mehr belastet; denn von Kairo nach Oberegypten zahlt
jede Kamelladung 25 Piaster oder 2 fl. 30 kr. Kon.-Münze
und umgekehrt 10 $\frac{0}{0}$. Auf dem weitern Wege nach Nubien
zahlen diese Artikel wieder neue Zölle. So sind auch die
Artikel, welche aus dem Innern Afrika's kommen, eigenen
Zöllen unterworfen. Dieser einst so bedeutende Karavanen-
Handel mit Darfur, Kordofan und Sennaar hat jezt, seit
der Zeit als die Verwaltung die Sklaven, Gold, Elfenbein,
Gummi, Straussfedern etc. für gute Prise erklärt hat,
beinahe ganz aufgehört, und nur nach sehr langer Zeit kam
vor ein paar Jahren einmal wieder eine Darfur-Karavane
in Siut an.

Die Viktualien, welche die Fellahs zu Markte bringen,
sind enormen Auflagen unterworfen, die beinahe, wie schon
gesagt, 60 bis 80 $\frac{0}{0}$ betragen; so zahlten noch, als ich nach
Egypten kam, 1 Ardep * Waizen 2 fl. 24 kr. Konv.-Münze,
1 Artep Bohnen 1 fl. 44 kr. in loco Kairo, während ihr
Mittelpreis circa 4 fl. und 2 fl. 8 kr. Konv.-Münze betrug.

Zu den ausserordentlichen Besteurungen und Lasten
gehören die Naturallieferungen, welche nach Umständen
den Fellahs auferlegt werden und von denen einige sogar
konstant sind, wie Dattelbast-Stricke, Körbe, Matten, Brennmaterial, Fourage aller Art für die Viehtransporte aus dem
Innern, von denen und ihren schrecklichen Folgen ich in
meiner Schilderung von Nubien Gelegenheit haben werde
zu sprechen, und vor Allem die die Kultur des Bodens ins
Innerste störenden Frohndienste. Leztere werden gar nicht
bezahlt, für erstere wird eine Vergütung gutgeschrieben,
die unter dem Produktions-Werthe steht.

Bei der Beurtheilung der Wirkung dieser Abgaben-
masse auf die Bevölkerung müssen wir nicht vergessen,
dass wir es hier nicht mit Bauern zu thun haben, die freies
Eigenthum besitzen und frei über die Verwerthung ihrer
Bodenerzeugnisse disponiren können, sondern dass es der
egyptische Fellah ist, der vor uns steht, der den Werth

---

* 1 Ardep = 184 Litres, = 130,088 österr. Mass.

seiner Arbeit nicht erhöhen kann, sondern den Betrag dafür zu nehmen hat, den die Verwaltung bestimmt, und dass der Rest, wenn von diesem Ablösungsbetrage alle Abgaben und Erpressungen abgezogen sind, dass dieser Rest es ist, der ihn, sein Weib und seine Kinder ernähren soll, und ich glaube nicht zu übertreiben, wenn ich sage: der egyptische Landmann und der nubische Fellah sind wohl unter die ärmsten, erbarmenswürdigsten Menschen der Erde zu zählen. Nehmen wir ferner, dass der egyptische Fellah gerade von der Regierung gezwungen ist, jene Kulturpflanzen am meisten anzubauen, die fortwährende Bewässerung, ununterbrochene Arbeit fordern, so können wir das Störende einsehen, welches die häufigen und schonungslos geforderten Frohndienste herbeiführen, zu denen natürlich die Leute im buchstäblichen Sinne des Wortes zusammengeprügelt werden, und die mit Barbareien verknüpft sind, von denen man sich keine Vorstellung machen kann. Willkürliches Wegnehmen der Kamele, Pferde, Schiffe etc., selbst von solchen Individuen, die gerade auf einer Reise begriffen sind, die also mir nichts dir nichts unterbrochen wird, Zusammentreiben alter Männer, schwangerer Weiber, zarter Kinder zum Schiffziehen: das sind Unbilden, die ich fast täglich sich ereignen sah, die aber stets nur den Armen, den Fellah treffen. Dazu kam noch in den lezten Jahren das Schrecklichste der Schrecken: Cholera, Pest und eine sehr häufig alle menschlichen Rücksichten bei Seite setzende Rekrutirung, durch die der Vater aus der Mitte seiner schreienden Kinder, der Gatte aus den Armen seines weinenden Weibes, der Sohn vom Herzen der Mutter weggeprügelt wurden, und man wird sich nicht wundern, auf menschenleere Dörfer zu stossen und zu sehen, dass die Einwohner das fruchtbare Land verlassen und im glühenden Sande der Wüste Schutz und Ruhe suchen.

Als eine denkwürdige Raffinerie des Despotismus erscheint die Verfügung des Vizekönigs, dass bei den einzelnen Dörfern alle Bewohner des Dorfes zusammen für die Schuld eines jeden einzelnen verantwortlich sind, so dass der eine oder andere, der das seltene Glück hätte, sich durch das

Labyrinth der Abgaben durchzuwinden und soviel zu er-
übrigen, dass er seinen und der Seinigen Unterhalt bestreiten
könnte, durch einen Andern, mit dem er in gar keiner weitern
Berührung steht, in Schulden gestürzt wird. Da es bei den
ungemein verzögerten Abzahlungen der den Fellahs gebührenden Reste von Seite der Verwaltung gar nicht möglich
ist, dass dieselben ihren Bedarf an Brod und der noth-
wendigsten Bedeckung ihres Körpers fortdauernd bestreiten
können, so sind Rückstände derselben ganz unvermeidlich,
und der Fall ereignet sich gemäss oben ausgesprochener
Verfügung häufig, dass ganze Dörfer verschulden und ihre
Abgaben nicht mehr zahlen können. Wenn auch der Fellah
für sich niemals seine ihm angewiesene Stelle verlassen
darf, um eine andere zu wählen, wo er sich ein besseres Aus-
kommen versprechen könnte, so nimmt doch die Regierung
keinen Anstand, in obigen Fällen den Weg der Exekution
schonungslos eintreten zu lassen, und die Verwaltung spielt
also hier die Rolle des dunklen, Unheil schweren Fatums,
dem der Fellah nicht entgehen kann. Kabasse und derlei
Diener der Gerechtigkeit werden in das arme Dorf geschickt,
wo sie denn Vieh, Geräthschaften, Fourage, Lebensmittel,
wenn welche da sind, kurz alles, alles wegnehmen, was sie
finden, und zulezt die Fellahs mit ihren Weibern und Kindern
nackt, hülflos hinaus in die Wüste stossen. Das sind nicht
leere Worte, sind nicht blose Phrasen, das sind Thatsachen,
die mir Keiner abläugnen kann, und ich weiss recht gut
die Stelle, wo ein Konsul einer der ersten Mächte, der
den Pascha nach Oberegypten begleitete, eine solche herz-
ergreifende Scene durch seine energischen Vorstellungen
unterbrach. Nicht der Vizekönig treibt die Fellahs mit
eigener Hand aus, nicht er prügelt sie, nicht er plündert
sie selbst, aber es geschieht im Bereiche seiner Herrschaft,
es geschieht mitunter vor seinen Augen, und er ist das
Oberhaupt des Landes. In wie ferne er als Solches für
derlei Handlungen verantwortlich seyn kann, überlasse ich
Jedem selbst zur Beurtheilung. Man kann, ausschliesslich
den Etat von Egypten betrachtend, die Revenuen dieses
Landes auf beiläufig 63 Millionen Franken anschlagen. Im

Gegenhalt mit den Auslagen von circa 50 Millionen zeigt
sich daher ein Überschuss von 13 Millionen. Abgesehen
davon, dass diese Zusammenstellung sich nur auf die gün-
stigste Kombination der Umstände basirt, müssen wir bedenken, dass obige Bilançe sich auch nur auf Egypten,
in soweit es möglich ist, die Beträge für dasselbe allein zu
stellen, bezieht, und dass das Ganze eine andere Gestalt
gewinnt, wenn wir, um den Finanz-Zustand der ganzen
Masse zu beurtheilen, auch die übrigen Länder mit in
Betracht ziehen. Ein grosser Theil der gesammten Un-
kosten ist zwar in obiger Ausgabe-Summe von 50 Millionen
mit einbegriffen, welche eigentlich, um der Wahrheit näher
zu kommen, repartirt werden sollten, wenn es sich um
Egypten ganz allein handelt. Keines der übrigen den
Befehlen des Vizekönigs unterstehenden Länder weist in
finanzieller Bedeutung ein so günstiges Resultat aus; Kandia
kostete der Verwaltung jährlich 10,600 bis 12,000 span.
Thaler * in Folge der unverhältnissmässig hohen Bezahlung
der obersten Beamten und Offiziere und in Folge der wirklich sehr moderaten und schonenden Behandlung dieser
Insel von Seite des Vizekönigs. Karamanien erfreute sich,
ich möchte fast vermuthen der kriegerischen Stellung seiner Bergbewohner wegen, eben solcher Rücksichten und
trug dem Vizekönig, ausser Schiffsbauholz, um so weniger,
da gerade damals sehr bedeutende Festungsbaue diesem
Lande zur Last fielen. Syrien gehört, ausgenommen die
Ebenen des Orontes, die Ebene von Esdralon und Kanaan,
das Thal von Baalbek, einige Punkte im Antilibanon und
die Küstenebene von Beyrut bis Gasa, keineswegs zu den
fruchtbaren Ländern. Die Kultur jener Ebenen steht sehr
weit zurück, und um so weniger kann der Ertrag dieses
Landes ein sehr bedeutender seyn, da die Stimmung der
Einwohner stets die Aufrechterhaltung einer bedeutenden
Armee erforderte. Arabien kostete den Vizekönig jährlich
eine bedeutende Menge Menschen und grosse Summen
Geldes, und von den beiden Vortheilen, die er aus diesem
Besitze zog, war der eine, der Besitz von Mekka und

* Im Jahr 1836.

Medina, rein illusorisch, der andere, das Kaffe-Monopol von Jemen, oder eigentlich von Mokka, war hinsichtlich des Ertrags nicht von gar hoher Bedeutung. Nubien ist theils von Natur eine Wüste, theils wurde es dazu gemacht und trug nichts. Sennaar und Kordofan, an und für sich sehr fruchtbare Länder, sind schlecht kultivirt und haben sich noch nicht von den Gräueln der Feldzüge IBRAHIM-Pascha's, ISMAEL-Pascha's und MOHAMED-Bey's el Defterdar erhellt, sie liefern der Verwaltung Sklaven, womit sie grösstentheils ihre Truppen zahlt, Gummi und einige weniger bedeutende Artikel; dafür erfordert der Besitz dieser Länder ein grosses Beamten-Personal und eine nicht unbedeutende Armee, kurz der Ertrag kann auch hier nicht so beträchtlich seyn, dass sich nicht im Ganzen mit Ausnahme Egyptens, ein bedeutendes Defizit ausweisen sollte, welches obiger Überschuss von 13 Millionen Franken nicht zu beheben vermag. Auf jeden Fall ist daher Egypten und namentlich das kleine Unteregypten das Land, welches die Lasten des ganzen Kolosses zu tragen hat, unter denen die Erhaltung einer Armee von mehr als 250,000 Mann (die Regimenter vollzählig gerechnet und mit Einbegriff der Flotte, aller irregulären Truppen, National-Garden, Fabrikarbeiter und Militärschulen) doch gewiss obenan steht. Kein Wunder daher, wenn das Land auf einer Stufe von Elend sich befindet, welches vielleicht für den gegenwärtigen Zeitpunkt beispiellos ist.

Egypten und namentlich Unteregypten ist durch die Verhältnisse, in welche es seine Lage und die Beschaffenheit seines Bodens versezte, ein reines Ackerland und seit Jahrtausenden darauf hingewiesen gewesen, einzig und allein auf die Kultur seiner Bodenerzeugnisse hinzuwirken. Seine Lage an zwei Meeren, sein Durchschnittenseyn von einem Strome ersten Ranges und von einer Menge schiffbarer Kanäle geben ihm eine Stellung, in der es im Welthandel eine der ersten Rollen zu spielen angewiesen ist. Unteregypten hat allein ein kultivirbares Terrain von 3,800,000 Feddan, von denen anderthalb Millionen noch gar nicht kultivirt sind *, sein Kulturland ist also bedeutend ausgedehnter als das von Oberegypten, und beiderseits wäre es ganz an Ort und Stelle, Menschen herzuziehen, um den in Fruchtbarkeit schwelgenden Boden in produktionsfähigen Zustand zu versetzen. Durch diesen entschiedenen Mangel an Armen zur Bebauung des Landes von Vorne herein wird das Ungereimte des eingeleiteten Entvölkerungssystems erst recht auffallend. — Durch das Monopolsystem des Pascha wurde ferner überdiess dem raschen Aufblühen einer industriellen Thätigkeit so recht ins Leben gegriffen und dasselbe im Keime erstickt. Es ging ihm, wie einem Bauer, dessen Landgut zu gross ist, und welches zu behauen er weder Knechte noch Vermögen hat. Hätte Egypten seine Stellung nie verkannt, hätte es nie aufgehört bloss auf die Erzeugung von Ackerprodukten hinzuwirken, und hätte es nie aufgehört, die Ausfuhr seiner Bodenerzeugnisse als die höchste Richtung seines Handels anzusehen, hätte es sich höchstens herbeigelassen, einen Theil seiner Bodenproduktionen selbst zu verarbeiten und diess vorerst nur für den eigenen Landesbedarf, so wären dem Pascha Millionen in der Tasche geblieben und sein Land, hätte er die Freiheit des Handels nur etwas mehr begünstigt, wäre ohne Zweifel in die Reihe jener glücklichen Länder eingetreten, die sich einer vernünftigen Verwaltung erfreuen. Statt dem aber gab der Vizekönig den Schwindeleien und Illusionen unpraktischer Menschen Gehör, die ihm Ideen von Unabhängigkeit, den Ruhm eines Civilisators, eines Wiedererbauers des Throns der Pharaonen etc. in den Kopf sezten. Er fasste den Entschluss, sich nicht nur politisch unabhängig vom Sultan, sondern in jeder Beziehung auch frei von Europa zu machen. Erstere Idee richtete ihn und das Land zu Grunde **, wie wir in der Geschichte des ausserordentlichen Mannes sehen werden, leztere Idee führte ihn in ein Labyrinth von Abwegen, die ihm neue Millionen kosteten, ihm aber das Bewusstseyn verschaffen

---

* Oberegypten besizt 3,214,000 Feddan kultivirbares Land, von denen etwa nur 1,607,000 Feddan wirklich kultivirt sind.

** Ich weiss recht gut, dass die Zukunft ein dunkler Schleier deckt.

konnten, wie ich wiederholt behaupte, so betrogen worden zu seyn, wie vielleicht noch kein zweiter Mensch auf Erden betrogen wurde.

Unter diese Mystifikationen rechne ich auch die Erweckung des Gedankens im Pascha, alle Bedürfnisse des Landes und der Armee: Eisenwaaren, Gewehre, Waffen aller Art, alle Arsenalbedürfnisse etc. selbst zu erzeugen. Die Bilder, die man dem Vizekönig vorzauberte, waren zu schön, als dass er sich nicht im Geiste schon als einen der ersten Fabriksherren der Welt angesehen hätte, selbst das grosse England hinter sich. Einer ächt türkischen Schlussfolge gemäss, dass das, was im Lande A Vortheil bringt, es auch im Lande B thun müsse, wurden die Fabriken errichtet. Fabriken in einem fernen Lande, welches kein Holz, keine Kohlen, kein Gefälle für Maschinen hat, welches Brennmaterial, rohes Produkt zur Verarbeitung, Maschinen, Arbeiter, kurz Alles, Alles aus einem andern Welttheile muss kommen lassen! Und doch gab es Leute, die man für ganz vernünftig halten muss, die diesen Einfall des Pascha ganz besonders klug fanden und ihn durch ihren Beifall in der Verfolgung des Weges zum Absurden nur noch ermuthigten. So wurden nun die ungeheuersten Summen hinausgeworfen, um Fabriken und Manufakturen zu begründen, um Artikel zu erzeugen, die man für das halbe Geld und besser hätte aus Europa beziehen können. Das: „Prächtig!" oder: „wie in England!" der Europäer, welche sehr häufig, ohne die Sache zu verstehen, diese Anstalten betraten, wurde zu hoch angeschlagen. Doch trotz der pecuniären Nachtheile dieser Einrichtungen, hatten sie den grossen Vortheil, dass die Araber, oder respective die Egypter, mit den Leistungen des gebildeten Europa bekannt wurden und Eindrücke erhielten, die nie mehr verschwinden werden. Das moralische Übergewicht des Europäers gewann dadurch ungemein. Aber nicht die Fabriken allein waren der Gegenstand der extravagantesten Geldauslagen des Pascha, dahin gehören auch einige der riesenhaften Bau-Unternehmungen, durch die er im buchstäblichen Sinne des Wortes enorme Summen ins Wasser warf. So z. B. die Errichtung der Dock-yards nach dem Systeme der Bassins in den Schiffswerften zu Plymouth, die, wie mir scheint, das Haupthinderniss an der geringen Befähigung des hiezu verwendeten Personals fanden, ferner der Bau jener Schleusen, die den ganzen Nil abdämmen sollten, um die Regulirung der Überschwemmung in der Hand zu haben. Ein Schleusenbau von einer so gigantischen Ausdehnung im unergründlichen Schlammboden! Das Chimärische dieses Bauplanes liess die Idee nie ins Leben treten, trotz der hierauf verwendeten Summen, die in einem Lande, das kein Holz, keine Bausteine in der Nähe hat, enorm seyn mussten. Der Vizekönig konnte als Türke die Idee nie fassen, dass dergleichen industrielle Unternehmungen, wie Fabriken, Manufakturen u. dgl. sind, vom Volke ausgehen müssen, dass die Regierung dabei keine andere Rolle spielen soll, als ermunternd, die Interessen befördernd, die Freiheit des Verkehrs aufrecht erhaltend, belehrend auf das Ganze einzuwirken; er konnte die Idee nicht fassen, dass in solchen Fällen die Regierung stets theurer arbeitet, dass sie in Bezug der Verwerthung der Erzeugnisse im offenbaren Nachtheile den Privaten gegenüber stehe und dass sie daher nie selbst der Unternehmer seyn solle. Man kann einwenden, dass das egyptische Volk nicht auf der Stufe sey, solche Anforderungen an dasselbe zu machen. Ganz richtig, es ist diess auch der Fall, und wir haben darin nur einen neuen Beweis, dass überhaupt diese Einrichtungen für jenes Land noch nicht an der Zeit waren, dass der Vizekönig sein Volk erst hätte erziehen, erst vorbereiten sollen, um die Civilisation, die Himmelstochter, im Lande aufnehmen zu können, dass er, bis diess geschehen, vor Allem das Volk nicht aus jener Sphäre hätte herausreissen sollen, die ihm die Natur angewiesen hat, und die ist: der Ackerbau.

Was der Vizekönig für Volksbildung gethan hat, die Beschaffenheit der von ihm errichteten Schulen u. dgl., diese Gegenstände habe ich bereits im Laufe meiner Reiseerzählung im Detail abgehandelt und gezeigt, dass allerdings für die Kultivirung des egyptischen Volkes, wenn auch nicht in der Absicht, es civilisiren zu wollen, blos der Civilisation zu liebe, sehr viel geschah, dass aber aus den schon mehrmals angeführten Gründen auch hier wieder der Erfolg nicht der Erwartung entsprach und nicht entsprechen konnte.

Hinsichtlich der nächsten und neuesten Details der Bodenproduktion Egyptens, seiner Ein - und Ausfuhr, überhaupt seines Handels, sowie hinsichtlich der Leistungen seiner Fabriken und Manufakturen, verweise ich auf Clot-Bey's mehrmals citirtes Werk : Aperçu général sur l'Egypte etc. und bemerke nur, dass das Licht, in dem die übrigens äusserst schätzbaren Mittheilungen aufgetragen sind, ein südliches ist, d. h. ein ausnehmend glänzendes und dass die Gegenstände in unsrer mehr ruhigen, nicht so strahlenden Beleuchtung des Nordens angesehen, eine etwas andere Ansicht gewinnen.

Was die religiösen Gebräuche, die Eigenthümlichkeiten des egyptischen Volkes bis ins kleinste Detail betrifft, bleibt mir nach dem, was Clot-Bey und Schubert in seiner Reise ins Morgenland darüber sagen, nichts mehr zu sagen übrig; denn sie erschöpfen den Gegenstand, und ich verweise daher auf ihre Mittheilungen.

Vierter Abschnitt.

Reise in das nördliche Syrien und nach Karamanien.

---

1) Reise von Alexandria nach Beirut und nach Suedie am Orontes.

Am 28. April 1837 lichtete der Pelenk Dschihaad seine Anker. Wir verliessen um 2 Uhr Nachmittags mit frischem Winde den Hafen von Alexandria und hatten Abends 5 Uhr die Küste von Afrika aus dem Gesichte verloren. Um unsere Quarantainezeit in Beirut dadurch abzukürzen, dass uns die Tage der Reise mit angerechnet würden, nahmen wir einen Quardian des Sanitäts-Bureau in Alexandria mit, der unsern Gesundheitszustand während der Reise beobachtete und ausserdem aus Privatneigung der Schiffsmannschaft einen Hanswursten abgab, die einer solchen Erheiterung nöthig zu haben schien; denn unser Kapitän ISMAEL, dessen seemännische Kenntnisse wir im Verlaufe der Reise kennen lernten, hatte die für seine Leute lästige Gewohnheit, jeden Tag einige derselben durchprügeln zu lassen, wobei er, an seinem Rosenkranze spielend, ganz gemüthlich zusah. Diese Prügel, die, wenn sie recht dicht fielen, hinsichtlich ihrer Zahl kaum gezählt, sondern nur geschäzt wurden, wurden in ein eigenes Buch eingetragen, welches der Kapitän bei seiner Rückkehr der Admiralität vorzulegen verbunden war. Durch diese weise Einrichtung, versicherte mich ein Offizier, werde jede Ungerechtigkeit vermieden ; denn der Geprügelte, nimmt auch keine Macht der Erde mehr den unangenehmen Eindruck zurück, den sein Fell erlitt, hat doch die Beruhigung, dass die erhaltene Tracht der vorgeschriebenen Verrechnung unterzogen wurde.

Unser Kurs war nördlich, bis wir am Abend des 1. Mai die Südküste der Insel Cypern entdeckten. Wir wendeten uns, und unser Kurs wurde nun östlich, gerade an die syrische Küste zu. Mehrere Vögel, wahrscheinlich vom Winde verschlagen und zu matt, um ihre Luftreise fortzusetzen, fielen auf das Verdeck und wurden mit den Händen gefangen. Darunter befanden sich eine Nachtigall und mehrere schöne Arten von Spechten. Eintretende Windstille verzögerte unsere Reise. Den ganzen 2. Mai kreuzten wir auf der Höhe der Südküste von Cypern in einer Entfernung von beiläufig 30 Seemeilen und sahen die niedern, langgezogenen Berge in blauer Ferne, in ihrem Hintergrunde den Monte Croce. In der Nacht erhob sich wieder günstiger Wind, mit dem wir schnell vorwärts kamen, so dass am Morgen des 3. Mai die Küste von Syrien vor uns lag. Es war der ganze Strich zwischen Seide (Sidon) und Beirut und die ganze Fronte des Libanon mit seinen höchsten Gipfeln. Macht auch dieses stattliche Gebirge, wegen Mangel an scharfen Formen, bei weitem nicht jenen Eindruck, den die Alpen z. B. hervorrufen, so ist doch seine Höhe, die höchsten Gipfel steigen zu 9000 Paris. Fuss und darüber an, auf jeden Fall imposant, so dass der Eindruck auf das gefühlvolle Herz eines sentimentalen Reisenden, dessen Buch ich gerade in der Hand hatte, einst so gewaltig war, dass er, sich zurückbeugend, die Gipfel der Berge — im Zenite sah! Was sind gegen solche Anschauungen selbst die Phantasien eines Münchhausen? — Wir näherten uns gegen Abend der Küste so weit, dass wir schon die Häuser und Gärten von Beirut unterscheiden konnten, mussten aber der einbrechenden Nacht halber wieder offene See suchen.

Am frühen Morgen des 4. Mai segelten wir auf der Rhede von Beirut der Küste entlang, hingerissen von den Reizen der herrlichen Lage. — Die Morgensonne vergoldete die hohen, mit Schnee bedeckten Gipfel des Libanon, die See war ruhig und glatt wie ein Spiegel. Zwischen dem frischen Grün der Bäume der weit in der Ebene längs des Gebirges ausgedehnten Gärten von Beirut glänzten die freundlichen Landhäuser, und der Blüthenduft der Orangen- und Citronenbäume erfüllte die milde Morgenluft. Hoch über die Bäume weg ragten die Minarets des Städtchens und die Gipfel des Dschebel Sannin, des Dschebel Kennise und der lange Rücken des Dschebel el Drus * bildeten den Hintergrund der paradiesischen Landschaft. Welch ein Unterschied gegen Egyptens unwirthbare Küste!

Um 7 Uhr Morgens warfen wir die Anker am Lazarethe und erklärten unser Schiff durch Aufziehung der gelben Flagge in Quarantaine. Von den Sanitätsbeamten, welche ans Schiff kamen, um unser Gesundheitspatent einzusehen, erfuhren wir, dass Ibrahim-Pascha sich im nördlichen Syrien und zwar wahrscheinlich in der Gegend von Aintab befinde. Ich richtete daher meine für ihn bestimmten Papiere zusammen und meldete ihm in einem beigelegten Schreiben unsere Ankunft, mit der Bitte, mir in Betreff meiner nächsten Reisebestimmung seine Weisung zu ertheilen. Zugleich ersuchte ich ihn, mir zu erlauben, mich ihm persönlich vorzustellen, um mit ihm, als Gouverneur von Syrien und Karamanien, die Verhältnisse der Expedition mündlich besprechen zu können. Um nun dieses Paquet durch einen eigenen Courier Ibrahim-Pascha zuzusenden, fuhr ich selbst ans Land. Die Annäherung in der Gegend des Lazarethes war der vielen Felsen und der starken Brandung wegen sehr gefährlich und unsere Mühe vergebens, denn es war nicht möglich, einen der Sanitätsbeamten ausfindig zu machen.

Mit dem Frühesten des nächsten Morgens gingen wir mit unserer Barke wieder ans Land, aber diessmal statt zum Lazarethe, direkt ins Rastel an der Stadt, in dem kleinen

---

* Theile des Libanon, in der Kette zwischen Beirut und Seide, die im Arabischen Dschebel el Drus, Berg der Drusen, genannt wird; das u in dem Worte D r u s sehr kurz ausgesprochen, so dass es beinahe wie D r s lautet.

alten Hafen, der nur für Barken und bei stürmischer See,
der vielen Felsen und alten Mauern wegen, auch für diese
mit Gefahr zugänglich ist, wovon wir selbst einen Beweis
hatten; denn als wir einliefen, fehlte wenig, dass die
Brandung nicht unser Boot an den Ruinen der Hafenfestung
zerschellte. Im Rastel angekommen, war denn wieder
keiner der dienstthuenden Beamten sichtbar, und es blieb
nichts übrig, als durch die anwesende Wache ganz kategorisch einen derselben rufen zu lassen. Durch dieses im
Oriente so sehr wirksame Mittel gelang es uns endlich,
einen dieser bequemen Herren ansichtig zu werden, dem
ich nun alle meine Depeschen zur weitern, unverzögerten
Beförderung an den hier anwesenden österreichischen Konsul
LAURELLA übergab. Von uns selbst durfte nämlich noch
keiner ausserhalb des Gitters erscheinen, welches das Rastel
umgibt. Während wir mit dem Einkauf von Lebensmitteln
beschäftigt waren, lernten wir mehrere der hier anwesenden
Europäer kennen, unter diesen auch Herrn LAURELLA, den
k. k. Konsul, der unterdessen unsere Ankunft erfahren
hatte und mir mit der grössten Gefälligkeit entgegenkam,
und mich überhaupt während meines wiederholten Aufenthaltes in Syrien durch die Art und Weise, wie er meinen
Reisezweck beförderte, aufs höchste verpflichtete. Da wir
es vorzogen, an Bord unserer Korvette Quarantaine zu
machen, statt in das schmutzige Lazareth zu gehen, wo wir
überdiess doch hätten im Freien unter Zelten bleiben müssen,
so richteten wir uns denn für die Zeit unsrer Gefangenschaft
so ein, dass wir wenigstens die Langeweile nicht zu fürchten hatten. Unsere Bücher wurden hervorgesucht, Briefe
geschrieben und täglich unter Aufsicht unsers Quardians
eine Partie ans Land gemacht, wo wir uns in der Mündung
des Nacher * Beirut badeten. Hinsichtlich der Seebäder
muss man der vielen Haifische wegen, wie an den Küsten
von Egypten, besonders in der Nähe bewohnter Orte, sehr
aufmerksam seyn und vor Allem felsige Orte wählen,
welche diese Ungeheuer scheuen. Ich selbst wurde einmal

---

* Nacher oder Nachar, syrisch, der Fluss.

in der Nähe von Beirut von einem solchen Thiere, während
ich zwischen den Felsen des Riffes badete, sehr in Schrecken
gesezt. Dasselbe erhob sich plötzlich in geringer Entfernung
von mir ausser den Felsen aus dem Wasser und spielte mit
einem Fische, den es geraubt hatte. Ich, ganz wehrlos in
der Nähe der Bestie, sprang natürlich ohne auf die scharfen Kalkklippen zu achten, die mich umgaben, von Fels zu
Fels ans Ufer, wobei meine an dergleichen Übungen nicht
gewöhnten Füsse sich nicht wenig verwundeten.

Die lezten Tage unserer Quarantainezeit wurde die
Witterung sehr stürmisch, es regnete stark und auf den
Höhen des Libanon fiel neuer Schnee. Die Kälte war
empfindlich und das Schaukeln des Schiffes auf der offenen
Rhede höchst lästig. Trotz der schlechten Witterung
machten wir, in Begleitung eines Quardians der Sanitäts-
anstalt, eine Exkursion tiefer ins Land. So weit wir kamen,
war alles ein Garten, eine ununterbrochene Anpflanzung
von Weinreben und Maulbeerbäumen, die eigentlich die
Hauptzahl der Bäume ausmachen, da die Seidekultur einen
der Haupterwerbszweige des Landes umher bildet. Viele
Dattelpalmen geben der Vegetation einen eigenthümlich
schönen Ton, den Charakter des hohen Süden, doch tragen
sie in dieser Breite nie reife Früchte. Unter den Schatten
dieser Bäume lagerten sich mehrere maronitische Familien,
die auf ihrer Rückkehr aus der Stadt auf das Gebirge
begriffen waren. Rosse und Maulthiere weideten im Freien,
während die Männer und Frauen mit ihren Kindern, in der
bunten Tracht ihres Landes, im Grase ruhten. Das Ganze
sah idyllisch aus, nur der hässliche Kopfputz der Frauen
störte die Illusion. Sie tragen nämlich auf dem Kopfe
ein mitunter über zwei Fuss langes Horn, das nach aufwärts gerichtet, sich etwas nach Vorne neigt und bei Wohlhabenden aus Silber verfertigt ist. Über dieses Horn wird
der Schleier geworfen, den jedoch die nicht-muhammedani-
schen Syrierinnen weniger sorgsam gebrauchen, so dass
sie auch auf den Strassen nur selten ihr Gesicht dem Blicke
des Begegnenden entziehen und am wenigsten natürlich,
wenn sie schön sind. Der Weg durch die Gärten führte

uns zum Nacher Beirut, dessen Mündung gegenüber unsere
Korvette vor Anker lag. Nicht weit von seiner Mündung
ist über ihn eine steinere Brücke in sieben Bogen gebaut,
die, noch aus den lezten Zeiten der Kreuzzüge stammend
und aus behauenen Steinen aufgeführt, einst ein sehr schönes
Werk gewesen seyn mag, das aber jezt, wie es überhaupt
bei den Türken Sitte ist, so vernachlässigt wird, dass der
vielen Löcher wegen man zu Pferde nur mit grosser Aufmerksamkeit passiren kann. Die Lage der Brücke ist
übrigens sehr reizend, denn sie ist ganz umgeben von dichtem Oleander-Gebüsche, welches sich damals gerade in
voller Blüthe befand. Auch die Wege zwischen den Gärten
sind zwar gepflastert, aber seit der Zeit ihrer Errichtung
wurde vielleicht kein Stein mehr berührt, daher sie bei
starkem Regen eine Reihe von tiefen Sümpfen bilden, die
um so schwieriger zu passiren sind, als die Steine des
Pflasters durch den Gebrauch abgerundet und polirt werden. Es ist überhaupt eine merkwürdige Eigenschaft der
neuern südlichen Völker, dass sie das, was sie mit enormen
Aufwand an Zeit und Kosten, mit edler Phantasie und mit
vollendetem Kunstgeschmacke aufführen, nicht unterhalten,
sondern rücksichtslos den Zerstörungen der Zeit überlassen.

Am Morgen des 13. Mai endete unsere Gefangenschaft,
indem die Sanitäts-Kommission erschien und uns buona
pratica ertheilte. Wir machten auch sogleich von unserer
Freiheit Gebrauch und gingen ans Land, machten Hrn.
LAURELLA Besuch, und dann begab ich mich mit ACHMED-
Kaptan zum Gouverneur, einem alten, finstern Türken. Daselbst
befand sich bereits unser Kapitän ISMAEL, der den Gouverneur bewogen hatte, uns die vom Minister BOGHOS-Bey auf
ausdrücklichen Befehl des Vizekönigs zur Verfügung gestellte
Korvette zu nehmen, uns ein andres Schiff zu geben und
dieselbe nach Alexandria mit Truppen zurückzusenden.
Dieses wäre ganz im Sinne ISMAEL-Kaptans gewesen, dessen
Wunsch es war, sobald als möglich nach Egypten zurück-
zukehren. Bei diesem Schifftausche wären wir auf jeden
Fall zu kurz gekommen; denn statt des bequemen Kriegs-
schiffs, welches uns der fanatische Gouverneur missgönnte,

hätte man uns ganz bestimmt ein kleines, elendes Schiff
gegeben. Ich war daher bei Eröffnung dieses Vorhabens
von Seite des Gouverneurs sehr entrüstet und wies diese
Zumuthung mit der Bemerkung zurück, dass sie den Befehlen
des Vizekönigs gerade entgegen sey und ich sie noch überdiess als eine Beleidigung für die Expedition ansehe. Der
Konsul, dem ich die Sache sogleich mittheilte, unterstüzte
durch ein kräftiges Schreiben an den Gouverneur meine
Angelegenheit, und wir behielten die Korvette, die auf der
Rhede so lange vor Anker zu liegen hatte, bis von Seite
IBRAHIM-Pascha's Antwort auf mein Schreiben erfolgt seyn
würde. Unterdessen hatten wir Zeit, in Beirut und seiner
nächsten Umgebung uns umzusehen.

Beirut, das alte Berythos, liegt auf dem Vorgebirge
gleichen Namens und zwar an der Nordküste desselben.
Dieses Vorgebirge ist ein Theil der Küstenebene, welche
sich längs des Libanon in Süd über Seide hin erstreckt.
Im Süden der Stadt und ihrer sie auf drei Seiten umschliessen-
den Gärten breitet sich eine ein paar Stunden breite Sandebene aus, Dünenland vom Meere angeschwemmt, dessen
Sand sich aber mehr und mehr ausbreitete und den Gärten
gefährlich zu werden begann. Da verfiel man auf den
Gedanken, an dem Rande dieser Duodez-Wüste einen Wald
von Pinus maritima anzupflanzen. Diese Baumart gedieh in
dem Sande vortrefflich, die Bäume wurden in kurzer Zeit
hoch und kräftig und bildeten einen natürlichen Damm, der
das Vordringen des Sandes in das kultivirte Land verhinderte.
Als ich Beirut im Jahr 1836 zum Erstenmale sah, mochte
es über 8000 Einwohner gehabt haben, es war jedoch im
raschen Aufblühen begriffen, und bereits hatten sich mehrere
ansehnliche europäische Häuser daselbst etablirt. Beirut,
unter den Phöniziern schon als Handelstadt berühmt, stand
damals freilich an Rang den ersten Handelstädten der
Welt, Sidon und Tyrus (Seide und Sur), nach, denn die
kleinen Schiffe der Phönizier fanden in den künstlichen
Häfen der beiden leztern Städte hinlänglichen Schutz. Als
aber diese längst ihren Glanz verloren hatten, als sie endlich zu dem Nichts herabgesunken waren, in dem wir sie

in unsrer Zeit erblicken, als die Schifffahrt für die grösser
und grösser werdenden Schiffe auch grössere Häfen oder
Rheden erforderte, da gewann Beirut an Bedeutung. Seine
Rhede bietet den Schiffen, wenn auch wenig, doch einigen
Schutz, den sie auf der ganzen syrischen Küste, mit Ausnahme von Alexandrette, dessen Hafen-Umgebung aber
höchst ungesund ist und daher, wenn möglich, gemieden
wird, nirgends finden. — Von den alten Zeiten der Phönizier
und Griechen dürften wohl kaum mehr Reste von irgend
einer Bedeutung übrig seyn; wohl aber sehen wir in den
Mauern am Hafen, in dem Kastelle daselbst, in den zum
Theil grossartig angelegten Stadtmauern, in den Gewölben,
in welchen heutzutage die Seidenarbeiter ihre Werkstätte
aufgeschlagen haben, Baureste aus den Zeiten der Kreuzfahrer, die Beiruts Bedeutung vollkommen erkannten
und zu würdigen wussten. Dahin gehört auch die schöne
Brücke über den Nacher el Beirut, deren ich schon erwähnt
habe.

Beirut ist der Hauptstapelplatz für Damaskus, für die
Ebenen von Cölesyrien, für den ganzen Libanon und den
nördlichen Theil von Palästina, in dessen südlichem Theile
wir Jaffa haben, das aber nicht nur keinen Hafen, sondern
eine höchst gefährliche Rhede besizt. Gasa, Acre, Sur und
Seide haben für den Handel vor der Hand gar keine Bedeutung. Durch seine Verbindung mit Damaskus kann Beirut
der Stapelplatz für den Karavanenhandel mit Persien und
Indien werden, insoferne derselbe nicht seine Richtung nach
Aleppo und Suedie nimmt. Kurz, meines Erachtens kann
Beirut eine schöne Zukunft bevorstehen, und von welchem
Einfluss die zerstörende Katastrophe des gegenwärtigen
Jahrs für die aufblühende Stadt war, das muss die Zukunft
lehren. Der Hauptgegenstand der industriellen Thätigkeit
ist gegenwärtig die Seidenzucht und die Verarbeitung der
Seide. Daher auch die Masse von Maulbeerbäumen nicht nur
allein rings um Beirut, sondern auf allen Gehängen des Libanon. Das Klima erlaubt, die Würmer in blossen Laubhütt-
chen im Freien zu haben, welche man in den Gärten selbst
anbringt. Der Verbrauch der Orientalen an Seidenzeugen

aller Art ist sehr gross, und ihr Geschmack ist sehr auf
das Bunte der Farbe hingerichtet. So werden in Beirut
jene schönen mit Gold und Silber durchflochtenen schweren
Seidenzeuge gewebt, die besonders beim wohlhabenden Theil
des Landvolkes in Syrien das Hauptstück zu festlichen
Kleidern bilden, indem daraus Kaftane verfertigt werden,
die wirklich eine schimmernde Pracht an sich haben. Ausserdem verfertigt man in Beirut in besonderer Schönheit die
Leibbinden, die oft bei einer Breite von 1,5 Ellen eine
Länge von 10 Ellen haben, ein schwerer Stoff und doch so
fein verfertigt sind, dass sie sich in ein Päckchen zusammen-
legen lassen, das man fast mit beiden Händen bedecken
kann. Ein sehr wichtiger Zweig des Erwerbes kann auch
einst der Weinbau, besonders im Libanon, werden. Wie
der Grieche, so weiss auch der Syrier die Gabe der Natur
nicht zu benützen; denn er kann weder die Rebe, noch
weniger den erhaltenen Wein behandeln, nur selten trifft
man ein gelungenes Erzeugniss, während doch die Rebe
sich mit denen Siziliens und Spaniens messen kann. Ich
erinnere dabei nur an den sogenannten Vino d'oro. Eine
fernere Quelle des Wohlstandes für das holzarme und an
allen Gehängen seiner Berge kahle Land könnte das Vorkommen von Steinkohle seyn, das sich an vielen benachbarten Stellen des Libanon findet und wovon ich später
Gelegenheit habe, ausführlicher zu reden. Überdiess ist die
herrliche Küstenebene, besonders weiter südlich, durch
ihre Fruchtbarkeit auf Ackerbau hingewiesen, der, wenn er
daselbst und übereinstimmend auch in den andern kultur-
fähigen Punkten von Syrien betrieben würde, das Land aus
dem Nothstand herausreissen könnte, in den es beinahe
jährlich versezt wird. So rechnet aber die Verwaltung, das
türkische System nicht. Augenblickliche, gänzliche Aus-
pressung und viele Soldaten erfordert die unsichere Stellung,
die keine Garantie für ihren Fortbestand in sich selber hat.
Beirut, so paradiesisch schön seine Aussenseite ist, ist von
Innen wie alle orientalischen Städte, wenigstens die meisten,
unrein, finster, hat enge Gassen, schlechtes Pflaster mit
zahllosen Gräben und Löchern, so dass man arabischer

Pferde bedarf, um in solchen Strassen spazieren zu reiten.
In Beirut hat sich in neuester Zeit ein Genueser, ein gewisser
Signore BATTISTA, niedergelassen, der einem der wesentlichsten
Bedürfnisse für Reisende abhalf, nämlich einen Gasthof
begründete, wo man zwar in Betreff des Quartiers etwas
beschränkt ist, aber einen sehr guten Tisch findet. Das
Haus des äusserst dienstfertigen und sehr billigen Mannes
ist der Zusammenkunftsort aller der in Beirut anwesenden,
aber nicht ansässigen Europäer, meist in dem Style, wie
sie sich in Egypten finden. Unter diesen Exemplaren traf
ich auch einen Mann, der einst Sekretär bei Lord BYRON
war. Ein bejahrter Mann, der viele europäische Sprachen
mit grosser Fertigkeit sprach und schrieb, höchst ideal
aussah und in einem steten Zustand von Begeisterung sich
befand. Ein anderer hatte die Ehre gehabt, von der bekannten Lady ESTHER STANHOPE, welche ein paar Stunden
von Seide auf dem Libanon wohnte und die wir aus Herrn
v. LAMARTINE's Mittheilungen näher kennen, wenn auch nicht
im wahren Lichte aufgefasst, in Dienst genommen worden
zu seyn, wurde aber sogleich wieder fortgejagt, und wie ich
vermuthe, nicht zum Verlust für die gute Lady. So mehrere,
die alle dem Vizekönig, für theures Geld natürlich, ihre
Dienste antragen, gleichviel ob als Ärzte oder als Ökonomen
oder als Offiziere in der Armee oder als Erzieher, das ist
alles einerlei; denn sie fühlen in sich alle Elemente zu diesen
Stellen vereint. Was das Innere der Stadt noch etwas
erträglich macht, sind einige grosse Brunnen, die nach
orientalischer Sitte mit Bäumen umpflanzt sind, in deren
Schatten sich's recht gemüthlich sizt.

Wenn man aus Egypten kommt, fällt einem der schöne
Menschenschlag, der in Syrien allgemein verbreitet ist,
wohlthuend auf. Die Kinder sind wieder herzlich lieb, frisch
und rosig, nicht jene abscheulichen, ekelhaften Vogelscheuchen
der Fellahs in Egypten, von denen ich mich oft mit Grausen
abwendete. Die Männer, besonders die Bewohner des Libanon, die Maroniten sowohl als die Drusen, sind gross und
stark, freundlich und zuvorkommend gegen Fremde und haben
in ihrem Benehmen einen gewissen angebornen, edlen, freien

Anstand, gegen den sich das Benehmen des Fellah höchst gemein ausnimmt. Unter den Frauen sah ich, besonders auf meinen spätern ausgedehnten Reisen im Gebirge, weniger schöne Gestalten, meist waren sie stark mit harten, derben Gesichtszügen, zum Theil eine ursprüngliche Folge ihrer mit so vielen körperlichen Anstrengungen verbundenen Lebensweise. Unter den mehr Geschonten, in den wohlhabenden Familien nämlich, findet man hingegen ausgezeichnet schöne Gestalten, deren weisser Teint und sprechendes schwarzes Auge sie sehr vortheilhaft hervorhebt *. Das rasche Emporkommen Beiruts in neuerer Zeit fällt vorzüglich in die Periode seit der Besitznahme Syriens durch die Waffen Mehemed-Ali's, und ist ein Beweis der Kraft, mit welcher er in dem, früher in die grauenvollste Anarchie versunkenen Lande Ordnung schuf und erhielt. Wir werden später Gelegenheit haben, die Licht- und Schattenseite seiner Regierung in Syrien deutlicher vor uns zu sehen, aber dieselbe auf Beirut reduzirt, sehen wir erstere unstreitig vorherrschen. Sein starker Arm schüzte das Eigenthum der Europäer, schüzte sie selbst vor allen den unzähligen Plackereien, Insulten und Erpressungen der Pascha's, Agas und wie sie da heissen. Wir sehen es in den Ereignissen der lezten Tage neuerdings bestättigt, dass nur er es war, der da Ordnung halten konnte und durch seinen Sohn Ibrahim auch hielt. In dieses Urtheil stimmten auch alle Europäer ein, die schon seit langer Zeit in Beirut leben und Zeugen von allen den Veränderungen waren, die die Geschichte der neuesten Zeit in Syrien herbeirief.

Unter den Europäern, die ich in Beirut kennen lernte, war mir eine der angenehmsten Bekanntschaften die des königl. griechischen Konsuls Thisée (Theseus), an welchen mein Freund, der Arzt der Expedition, Dr. Veit, adressirt war. Dieser Mann überhäufte uns mit der artigsten Gefälligkeit, und ich verdanke ihm manchen Aufschluss über das interessante Land.

---

* Über die Bewohner des nördlichen Syriens und besonders über die des Libanon werde ich nach meinem zweiten Aufenthalte in Syrien ausführlicher sprechen.

In Beirut besitzen alle christlichen Nationen, die sich in Syrien vorfinden, ihre Kirchen oder doch wenigstens ihre Kapellen. So die Griechen, die Katholiken mit den Maroniten, die englisch-amerikanische Gemeinde etc., die Katholiken allein haben zwei Kirchen, nämlich die des sardinischen Konsulates und die der Kapuziner, der terra sancta. Erstere ist eine recht freundliche Kapelle, leztere ist bedeutend grösser und sieht mehr einer Kirche ähnlich. Ich besuchte unsern Gottesdienst an einem Sonntage und fand mich sehr überrascht durch die Mannigfaltigkeit des anwesenden Publikums. Sonderbar nahmen sich die anwesenden europäischen Damen mit ihren Pariser-Moden gegen die dem Gottesdienste beiwohnenden syrischen Katholiken aus, die alle ihr Haupt mit Turbans oder Fess bedeckt hatten. Auch die Europäer, welche Fess tragen, sonst aber sich europäisch kleiden, behalten dieselben während des Gottesdienstes auf, was auf mich den Eindruck des Unschicklichen machte. Die syrischen Frauen haben ihre eigene Loge, in die jedoch Jedermann eintreten kann. Der Gottesdienst in diesen Kirchen wird von den Priestern der verschiedenen Religions-Parteien versehen, die in Beirut ihre Klöster haben und denen die Verpflichtung obliegt, die Pilger und die Reisenden zu beherbergen und zu verpflegen, die sich darum anmelden.

Wie ich schon anfänglich sagte, so ist in Beirut das Interessanteste seine prachtvolle Umgebung. Um diese etwas näher kennen zu lernen, machten wir eines Tages mit Konsul Thisée einen Spazierritt. Wir ritten am nordöstlichen Thore hinaus und zogen auf der Strasse nach Damaskus bis zur Brücke, welche über den Nachar el Beirut führt. Auf dem Wege dahin passirten wir mehrere türkische Kaffehäuser, sogenannte Chans, wo Kaffe und geistige Getränke gereicht werden. Die Eigenthümer dieser Chans sind hier durchaus Christen, die Gäste sind aber sehr gemischt, trinken und rauchen in friedlicher Eintracht. Beinahe in allen diesen Kaffehäusern produzirten sich Tänzer, nach einer Musik, die so beschaffen ist, dass Jedem dadurch wohl alle Lust zum Tanzen benommen, in keinem aber, der nicht türkische Ohren hat, hervorgerufen werden dürfte. Zurückreitend verliessen wir die Strasse und wendeten uns dem Dimitrius-Berge zu, ein kleiner Berg ausserhalb der Stadt, mit Gartenanlagen bedeckt und mit einer herrlichen Aussicht über die ganze Umgegend. Wir standen lange auf dem höchsten Punkte und konnten uns nicht trennen von dem herrlichen Anblick, in dem sich alles vereint, um ihn unvergesslich zu machen. Das tiefe Blau des Himmels mit seinem starken, strahlenden Lichte, der schneebedeckte Libanon dicht vor uns, besezt mit den Klöstern und Kirchen der Maroniten, unter uns die Ebene um Beirut, ein grosser Garten und die weite, unabsehbare Fläche des Meeres. Das tiefe Gefühl LAMARTINE'S wählte sich hier ein Ruheplätzchen, eine Grotte, vor der man eine schöne Ansicht des ganzen Bildes hat; noch schöner aber ist dieselbe vor der kleinen Kirche des heiligen DIMETRIUS, wo sich auch einige Gräber befinden, deren Anblick in einer solchen Umgebung, haben wir auch ihre Bewohner nicht gekannt und sind sie uns nicht nahe gestanden, etwas tief Ergreifendes hat. Es liegt so viele Poesie in dem Gedanken an einer solchen Stelle, den lezten Schlaf zu schlafen!

Die Antwort IBRAHIM-Pascha's auf mein Schreiben blieb noch immer aus, und ich beschloss daher, um keine Zeit zu verlieren, ihn selbst aufzusuchen. Die Korvette bekam daher Ordre, sich wieder segelfertig zu machen und uns nach Suedie zu bringen, von wo ich meine Reise über Antiochia nach Aleppo fortzusetzen beschloss, in der Hoffnung, an einem oder dem andern Orte IBRAHIM bestimmt zu finden. Mehrere Europäer wünschten sich uns anzuschliessen, da diese Wünsche aber nicht ganz mit den meinen stimmten, so bewilligte ich nur einem derselben, einem französischen Artillerie-Offizier, der seine Familie in Suedie bei Konsul PARKER hatte, uns dahin zu begleiten. Am 17. Mai lichteten wir Abends die Anker und verliessen das freundliche Beirut. Wir segelten mit gutem Winde, mehrere Schiffe begegneten uns, die meisten unter österreichischer Flagge, die so frisch und traulich mit ihrem heitern Weiss und Roth im Winde flatterte, dass sie jederzeit, wenn wir ihrer ansichtig wurden, ein freudiges Gefühl in uns hervorrief. Am

Abend des darauf folgenden Tages waren wir Tripolis
gegenüber. Plötzlich trat Windstille ein, und wir blieben
den 19. durch wie festgebannt auf unserer Stelle. Tripolis
(im Arabischen Tarablos) liegt am Fusse der höchsten
Erhebungen des Libanon, und von da führt ein Weg über
die hochgelegenen Dörfer Eden und Bischere nach den
berühmten Cedern, die man weiter im Meere aussen, bei
gehöriger Lokalkenntniss, auch sehen kann. Sie liegen
gerade unter dem höchsten Gipfel, dem Dschebel-Makmel,
etwas in SW. in einer weiten Einsattelung des Gebirges.
Ausser dem Makmel lagen vor uns noch mehrere der höchsten Kuppen des Libanon-Gebirges, wie der Dschebel-Aker,
der Dschebel Arnette, el Hemmel etc., alle mit Schnee bedeckt. Die höchsten Punkte steigen zu 9000 Fuss und
darüber über das Meer an, und da sie sich hier vom Spiegel
desselben an zu erheben scheinen, so ist der Eindruck, den
sie hervorrufen, wirklich imposant. Der Abend, den wir mit
unserer Korvette vor Tripolis zubrachten, war wunderschön,
schwere Gewitterwolken lagen auf dem Libanon, der West
war rein, und deutlich sahen wir die Berge vom Kap St.
Andrä auf Cypern in den lezten Strahlen der untergehenden
Sonne. Die Nacht senkte sich mehr und mehr aufs Meer,
hoch über den Wolken sahen wir noch den Schneegipfel
des Makmel glühend im Abendroth, die Muselmänner standen
in zwei Reihen am Vorderdeck und beteten mit ihrem Imam.
Wie durch Zauberschlag warfen sie sich bei den Worten
Allah heper (Gott ist der Grösste) auf ihr Angesicht nieder
vor dem höchsten Wesen, das Alle ahnen, Alle verehren,
zu dem Alle hoffen, das Keiner begreifen kann, und in der
heiligen Stille, die da herrschte, und im Anblicke der unendlich grossen Natur, gegen die alle Tempel der Erde
Nichts sind, hallte es in unserer aller Herzen wieder, Ja!
er ist der Grösste!

Am Abende des 20. kamen wir mit schwachem Wind
wieder etwas vorwärts, wir waren der Insel Ruad (Aradus
der alten Griechen) gegenüber, eine der wenigen und wenig
bedeutenden Inseln, die sich an der Küste von Syrien finden.
Als die Nacht anbrach, nahte sich uns ein Schiff unter

egyptischer Flagge ober dem Wind und hielt sich an unsere Seite. Man rief es an und fragte woher und wohin? Es gab an von Alexandria und nach Latakia bestimmt zu seyn, um daselbst Bauholz zu laden. Da uns jedoch um seine Gesellschaft gerade nicht zu thun war, gab man ihm die Weisung, sich sogleich zu entfernen, was es sich denn auch, unsern Feuerschlünden gegenüber, nicht zweimal sagen liess. Die Berge der Umgegend von Latakia verlieren an Ausdruck, die Spitzen und Kuppen gehen in langgedehnte Rücken über, die mir jedoch, von ferne gesehen, ziemlich stark bewaldet schienen.

Am Morgen des 21. befanden wir uns dicht vor Latakia (Laodicea) und so nahe dem Lande, dass wir alle Gegenstände deutlich wahrnehmen konnten. Die Stadt, von einer grösseren Ausdehnung als Beirut, wie mir schien, hat eine sehr schöne Lage, in einiger Entfernung von der Küste und am Fusse eines mit Wald bedeckten Berges. Ich zählte in der Stadt 11 Minarets und eine auf einer Anhöhe liegende grosse Moschee. Die Umgegend ist wie in Beirut ein grosser Garten mit vielen Landhäusern. Der Hafen, an und für sich nur ein ganz kleiner Einfang, ist durch Vernachlässigung so ruinirt, dass er für grössere Schiffe ganz unbrauchbar ist. Dem ungeachtet hat Latakia einen nicht unbedeutenden Handel * und zwar vorzüglich mit

---

* Hinsichtlich der Nachschlagung über weitere Detail-Verhältnisse von Syrien und Karamanien berufe ich mich hier ein für allemal auf nachfolgende Werke:

Robinson, Palästina und die südlich angränzenden Länder, 3 Bände; Halle 1841. Ein höchst schätzbares Werk.

Volney, Reise nach Syrien und Egypten, 2 Theile; Jena 1788.

C. Niebuhr, Reise nach Arabien und andere angränzende Länder, 3 Bände; Hamburg 1837.

Burkhardt, Reisen in Syrien und Palästina, 2 Bände; Weimar 1823.

Dr. M. Russel, Palästina, 2 Bände; Leipzig 1836.

v. Prokesch-Osten, Reise in das heilige Land; Wien 1831.

Dr. Scholz, Reise nach Palästina und Egypten; Leipzig 1822.

Dr. Schubert, Reise in das Morgenland, 3 Bände; Erlangen 1840.

Visino, Wanderung nach Palästina; Passau 1840.

Briefe über Zustände und Begebenheiten in der Türkei; Berlin 1841.

Beaufort, Karamania or a bref description of the South coast of Asia minor; London 1817.

Tabak, der hier in einer Güte gedeiht, wie man ihn nirgends sonst im Oriente trifft. Dem Tabak von Latakia zunächst steht der von Dschebel, auf der Route nach Tripolis liegend. Auch mit Wein macht Latakia Geschäfte, aber nicht mehr so bedeutend wie in älterer Zeit. Den Hintergrund der Landschaft in Ost bildet der langgezogene Dschebel Nussairie, über den wir einige hinterliegende, noch zum Libanonzuge gehörende, hohe Spitzen emporragen sahen, welche mit Schnee bedeckt waren. Nördlich erblickten wir den hohen und spitzen Dschebel Okra, der das Kap Possidi bildet und die Bucht des Orontes in Süd begränzt. Weiter nördlich sahen wir die Berge um Antiochia und den hohen Aman und Legan, welche das Kap Chanzir (Schwein-Vorgebirge) bilden, das die Bucht des Orontes, wo Suedic liegt, nördlich begränzt. Leztere Berge scheinen sehr hoch zu seyn und dominiren so zu sagen den ganzen Hintergrund. — Obwohl wir am Morgen des 22. Mai das Kap Possidi noch nicht passirt und die ganze Landschaft von Gestern noch vor uns liegen hatten, auch ein Blick auf die Karte dem Kapitän hätte zeigen sollen, was für den Moment unsere Position wäre, so ging er in seiner Unwissenheit doch so weit, eine vorliegende kleine Bucht südlich des Kapes Possidi für die des Orontes anzusehen und in sie einzulaufen. Das Senkblei gab 1 Seemeile von der Küste mit 80 Klafter Grund, angenblicklich darauf aber verminderte sich die Tiefe auf 25 und 12 Klafter und wir hatten daher

AINSWORTH, Researches in Assyria, Babylonia and Chaldaea; London 1838.
CARNE, Syria and the holy Land; London, in pittoresker Beziehung durch die vielen Stahlstiche ein Prachtwerk.
SHAW, observations relating to several parts of the Levant; Edinburgh 1808.
POCOCKE, Description of the East, 3 Bände; London 1743.
SEETZEN, Briefe, zerstreut in ZACHS monatlicher Korrespondenz.
CHATEAUBRIAND, Itineraire de Paris à Jerusalem; 3 Th., Paris 1811.
SALZBACHER, Erinnerungen aus meiner Pilgerreise; Wien 1839.
v. RAUMER, Palästina; Leipzig 1838.
RITTER, Erdkunde, als klassisches Werk von hohem Werth.
Ein vollständigeres Verzeichniss der bestehenden, besonders ältern Quellen findet man in ROBINSONS Palästina. I. Bd.

23 *

höchste Zeit, die Anker zu werfen. Zwei Boote gingen ans Land, um sich zu erkundigen, wo wir eigentlich seyen, denn unbekannter konnte dem Kapitän die chinesische Küste nicht seyn, als es diese war, obwohl er sie im Dienste schon öfter befahren hatte. Vom Orontes und von Suedie war keine Spur zu entdecken, und die Menschen, welche man an der Küste traf, sagten natürlich, dass man, um nach Suedie zu kommen, erst das Kap Possidi umsegeln müsse. Wir lichteten daher um Mittag wieder die Anker und wendeten uns nördlich, unsern frühern Weg verfolgend. Die Küste gewährte hier einen sehr schönen Anblick. Die Bucht war mit Auen, bebauten Feldern, grünen Wiesen eingefasst, hohe und steile Berge umschlossen sie, bis auf ihre Gipfel mit Wald bedeckt. Man scheint hier viel Bauholz zu gewinnen; denn eine beträchtliche Menge desselben lag an der Küste aufgehäuft. Ludwig (so nannten wir unsern Reichard), der in dem einen Boote mit ans Land gegangen war, konnte uns die Schönheit desselben nicht genug rühmen. Er hatte daselbst viele Gazellen herumspringen sehen und brachte uns mehrere Schildkröten, eine Ziege und Hühner mit, mit welch leztern ihn die freundlichen Leute am Ufer beschenkten.

Bei unserer Umseglung des Kaps Possidi hielt sich der Kapitän so nahe an die senkrecht aus dem Meere aufsteigende und mit Felsenriffen unter dem Wasser besetzte Küste, dass wir es für nöthig hielten, ihn, der ganz ruhig auf dem Hinterdecke sass und rauchte, auf die Gefahr aufmerksam zu machen, der uns seine Stupidität preisgab, indem Wind und Strömung das Schiff ans Land trieben. Da aber unser Reden nichts half, liessen wir ihn machen, was er wollte. Nicht lange darnach war unsere Korvette nur noch wenige Kabellängen von den Felsen entfernt, da erinnerte ihn Achmed-Kaptan, dass er dem Reglement zu Folge erschossen würde, im Falle das Schiff auf eine so elende Weise zu Grunde gehen sollte. Nun wurden endlich die Segel eingezogen, und man warf einen Anker, er hielt nicht; man warf den zweiten, er hielt nicht. Nur wenige Klaftern noch und das Schiff sizt auf den Felsen. Man

warf den dritten Anker und der hielt. Schon waren wir
entschlossen gewesen, unsere Papiere und wichtigsten
Sachen zusammen zu packen, um uns im Falle einer
Scheiterung sogleich auszuschiffen. Für unser Leben war
ohnehin nichts zu fürchten; denn das Land war so nahe,
dass im Fall der Noth es jeder von uns schwimmend zu
erreichen hoffte. Jezt handelte es sich aber wieder darum,
aus unserer Lage herauszukommen. Es wurde ein Boot
ausgesandt, das in einiger Entfernung Anker warf, zu dem
hin man nun das Schiff mittelst der Ankerwinde und des
Ankerseils zog. Bei diesem Manövre brach in dem Momente,
als wir fast den Ankerboy erreicht hatten, das Seil und
wir trieben nun neuerdings den Felsen zu. Ein neuer
Anker rettete uns wieder und so ging die Arbeit bis 10
Uhr Nachts fort, zu welcher Zeit es erst gelang, das
Schiff so weit von der Küste zu entfernen, dass wir einen
leisen Landwind benützen und die Segel spannen konnten,
um das Weite zu suchen.

Am frühen Morgen des 23. Mai liefen wir endlich in
die Bucht des Orontes ein. Sein Daseyn ergibt sich bereits
durch die Trübung des Wassers auf eine grosse Strecke
ins Meer hinaus zu erkennen. Auf unserm Ankerplatze
hatten wir in der Entfernung einer Seemeile vor uns die
schöne Küste mit der Mündung des Orontes, des grössten
Flusses in Syrien. Weiter ins Land liegen zerstreute Häuser
der Landleute, der Distrikt Suedie, ein fruchtbares, reich-
bebautes Kulturland mit einer Menge von Gärten. Rechts
von uns stieg der Dschebel Okra, ein äusserst schöner
Kegelberg zu 5341 engl. Fuss (nach Ainsworth), gerade
aus dem Meere empor. Er ist die höchste Kuppe des
Cassius-Gebirges im Süden des Orontes-Thales. Zur Linken
hatten wir, die nördliche Einfassung des Orontes-Thales
und der Ebene von Antiochia bildend, das Gebirge Pieria
(wie Cassius, die Benennung der Alten; vielleicht von der
Felsenstadt Seleucia, Seleucia Pieria, den Namen habend),
welches mit dem Dschebel Toloss das Cap Chanzir bildet.
Als Fortsetzung desselben erheben sich weiter in NO. die
Kuppen des Amman (M. Amanus) und des Legan, deren

höchste dem Okra ziemlich gleich stehen und bei Beilan zu 5337 engl. Fuss Meereshöhe sich erheben. Weiter in N. verbindet sich die Kette des Aman und Legan, unter dem Namen Giaur oder Jawur Dágh, mit den Vorbergen des Taurus in Karamanien *. Die südlichen Vorberge des Aman im Thale des Orontes, gerade oberhalb der Felsenstadt Seleucia, bezeichnet man mit dem Namen Mussa Dagh oder Dschebel Mussa. Der Cassius im Süden des Orontes ist eigentlich als eine Fortsetzung des Gebirges Aman, von dem er durch die höchstens 2 Stunden breite Thalebene getrennt ist, in Süd zu betrachten. Er verbindet sich weiter südlich mit dem Gebirge Nossairieh und schliesst sich durch dasselbe der Kette des Libanon an. So sind also sämmtliche Berge in der Umgebung von Antiochia und Suedie als Mittelglieder zwischen der NS.-streichenden Kette des Libanon in Syrien und der OW.-streichenden Kette des Taurus in Karamanien anzusehen.

Als wir in die Bucht von Suedie einliefen, mussten wir es uns alle gestehen, dass die Umgegend derselben an Schönheit noch Alles übertrifft, was wir bisher in Syrien gesehen hatten, selbst Beirut nicht ausgenommen. Sind die hohen Gipfel des Cassius und Aman zwar nicht so hoch wie die höchsten des Libanon, so sind sie doch weit ausdrucksvoller, schärfer, pittoresker gezeichnet. Während der Libanon ganz kahl ist und höchstens vereinzelte Häufchen von Pinien wahrnehmen lässt, sind die schönen Berge am Orontes bis zu höchst hinauf theils bewaldet, theils mit der herrlichsten Alpenflora bedeckt. In der Mitte ist das weite Thal gegen Antiochia hin ganz offen und steigt terrassenartig, aber ganz sachte, dahin an. An der südlichen Seite der grossen Ebene tritt zwischen den Bergen des Cassius der Orontes hervor aus engen, wilden Schluchten; tobend gelangt er in die Ebene, doch gleich legt sich seine Wuth und er eilt ruhig und stille dem nur zwei Stunden entfernten Meere zu. Seine Ufer sind freundliche Auen und blumenreiche Wiesen, Äcker zu beiden Seiten, Gärten

---

* Man sehe meine Karte von dem Taurus in Karamanien.

und freundliche Häuschen, wohin man blickt. Leztere, nicht
zu vergleichen mit den scheusslichen Pesthöhlen der Fellah
in Egypten, sind rein und haben eine ganz europäische
Bauart, nämlich durchaus Giebeldächer, was seinen vorzüglichen Grund darin haben mag, dass oft im Winter sehr
tiefer Schnee fällt, der die flachen Dächer eindrücken
würde. Ungefähr eine Stunde' von der Küste entfernt und
nördlich des Orontes drängen sich die freundlichen Häuschen mehr zusammen und bilden in der grossen Gartenebene
eine Art Dorf, welches so zu sagen den Hauptort des Distriktes bildet, den man unter dem Namen Suedie begreift
und der an der Mündung des Orontes zwischen diesem
Flusse und dem Mussa Dagh und dem alten Seleucia liegt.
In der Nähe dieses Fleckens befindet sich der schöne Landsitz des englischen General-Konsuls PARKER, wo dieser
vortreffliche Mann seine Tage in der Ruhe eines höchst
idyllischen Landlebens beschliesst. An der Küste liegen
einige wenige Gehöfe. Die türkische Sprache fängt hier
bereits an vorherrschend zu werden und besonders unter
dem Landvolke, das meist aus Turkomanen besteht. Mehr
nördlich gegen Karamanien hin ist dieses noch mehr der
Fall, und sie wird dort die alleinherrschende Sprache.
Ich sandte sogleich einen Theil unserer Leute ans
Land, um frische Lebensmittel zu requiriren, LUDWIG aber
bekam, seiner Kenntniss des Arabischen halber, den Auftrag,
nach Antiochia zu reiten und IBRAHIM-Pascha, im Falle er
sich dort befände, ein Schreiben von mir zu überbringen,
worin ich ihm unsere Ankunft anzeigte und ihn um nähere
Weisung in Betreff unseres nächsten Reiseziels ersuchte.
Zugleich gab ich ihm alle meine Briefe an den k. k. österr.
General-Konsul PICCIOTTO mit, um dieselben nach Aleppo
zu senden. Da jedoch LUDWIG erfuhr, dass IBRAHIM-Pascha
sich nicht in Antiochia, sondern in Aleppo oder Aintab befindet, so blieb er bei PARKER in Suedie und erwartete mich
für den nächsten Tag am Lande, da Abends die See sehr
hoch ging und die Kommunikation mit der Korvette er-
schwerte. Lezterer Übelstand fand auch am nächsten
Morgen statt, doch liessen wir uns nicht dadurch abschrecken,

sondern bestiegen unsere Barken. Wir fuhren gerade in die Mündung des Orontes und verfolgten ihn fast eine Stunde aufwärts. Der Fluss hatte gegenwärtig sehr viel Wasser und stellenweise eine Breite von nahezu 300 Schritten. Das Wasser war trübe und schlammig, es hatte eine starke Strömung und schien tief zu seyn. Von der Felsschlucht des Gebirges an, wo der Orontes in die Ebene von Suedie tritt, hat er sich sein Bett in vielen Windungen in dem tiefgründigen Kulturlande gegraben, daher ein häufiges Nachstürzen der Ufer stattfindet. Auffallend ist die Menge von Schildkröten, die im Flusse herumschwimmen. Das geschichtliche Interesse des Flusses durch das Schicksal des Friedrich BARBAROSSA, der am 10. Juli 1190 zu Pferde hier den Strom durchschwommen und ertrunken seyn soll, ist bekannt. Übrigens ist man hinsichtlich des Ortes, wo dieses Unglück geschehen seyn soll, nicht im Klaren. Einige bezeichnen als solchen den Kalykadnus bei Seleucia an der Südküste von Kleinasien, andere den Orontes, andere den Cydnus bei Tharsus. Das Faktum ist, dass es in einem Flusse an den Grenzen von Syrien und Cilicien geschah. Wir stiegen an einem kleinen Bretterhüttchen aus, das die Duane vorstellt, wo alle Aus- und Einladungen der ankommenden und abgehenden Schiffe vor sich gehen, indem die Küste keinen eigentlichen Hafen besizt. Unser Weg zu PARKERS Landhaus führte uns querfeldein. Wir gingen durch Getreidefelder und Wiesen; Feigen- und Granatäpfelbäume, mit ihren prächtigen rothen Blumen, gelbe Lilien in voller Blüthe und wilde Reben, die einen sehr guten Wein geben, bildeten die Einfassung der Wege, die nur für Reiter oder Fussgänger beantragt sind. Auf den Feldern sahen wir mehrere sehr grosse Geier, unter denen welche 7 — 8 Fuss bei ausgespannten Flügeln messen mochten, und Scharen von Flamingo's, die sich mit dem Weiss und Roth ihres Gefieders im Scheine der Sonne prachtvoll ausnahmen. Die auf den Feldern uns begegnenden Landleute, lauter Turkomanen, waren durchaus reinlich und sehr ordentlich gekleidet, sie grüssten uns alle freundlich und benahmen sich überhaupt mit vielem Anstand, der der

schönen, rein türkischen Rasse eigen ist und wodurch sie
auffallend gegen den weit fähigern, aber tückischen, schlei-
chenden Araber absticht. Parker empfing uns aufs herzlichste, wie alte Freunde. Er ist schon lange Zeit im Oriente
und diente früher als Generalkonsul seiner Nation in Alexandria. Seine Frau, eine geborne Levantinerin und im
orientalischen Costume, wie er selbst schon hoch in Jahren,
besizt einen Grad von Bildung, der mir bei orientalischen
Frauen noch nicht vorgekommen war. Ausserdem trafen
wir im Hause ein Paar von Parkers Söhnen, von denen
der eine Agent der nordamerikanischen Freistaaten ist, eine
im Hause angenommene junge Griechin und eine sechszehn-
jährige Engländerin, die Frau unsers Reisegefährten von Beirut, des Artillerie-Offiziers Aminete. Nie in meinem Leben ist
mir im Oriente eine mit mehr Eleganz geführte Landwirth-
schaft vorgekommen, als die Parkers. Die weiseste Verbindung des Comfortes, wie ihn der Orient und der Occident
darbieten, eine herrliche Natur und eine schöne Umgebung
voll klassischer Erinnerungen liessen mir hier die Seligkeit
des Landlebens in der höchsten Vollkommenheit vor Augen
treten. Parkers Stellung war damals von Wichtigkeit;
denn die Verbindung Englands über Aleppo und Bassora
mit Indien, der Betrieb der Euphrat-Expedition und der
damit sich in Verbindung setzenden Aussichten für die
Zukunft, führten einen gewissen Aufschwung der Geschäfte
nothwendiger Weise herbei. Die neuesten Zeitereignisse
haben die Verhältnisse umgestaltet, der Krieg warf seine
Fackel auch in jene Gegenden, und Parkers und der Seinen
Schicksal ist mir seit meiner Abreise aus dem Oriente
unbekannt. Parkers Landsitz, mitten im Thale von Suedie,
dessen südlichen Rand der Orontes, heutzutage Nacher
Assi genannt, durchströmt, besteht aus vielen Gehöfen und
dehnt sich sehr weit aus. Der Boden, zu den fruchtbarsten
gehörend, die es geben kann, lässt alle europäischen Kultur-
gewächse aufs üppigste gedeihen, so wie man in den Gärten
im Freien eine Menge exotischer Pflanzen, besonders aus
China und Japan, denen das Klima von Suedie sehr zusagt,
trifft, die blühen und Früchte tragen, wie in ihrem Vaterlande.

Da ich mit Bestimmtheit Ibrahim-Pascha's Aufenthalt nicht erfahren konnte, so beschloss ich, selbst nach Antiochia und Aleppo zu reisen, um ihn in einem oder dem andern Orte zu treffen. Ich ordnete daher für den nächsten Tag die Ausschiffung der Zelte und des nöthigsten Bedarfes an, übergab meinem Adjunkten die Leitung der Geschäfte in meiner Abwesenheit, wählte Achmed-Kaptan als Dolmetscher, den Arbeiter Pirchner und meinen Bedienten Carl zu meinen Begleitern und trug den übrigen auf, an irgend einer ihnen angenehmen Stelle am Lande, in der Nähe von Parkers Wohnung, Lager zu schlagen und meine Rückkehr daselbst abzuwarten. Parker bestellte die für meine Reise nöthigen 7 Pferde für den nächsten Morgen.

2) Reise von Suedie über Antiochia nach Aleppo und zurück.

Mit Anbruch des Tages schifften wir uns am 25. Mai bei der Duane am Orontes mit unsern Zelten aus, sortirten dieselben und legten das grösste, von 24 Fuss im Durchmesser, für meine Reise zur Seite. Dem gewöhnlichen Schlendrian zu Folge kamen unsere sieben Pferde erst Mittags an. Ich liess sogleich drei derselben mit dem Zelte und unsern wenigen übrigen Bedürfnissen bepacken, die andern vier satteln und gleich nachher sassen wir auf.

Wir zogen am rechten Ufer des Orontes hinauf, passirten SO. Parkers Wohnung in geringer Entfernung und verliessen an jenem Punkte, wo der Orontes sich wendet und aus einem engen Thale des Cassius-Gebirges in die Ebene von Suedie hervorbricht, die Strasse, welche nach Antiochia führt, und wählten den nach dem Gebirgsdorfe Sananieh führenden Seitenpfad, welchen Hr. Parker seiner pittoresken Gebirgspartien halber uns besonders angerathen hatte. Wie wir früher in der Ebene den Strom aus West in Ost verfolgt hatten, so geschah es jezt, als wir das Gebirge betraten, aus Nord in Süd, uns immer an seinem rechten Ufer haltend. Kaum waren wir in die Thalschlucht gekommen, in welcher der Orontes die Kette des Gebirges Cassius, östlich vom Dschebel

Okra, durchbricht, so wurde der Weg furchtbar schlecht, doch unsere an derlei Strapazen gewöhnten syrischen Pferde gingen eben so leicht als sicher über die Steinmassen weg, über die der holperige Weg am Ufer hinführte. Die Berge zu beiden Seiten des Flusses nähern sich mehr und mehr, und das Orontesthal wird immer enger. Die Ansichten, welche dasselbe darbietet, sind herrlich. Die Felspartien sind wild, und schroffe, senkrechte Felswände engen den Fluss ein, in kühn gethürmten Massen hoch über ihn ansteigend; doch das Wilde wird durch die üppige Vegetation in den Schluchten nächst des Weges sehr gemildert. Besonders schön ist jene Partie, wo sich der hier sehr reissende Strom um eine Felswand, die voller Höhlen ist, beinahe rechtwinklig herumbiegt und seine frühere Richtung aus N. in S. wieder in die Richtung aus W. in O. umändert. Der Weg führt gerade diese Felswand hinan, die eine scharfe Ecke mitten in dem engen Thale bildet, und zieht sich ebenso, in einer Menge Windungen, am andern Gehänge dieser Kuppe wieder zum Orontes hinab. Längs des Weges wachsen ganz wild Feigenbäume, Weinreben, Johannisbrodbäume, Maulbeerbäume und die Menge der blühenden Rosensträuche, Oleander und Lilien machten in dieser Jahreszeit das Thal zu einem der schönsten Gärten, die ich je sah. Uns war, um mich eines klassischen Ausdruckes zu bedienen, kannibalisch wohl, und fröhliche Weisen aus unserm Alpenlande singend, ritten wir die steile Wand hinan. Die Kuppen des Cassius, die Schluchten des Orontes hallten in langem Echo die heimathlichen Töne wieder. Sie thaten das Ihrige; denn auf solche Weise für gewöhnlich gefeiert zu werden, sind sie nicht gewohnt. Jenseits der vorspringenden Felswand erweiterte sich das Thal. Beide Gehänge sind bebaut und mit Feigen- und Maulbeerbäumen, durch Reben verschlungen, besezt. Niedliche weissgetünchte Landhäuschen laden zur Ruhe ein. Auch die turkomanischen Bauernhäuser tragen ein ganz europäisches Ansehen an sich, sie haben durchgehends Giebeldächer von Ziegeln, aus- und inwendig rein, keine Spur von Armuth und Druck, die Leute freundlich, dem

Fremden mit herzlicher Gastfreundschaft entgegenkommend.
Man wundert sich, wenn man den grellen Gegensatz in
Egypten gesehen hat, hier in diesem Lande, das auch zu
MEHEMED-ALI's Besitzungen gehört, ich möchte wohl sagen
so einen Wohlstand zu sehen. Diess erklärt sich übrigens
sehr einfach. In Egypten hat man es mit dem durch Jahrhunderte gedrückten, zum Vieh entwürdigten Fellah zu
thun, am Orontes ist es der in Waffen geborene, die Waffen
nie ablegende Turkomane, der frei auf seinen ihm alle
Bedürfnisse des Lebens darbietenden Bergen herumzieht,
der nicht Sklave, sondern Eigenthümer des Bodens ist, den
er bebaut, der einer vorsichtigern Behandlung benöthigt, will
man seinen kriegerischen Geist nicht wecken. Diess aner-
kennend ging man mit Schonung zu Werk und beschränkte
sich höchstens darauf, das Volk nach und nach auf den
Segen der egyptischen Herrschaft vorzubereiten, in welchem
Vorhaben man im südlichen Syrien, wo man weniger zu
fürchten hat als im nördlichen, da dasselbe der türkischen,
folglich der feindlichen Gränze nahe liegt, bereits weiter
vorgeschritten war.

In der Nähe des Dorfes Sananieh lagerten wir uns,
um unsere durch den schlechten Weg ermüdeten Pferde
ausruhen zu lassen, für einige Augenblicke, und sezten
dann, mittelst einer Fähre, auf das linke Ufer des Orontes
über. Dicht daran steht eine Mühle, in die wir eintraten.
Die Frau, umgeben von einer Schar kleiner, rothbäckiger
Turkomanen, kam uns, die wir, wie immer, europäisch gekleidet
waren, auf das freundlichste entgegen, ohne im mindesten
bemüht zu seyn, sich zu verhüllen und überhaupt ohne die
mindeste Scheu vor uns Fremden zu zeigen. Sie trug uns
Milch an, und als wir sie nicht nahmen, so nöthigte sie
uns, wenigstens einiges Obst mitzunehmen. So geringfügig
dieser Fall an und für sich ist, so hatte er für uns dadurch
Bedeutung, dass eine mohammedanische Familie es war,
die den Fremden, den Christen, so treuherzig entgegenkam.
Ich lernte später die Turkomanen näher kennen und lebte
längere Zeit unter ihnen, doch nie schwächte ihr Benehmen
den schönen Eindruck, den mein erstes Zusammentreffen

an den Ufern des Orontes in mir hervorrief. In dem eigentlichen türkischen Volke lebt ein edler Stoff, es ist ein edler
Kern in einer rauhen Schale, und Schade wäre es, sollte
er, durch die geschehenen Missgriffe ihn zu entwickeln,
untergehen.

Das Thal wurde nun immer weiter und belebter. Eine
Menge Dörfer liegen an seinen beiden Gehängen zerstreut,
man hat jedoch Mühe, sie zu entdecken, weil die Häuschen
ganz zwischen hohen, dicht belaubten Bäumen versteckt
liegen. Nur aus dem starken Anbau des Bodens lässt sich
auf die bedeutende Bevölkerung schliessen. Als die Nacht
anbrach, schlugen wir unser Zelt in der Nähe eines Bauern-
hauses an einem Bache auf. Die Nacht war warm und
der Mond leuchtete helle am reinen Himmel, wir sassen
lange vor dem Zelte und hörten dem Geheule der Schakals
zu, die im nahen Gebüsche herumstrichen und einen Lärm
machten, ähnlich dem weinenden Geschrei der kleinen Kinder,
bis wir mit einem Schrot-Schusse dem Spektakel ein Ende
machten.

Wir hatten bereits am Tage sehr häufig eine Temperatur von einigen und zwanzig Graden Reaum. im Schatten.
Die Hitze, verbunden mit den salzigen Ausdünstungen des
nahen Meers, erzeugte auf unserer Haut den in Syrien
sehr häufigen Sonnenausschlag, bestehend in rothen Flecken,
die entsetzlich jucken und uns manche leidenvolle Nacht
verursachten. Nichts hilft, als wiederholte kalte Waschungen, die wenigstens für den Moment Linderung verschaffen.

Nicht weit von unserm Nachtlager liegt auf einem
Berg das Dorf Bed el maa (el moje, das Haus des Wassers),
in dessen Nähe sich einige Ruinen befinden, die man für
die des alten Daphne hält. Auch ist daselbst eine wegen
ihres ausserordentlichen Wasserreichthums berühmte Quelle,
unter einer durch Alter, Schönheit und Grösse ausgezeichneten Platane. Überhaupt findet man nicht leicht ein Volk,
das eine solche Aufmerksamkeit und eine solche Vorliebe
für Ausstattung öffentlicher Brunnen an den Tag legt, wie
das türkische. Die Brunnen werden mit Mauern eingefasst

und mit Bäumen umpflanzt, meist Platanen und Nussbäume,
die Jahrhunderte hindurch geehrt, geschüzt, geheiligt möchte
ich sagen, häufig eine riesenmässige Grösse erhalten und
in deren dunklem Schatten die Quelle rauscht. Es liegt in
dieser entschiedenen Vorliebe des Türken sehr viel Poesie.
Stundenlang sizt derselbe auf seinem Teppich dort, schmaucht
seine Pfeife und trinkt von dem in diesen Gebirgen, besonders
aber am Taurus, häufig köstlichen Wasser und überlässt
sich seinen Träumen. Sehr oft sind in der Nähe solcher
Brunnen Chans oder Karavanserais angebracht, Unterstands-
häuser für Reisende, worin dieselben aber nur Obdach für
sich und ihre Pferde finden, für den Lebensunterhalt aber
selbst sorgen müssen. Zum Theil ist es für Häuptlinge
oder überhaupt Personen von Bedeutung Sitte geworden,
einen oder den andern solcher Brunnen anzulegen, der dadurch von ihnen einen entsprechenden Namen erhält. Auch
die Chans, meist von solchen erbaut und von ihnen benannt,
sind eigentlich als Stiftungen für das öffentliche Wohl zu
betrachten. Man trifft zum Theil unter diesen Chans prachtvolle Gebäude, im alten sarazenischen Styl oder im arabischen Geschmack aufgeführt, aber durchaus schlecht unterhalten, so dass sie fast alle beim ersten Anblick den Eindruck
von Ruinen hervorrufen. Mit der Sonne traten wir unsere
Reise wieder an, das Thal mündet sich in der weiten Ebene
von Antiochia, und nach einer Stunde lagen bereits die
Minarets der Stadt vor uns. Bevor wir daselbst anlangten,
passirten wir dicht daran das Palais Ibrahim-Pascha's, der
sich damals für gewöhnlich hier aufhielt, ein ganz einfaches,
nettes Haus, dem Landhause eines im Bauaufwande sich auf
das Nöthige beschränkenden Gutsbesitzers ähnlich. Gegenüber liegt die neu gebaute, grosse Kaserne. Wir betraten
die Stadt nicht, sondern ritten hinter dieser Kaserne den
Berg hinan und schlugen auf der Kuppe eines Hügels, am
Fuss der alten Festung, unser Zelt auf, an einem Platze,
von dem aus wir die ganze Stadt nebst der herrlichen
Umgebung überblicken konnten. Antiochia, heutzutage
Antakia, hat eine wunderschöne Lage. Es liegt am linken
Ufer des Orontes und lehnt sich an das nördliche Gehänge

des Gebirges Cassius, dessen Rücken die Ruinen der von
den Kreuzfahrern in einer Erstaunen erregenden Ausdehnung
erbauten Festung trägt. Die Nordseite der Ebene begränzt
in der Richtung aus Ost in West die Kette des Amán und
Legan mit ihren hohen und schön geformten Bergen. Mitten
durch die Thalebene schlängelt sich der Orontes, zu seinen
beiden Ufern das gesegnetste Kulturland. Die Stadt, welche
gegenwärtig 10,000 bis 12,000 Einwohner zählen mag, macht
durch ihre Minarets und Moscheen, durch ihre Gärten einerseits den Eindruck einer orientalischen Stadt, andrerseits
aber durch den Anblick der Giebeldächer von Ziegeln, auf
allen Häusern, bewogen, glaubt man, eine europäische Stadt
vor sich zu sehen. Das Innere der Stadt ist hingegen rein
orientalisch, die Strassen enge und unrein, in der Mitte
ein tiefer Wassergraben, zu den Seiten furchtbar schlechte
Trottoirs. Die Häuser haben nur ein Erdgeschoss und auf
die Strasse keine Fenster, von Innen aber stets einen Hof,
der, wenn er nicht ganz Garten ist, doch einige und meist
schöne Bäume besizt. Die Festung oberhalb der Stadt, an
ihrer Südseite, gewährt einen höchst pittoresken Anblick.
Man sieht noch ihre Hauptmauer und viele der Thürme.
Erstre erstreckt sich auf dem Rücken des Cassius parallel
mit dem Hauptthale eine Stunde lang, hat zwischen den
Thürmen eine Dicke von 10 Fuss und ist an ihren beiden
Aussenseiten aus Quadersteinen aufgeführt, der innere Raum
ist aber mit Mörtelmauer ausgefüllt. Das Ganze bildet eine
sehr feste Masse, welcher der Zahn der Zeit und die Zerstö-
rungswuth der Menschen bisher nur sehr wenig anhaben
konnten. Die Mauern der Festung sind sehr hoch und
von ihren Zinnen geniesst man eine herrliche Fernsicht.
    In dem tiefen Graben, der sich von der Stadt zur
Festung hinaufzieht, sieht man in den Kalksteinwänden eine
Menge Höhlen künstlich ausgearbeitet. Jede derselben bildet
einen viereckigen Raum mit einer Thüröffnung und Licht-
und Luftlöchern. Da überdiess in einer jeden dieser Höhlen
eine, meist aber zwei Schlafstellen im Felsen ausgearbeitet
sind, so müssen sie entweder Wohnungen oder Gefängnisse
gewesen seyn. Unterhalb der Festung und in der Nähe

dieser Trogloditen-Behausungen führt eine aus Quadersteinen
gehaute Brücke in mehreren Bogen über die Schlucht. Die
durchdringenden Wasser haben den Mörtel der Mauerung
aufgelöst, und es bilden sich nun grosse Stalactiten, welche
in den Bogenräumen als Festons herabhängen. So stellt
sich uns Antiochia jezt vor Augen, die Stadt, welche in der
Geschichte unserer Religion eine so bedeutende Rolle spielte,
im Jahr 1097 selbst in die Hände der Christen fiel, nach-
ein paar Jahrhunderten aber wieder von den Sarazenen
erobert wurde, und die alle Gräuel des Kriegs und der
Zerstörung durch Erdbeben über sich ergehen sah.

Mein erster Gang mit Achmed-Kaptan war zum Musselim
(Gouverneur der Stadt), einem jungen, freundlichen Mann.
Durch ihn erfuhr ich, dass Ibrahim-Pascha sich in Aintab
befinde und man ihn in Aleppo erwarte. Ich beschloss, ihm
dahin entgegenzureisen, und bestellte daher beim Musselim
die nöthigen Pferde bis künftigen Morgen, die er mir auch
versprach. Von ihm weg ging ich zu Hrn. Diep, dem
unbesoldeten englischen Konsul und Freund und Beschützer
aller christlichen Nationen zu Antiochia, dessen Haus gast-
freundlich jedem Europäer ohne Unterschied offen steht und
dessen Gastfreundschaft im Lande fast sprichwörtlich geworden ist; denn er übt sie in einem solchen Massstab aus
und sie wird so missbraucht, dass sogar seine Vermögens-
verhältnisse merklich dadurch erschüttert wurden. Leider
fand ich den guten Alten nicht zu Hause, er war nach
Scanderun abgereist, statt seiner aber machten sein Sohn,
der fertig englisch spricht, und der Dolmetscher die Honneurs.
Nach diesem Besuch ging ich wieder zum Gouverneur, der
nun seinen Sinn geändert hatte und der Pferde wegen verschiedene Ausflüchte machte; da ich aber auf meiner Forderung bestand, so erneuerte er endlich das Versprechen,
sie mir morgen früh zu senden.

Da ich den ganzen Vormittag des 27. Mai vergeblich
auf die versprochenen Pferde wartete, so sandte ich Achmed-
Kaptan zum Musselim, um Erkundigung einzuziehen. Dieser
erklärte ersterm nun geradezu, dass er keine Pferde verabfolgen könne, ohne darüber höhern Ortes anzufragen.

Zugleich erfuhr ich, dass diese Änderung in der Gesinnung des Gouverneurs durch ISMAEL, den Kapitän der Korvette, veranlasst wurde, dem die lange Abwesenheit von Alexandria neuerdings lästig zu werden begann und der dem Gouverneur geschrieben hatte, uns keine Pferde zu verabfolgen. Nun packte ich sogleich meine Empfehlungsbriefe an den kaiserl. österr. Generalkonsul PICCIOTTO in Aleppo zusammen, beschwerte mich in einem beigelegten Schreiben über das Benehmen des Gouverneurs und sandte das Paquet durch einen eigenen Kurier dahin ab.

Am Abend durchstreifte ich die Berge zunächst der Festung und fand in der Nähe derselben eine Menge Trümmer alter, ansehnlicher Gebäude, die ihrer Bauart nach zum Theil aus den Zeiten der Kreuzzüge abzustammen scheinen, auch fand ich, tief vom Schuttlande bedeckt, Wasserleitungen von thönernen Röhren, die trotz der langen Zeit noch sehr fest, zum Theil sogar noch brauchbar waren. Als ich zum Zelte zurückkam, fand ich LUDWIG daselbst, der Werkzeuge von Suedie gebracht hatte, um dieselben hier in einer Schmiede zu repariren. Er brachte uns Nachricht, dass sich in dem Lager Alles wohl befinde und dass sie bisher stets zu ihren geognostischen Exkursionen die nöthigen Pferde erhalten hätten, dass aber seit gestern einer Weisung des hiesiegen Musselim zufolge, der auch den Distrikt von Suedie unter sich hat, keine mehr, obgleich sie immer bezahlt worden, verabfolgt werden dürfen. So war ich also mit meinen Gefährten in eine Art Gefangenschaft versezt und gezwungen, mit Geduld den Ausgang abzuwarten oder an Bord zurückzugehen, was man nicht gehindert hätte, aber auch ich nicht thun wollte. Von einem Joche des Gebirges hinter, d. h. südlich, der Festung überzeugten wir uns von der grossen Ausdehnung des Kassius. In der Richtung gegen Latakia hin nämlich liegt Berg an Berg, und darunter bemerkten wir mehrere Kuppen, die zu 3000 und 4000 Fuss Meereshöhe ansteigen. Zwischen diesen Bergen befinden sich tiefe Thäler, die aber sämmtlich entweder mit Wald besezt oder bebaut sind und an ihren Gehängen eine Menge von Dörfern wahrnehmen lassen. Einige dieser

Berge sind sogar bis auf ihre höchsten Gipfel hinauf bebaut
und die Kultur der Rebe, der Feigen-, Nuss- und Maulbeerbäume reicht zu den angegebenen Höhen über dem Meere
hinauf. —. Auf den Jöchern zwischen den Bergen ringsum
bemerkten wir Hüttchen der Hirten, die dieselben desswegen
an solchen Punkten anbringen, um, ihrer Heerden wegen,
freie Aussicht zu beiden Seiten zu haben. Wir gingen auf
dem Rücken der Berge hin gegen West und gelangten
endlich auf den Gipfel des Festungsberges oberhalb der
Stadt, der grösstentheils aus kahlen Kalkfelsen besteht und
sich ebenfalls zu einer Meereshöhe von beinahe 2000 Par.
Fuss * erheben dürfte. Der Gipfel, ein weites Plateau
bildend, ist ganz mit den Ruinen der kolossalen Festung
bedeckt, welche aber ausser den Mauern nichts Interessantes
darbieten dürften. Die Fernsicht von oben ist herrlich. Vor
uns hatten wir die Masse von Bergen, von Beilan bis Aintab,
welche die Voralpen des Taurus bilden, und die besonders
in Ost sehr pittoreske, zackige Formen wahrnehmen lassen.
Links lag uns der Dschebel Okra, die höchste Spitze des
Cassius, bei Suedie. Sein Zuckerhut trug noch einige
Flecken von Schnee **. Am westlichen Ende des Orontes-
Thales hatten wir die offene See, westlich das wüste,
kuppenförmige Hügelland des Chalaka zwischen Antiochia
und Aleppo. Unter uns lag in einiger Entfernung nördlich
der grosse See oder eigentlich Sumpf el Bucheire, auch
See von Antiochia genannt, am Rande der Taurus-Voralpen
und der Orontesebene. Zu unsern Füssen die Stadt, von
der wir aber, ihrer Enge wegen, die Strassen gar nicht
ausnehmen konnten. Vielmehr schien uns Haus an Haus
gestellt, eine Fläche, bedeckt mit Ziegeldächern und zwischen
ihnen Minarets und Bäume. Östlich von der Stadt ziehen
sich beinahe eine Stunde lang längs des Gebirgs die
Gärten hin, zwischen denen mittendurch die Strasse nach
Aleppo führt. Südlich lag uns ein schönes, bebautes und

---

* Ich war damals noch nicht im Besitze meiner Barometer, daher
kann ich noch nicht bestimmte Höhenangaben geben.

** Er wurde während meiner Abwesenheit vom Adjunkten Pruckner
und den übrigen Mitgliedern der Expedition erstiegen.

bewaldetes Thal mit einem Dorfe, durch welches die Strasse nach Latakia geht.

Wir besuchten ferner das Militär-Hospital. Der Apotheke desselben stand ein Europäer vor, der früher in Alexandria Materialist war, und da ich ihn um etwas Weingeist zu einer Lampe ersuchte, mich hoch und theuer versicherte, dass in seine Hände noch keine solche Waare gekommen sey, so lange er hier Apotheker wäre. Und doch liegt hier Ibrahim-Pascha's Garde und die Elite der syrischen Truppen, so dass man glauben sollte, die hiesige Militär-Apotheke wäre besonders gut bedacht. Nördlich der Stadt am rechten Ufer des Orontes, über den eine schön gebaute Brücke aus Quadersteinen führt, befindet sich ein Theil der Ruinen des alten Antiochia, nebst dem Kirchhof. Von da produzirt sich die Stadt, mit den dahinterliegenden kahlen Felswänden des Festungsberges besonders schön, und die Festung selbst erscheint in der ganzen Grossartigkeit ihrer Anlage. Auf den hohen Kuppen der östlichen Fortsetzung des Kassius gegen die Wendung des Orontes nach Süden hin bemerkt man beinahe auf jeder die Ruinen eines Kastells, so dass das Ganze mehr ein zusammenhängendes System von Festungen bildet und darauf hindeutet, welche hohe militärische Bedeutung Antiochia unter der Herrschaft der Fürsten von Tarent in den Zeiten der Kreuzzüge hatte. Der Bazar von Antiochia zeigt nichts Besonderes, ausser dass er der schlechtest gepflasterte ist, der mir in den grössern Städten des Orientes vorkam.

Abends sassen wir mit einigen levantinischen Kaufleuten vor unserm Zelte und schwazten. Die Levantiner rühmten mit Recht die grosse Sicherheit, in der gegenwärtig der Christ lebt, seit Mehemed-Ali's und Ibrahim's kräftiger Wille Ordnung im Lande hielt. Sie erzählten uns, dass noch vor wenigen Jahren sich hier kein Europäer in europäischer Kleidung hätte sehen lassen dürfen, ohne Gefahr zu laufen, misshandelt oder gar ermordet zu werden. Jetzt hingegen — da tönten auf einmal die Klänge der türkischen Musik von Ibrahim-Pascha's Garde-Regiment aus einem nahen Garten zu uns herauf. Wir horchten, waren wie vom Schlage

24 *

gerührt, sprangen auf; denn das, was wir hörten, waren
nichts mehr und nichts weniger, als unsere seelenvollen,
Straussischen und Lannerischen Walzer. Nun waren wir wie
ein losgelassener Waldstrom; um unsere langweiligen Levantiner uns nicht mehr umsehend, sprangen wir den Hügel
hinab und schnurgerade dem Garten zu, unsere Gäste hinter
uns mit fliegenden Kaftanen; die Turbans, den Hügel hinabkol-
lernd, kamen vor ihnen an. Da stand denn im Garten die
Musikbande des Garde-Regimentes und in ihrer Mitte ein
französischer Kapellmeister, dessen Anwesenheit uns das
ganze Räthsel erklärte. Dieser wackere Mann, den ich
späterhin näher kennen lernte, hatte seine Araber vortrefflich abgerichtet, sie spielten nach Noten, sehr richtig, mit
vieler Präzision, nur das Gemüthliche des Vortrags fehlte,
was man übrigens auch in Paris und London nicht so, wie
bei uns in Wien findet und das wir eigentlich auch gar
nicht merkten; denn in dem Momente, Straussische und Lan-
nerische Walzer an den Ufern des Orontes zu hören, lag
so viel Poesie, dass unser durch Vaterlandsliebe und schöne
Erinnerungen aufgeregtes Gemüth nicht zum Kritisiren gestimmt war.

Am Nachmittage des 30. Mai besuchte mich im Zelte
der Musselim und sagte mir, dass Ibrahim-Pascha geschrieben
habe, ich solle ohne Verzug nach Tharsus abgehen. An
dem unsichern Ausdrucke im Gesichte des Musselims sah ich,
dass er lüge, und ich antwortete ihm daher: da ich Ibrahim-
Pascha meine Ankunft schriftlich angezeigt, ihm meine sehr
zu respectirenden Empfehlungsschreiben zugesandt habe und
den Wunsch aussprach, mich mit ihm selbst über die weitere
Bestimmung der Expedition zu besprechen, so sey es in der
Ordnung, dass Ibrahim-Pascha mir ad personam seine Ordre
zutheilen lasse. Ich kann daher eine solche Botschaft nur
ignoriren und glaube auch nicht, dass sie wirklich angekommen sey. Ich bestehe daher auf meiner Reise nach
Aleppo und verlange mir die Frage, ob man mir Pferde
geben wolle oder nicht bestimmt mit ja oder nein! zu beantworten. Der Musselim war sichtlich verlegen und versprach, indem er abging, die Pferde zu senden. Gleich

darauf erschien ein Kabass * und bat mich, zum Wekill **
des IBRAHIM-Pascha zu kommen, der mich im Palaste zusammen
mit dem Musselim erwarte. Als ich dahin kam, fand ich den
Wekill, einen alten, finstern Türken, auf dem Divan sitzen,
wo er mich, ohne zu grüssen, empfing. Ich that daher
ebenfalls, als beachte ich ihn nicht, und sezte mich sogleich
neben ihn auf den Divan hin. Nachdem wir uns eine Weile
angesehen, entwickelte er mir in einer langen Rede, dass
ich nicht nach Aleppo gehen könne; ich unterbrach ihn aber,
indem ich sagte, dass alles dieses Reden nicht zum Zwecke
führe ; „denn ich will und muss dahin gehen, und ich bin
überhaupt nicht in der Lage von jemand anderm im Bereiche
des Vizekönigs in derlei Fällen Befehle anzunehmen, als
von dem Vizekönig selbst oder von IBRAHIM-Pascha, an welche
beide ich ausschliesslich angewiesen bin." Die Pferde wurden
mir daher neuerdings auf Morgen versprochen. Am nächsten.
Tage forderte der Wekill meine gestrige Erklärung schriftlich.
Ich gab sie ihm, aber demungeachtet waren um 4 Uhr
Abends noch keine Pferde da, und man machte neuerdings
Austände. Ich war mit Recht aufgebracht über dieses
Todtschlagen der edlen Zeit, von deren Werth der Orientale
keinen Begriff hat, da kam plötzlich ein Kurier von dem
kaiserl. österr. Generalkonsul PICCIOTTO in Aleppo, der mir
ein Schreiben desselben brachte, worin er mich zu sich lud
und zugleich ein zweites an den Gouverneur übergab, worin
demselben von ISMAEL-Bey, dem Gouverneur von Aleppo,
aufgetragen wurde, die nöthigen Pferde sogleich zu verabfolgen. In einer Stunde darauf standen die verlangten sieben
Pferde, sammt den nöthigen drei Packknechten und einem
berittenen Kabass als Wegweiser und Schutzwache vor
meinem Zelte und um 7 Uhr Abends waren wir reisefertig
und sassen auf.

Wir ritten fünf Stunden in der stillen, bezaubernd
schönen Mondnacht über die Ebene längs des Gebirges,
dessen alte Kastelle wie Geisterburgen auf uns hernieder

---

   * Militärischer Amtsdiener, theils mit Unteroffiziers-, theils mit
Offiziersrang.

   ** Amtssubstitut, auch Adjutant.

sahen. Nachdem wir die schöne Brücke über den Orontes, Dschesser el Hadid (die Eisenbrücke), deren Thor uns geöffnet werden musste, da man in der Nacht Niemand passiren lässt, hinter uns hatten, lagerten wir uns um Mitternacht in der Nähe des Dorfes Harrim und schliefen im Freien ohne Zelt unter Asiens mildem, reinem Sternenhimmel. Bei obiger Brücke wendet sich der Orontes in einem scharfen Winkel. Er kommt dahin aus Süd, aus den Gebirgen, und wendet sich westlich in der Ebene nach Antiochia hin. Vor uns hatten wir den wüsten Chalaka, das Gränzgebirge zwischen der Ebene von Aleppo und der von Antiochia.

Nachdem wir kaum mehr als eine Stunde geschlafen hatten, brachen wir am Morgen des 1. Juni wieder auf. Es war empfindlich kalt und ein dichter Nebel lag auf der Ebene, wie aber die Sonne aufging, zerstreute sich derselbe und die Hitze begann. Wir ritten noch eine geraume Zeit über schönes Kulturland, links hatten wir die Gebirge bei Aintab, einige Gipfel mit Schnee bedeckt, und den kleinen See von Antiochia, rechts eine Reihe von Hügeln. Als wir begannen uns über die Ebene des Orontes zu erheben und das Land gegen den Chalaka hin mehr und mehr anstieg, nahm auch die Fruchtbarkeit des Bodens ab, er wurde steinig, das Getreide auf den Feldern dünn und mager, hingegen sah man blühende Pappeln und andere Gartenblumen Europa's in Menge.

Am Fusse des Gebirges, welches den Namen Chalaka trägt, trafen wir den lezten Bach am westlichen Rande. Er wimmelte von Fischen und Schildkröten und wir nahmen der heftigen von den kahlen Kalkfelsen zurückgestrahlten Hitze halber ein erfrischendes Bad, bevor wir uns anschickten, das Gebirge zu ersteigen.

Der Chalaka ist eine, ungefähr eine starke Tagreise oder 14 bis 15 Stunden breite Masse von Hügelzügen, die höchstens zu 600 bis 800 Fuss über das Thal des Orontes ansteigen, und langgezogene Rücken mit kuppelartigen Erhebungen, ein welliges Bergland ohne besondern Ausdruck der Formen bilden. Der Chalaka verbindet sich südlich mit dem Dschebel el Aswad und nördlich mit dem Dschebel es Semann, erstreckt sich in seiner längsten Ausdehnung aus NW. in SO. und scheidet die Ebene von Antiochia von der von Aleppo. Er ist ein durchaus kahles, wüstes, dem Karste bei Triest ganz ähnliches Kalksteingebirge, das seiner felsigen Oberfläche wegen und der heftigen Winde halber keine Kultur, ausser einige Schafweide, zulässt. In den Thälern und bassin-artigen Vertiefungen jedoch, die die Berge des Chalaka einschliessen, trifft man sehr fruchtbaren Boden, zusammengeschwemmte und durch Vegetation selbst aufgehäufte Erde. An solchen Punkten stehen denn überall Dörfer mit Brunnen, und jeder kultivirbare Fleck ist behaut.

Ausser diesen Brunnen und einigen Regen- und Schnee-wasser-Zisternen im Gebirge selbst ist der Chalaka ganz wasserarm und gewährt dem Reisenden, wie der Karst, das Bild einer höchst traurigen und unfruchtbaren Gegend, voller Klippen und Felsenmassen.

Wir ritten von oben erwähntem Bache ganz langsam das Gebirge hinan. Massen von Steinen bedeckten den Boden ringsherum und erdrückten die Vegetation, die höchstens nur in einigen dürren Grasbüscheln bestand, die zwischen den Steinen hervorragten. Kahler Kalkfelsen umgab uns, der voll Höhlen ist, die theils sichtbar sind, theils sich durch den hohlen Klang der Pferdetritte zu erkennen gaben.

Eine Menge Ruinen von Kirchen und Schlössern, die wahrscheinlich aus den Zeiten der Kreuzfahrer herrühren und mitunter von einem sehr bedeutenden Umfange und höchst solider Bauart sind, gaben dem an und für sich höchst öden Terrain eine gewisse Abwechslung und beweisen, wie stark einst die nun ganz verlassene Gegend bewohnt gewesen seyn musste. Nachdem wir 8 Stunden auf äusserst schlechten Wegen geritten waren und wir uns kaum mehr des Schlafes wegen auf den Pferden erhalten konnten, hielten wir unter dem höchst dünnen Schatten zweier einzeln stehender Bäume an und ruhten aus. Nicht weit von diesem Platze kamen wir an die Ruinen eines allem Anscheine nach sehr gross und schön ausgestattet gewesenen Gebäudes. Es standen noch mehrere Säulen, Reste eines Tempels und eine Menge von Bögen aus behauenen Steinen, wahrscheinlich

entweder Reste einer spätern christlichen Kirche oder
der Waarenmagazine eines kolossalen Chans. Eine halbe
Stunde weiter gelangten wir zu einer grossen Zisterne, die
prächtiges Wasser enthielt, mit dem wir begierig unsern
brennenden Durst stillten. Diese Zisterne liegt an dem
einen Ende eines sehr fruchtbaren, kleinen Thales, einer
Hochebene des Chalaka, besezt mit mehreren Dörfern und
gut angebauten Feldern. Wir schlugen unser Lager in der
Nähe des Dorfes Danna auf, wo wir auch sogleich vom
Schech und einigen Bauern Besuch bekamen, die uns mit
frischer Milch und Brod, oder eigentlich Weizenkuchen be-
wirtheten, die sehr schmackhaft waren.

Um 2 Uhr Morgens waren wir schon wieder auf den
Beinen, frühstückten und ritten ab. Der langweilige, un-
fruchtbare Charakter der Gegend von gestern dauerte fort.
Wir sahen wieder eine Menge Ruinen von Burgen und
Kirchen und stiegen über eine kleine Reihe Plateaus empor,
die sich terrassenartig eines über das andere erheben. Hie
und da lag ein kleines Dörfchen, dessen bittere Armuth
der Gegend entsprach, der Getreidestand war elend. Ein
Tschausch * begegnete uns mit ein paar Arrestanten, die er
höchst sinnreich geknebelt hatte, ferner ein Europäer in
schwarzem Frack und Hut, der sich in seinem Kostume
erbaulich auf den Höhen des Chalaka ausnahm. Beide
wiesen uns eine nahe Zisterne an, der wir zueilten; denn
Schlaf und Hitze plagten uns so, dass wir des erstern wegen
zu Fusse gehen, der leztern halber wieder reiten mussten.

Ungeachtet wir das Wasser der Zisterne, welches
grün und voll Mist war, mit Vögeln, Fröschen und verschiedenem Gewürm theilen mussten, schlürften wir es doch begierig ein und erst hintennach fiel mir ein, dass ich besseres
getrunken zu haben mich erinnere. Von der Stelle der
Zisterne aus sahen wir den Minaret der alten Citadelle von
Aleppo in der Ferne liegen. Von hier an stiegen wir wieder
über terrassenartig sich aneinanderreihende Plateaus den
Chalaka hinab und kamen auf die grosse, aber ebenfalls
wüste Ebene von Aleppo, die sich nördlich bis zu den

---

* Tschausch, türkisch, Gerichtsdiener, Korporal, auch Amtsbote.

Bergen bei Aintab, südlich bis zum Dschebel Alläss und
östlich bis zum Euphrat, der von Aleppo nur 15 Stunden
entfernt ist, erstreckt und nur von wenig bedeutenden Hügelzügen unterbrochen wird. Die Ebene von Aleppo liegt höher
als die des Orontes bei Antiochia. Wir waren von Aleppo
noch zwei Stunden entfernt und trafen auf der Ebene dahin
ungefähr eine halbe Stunde vor der Stadt eine grosse gemauerte Zisterne, die sehr gutes Wasser enthielt und von
der wir eine herrliche Ansicht der berühmten, mitten in die
Wüste hinausgesezten Stadt hatten. Aleppo oder Haleb
nimmt sich, von da aus gesehen, wirklich grossartig aus.
Die Stadt liegt am linken Ufer des gleichnamigen, kleinen
Flusses, dessen beide Seiten mit Gärten eingefasst sind.
Noch vor sechszig Jahren soll Aleppo 300,000 Einwohner
gezählt haben, während es gegenwärtig wohl kaum 80,000
hat. Diese schnelle Herabsetzung der Bevölkerung bewirkte
vorzüglich das schreckliche Erdbeben im Jahre 1822 am
13. August, durch welches zwei Drittel der Einwohner
unter den Trümmern sollen begraben worden seyn. In der
Mitte der Stadt liegt auf einem zum grössten Theil künstlichen Hügel die alte Citadelle, eine Festung von grosser
Ausdehnung, seit dem Erdbeben aber ein Schutthaufen.
Die neue Citadelle befindet sich vor der Stadt, an ihrer
nordwestlichen Seite, und schliesst eine sehr grosse, neu
gebaute Kaserne in sich. Die Bevölkerung ist zum grössten
Theil mohammedanisch, doch befinden sich auch viele Juden
und levantinische Christen daselbst, so wie einige europäische
Häuser. Die Umgegend ist wüste und zwar theils wirkliche
Sandwüste, theils ein ganz dürrer und nur mit dünnen,
pfriemenartigen Gräsern bewachsener, unfruchtbarer Boden.
Am westlichen Rande der Stadt, der an den kleinen Fluss
stösst, der insgemein der Nacher el Haleb genannt wird,
dessen eigentlicher Name aber einst Chalnus war und heutzutage Koeik ist, liegen ausgedehnte Gärten, welche den
mitunter sehr reichen Familien zu Haleb gehören, und
welche den einzigen Belustigungsort derselben bilden. Die
grossen, herrlichen Baumgruppen dieser Gärten, in Verbindung
mit den zahllosen schlanken Minarets der Stadt, bewirken

beim Anblicke derselben jenen eigenthümlichen Eindruck, der nur orientalischen Städten eigen ist und der mich wenigstens immer an die Mährchen von tausend und eine Nacht erinnert.

Wir hielten einen Augenblick vor den Thoren in den Gärten, theils um uns doch etwas menschlich zu adjustiren, denn wir sahen, durch Staub und Hitze gepudert und verbrannt, fast wie Strassenräuber aus; theils um Jemand zu finden, der uns durch das Gewirre der Strassen zur Wohnung des österr. General-Konsuls geleite. Aleppo ist eine von den wenigen Städten des Orientes, deren Anblick von innen die schöne Illusion nicht stört, die der von aussen hervorrief. Ist der Eindruck, den der Anblick Aleppo's von aussen bedingt, grossartig, so ist der es nicht minder, den man empfindet, wenn man durch die zwar engen, aber lichten, gut gepflasterten und rein gehaltenen Strassen reitet. Hier erst lernte ich den sarazenischen Bau in seiner wahren Pracht und Solidität kennen. In Kairo ist es die Originalität, das Bizarre in den Formen, was überrascht und anzieht, hier ist es das Edle der Einfachheit, das Grossartige in der Ausführung, was zur Bewunderung hinreisst. In Kairo könnten Häuser selbst des höhern Ranges des Materials halber, aus dem sie erbaut sind, bei heftigem Regenwetter, was zum Glücke jener Zone fremd ist, zusammenstürzen, hier trotzen sie Jahrhunderten, und die grössten Gebäude widerstanden sogar dem Erdbeben von 1822, das so zerstörend wirkte, sowohl durch die Heftigkeit seiner Stösse, als durch den Umstand, dass die Richtung derselben perpendikulär war, folglich die Häuser hob und in sich selbst zusammenwarf. Alle bedeutendern Häuser, die den grössten Theil der Stadt ausmachen, sind aus Quadersteinen erbaut, stark wie Festungen und von innen zum Theil mit wahrhaft orientalischer Pracht eingerichtet. Die Bausteine werden in der Nähe der Stadt selbst gebrochen. Bei den meisten Häusern gehen die Fenster nicht wie in Kairo auf die Strasse, sondern in die weiten, geräumigen Höfe. Einen besonders schönen Anblick gewährt der Basar, der schönste, welchen ich im Oriente sah. Er

ist sehr ausgedehnt, umfasst mehrere Strassen und ist
durchaus gewölbt. Das nöthige Licht fällt von oben durch
Fenster ein, welche zum Theil in eigenen Kuppeln angebracht
sind. Bei der starken Handelsverbindung, die Aleppo durch
seine Karawanen mit Persien und Indien und andrerseits
mit Europa hat, ist es natürlich, dass der Basar mit Waaren reich besezt ist. Jedoch auch hier, wie überall im
Oriente, sieht man die kostbarsten Artikel nie zur Schau
ausgestellt, indem die Kaufleute Furcht vor den Erpressungen der Türken haben, die sie nicht immer als gute Kund-
schaften betrachten.

Im Hause des Generalkonsuls PICCIOTTO, einer der
angesehensten und reichsten Familien der Stadt, wurden
wir aufs Herzlichste aufgenommen. Daselbst befand sich
vor Kurzem Major Baron v. HERBERT, der im Auftrage
Sr. Majestät unsers Kaisers nach Syrien gegangen war,
um daselbst arabische Zuchtpferde einzukaufen. Der Baron
war gegenwärtig leider nicht zugegen, sondern in seinen
Geschäften nach Hama gegangen; im Hofe standen jedoch
zwölf der bereits eingehandelten Pferde und darunter der
Schimmel Fannegan, eines der schönsten arabischen Pferde,
die mir vorgekommen sind. Auch eine Stute mit ihrem
Fohlen zeichnete sich aus.

Den Abend brachten wir in der liebenswürdigen Familie
des Konsuls zu. Alle Glieder derselben sprechen ausser
der arabischen Sprache die türkische, französische und
italienische. Überhaupt aber wird in Aleppo durchaus
arabisch und zwar in einer grossen Vollkommenheit gesprochen, während in dem nahen Antiochia noch die türkische
Sprache die vorherrschende ist.

Am Morgen des folgenden Tages durchging ich mit
PICCIOTTO unsern mit dem Vizekönig abgeschlossenen Kontrakt, wobei er mich freundschaftlich auf verschiedene
Punkte aufmerksam machte, die ich mit IBRAHIM-Pascha,
den er von meiner Ankunft unterrichtet hatte, näher besprechen müsse, worauf wir unter Vortritt der Janitscharen,
die mit langen persischen Dolchen und den gewöhnlichen
silberbeschlagenen Stöcken bewaffnet waren, zu ISMAEL-Bey,

dem Gouverneur von Aleppo, ritten. Derselbe empfing uns
in seinem Divan (Geschäftslokale, Bureau), wo er gerade
Gericht hielt. Ismael-Bey, ein Mann in besten Jahren,
hatte nicht nur ein sehr angenehmes, gefälliges Benehmen,
sondern zeigte auch hellen Verstand, desto mehr stach dagegen die Unwissenheit einiger anwesenden Levantiner ab,
die es mir nicht glauben wollten, dass das todte Meer,
welches sie dem Namen nach aus der Bibel kennen, sich
in Syrien befinde.

Der Divansaal des Bey's war durch schönes Getäfel
und Schnitzwerk aus Cedernholz und durch Vergoldung
wirklich praehtvoll verziert und ein würdiger Repräsentant
der sogenannten orientalischen Pracht, die man im Oriente
weit seltener sieht als man glaubt. Die übrige Zeit meines
kurzen Aufenthalts in Aleppo widmete ich der Besichtigung
der Stadt und ihrer Umgebung.

Aleppo liegt nur 15 Stunden vom Euphrat entfernt
und wäre die von den Engländern beantragte und mit ungeheuren Anstrengungen auch versuchte Dampfschifffahrt
auf diesem Flusse zu Stande gekommen, so hätte Aleppo
sich im Wege des Handels zu einer der ersten und reichsten
Städte des Orientes emporgeschwungen. Aber auch unter
den gegenwärtigen Verhältnissen spielt sie eine sehr bedeutende Rolle. In Aleppo waltet das arabische Prinzip vor,
es ist eine rein arabische Stadt. Die Türken beschränken
sich nur auf die im Dienste der Regierung stehenden Civil-
und Militärbehörden. Auch die levantinischen Christen und
Juden, die daselbst wohnen, gehören ihrer Sitte und Sprache
nach der arabischen Bevölkerung an. In früherer Zeit und
noch vor der Besitznahme Syriens durch Mehemed-Ali streiften
die räuberischen Beduinenstämme aus den Wüsten am
Euphrat bis vor die Thore der Stadt und machten die ganze
Umgebung unsicher, gegenwärtig aber haben sie sich mehr
zurückgezogen und ins Innere, besonders aber südlich gegen
Horan, gewendet. ·

Einer der wichtigsten Gegenstände der Bodenkultur vor
den Mauern der Stadt in den dortigen Gärten sind die
ausgedehnten Pistazienpflanzungen. Die Pistazien von Aleppo

sind berühmt durch ihre Güte und bilden einen nicht unbedeutenden Handelsartikel. Der Hauptgegenstand des Handels aber ist theils Transito zwischen Europa und den persischen und nordindischen Provinzen, theils Austausch der europäischen Industrieerzeugnisse mit persischen und indischen und theils der Verkehr mit selbst erzeugten Baumwollen- und Seidefabrikaten, sowie mit Häuten, Tabak, Wein etc.

Unter den europäischen Häusern, die sich in Aleppo finden, lernte ich auch ein deutsches kennen. Es ist ein Kaufmann aus Böhmen, der schon seit 15 Jahren daselbst etablirt ist und mit Glaswaaren handelt, die ihm aus seinem Vaterlande, mit dem er in ununterbrochener Verbindung steht, zugesandt werden. Der wackere Mann hatte eine unendliche Freude, als wir in sein Haus eintraten, und es hatte für mich etwas Ergreifendes, zu sehen, wie bei solchen Gelegenheiten eines der erhabensten und edelsten Gefühle, die die Natur in unsere Brust legte, die Vaterlandsliebe, so recht warm und kräftig, ungeschwächt durch Zeit und Entfernung, hervortritt.

Die Citadelle von Aleppo steht mitten in der Stadt auf einem isolirten Hügel mit einem Graben umzogen. Die Aussenseite dieses Hügels ist mit Quadersteinen, wie ein Taloud, gepflastert und das Ganze muss im guten Zustande einen sehr hübschen, stattlichen Anblick gewährt haben, nun aber seit dem grossen Erdbeben im Jahr 1822 ist die ganze Citadelle nur ein grosser Schutthaufen. Die Ausdehnung der alten Festungswerke auf diesem Hügel, von denen nur die äussere Mauer und der Thurm noch stehen, durch den man hinaufgeht, ist nicht ohne Bedeutung. Sie wurden von den Venetianern erbaut und sind, wenn man vorerst Aleppo selbst unmittelbar ringsherum zusammengeschossen hätte, nicht ohne Anstrengung zu nehmen. Von der Festung überblickt man die ganze Stadt, bei deren Anblick es mir doch vorkam, als dürfte vielleicht die Angabe der 300,000 Menschen, die vor 60 Jahren noch hier gelebt haben sollen, doch etwas übertrieben seyn.

Die Umgebung von Aleppo, el Awassem genannt, hat, wie wir später sehen werden, hohes geognostisches Interesse, doch in anderer Beziehung ist sie, die Gärten am Koeik ausgenommen, eine wahre Wüste, die sich südlich zwischen Syrien und dem Euphrat bis fast an den persischen Golf, wenigstens bis Bassora, erstreckt. Die Nähe der Wüste macht die Luft trocken und scharf, was allerdings zur Gesundheit beitragen dürfte, wenn nicht auch hier verschiedene klimatische Einflüsse sich zeigten, welche Eingeborne wie Fremde krankhaft stimmen.

Wie in Kairo, so versteht man auch in Aleppo das Kühlhalten der Wohnungen vortrefflich und während der grössten Tageshitze bewirkt man durch die Höhe der Zimmer, durch den in den obern Theilen desselben stets unterhaltenen Zug der Luft, durch Fontainen, durch Bespritzen der marmornen Fussböden eine sehr angenehme Temperatur. Die Häuser sind mitunter ziemlich hoch und haben auch, obwohl nur wenige, zwei Etagen. Die flachen Dächer sind fast durchgehends mit runden Kuppeln versehen, deren Fenster zur Erleuchtung der im Innern des Hauses sich befindenden Zimmer dienen. Unter den interessanten Resten früherer Baue befinden sich auch die einer sehr alten Wasserleitung, welche, von Konstantin's Mutter erbaut, im 13. Jahrhunderte wieder hergestellt ward.

Während der lezten Zeit meiner Anwesenheit in Aleppo war Nachricht von Ibrahim-Pascha angekommen, durch die er mir zu wissen that, dass er bereits von Aintab nach Antiochia abgereist sey und dass er mich daselbst erwarte. Ich hatte daher nichts Nothwendigeres zu thun, als mich mit meiner kleinen Reisegesellschaft wieder reisefertig zu machen und sogleich meinen Rückweg anzutreten. Bevor es jedoch dazu kam, schickte ich meine nach Europa bestimmten Papiere mit einem sogenannten Tartar ab. Die Tartaren (eine alte türkische Benennung) sind Amtskuriere der türkischen Behörden, welche sowohl die gewöhnliche Briefpost, als auch aussergewöhnliche Depeschen besorgen und die im Durchschnitte in 12—14 Tagen von Aleppo nach Konstantinopel reiten.

Am 5. Juni Mittags ritten wir wieder durch das Bab Antakia (Thor von Antiochia) unsern alten Weg zurück.

Die Pferde hatten ausgeruht und es ging daher rasch vorwärts. Auf dem Wege zur Zisterne, von wo wir noch
einen Blick über Aleppo warfen, hatte ich Gelegenheit, die
interessanten Ablagerungen des Grobkalkes und der Durchbrüche von augitischen Gesteinen durch denselben zu untersuchen, und gelangte endlich in der Kühle des Abends zu
dem elenden Dorfe Deerhab, 7 Stunden von Aleppo entfernt
und mitten in dem Klippenchaos des Chalaka liegend, wo
wir für die Nacht Lager schlugen. Das Dorf ist von Felsen
und Ruinen einst prächtiger Gebäude so umgeben und die
armseligen aus den herumliegenden Steinen aufgeführten
Hütten sind so versteckt, dass man sie selbst in geringer
Entfernung nur schwer entdeckt. Im Dorfe wurde gerade
eine Hochzeit gefeiert, zu der uns der Schech, ein schöner,
ehrwürdiger Greis einlud. Wie gewöhnlich bei den orientalischen Völkern sind bei Festen die Männer von den
Frauen getrennt und die stattfindende Belustigung, bestehend
in Tänzen, Musik und dem Genusse von Erfrischungen, beschränkt sich eigentlich rein auf den Kreis der erstern.
Da das Fest dicht an unserm Zelte im Freien abgehalten
wurde, so war, des gewaltigen Lärmens halber, an Schlaf
gar nicht zu denken und wir waren daher Zeugen der
ganzen Feierlichkeit. Die Tänze waren entweder sinnlos
oder unzüchtig, in jedem Falle ohne Grazie, und da nur
Männer tanzten, höchst langweilig. Die Musik bestand
grösstentheils in einem barbarischen und sehr monotonen
Lärm von Trommeln und Cimbeln, nur die arabischen Lieder,
welche gesungen wurden, wie auch die türkischen, da der
grösste Theil der zahlreichen Gäste aus Turkomanen bestand, hatten Interesse. Der Gegenstand der Poesie war
durchaus die Liebe und zwar meist die unglückliche, in
deren Schilderung sich die ganze Schönheit der arabischen
Sprache und die lebendige Phantasie der südlichen Völker
entwickelte. Besonders schön, selbst hinsichtlich der musi-
kalischen Idee, war ein Chor, der einige entfernte Ähnlichkeit mit dem schönen Zigeunerchore aus der Preziosa und
zum Gegenstande die Abreise einer Karavane mit den vor-
fallenden Abschiedsscenen hatte. Der Anblick der vielen

bewaffneten und zum Theil sehr schönen Männer, die ganze
vom flackernden Scheine des grossen Lagerfeuers beleuch-
tete Gruppe, das Theatralische der orientalischen Kostüme,
machten einen ganz eigenthümlich schönen Eindruck. Der
Bräutigam hatte sich um Mitternacht zurückgezogen und
als der Morgen graute, erhoben die Weiber im Dorfe ein
schrillerndes Geschrei zum jubelnden Beweise, dass die
Belege der jungfräulichen Reinheit der Braut sich in ihren
Händen befänden, wir hingegen, voll Schlaf und Kopfschmerzen,
da wir, trotz des vorangegangenen scharfen Rittes nicht
eine Minute geschlafen hatten, sezten uns wieder auf und
sprengten mit müden Gesichtern zum Dorfe hinaus. Nach
einem anhaltenden Ritte von dreizehn Stunden in der Hitze
des Tages hatten wir den Chalaka wieder hinter uns und
lagerten uns am Abend an der Brücke Dschesser el Hadid,
die, aus Quadersteinen erbaut, in 4 Bogen über den Orontes führt.

Die Ruhe der Nacht hatte uns wieder erfrischt und
heitern Sinnes zogen wir am 7. des Morgens über die
fruchtbare Ebene von Antiochia, woselbst wir zu Mittag
ankamen und unser altes Lager auf dem Hügel am Cassius
wieder bezogen.

IBRAHIM-Pascha war bereits hier; doch gingen wir vorerst zu DIEP, um uns über verschiedene Details des bevorstehenden Besuches zu erkundigen. DIEP ist ganz der
liebenswürdige Alte, wie ich mir ihn vorstellte, voll Gefälligkeit und uneigennütziger Gastfreundschaft. Er liess
uns bei IBRAHIM-Pascha anmelden, der den Wunsch aussprach, uns sogleich bei sich sehen zu wollen.

ACHMED-Kaptan und ich zogen daher unsere Uniformen
an, ersterer als egyptischer Korvetten-Kapitän, und gingen
in das Haus, welches der Eroberer von Syrien bewohnte.
Wir trafen auch DIEP daselbst. Im Erdgeschosse, wo die
wachehabende Garde und die Dienerschaft IBRAHIMS sich
dem dolce far niente mit Fleiss und Eifer hingab, wurden
wir in die erste Etage gewiesen, ohne dass Jemand Miene
machte, uns anzumelden. Vier Schildwachen hüteten den
Eingang des Divans, von denen eine den köstlichen Einfall

hatte, mich daran zu erinnern, meine Stiefel auszuziehen, indem die Orientalen, wenn sie bei Vornehmen ihre Aufwartung machen, die meist rothen Oberschuhe ausziehen und nur die feinen gelben Unterschuhe anbehalten. Achmed-Kaptan und Diep standen entschuht neben mir, und ich musste mir grosse Gewalt anthun, dem Soldaten ein hinlänglich ernstes Gesicht zu machen, um ihm alle Lust zu vertreiben, seinen Antrag zu erneuern. Der Divans-Saal war licht, luftig und höchst einfach eingerichtet. Die Wände weiss getüncht, der Fussboden getäfelt, an den Seiten zwei Reihen hölzerner Stühle, vorne an den Fenstern der Divan, worauf Ibrahim-Pascha sass. Nachdem ich ihm mein Kompliment gemacht hatte, hiess er uns willkommen; wir sezten uns, Kaffe wurde servirt, und die Unterhaltung begann. Ibrahim ist ein Mann von mittlerer Grösse, stark gebaut und sah damals sehr gesund aus. Sein Bart wurde bereits grau, obwohl er kaum noch an fünzig haben konnte; sein Gesicht, blatternarbig und mit Sommersprossen bedeckt, hat besonders durch sein lebendiges blaues Auge viel Ausdruck, es liegt aber etwas Türkisches darin, was einen nicht anzieht, sondern unwillkürlich ferne hält. Er war militärisch, mit ganz einfachem Fesse, in feines schwarzes Tuch gekleidet und ohne alle Auszeichnung. Ibrahim spricht nur arabisch, türkisch und persisch, seine Stimme ist ein tiefer sonorer Bass, und seine volltönende Aussprache, besonders des Türkischen, verbunden mit einem lebhaften Äussern, macht seinen Vortrag angenehm. Unser Gespräch drehte sich um die Begründung bergmännischer Etablissements am Taurus. Er erzählte mir von dem, was schon geschehen sey, dass in Gülek über 9000 Zentner Bleierze schon zur Verschmelzung bereit lägen, und machte sich im Ganzen sehr hoch gespannte Hoffnungen. Ich wollte natürlich seine Illusionen nicht gleich von vornherein zertrümmern, konnte aber ebenso natürlich denselben auch nicht beipflichten. Ich sprach daher warm den Wunsch aus, dass sich seine Hoffnungen erfüllen mögen, dass ich aber über die Wahrscheinlichkeit des Gelingens in so lange nichts Bestimmtes sagen könne, bis ich die Sache selbst gesehen hätte, wobei ich ihm zugleich versicherte, dass er von mir die reine, ungeschmückte Wahrheit hören werde. Er versprach mir, in Kürze selbst an den Taurus und zwar nach Gülek Boghàs (Pass von Gülek) zu kommen, bis dahin rieth er mir, daselbst nichts zu unternehmen, sondern nur schweigend zuzusehen, indem er mich auf meine künftige schwierige Stellung, zwei Europäern gegenüber, denen durch meine Anwesenheit nicht sehr gedient seyn werde, und inmitten eines beständig zur Empörung geneigten und höchst reizbaren Volkes, aufmerksam machte. Hierauf entliess mich Ibrahim auf eine höchst freundliche Weise. Den folgenden Tag Abends ging ich mit Achmed-Kaptan wieder zu ihm. Er war gerade bei Tisch, rief mich aber sogleich zu sich, wie er mich durch die offene Thür im Vorsaale eintreten sah. Mit ihm ass ein General. Ibrahim hatte zum Speisen einen rothen Mantel umgeworfen und ass nach europäischer Sitte mit Messer und Gabel, der General aber ganz ungenirt mit den Fingern. Die ganze Tafel bestand in 3 oder 4 europäisch zubereiteten Gerichten; getrunken wurde nichts als Wasser. Ibrahim war besonders guter Laune und sprach sehr viel. Er befragte mich um eine Menge Gegenstände auf eine Art und Weise, dass er seine gänzliche Unkenntniss derselben darlegte, und dass er mich hinsichtlich der Antwort oft nicht wenig in Verlegenheit sezte. So wollte er wissen, wie viel gold- und silberhaltige Waschgezeuge und Erze jährlich in Amerika gewonnen, wie viele verschmolzen, wie viele amalgamirt werden etc.; um Ähnliches fragte er mich über den Ural. Als ich bemerkte, dass ich durch ein aufrichtiges: „Ich weiss es nicht" der Meinung, die er von mir hatte, zu nahe trete, gab ich ihm denn Zahlen an, die mir gerade beifielen und über die ich selbst lachen musste. Endlich kamen wir auf politische Gegenstände zu sprechen, d. h. ich liess ihn sprechen und hörte zu. Interessant war mir, wie er seine Kräfte überschätzte, und dass er wirklich von der Überzeugung durchdrungen war, dass das Bischen europäisches Exerzitium, das man seinen Truppen eingeprügelt hatte, wirklich die ganze Kriegswissenschaft mit sammt ihrem Zugehör in sich fasse. Er brannte vor

Begierde, sich mit einer europäischen Armee zu schlagen, und
stellte sich, durch seine Siege in der Morea, in Kleinasien,
Syrien und Arabien kühn gemacht, ganz getrost einem
NAPOLEON, WELLINGTON etc. an die Seite. Er bedachte nicht,
dass er stets nur undisziplinirten, zerstreuten, uneinigen,
schlecht bewaffneten Feinden gegenüber gestanden hatte, bei
Koniah und Nissib aber die schlechteste Armee und die schlech-
testen Feldherrn, welche fast die Geschichte kennt, vor
sich sah, dass er in Akre mit 1600 Arnauten nur zu thun gehabt hatte, die der Hunger aufrieb und deren Antheil an dem
Ruhme durch ihre hochherzige Vertheidigung grösser war,
als der seine durch die Erstürmung. Kurz er hatte keinen
Begriff, was es heisse, europäisch exerzirten, disziplinirten
und moralisch ermuthigten Truppen-Massen gegenüber zu
stehen. Übrigens fand ich, dass er mit Recht vielen Werth
auf die arabische Nation als kriegführende legte, und ich
möchte fast sagen, er denkt mehr arabisch, als sein Stief-
vater MEHEMED-ALI. Schliesslich eröffnete mir IBRAHIM-
Pascha, dass er im Sinne habe, schon in ein paar Tagen
abzureisen und über Beilan und Skanderum (Alexandrette)
nach Adana und Gülek Boghás zu gehen, und dass er
wünsche, von einem meiner Bergoffiziere auf diesem Wege
begleitet zu werden. Ich stellte mich selbst zu seiner Disposition; da er jedoch erklärte, dass meine persönliche Anwesenheit am Taurus nothwendiger sey und er mich recht
bald dort angelangt zu sehen wünsche, so bestimmte ich
zu seiner Begleitung meinen Adjunkten PRUCKNER und den
Dolmetscher SUWATOWSKY und schickte sogleich einen Kourier
nach Suedie ab, um beide hieher zu berufen. Am nächsten
Tage, den 9. Juni, trafen bereits PRUCKNER, Dr. VEIT und
SUWATOWSKY in Antiochia ein und stellten sich sogleich IBRAHIM-
Pascha vor. IBRAHIM war wieder sehr gesprächig und warf
sich heute mit besonderer Vorliebe auf die Geographie.
Mit vieler Mühe erklärte er einem anwesenden Stabs-Offizier
die grosse Ausdehnung Russlands und sezte ihm recht gut
auseinander, wie Russland und Amerika fast zusammen-
stossen und nur durch eine Meerenge getrennt seyen.
Der hohe Effendi hörte das Unerhörte mit gebührendem
25 e

Erstaunen an, konnte sich aber nicht recht in die Idee hineinfinden und schien die Sache mehr als einen guten Spass seines Gebieters anzusehen. Auch wir machten uns zur Abreise fertig und ritten am 10. Juni Nachmittags, indem wir PRUCKNER mit SUWATOWSKY bei IBRAHIM-Pascha zurückliessen, durch die Stadt auf das rechte Ufer des Orontes und durch das Hauptthal hinaus nach Suedie, wo wir am Abend in unserm aus 8 Zelten bestehenden Lager wieder eintrafen. Die Zahl unserer vierbeinigen Lagergenossen hatte sich unterdessen um zwei Stücke vermehrt, nämlich um zwei grosse Schäferhunde, von denen wir den einen Asslan, den andern Kaplan * nannten, und die uns als Wächter die herrlichsten Dienste thaten.

3) Zweiter Aufenthalt zu Suedie und Reise nach Gülek in Karamanien.

Den folgenden Tag bestimmte ich zu einer gemeinschaftlichen Exkursion nach den Ruinen von Seleucia, nördlich der Mündung des Orontes und ungefähr 1 Stunde von da entfernt. Wir brachen frühe auf und ritten der Küste entlang. Das Meer bildet hier Sandanhäufungen, welche die Vertiefungen des Bodens der Küste abschliessen und so Lagunen, kleine salzige Küstenseen, bilden. Zwischen jedem solchen See und dem Meere ist also ein natürlicher Damm von Meeressand, der häufig fest ist, so dass man darüber wegreiten kann, zum Theil aber ist dieser Boden höchst trügerisch, das Meer dringt durch die unteren Schichten des Sandes ein und erhält sie ganz locker, so dass die obern, festern Schichten so zu sagen schwimmen. Bricht man durch, so kann man so tief einsinken, dass ein Pferd und vielleicht auch der Reiter verloren seyn können. Diesen Übelstand sollte ich nun selbst näher kennen lernen. In tiefe Gedanken versunken und das Meer zur Linken, ritt ich meinen anatolischen Schimmel, ohne mich viel um den Weg umzusehen. Angekommen auf einem solchen Sanddamm und ein bedeutendes Stück der übrigen Gesellschaft vorausgeeilt, fühlte ich plötzlich mein Pferd sinken.

* Im Türkischen: Löwe und Tiger.

Schon war es bis auf den Bauch eingesunken und konnte sich nicht mehr regen, ringsherum drang das Grundwasser empor. Meine Gefahr sogleich erkennend, sprang ich vom Pferde, um ihm seine Bewegungen zu erleichtern und sank zwar selbst fast bis an die Kniee im Sande ein, doch gelang es mir mit vieler Mühe mein Pferd, das vor Furcht zu toben anfing, in soweit frei zu machen, dass ich es wieder zurück auf festern Boden brachte, bevor ich fremde Hülfe anzusuchen nöthig hatte. Dadurch gewarnt, verliessen wir den Weg an der Küste und wendeten uns mehr landeinwärts. Bald kamen wir an ein mit Dämmen eingefasstes Bassin, welches mit Recht, wie ich glaube, als der einstige Hafen des alten Seleucia betrachtet wird. Er liegt nun ganz trocken, und die Turkomanen bauen dort ihr Getreide, wo einst die Schiffe der Phönizier ihre Anker warfen. Es scheint, dass wir es hier mit einer Emporhebung des Landes oder einem Zurücktreten des Meeres zu thun haben, und dass man analoge Erscheinungen auch an andern Punkten der syrischen Küste nachweisen kann; wenigstens will man an der Mündung des Nacher el Kelb (Hundefluss) Löcher in den Felsen gebohrt, die zum Befestigen der Schiffe dienten, in einer bedeutenden Entfernung von der jetzigen Küste gefunden haben. Man sieht im Hafen von Seleucia noch die aus ungeheuren Quaderstücken bestehenden Mauern, welche ihn einfassten, ferner die Reste eines grossen Molo, der in die See hinausging und vielleicht einen Leuchtthurm oder ein anderes Signal trug. In der Umgebung des Hafens sind die Ruinen einiger Thürme, wahrscheinlich die Trümmer von Forts aus einer spätern Zeit. Der Weg in die Gebirgsschlucht, durch welche die alte Felsenstrasse von Seleucia ans Meer führte und die der interessanteste Gegenstand ist, der hier von dem Unternehmungsgeiste der Alten Zeugniss gibt, zieht sich über die Trümmer eines dieser Thürme hin. Es handelte sich nun darum, unsere Pferde darüber wegzubringen, was uns denn auch, obwohl mit grosser Mühe, gelang, und nachdem wir wenige Schritte die Ruinen hinabgeklettert waren, standen wir am untern Ende des merkwürdigen Felsenweges, eines der grossartigsten Bau-

unternehmungen dieser Art, die mir je vorkamen. Der Weg
von hier nach dem alten Seleucia, dessen ich später erwähnen werde, ist eine Stunde lang in dem Kalkstein-
felsen eingebrochen, grösstentheils von Tage nieder, dort
aber wo das Gebirgsgehänge am höchsten war, ist man
mit einem Tunnel durchgefahren. Die Breite dieses Weges
wechselt zwischen 18 und 24 Fuss *. Die geringste Tiefe
des Einbruches, d. h. die Höhe der zu beiden Seiten des
Weges senkrecht stehenden Kalksteinwände, ist wechselnd
nach der Beschaffenheit der Boden-Oberfläche und beträgt von
wenigen Fuss bis zu 48 Fuss, die grösste Tiefe aber beträgt 180 Fuss. Dieser Theil des Weges, ungefähr 19
Theile der ganzen Länge, ist von oben niedergebrochen,
daher auch das Tageslicht von oben einfällt. Im dritten
Viertel ungefähr, vom Meere an gerechnet, ist man aber
mit dem Wege durch das ganze Gebirge gefahren. Die
Länge dieses Durchschlages oder Tunnels beträgt 600 Fuss,
ist 24 Fuss im Mittel hoch und 24 Fuss breit. Die Strecke,
wo der Weg als offene Gallerie 180 Fuss tief in den Felsen
niedergebrochen ist, hat allein eine Länge von 480 Fuss
und gewährt an und für sich einen sehr imposanten Anblick,
der aber noch dadurch gesteigert wird, dass gerade da ein
Brückenbogen über die tiefe Spalte führt und ein dichtes
Oleandergebüsch, damals gerade in voller Blüthe, sich zu
beiden Seiten darüber hinneigt und so ein Dach von Blumen
bildet. Das Herrliche, das Feenhafte dieses Anblickes für
den, der unten in der Schlucht steht und nach oben blickt,
geht über alle Vorstellung. Die Enge der Gallerie schon für sich
und noch mehr das erwähnte Gebüsch, welches sie bedeckt,
bewirken ein nur sparsames Eindringen des Tageslichtes.
Es herrscht ein Halbdunkel, welches den pittoresken Eindruck des Blumendaches und des Brückenbogens über dem
Kopfe aufs höchste steigert. In den mittlern Theilen des
Tunnels ist es so ziemlich finster, und würde die durchführende
Strasse befahren, so müsste eine künstliche Belenchtung
nothwendiger Weise stattfinden. Dort wo der offene Einbruch oder die offene Gallerie am tiefsten ist, bemerkte

* Wiener-Mass.

ich eine Treppe, die, in Felsen eingehauen, von oben nach unten auf den Weg niederführte. Gegenwärtig könnte dieselbe aber nicht mehr benüzt werden, da der grösste Theil derselben hereingefallen ist. Dieser Felsenweg endet in einer engen Gebirgsschlucht am Gehänge des Dschebel Mussa, in deren Nähe die Reste des alten Seleucia beginnen und sich gegen S.O., gegen das Hauptthal, forterstrecken. Den eigentlichen Zweck dieses Felsenweges kann ich noch nicht recht einsehen; denn sollte es sich nur um eine Verbindung zwischen der Stadt und dem Meere gehandelt haben, so würde dieselbe an den Gehängen der·Berge hin wahrscheinlich doch weniger hoch zu stehen gekommen seyn. Von einem Kanale kann zwar keine Rede seyn, denn das Gefälle des Felsenweges ist zu stark, um auf diese Idee zu kommen, und von Schleusen, die doch hätten seyn müssen, wenn man z. B. das Wasser des Orontes hier durchgeleitet hätte, sieht man keine Spur. Auf jeden Fall ist es ein Unternehmen, das, was Ausdehnung und Überwindung lokaler Schwierigkeiten betrifft, unter die grossartigsten Arbeiten dieser Art gehört, welche die Erde aufzuweisen hat, und das Durchschläge, wie das Posilippo in Neapel, das neue Thor in Salzburg, die meisten der Eisenbahn-Tunnels etc. weit hinter sich zurücklässt. Um so auffallender ist es mir, dass ich in keinem der Reisewerke, die von diesen Gegenden handeln und in deren Besitz ich bin, selbst in denen, die entschieden die besten sind, wie die von Burkhardt, Niebuhr, Volney etc., den einzigen Pococke ausgenommen, etwas über diesen Felsenweg finden kann. Die alten Schriftsteller, wie z. B. Curtius *, drücken sich über die Engpässe, Fusssteige, Schluchten etc. Ciliciens so allgemein und unbestimmt aus, dass sich daraus für solche Örtlichkeiten nichts Bestimmtes, Klares entnehmen lässt, und durchgehe ich Pococke's Schilderung genau, so kommt es mir gerade vor, er könne die Sache unmöglich selbst gesehen haben; denn sonst müsste ˙er sie treuer darstellen. Ich will übrigens durchaus nicht behaupten, als sey dieser

* Q. Curtius Rufus de rebus gestis Alexandri M.

Felsenweg nicht bereits besser beschrieben worden, ich sage nur, dass m i r keine solchen besseren Beschreibungen bekannt sind.

In der engen Gebirgsschlucht, wo wir, nachdem wir eine Stunde in dem Felsenwege geritten waren, wieder ins Freie kamen, fanden wir ein einzelnes, kleines Häuschen zwischen hohen, wilden Felsen, beschattet von Aprikosen-, Feigen- und Citronenbäumen. Der Eigenthümer, umgeben von einer Menge lieber und kerngesunder Kinder, liess uns nicht vorüberreiten, sondern nöthigte uns, abzusteigen, um uns mit Früchten zu bewirthen, die unterdessen seine Frau herbeibrachte. Der Moment war zu idyllisch, als dass wir nicht mit Vergnügen eingewilligt hätten. Mir kam das Hüttchen vor, wie eine neu entdeckte Insel im Ozean, bewohnt von zufriedenen, folglich glücklichen Leuten. Nichts von Aussen stört die stille Ruhe dieser Schlucht, deren Vorhandenseyn Niemanden kümmert. Niemand beneidet den Besitzer, Niemand verdrängt ihn und wenn die vielen Panther nicht wären, die hier herum hausen, und ihm seine Hühner und Ziegen stehlen, so hätte er am Ende gar keine Feinde. Gleich unterhalb des Hüttchens beginnen nun die Reste des alten Seleucia *, die sich in zwei wesentlich verschiedene Theile sondern; die eigentliche Stadt nämlich, von der man nur ein verworrenes Gehäufe von Mauertrümmern sieht, die durchaus kein besonderes architektonisches Interesse darbieten, zog sich längs des Gehänges des Dschebel Mussa aus NW. in SO.; der bei weitem wichtigere Theil der Stadt aber, die Nekropolis, war oberhalb und in derselben Richtung in den Felsenwänden des Mussa selbst ausgehauen. Man sieht noch jezt in der Wand die Eingänge zu unzähligen solcher Katakomben, und durch sie erhält jene das Ansehen eines Wespennestes. Stiegen waren eingehauen, welche die einzelnen Gräber an der Aussenseite unter sich in Verbindung sezten, die Zeit hat sie zerstört und viele dieser Katakombenzugänge in der senkrechten Felswand sind nun ganz unzugänglich. Ihre Form ist theils

---

die eines einfachen Parallelogramms, theils die eines flach-
gedrückten Bogens, auch von Innen sind die Katakomben
theils einfach viereckige Räume, theils Gewölbe mit Pfeilern,
die in den leicht zu bearbeitenden Kalkgesteinen nicht schwer
herzustellen waren. Ihre innerliche räumliche Ausdehnung
ist im Allgemeinen nicht sehr bedeutend und nur bei einigen
sind mehrere solcher Gewölbe unter sich in Verbindung, so
dass sie, stets mit einer Art Vorhalle versehen, ein geräu-
miges Ganze bilden. Das eigentliche Grab steht in der
Mitte, ein Gewölbe im Gewölbe bildend. In einigen dieser
Gräber findet man noch Sarkophage aus Kalkstein gemeisselt,
darunter sah ich einen, der sehr geschmackvoll mit kleinen
Amoretten verziert war, auch die Eingänge sind zum Theil
mit Skulpturen dekorirt. Einige dieser Gräber tragen die
Spuren, dass sie noch vor Kurzem bewohnt waren, und
öfters wählen sich Eremiten eines oder das andere derselben
zu ihrem Aufenthalte.

Wir ritten von Seleucia auf einem entsetzlich schlechten
Wege zur Küste zurück und kamen erst Abends wieder im
Lager an. In der Nacht waren einige Schakals so frech,
mitten ins Lager zu kommen, doch unsere beiden Hunde
säumten nicht, die ungebetenen Gäste anzugreifen und
schlugen sie auch mit einem Lärm, der uns alle auf die
Beine brachte, in die Flucht. Die Temperatur erreichte in
den ersten Stunden des Nachmittags an der Sonne bereits
38° Réaum., und die Hitze fiel uns, besonders in den Zelten,
sehr beschwerlich.

Am Abende des 12. Juni schifften wir uns wieder an
Bord unserer Korvette Pelenk Dschihaad ein, um an die
Küste von Karamanien zu segeln. Da jedoch der Kapitän,
trotz dem, dass er so lange vor Suedie vor Anker gelegen
hatte, sich erst zulezt um Lebensmittel für seine Mannschaft
umsah und desswegen am lezten Tage erst einen Offizier
ans Land schickte, so kam es, dass wir bis zum 15. noch
stille lagen und wahrscheinlich noch länger nicht fortge-
kommen wären, hätte ich nicht die Abfahrt, um doch früher
in Gülek anzukommen als IBRAHIM - Pascha, kategorisch

betrieben. Während dieser paar Tage ging das Meer
beständig sehr hoch und leuchtete stark in jeder Nacht.
Am Nachmittag des 15. Juni lichteten wir die Anker
und gingen nordwärts. Wir hatten die ganze Nacht durch
mässigen Wind. Am 16. des frühen Morgens zeigte sich
uns kein Land; um Mittag sahen wir jedoch die Küste von
Klein-Asien. Ein dichter Nebel verhüllte uns die Spitzen
des Taurus und wir sahen nur die niedrige, grösstentheils
sandige Küste. Ein wenig erfreulicher Anblick. Um 2 Uhr
Nachmittags ankerten wir bei Kasaulie auf der Rhede von
Tharsus, nächst Adana die gegenwärtig bedeutendste Stadt
des alten Ciliciens, eines Theils von Karamanien. Die
Rhede ist so zu sagen allen Winden offen und gibt also
den Schiffen wenig Schutz, daher sich dieselbe auch nie
lange hier aufhalten können. An der Küste sahen wir das
Dorf Kasaulie, in dem Hintergrunde eines kleinen Waldes
und sonst nichts als öde Ebene, an der Küste mit Sand,
weiter nach Innen mit Gras bedeckt.

Als wir geankert hatten, kam der Kapitän zu uns in
den Salon, wo wir gerade speisten, und verlangte in be-
leidigenden Ausdrücken, dass wir uns sogleich ausschiffen
sollten; denn da wir ihn gestern zur Abreise getrieben
hätten, so sey heute e r nicht gesonnen, uns länger an Bord
zu behalten. Wohl wissend, wie man Türken in solchen
Fällen behandeln müsse, trat ich sogleich auf ihn zu und
liess ihm durch Achmed-Kaptan sagen: „der Vizekönig habe
der Expedition die Korvette zur Disposition gestellt, ich
werde daher so lange an Bord bleiben oder mich ausschiffen,
so lange und wenn es mir beliebe. Sobald ich das Land
betrete, werde ich sogleich dem Vizekönig über sein Benehmen Bericht erstatten, und ich mache ihn verantwortlich
für alle die traurigen Folgen, die sich ergeben, wenn er
oder ein andrer aus seiner Mannschaft es wagen sollte,
mir oder einem meiner Leute persönlich nahe zu treten."
Das Eisenfresser-Gesicht Ismael's, das ich bei meiner keinem
Zweifel Raum gebenden Rede scharf ins Auge gefasst hatte,
wurde sanfter und verwandelte sich endlich in ein ziemlich
dummes, mit dem er sich empfahl, während wir unsere

unterbrochene Mahlzeit fortsezten. Voitanek und Ludwig gingen, um Lebensmittel zu kaufen, ans Land, konnten aber des hohen Meeres halber nicht mehr an Bord zurückkehren und waren bei einem Versuche, diess zu thun, nahe daran, ihr Leben zu verlieren.

Am frühen Morgen des 17., als das Meer ruhiger geworden war, begannen wir mit der Ausschiffung und beendeten dieselbe bis Mittag. Als unsere Zelte am Strande aufgeschlagen waren, kam Ismael und entschuldigte sich seines gestrigen Benehmens halber. Es war ihm nämlich offenbar darum zu thun, dass dieses Vorfalles in dem Zeugnisse, welches ich ihm zur Bestättigung, dass er die Expedition sicher an Ort und Stelle gebracht habe, auszustellen hatte, nicht erwähnt würde. Ich betrachtete, auf seine Bitten, die Geschichte als abgethan und vergessen und erwähnte in dem Zeugnisse keines Umstandes, der ihm nur im mindesten hätte Nachtheil bringen können. Schon Nachmittags sandte der Gouverneur von Tharsus 40 Pferde und mehrere zweirädrige Karren mit Büffeln bespannt, um unsere Effekten dahin zu bringen. Die Büffel, deren man sich hier als Zugthiere allgemein bedient, sind weit grösser als die in Egypten und überhaupt eine ganz andere Varietät, nicht unähnlich einigen Arten der wilden Büffel in den Wäldern des Innern von Afrika, nur sind sie hier grösser und stärker. Die Hörner einiger dieser Büffel waren 1½ Fuss lang und unten an der Wurzel sehr breit gedrückt, so dass der grössere Durchmesser daselbst über 7 Zoll betrug. Im Verlaufe der schönen Mondnacht wurden die Kisten auf die Karren vertheilt, die Reitpferde von den Packpferden abgesondert, und die Karawane mit dem Gepäcke sezte sich nach Mitternacht in Bewegung, wir aber ritten erst am frühen Morgen des 18. aus dem Lager nach Tharsus ab.

Der Morgen war wunderschön, die grosse, sumpfige Ebene zwischen Kasanlieh und Tarsus lag mit leichtem, wolligem Nebel bedeckt, wie ein Landsee vor uns. Die ersten Strahlen der Morgensonne rötheten die hohen Schneegipfel des Taurus uns zur Linken, scharf ausgedrückte, höchst interessante Formen, hinter uns lag unbegränzt das weite Meer *. Das Land wurde mehr und mehr bebaut, rechts und links der fahrbaren Strasse waren die Turkomanen mit ihren Feldarbeiten beschäftigt, während wir in der frischen Kühle der Morgenluft auf unsern vortrefflichen Pferden in lustigem Galoppe auf Tarsus zueilten, das wir auch in zwei Stunden erreichten. Vor der Stadt, die ganz zwischen Gärten versteckt liegt, fanden wir an einem Brunnen, eigentlich eine ekelhaft aussehende Lache, unsere in der Nacht vorangegangene Karawane versammelt, die uns erwartete. Ich liess dieselbe mit dem übrigen Theile der Expedition zurück und ritt mit Acumed-Kaptan allein voraus, um ein Quartier zu requiriren. Die am Cydnus, dessen Fluthen einst Alexander dem Tode nahe brachten, liegende Stadt macht einen traurigen Eindruck. Einst die Hauptstadt von Cilicien, berühmt durch Gelehrsamkeit und Handel, der Geburtsort des Apostels Paulus, fasst sie jezt kaum mehr als 20,000 Menschen und ist ein in Armuth, Schmutz und Ruinen versunkenes Nest. In der Zeit der Triumvirn und später in der der römischen Kaiser, in ihrer grössten Blüthe stehend, war sie der Schauplatz des höchsten Luxus, eines schwelgerischen Lebensgenusses. Nach der Schlacht bei Philippi zog die schönste Frau ihrer Zeit, Egyptens lezte Kleopatra, umstrahlt von Jugendreiz und Grazie, als Venus auf goldenem Throne in einem prachtvollen Schiffe mit purpurnen Segeln den Cydnus hinauf nach Tharsus und der Besiegerin eines Cäsars konnte kein Antonius widerstehen. Beinahe den grössten Theil der eigentlichen Stadt nehmen heutzutage die Kirchhöfe ein, zu deren Vergrösserung das böse Klima, eine Folge der Versumpfung der Ebene durch das fast stehende Wasser des Cydnus, wie in Skanderum jährlich seine Beiträge liefert.

Wir ritten vorerst zum Musselim, der in seinem elenden Hause uns aufs Freundlichste empfing und uns zum Militär-Gouverneur von Tharsus, zu Rustan-Bey, begleitete. Er bewohnte ein eben so elendes Haus wie der Musselim und auch in ihm fanden wir einen recht herzlich uns

---

* Ansicht des Taurus von Kasanlie aus gesehen.

entgegen kommenden Mann, der alles aufbot, sich uns gefällig
zu zeigen. Man hatte für uns bereits ein Quartier in dem
Hause bereitet, welches der österreichische Agent Comassini
bewohnt, der gerade auf einer Reise nach Aleppo abwesend
war. Statt seiner empfing uns ein Italiener, Namens
Maranno, ein Drechsler seiner Profession, dem die Schlüssel
des Hauses übergeben waren. Ein paar Stunden nach
unsrer Ankunft standen bereits 12 Kamele und 35 Pferde
im Hofe, und wir sezten noch denselben Abend die Reise
fort. Da die Karawane sich nur sehr langsam bewegte, so
ritt ich mit einigen Begleitern voraus. Der Weg führte
uns anfänglich durch die Ebene an den Ufern des Cydnus
hin. dann betraten wir hügeliges Land und endlich die
Vorberge des Taurus. Die Nacht war dunkel, der Mond
konnte die dichten Wolken nicht durchdringen, es blizte
stark in den nahen Gebirgen. Wir mussten die Pferde
ruhig ihren Schritt gehen lassen; denn der Weg führte uns
an Abgründen hin, die bei dem trügerischen Leuchten des
Blitzes weit schrecklicher aussahen als sie waren. Nach
Mitternacht sahen wir in der Ferne Feuer, das uns bald
hinter Felsen und Bäumen verschwand, bald wieder erschien.
Endlich kamen wir nahe, es war der Brunnen Hülük Küjünin
Paschi, und in dem Lichtkreise eines Lagerfeuers sahen
wir zwei Männer sitzen, der eine ein Turkomane, bis an
die Zähne bewaffnet, der andere — mir hüpfte das Herz
im Leibe — war unser Koch Achmed, der voraus geeilt
war, um einiges Ziegenfleisch für uns zu braten. Der Kerl
hatte etwas mir höchst Fatales an sich, schon dasswegen,
weil er einen stets nur mit einem Auge ansah, aber in
solchen Fällen hätte ich ihn küssen mögen. Kein ordent-
licher Orientale reitet die lezten Schritte, bevor er absteigt,
mit vernünftiger Ruhe, sondern er jagt, was das Pferd
sich strecken kann. So rasten denn auch wir, um dem
unbekannten Turkomanen eine hohe Meinung von uns beizubringen, wie Besessene über Stock und Stein dem Feuer
zu und wären dem Koche, der mit dem einen Auge den
Braten, mit dem andern den Fremden an seiner Seite fixirte,
fast in die Pfanne gesprungen. Wir waren sehr müde,

kaum hatten wir unsere Pferde angebunden und den Inhalt
der Pfanne näher untersucht, so legten wir uns auf die
Erde hin, unsere Sättel unterm Kopf, die Mäntel über uns,
und als wir erwachten, war die Sonne bereits aufgegangen
und unsere Karawane angelangt. Das Pferd Pirchner's
hatte sich in der Nacht losgemacht und im Walde verlaufen.
Pirchner suchte dasselbe und ging uns dabei selbst verloren.
Ich gab daher einigen der Eleven den Auftrag, ihn wieder
zu suchen, indem mir sein Ausbleiben um so mehr Sorge
machte, da er, nur deutsch redend, sich mit Niemanden,
der zu ihm kam, verständigen konnte. Sie ritten den halben
Tag in den Schluchten herum, bis sie ihn mit seinem Pferde
fanden und in der Nacht in unser Lager nach Gülek brachten. Wir übrigen sezten die Reise fort. Der Weg, den
wir ritten, war ungemein schön, er schlängelte sich durch
Gebüsch das hohe Gebirge hinan, die Vegetation verlor
mehr und mehr ihren südlichen Charakter und näherte sich
der unseres Nordens. Es zeigten sich Pinien mit europäischen Laubhölzern und vor uns erblickten wir dunkle
Tannenwälder. Ein bewaldetes Thal öffnete sich und plötzlich standen im Hintergrunde desselben die zackigen Schneegipfel des Taurus ganz nahe vor uns. Es war ein unbe-
schreiblicher Anblick, der mich lebhaft an den unsers
Ankogls im Hintergrunde des Anlaufthales erinnerte. Die
Sehnsucht nach der schönen Heimath war im höchsten Grade
aufgeregt und mich beseligte in diesem Augenblicke und in
diesem fernen Winkel Asiens ganz nur der Gedanke: wenn
auch Alles hinter uns liegt, was uns lieb und theuer ist, so
verlässt uns doch die Erinnerung nicht! — Wir ritten an-
haltend neun Stunden durch. Der Weg zog sich immer
höher ins Gebirge hinan und führte manchmal sehr steile
Berge hinauf. Wo wir hinblickten, sahen wir Wald und
malerische Felspartien, in tiefen Thälern und Schluchten
braußten die Bergströme, hie und da ein einzelnes, hölzernes
Bauernhaus am steilen Gehänge, von Reben, Feigen und
Maulbeerbäumen beschattet; kurz, das Ganze war ein lebendiges Bild aus unsern Alpen, nur in dem warmen Tone
des Südens aufgetragen. Endlich gelangten wir in ein

hochgelegenes Thal, in dessen Hintergrund die kuppenartigen Gipfel des Bulgur Dagh ihre Häupter über die Schneelinie erhoben, rechts am Gehänge erblickten wir, zwischen Felsen und riesenmässigen Nussbäumen versteckt, ein turkomanisches Dorf, und hoch darüber ragten auf steiler Felsenspitze, wie ein Adlernest, die Ruinen einer alten Feste empor. Vor uns lag ein grosses gemauertes Gebäude mit hohem Schornstein, eine Menge Menschen beschäftigten sich ringsherum. Wir waren in Gülek angelangt und standen vor der neu erbauten Schmelzhütte des dortigen Bleiberg- und Hütten-Werkes, an dem Orte unserer gegenwärtigen Bestimmung *.

* Um flüchtig, wohl aber bedingnissweise, hingestellte Vermuthungen nicht im Laufe der Zeit zu einer Hypothese gross zu füttern, benütze ich diesen Raum zu einer nothwendigen Berichtigung. S. 284 und 285 dieses Bandes erwähne ich, dass Hr. Löwe bei seiner qualitativen Untersuchung des Erdsalzes der Natron-See'n in Unteregypten eine Verbindung erhielt, die entweder ein arseniksaures Salz oder ein organisch-saures Salz zu seyn scheine. Woher der Arsenik? — darüber, sowie über die Natur der organischen Verbindung, äusserte ich so manche Vermuthungen, die sich durch Folgendes beheben. Zurückgekehrt von einer Dienstreise, griff Hr. Löwe die Untersuchung wieder auf und fand, dass jene Verbindung allerdings ein arseniksaures Salz sey, dass aber der Arsenik nicht im Erdsalze der Natronsee'n, sondern, gegen alles Vermuthen, in der bei der Analyse angewandten Salzsäure zu suchen sey, welche durch Schwefelsäure erzeugt wurde, die man aus arsenikhaltigen Kiesen dargestellt hatte. Hier ging also ein grosser Theil der in der Schwefelsäure ursprünglich vorhandenen Arseniksäure in die Salzsäure über und kam durch sie erst in unsere S. 284 und 285 besprochene Verbindung; ein neuer Beweis, wie vorsichtig man bei chemischen Untersuchungen und besonders bei gerichtlichen seyn muss!

Fünfter Abschnitt.

Wissenschaftliche Bemerkungen über den nördlichen Theil von Syrien.

---

1) Physikalische Verhältnisse, mit besonderer Rücksicht auf die Klimatologie des Landes.

Auch hier, so wie bei meinem ersten Aufenthalte in Unteregypten, ist es mir nicht möglich geworden, hinsichtlich der Erkenntniss der physikalischen und insbesondere der klimatischen Verhältnisse des Landes bestimmte Daten zu geben, die sich nur aus einer Reihe eigener oder fremder genauer Beobachtungen folgern können. Zu erstern mangelten mir bei meinem ersten Aufenthalte in Syrien die nöthigen Instrumente, und was leztere betrifft, so will ich keineswegs die Existenz derselben abläugnen, aber ich muss gestehen, dass solche im Zusammenhange durchgeführt und in rein wissenschaftlichem Geiste aufgefasst, mir nicht bekannt sind. Da übrigens das Klima des nördlichen Syriens das Summarium der meteorologischen Eigenthümlichkeiten dieses Landes, mit dem des mittleren und südlichen Theiles in einer grossen Übereinstimmung steht und ich bei meinen späteren Bereisungen dieser Distrikte eine ununterbrochene Reihe von Beobachtungen mit guten Instrumenten zu einem der Hauptzwecke meiner Forschungen machte, so werde ich ohnediess später auf diesen wichtigen Gegenstand wieder im Detail zurück kommen, und beschränke mich hier nur auf die Angabe einiger allgemeiner Daten, wie ich sie während meines ersten, ganz kurzen Aufenthaltes zu sammeln im Stande war.

Das Klima des nördlichen Syrien steht dem des südlichen Europa und des gebirgigen Theiles von Kleinasien sehr nahe und bildet einen Übergang zu dem der südlicher sich anschliessenden Länder. Diess ist jedoch vorherrschend nur in der westlichen Partie des Landes der Fall, welches entweder Küstenland oder von hohen Gebirgsketten durchzogen ist, während die östliche Partie der grossen Wüste angehört, die von den Vorbergen des Taurus bis Arabien und von den Bergen Syriens bis zum Euphrat sich erstreckt. Trägt auch diese sogenannte grosse syrische Wüste durchaus nicht überall den Charakter einer eigentlichen Sandwüste an sich, sondern bildet sie zum Theil eine weite von isolirten Bergen unterbrochene dürre Ebene, das, was der Araber Chala nennt, die in der Zeit der Winterregen eine als Viehweide hinlänglich benützbare Vegetation darbietet und von Beduinen mit ihren Herden durchzogen wird, im Sommer jedoch unbewohnt, verbrannt und bis auf wenige salzige Brunnen wasserlos sich vor dem Wanderer ausbreitet: so steht ihr Klima doch dem der eigentlichen Sandwüsten weit näher, als dem des westlich von ihr liegenden Kulturlandes. Der Einfluss der Seewinde, der des Meeres, der, den alle hohen Gebirgsketten auf ihre Umgebung ausüben, hören auf zu wirken, die heissen Winde aus den nahen südlichen Sandwüsten üben dafür ihre Macht, der Wechsel der Jahreszeit ist unmerklicher, die Witterung ist mehr dem konstanten Sommer südlicherer Breiten ähnlich.

Im Küstenlande und an den hohen Bergen des nördlichen Syriens hingegen bemerken wir, wenn auch nicht ganz so scharf, bereits den angenehmen Wechsel unsrer vier Jahreszeiten. Syrien hat seinen brennenden Sommer, aber auch seinen Winter, der in manchen Gegenden, z. B. um Antiochia, in den Thälern des Libanon etc. dem europäischen ganz ähnlich ist und sich oft durch starken Schneefall als solchen zu erkennen gibt, was in den Wüsten

Syriens als grosse Seltenheit zu betrachten ist. Zwischen beiden Hauptmomenten, dem Winter und dem Sommer, hat man auch in Syrien Frühjahr und Herbst, jedoch ist die Dauer dieser Übergänge kürzer und sie treten nicht so charakteristisch bezeichnet hervor, wie z. B. in Mitteleuropa. Dass ein Land unter der Breite, wie Syrien, dessen hohe Gebirge auf der einen Seite unmittelbar vom Meere auf zu einer Meereshöhe von nahe zu 9000 Pariser Fuss emporsteigen, auf der andern Seite hingegen sich in ein weites Wüstenplateau verflächen, den Wechsel der vier Jahreszeiten eigentlich zu jeder Zeit darbietet, ist natürlich und man findet diess an vielen Bergländern der Erde wiederholt, so in Abyssinien, am Ätna, an den Kordilleren etc., wo häufig die hohen Gipfel der Berge im Schnee und Eis des Winters starren, während in den Ebenen zu ihren Füssen der Sommer und Frühling in der ganzen Pracht des Südens prangen. So sehen wir z. B. im Monate Dezember und Januar den Libanon mit tiefem Schnee bedeckt, während in den Gärten von Beirut, Tripolis etc. alle Blumen des mittlern und südlichen Europa's blühen. Im nördlichen Syrien beginnt der Winter mit Ende Oktober und Anfang November. Es regnet stark, besonders in den Monaten Dezember und Januar, in allen Niederungen und an der Küste, so dass das Land fast unwegsam wird. Auf den Hochebenen von Huran, Damaskus, Baalbeck etc. schneit es und mitunter sehr stark. So auch in der Umgebung von Antiochia, auf dem Chalaka, bei Aleppo etc., wo nicht so sehr die hohe Lage hiezu beiträgt, als der Umstand, dass diese Gegenden dem Anfall der Nordwinde, die von den in dieser Jahreszeit mit tiefem Schnee bedeckten Bergen des Taurus herkommen, unmittelbar ausgesezt sind. Die Regen enden wieder mit dem Monate März, der Sommer beginnt allmälig von den Küsten und Ebenen gegen die Höhen der Berge hinanzurücken, doch auf den höchsten Gipfeln des Libanon schmilzt der Schnee nie ganz weg. Die Winterregen sind, wie überhaupt im Süden, meist mit starken Gewittern verbunden, und heftige Stürme unterbrechen zu dieser Zeit die Seefahrt längs der ganzen, ohnehin gefährlichen Küste.

Beobachtungen über Luftdruck, Temperatur und Luftfeuchtigkeit sind mir, hinsichtlich des nördlichen Syriens, nicht bekannt, und ich kann auch daher hinsichtlich der Gesetze , unter denen diese Funktionen der Thätigkeit der Atmosphäre auftreten, nichts Bestimmtes sagen. Allen Vermuthungen zu Folge aber, die sich mir bei Beschauung des Ganzen ergeben, sind diese Gesetze ganz dieselben, die sich aus meinen Beobachtungen bei meinen spätern Reisen in Mittel- und Süd-Syrien ergaben, besonders bei jenen, die ich im Libanon und Antilibanon, zwischen Beirut und Damaskus, vornahm. Wo der Barometer, wie z. B. in einigen europäischen Häusern der bedeutendern Städte, als Wetterprophet versteht sich, beobachtet wird, findet man seinen Stand im Verlaufe des Winters, wie überall zur Zeit heftiger Störme, sehr unregelmässig, im Sommer hingegen höchst konstant, eine Erscheinung, die immer charakteristischer hervortritt, je mehr man sich dem Tropenlande nähert, wo sie den höchsten Punkt erreicht.

In einem Lande , das eigentlich einen hohen Gebirgsrücken bildet, der einen grossen Theil des Jahres hindurch mit Schnee bedeckt ist, und der einerseits vom Meere, andrerseits von der Wüste begränzt wird , ist ein grosser Wechsel im Gange der täglichen Temperatur naturgemäss. Die Seewinde, der Schnee der nahen Berge, die starken Regen machen, dass das Thermometer in den Wintermonaten, besonders in den höher gelegenen Thälern und Ebenen, häufig unter den Gefrierpunkt fällt, während im Sommer die grosse Sonnenwärme bei stets klarem Himmel, die warmen Landwinde, die heissen Winde der Wüste etc. nicht minder häufig eine Lufttemperatur bedingen, die 30° Réaum. im Schatten übersteigt und in den Ebenen der Wüste eine tropische Höhe erreicht; selbst in den Küstenebenen wird die Hitze im Sommer höchst drückend, doch die kühlen Nächte und Morgen stärken wieder den Körper, während derselbe in den heissen Nächten des tropischen Afrika, während der Regenzeit, fast erliegt. Die herrschenden

26 *

Winde Syriens halten, wie in den meisten Gegenden der
Erde, eine gewisse Ordnung inne. So sehen wir Mitte
Septembers den NW. beginnen, der bis zum November
dauert. In den leztern Stadien seiner Periode wechselt er,
besonders mit O. und geht während des Winters bis
Februar in NO. über, der öfter mit W. und SW. wechselt.
Mit Ende Februars treten konstante NO.-, SO.- und O.-Winde
ein, die im Sommer in N.-Winde übergehen, welche vorherrschend bis zum Herbste wehen, aber besonders zur
Zeit des längsten Tages durch Winde aus allen Gegenden
des Horizontes unterbrochen werden, welche Störungen jedoch nie von langer Dauer sind. Ganz lokal sind die im
Sommer meist mit Untergang der Sonne beginnenden Landwinde, die vom Gebirge herabkommen und einige Meilen
in die See hinein reichen. Die Zeit der Stürme, die an
Syriens Küste oft sehr heftig auftreten, ist eigentlich im
Oktober und November. Die stärksten sind die aus NW.
kommenden und zugleich für die Schifffahrt gefährlichsten,
weil gegen sie die ohnehin offenen Rheden der Küste am
wenigsten geschüzt sind. Zu dieser Zeit sind jene Art
Wirbelwinde, welche auf der See die sogenannten Wasser-
hosen bilden, nichts Seltenes, und man kann diese interessante
Erscheinung an den Küsten häufig sehen.

Die Mehrzahl der Gewitterstürme des Winters kommt
vom Meer her. Die Wolken hängen sich an die hohen
Kuppen des Libanon, und meist folgt einem solchen Gewitter
ein mehrere Tage andauernder und ungemein heftiger
Landregen, während dessen die Temperatur selbst in den
sonst wärmeren Ebenen sich bedeutend herabsezt. Diese
Herabsetzung der Lufttemperatur bewirkt auch, dass im
Winter kein Thau fällt, sondern bei der grossen Menge
der vom Meere zugeführten Dünste in der Atmosphäre und
bei der raschen Herabsetzung der Temperatur an den hohen
mit Schnee bedeckten Bergen, erreichen dieselben so schnell
das Maximum ihrer Expansivkraft, dass sie sich als Regen
niederschlagen. Aber auch im Sommer fällt in Syrien bedeutend weniger Thau als in Egypten, und auch davon,
glaube ich, müssen wir die Ursache in den hohen Bergen

suchen, welche die aufsteigenden Dunstmassen schnell an
sich ziehen, sie so aus dem Bereiche der Ebenen bringen
und auf ihren Höhen so zu sagen einsaugen, da durch die
niedere Temperatur daselbst die Expansivkraft dieser Dünste
ihr Maximum erreicht und sie sich als dichte nasse Nebel
auf die Berge legen. In den östlichen Wüstenebenen hingegen, wo hohe Berge mangeln und die ganze Dunstmasse
sich, wie in Egypten, auf die Ebene legt, ist starker Thau
eine häufige Erscheinung.

Die wenigen Beobachtungen, die ich ohne Instrumente,
ausgenommen einige Thermometer, während meines ersten
kurzen Aufenthaltes im nördlichen Syrien machte, lasse ich
hier tabellarisch folgen, da sie, obwohl im höchsten Grade
unzureichend, doch nicht ganz ohne Interesse seyn dürften.

Monat	Tag	Tageszeit	Stunde	Beobachtungsort.	Therm. im Freien Schatten nach R.	Therm. an der Sonne n. Réaum.	Wind.	Wolken.	Witterung.	Bemerkungen
April 1836.	29	M.	9	auf der See bei Cypern.	15	21,3	NO.		heiter.	Temp. des Meers 13,8 auf der Oberfläche.
		A.	2	"	16,8		"		"	
	30	M.	6	"	15,2	20,3	Windstille.	am Horizonte wenige Schichtwolken.	"	
		M.	9	"	17,0		"		"	Temp. des Meers 17,6 Réaum.
		A.	2	"	20,5	27,3	"		"	
			6	"	19,2	25,1	"		"	
Mai 1836.	1	M.	9	auf der See bei Cypern.	17,6	21,3	NO.	in SW. stratus.	"	Abends reiner Himmel.
		A.	2	"	15,3	18,4	stark. NO.	" " cum. strat.	"	
	2	M.	9	"	15,8	17,6	OON.	" S. cir. cum.	"	
		A.	2	"	16,5	19,3	SO.		"	
	3	M.	9	hohe See.	15,6	25,6	Windstille.		"	
	4	M.	9	bei Beirut.	14,3	20,3	stark SSO.	ganze Horizont cum.	trübe.	Abends rein. Blitzen in N.
	5	A.	2	Rhede v. Beirut.	17,5		" NO.	in SW. cum.	"	
		M.	9	"	17,2		" N.	" O. cir.	"	
	6	N.	2	"	19,0	21,3	OOS. stark.	in N., S. und W. strat.	"	In der Nacht Gewitterregen. Temp. des Meers = 14,8 R.
	7	A.	9	"	19,2	22,2	starker OOS.	in NW. strat. cum.	"	Abends Regen. Temp. des Meers 15,0 Réaum.
	8	M.	2	"	16,5		SO.	in S. cum.	"	
		A.	9	"	16,8		" SSO.	strat. cum.	"	
	9	M.	2	"	13,6		"	am Horizont cirr. cum.	"	
		A.	9	"	16,1	23,3	"	dto. in SW.	"	
	10	M.	9	"	17,2		NO.	in SW. strat.	"	
				"	17,0				"	
				"	17,1				"	

Mai 1836.

	Zeit	St.	Ort			Wind	Wolken	Witterung	Bemerkungen
10	A.	2	Rhede v. Beirut.	19,2	24,2	NO. Windstille.	in SW. cirr. cum.	heiter.	Nach Kurzem Windstille.
11	M.	9	„ „ „	19,1		Windstille.	in SW. strat.	„	
12	„	2	„ „ „	20,2		starke „ Stösse aus N.	„ „ cirr.	„	
	A.	9	„ „ „	19,6		Windstille.	in O. cirr. cum. W. cirr.	„	
17	„	2	Höhe v. Tripolis.	18,6			SW. cirr.	„	
18	„	2	„ „ „	17,2	21,6	schwach NW.	NO. strat. cum.	trübe.	
19	M.	9	bei Cypern.	17,8		stille.	cirr. strat.	„	
20	„	9	offene See.	17,8		schwach NW.	NO. strat.	heiter.	
	A.	2	Höhe v. Latakia.	19,4	21,6		S. cirr.	„	
21	„	2	„ „ „	17,3		stark NNW.		„	
	M.	9	„ „ „	17,9		schwach NW.		„	
22	A.	6	bei Suedie.	21,6	25,8	schwach WWS.		„	
	M.	9	„	18,0	20,9	stark O.	SW. cirr. cum.	„	
23	A.	2	„	18,0	20,8	chwach SSW.	„ „ „	„	
	M.	6	„	18,8	21,6	OOS.	O. strat.	„	
24	A.	9	„	15,4		SO.		trübe.	
	M.	9	„	18,0		SSO.	cirr.	heiter.	
25	„	6	Mündung des Orontes. Lager.	18,2			O. strat.	„	
	M.	9	dto.	17,0		SSW.		„	
26	„	9	„	18,8	23,0	„	W. strat. cum.	„	
27	A.	6	„	18,5	25,0	„	„ „ „	„	
	M.	9	„	17,0		„	„ „ „	„	
28	A.	2	„	19,4	27,0	SO.	N. O. S. cum strat.	„	Um 3 Uhr Morgens in W. Wetterleuchten.
	„	6	„	24,1	25,2	stark OOS.	O. cum. strat.	„	
29	„	6	„	19,0		schwach OOS.	S. strat.	„	
				19,0	22,0	OOS.			

Monat	Tag	Tageszeit	Stunde	Beobachtungsort.	Therm. im freien Schatten nach R.	Therm. an der Sonne n. Réaum.	Wind.	Wolken.	Witterung.	Bemerkungen.
Juni 1826.	1	M.	6½	Spitze d. Dschebel Okra.		25,0	schwach NW.	SW. cirr.	heiter.	Der Dschebel Okra 5341 engl. Fuss Meereshöhe. An der N.-Seite noch Schnee.
		"	7	dto.	19,3	26,2	"	"	"	
		"	9½	"	22,0	29,3	"	" " ··	"	
		"	8	am Fusse des Dschebel Okra.	22,4			" " · ··		
		"	9½	dto.	25,3					
		"	10½	"	27,0					
		"	11	"	26,1					
		"	12	"	25,8					
		"	2½	"	25,5					
		A.	6½	"	25,3					
		"	9	"	18,9					
	2	M.	2	Mündung des Orontes. Lager.	22,6	29,8	schwach SO.	W. cirr. strat.		
		A.	6	dto.	24,3	30,2	" "	O. cirr. cum. N. strat.	"	
		"	9	"	20,2		stark OOS.	W. strat.	"	
	3	M.	2	"	21,2	29,0	schwach NO.	O. N. W. cirr.	"	
		A.	6	"	22,3		stark OOS.	W. cum. SO. strat.	trübe.	Um 11 Uhr A. OOS. Sturm. 10 Uhr A. Blitzen in NO. später Regen mit Donner.
	4	M.	7	"	18,6		" "	SO. cum.	"	
				"	17,3		sehr stark OOS.		"	
	5	A.	2	"	21,2	23,6	starke Stösse aus SO.	N. O. S. cum.	"	Regen bis 1 Uhr A., absatzweise.
		"	6	"	17,8		stark SO.	NO. cum. SW. cirr. cum.	"	

411

			Ort	Temp.		Wind	Wolken	Himmel
6	M.	9	Mündung des Orontes-Lager.	19,0	28,1	schwach OOS.	NO. cirr	heiter.
	A.	2	dto.	22,0	26,7	" SO.	W. cum. strat.	"
		6	"	18,3	22,8	" "	N. W. S. cirr. cum.	"
7	M.	9	"	18,7	29,8	" SSO	NW. cirr. cum.	"
	A.	2	"	22,0	24,3	stark SSO.	N. cirr. cum. SO. cirr.	"
		6	"	19,8	21,1	schwach SSO.	cirr.	"
9	M.	9	"	23,0		" SO.	W. cirr.	"
10	M.	9	"	19,6		" "	SO. W. cirr.	"
	A.	2	"	20,3	29,4	stark SO.	SW. cirr.	"
		6	"	22,2		schwach SO.	SO. W. cirr.	"
11	M.	9	"	19,2		stark SO.	N. S. W. cirr	"
	A.	2	"	21,0	26,7	schwach SSO	NW cirr.	trübe,
12	M.	9	"	22,6		Windstille.	N. cum. O. S. W. cirr.	heiter,
13	A.	6	b. Suedie z. See.	21,8	38,0	schwach SO.	NW. cirr. strat.	"
			"	20,4		stark SO.	NO. S. cirr	trübe,
14	M.	9	"	18,8		sehr stark SO.	O. N. W. cirr	"
	A.	2	"	19,6			NO. W. cirr	"
	M.		"				O. cirr. cum.	"
15	A.	9	"	20,2		schwach SO.	W. cum.	heiter.
	M.	6	"	18,8		" "	W. N. O. cirr. cum.	
	A.		"	18,1		" SW.	N. SW. cirr. strat.	
							NW. cirr. strat.	

Temp. des Wassers im Orontes = 19 R.

4 Uhr. A. bei Seleucia Lufttemperatur = 21,1. Temp. der Quelle am östl. Ende des Felsenweges = 15,8.

Juni 1836.

Anmerkung. In den früher gegebenen tabellarischen Übersichten der meteorologischen Beobachtungen bediente ich mich für die Wolkengestalten, denen ich bekanntlich einigen Werth beilege, der deutschen Ausdrücke: Federwolke, Schichtenwolke etc.; da ich jedoch die ältern lateinischen Benennungen kürzer und für Tabellen bequemer finde, so bediene ich mich in Zukunft derselben und es bezeichnet also: cirr, cirrus (die Federwolke); cum., cumulus (Haufenwolke); strat., stratus (Schichtenwolke); nimb., nimbus (Scheinwolke, Lichtnebel, Nimbus); pluv., nubes pluvia (Regenwolke) u. dgl. Die Kombinationen erklären sich von selbst. Hinsichtlich der Weltgegenden bezeichnet: N. Nord, O. Ost, W. West und S. Süd.

In den höher gelegenen Theilen von Syrien ist das Klima sehr gesund, die Luft rein und trocken. Nur die Hochebene von Damaskus und namentlich die Stadt und ihre nächste Umgebung zeichnen sich durch die daselbst herrschenden Wechselfieber aus. Vielleicht sind sie eine Folge der grossen Menge kleiner Flüsse, die sich daselbst vereinen, und der starken Vegetation, indem Damaskus, wie wir später sehen werden, so zu sagen in einem grossen Walde liegt, durch welche Umstände natürlich die Dunstmasse der Atmosphäre lokal sehr erhöht wird. In den Niederungen hingegen, sowie längs der ganzen Küste herrschen die Wechselfieber jedes Jahr; die egyptische Augenentzündung tritt auf, jedoch nicht immer in so schrecklichen Formen, wie in Egypten selbst, und ein eigenthümlicher Ausschlag in rothen Flecken bestehend, die unausstehlich jucken, befällt besonders jene, die das Klima noch nicht gewohnt sind. Dissenterien sind seltner als in Egypten und auch meist nicht gar so rapid; die Pest erscheint zwar häufig und oft sehr stark, ist aber stets, wie ich glaube, durch Mittheilung aus Egypten eingeführt und dem Lande durchaus nicht eigenthümlich angehörend. Hinsichtlich der Fieber zeichnet sich besonders Alexandrette (Skanderun) aus, wo sie jedes Jahr häufig herrschen und oft auch einen sehr bösartigen Charakter annehmen, wie die grosse Ausdehnung der dortigen Kirchhöfe hinlänglich zeigt. Die Lage dieser Stadt ist so ungesund, meiner Ansicht nach durch die Versumpfung der Umgebung, dass sie sich in der Levante einen gewissen bösen Ruf erworben hat, und dass, besonders bei einem Fremdling, oft nur der Aufenthalt über Nacht hinreicht, um ein Fieber als Erinnerung mitzunehmen.

Es scheinen in den Niederungen und im Küstenlande Syriens, was die Fieber, Augenentzündungen und den Ausschlag betrifft, dieselben Principe zu wirken, die diese Krankheiten in den Kulturebenen Egyptens erzeugen, wobei die grosse Tageshitze, verbunden mit der Kühle der Nächte, mit den salzigen Ausdünstungen des Meeres etc., oben anstehen dürften, und über deren wahrscheinliche Wirkung ich bereits bei den klimatischen Verhältnissen Unteregyptens ausführlich gesprochen habe. Da jedoch in Syrien die periodischen Überschwemmungen eines grossen Stromes nicht, wie in Egypten, stattfinden, auch die Umwandlung des Kulturlandes in feinen, sehr Salze-haltigen Staub nicht wie dort statt hat, so glaube ich auch darin einen Grund zu sehen, warum die Augenentzündung in Syrien nur selten so bösartig auftritt, als es in Egypten häufig der Fall ist. Aleppo, das fast ganz in der Wüste liegt, erfreut sich an und für sich eines gesunden Klima's. Die Luft ist rein und trocken, weder salzige noch bösartige Dünste machen sie schädlich, die Winde der Wüste einerseits, die von den Bergen bei Aintab kommenden andrerseits, reinigen sie zu jeder Jahreszeit, und doch findet sich daselbst eine ganz eigenthümliche Krankheit, die ich sonst selten in Syrien sah, nämlich die sogenannten Beulen von Aleppo. Nicht nur Fremde, sondern auch Eingeborne werden davon befallen. Der gewöhnlichste Habitus der Krankheit ist, dass sich eine oder mehrere Beulen, meist im Gesichte, bilden, die sich entzünden, eitern und in förmliche Geschwüre übergehen. Häufig wird man des Übels viele Monate nicht los und es bleiben hässliche Narben zurück. Die Eingebornen vermuthen, dass die Ursache im Genusse des dortigen Wassers liege, worüber ich nicht näher zu entscheiden wage. Diese Krankheit soll sich auch in der Gegend von Djarbekr in Armenien finden.

Was die Produktionskraft des Bodens betrifft, so gehört ein bedeutender Theil Syriens zu den fruchtbarsten Ländern der Erde. Besonders sind es im südlichen Syrien die grosse Küstenebene von Gasa bis Beirut, das eigentliche Falästina oder Palästina, die Ebene von Esdralon und mehrere Punkte im Huran und im alten Lande Kanaan, in dem nördlichen Syrien hingegen sind es die Ebene von Beirut, die von Baalbek, Homms und Damaskus, die Gegend von Latakia und Antiochia, die sich durch eine aussergewöhnliche Fruchtbarkeit auszeichnen. Die Berge im südlichen Syrien sind zwar bei weitem nicht so hoch, wie die des nördlichen, aber weit unwirthbarer; kahle Kalkfelsen, ganz ähnlich unserem Karste, bedecken weite Terrains und zeigen sich dem Auge wie ein grosser Trümmerhaufe. Im nördlichen Syrien hingegen trägt die ganze Natur einen grossartigeren Charakter an sich. Wir sehen hohe Berge und tiefe Thäler, die Gehänge ersterer mit Waldungen bedeckt, in leztern das trefflichste Kulturland, und man muss neuerdings auf die Frage verfallen, was könnte und würde ein solches Land in den Händen einer väterlichen, die Interessen ihrer Unterthanen ins Auge fassenden Regierung seyn? — und was ist es jezt? Leztere Frage werden wir am rechten Orte später Gelegenheit haben zu beantworten. Syrien bringt alle Getreidearten und Hülsenfrüchte des südlichen Europa hervor und zwar in einer schwelgerischen Fülle. In Syrien gedeihen die Baumwollenstaude, der Olivenbaum, alle Früchte des gemässigten Süden; Sesam, Reiss, Zuckerrohr, Mais, Dürrahirse. Der Weinstock bedeckt die Gehänge des Libanon und liefert ein Produkt, das, würde es gehörig behandelt, den Weinen Spaniens und Siziliens kaum zurückstehen dürfte. Der Maulbeerbaum, nächst dem Weinstocke die wichtigste Kulturpflanze der syrischen Berge, bedingt die Seidenzucht in einem Massstabe, der Segen über das Land verbreiten könnte; Damaskus mit seinem Wald von Gärten, schwelgt im herrlichsten Obst; an der Küste bei Latakia wächst der herrlichste Tabak, der beste im ganzen Oriente und den besten amerikanischen Sorten zur Seite zu stellen; Aleppo hat seine Pistazien; die Berge des nördlichen Syrien sind bedeckt mit Wäldern; und doch liegt das Land in Elend darnieder *!

2) Beiträge zur Physiognomie und Geologie des nördlichen Syrien **.

Ganz Syrien bildet einen mächtigen Gebirgsrücken oder vielmehr ein System von Gebirgszügen, das sich mit

---

* Dem Systeme zufolge, das ich mir bei Verfassung meines Reisewerkes festgestellt habe, sollten nun Mittheilungen über die Flora und Fauna des nördlichen Syrien, sowie über die geschichtlichen, politischen und bürgerliche Verhältnisse des Landes und seiner Nationen folgen. Ich finde es jedoch sachgemäss diese Bemerkungen erst am Ende meiner spätern und umfassendern Reisen in Syrien anzuschliessen. Erstere Mittheilungen werden daher am Ende dieses ersten Bandes, leztere am Ende des vierten Bandes folgen.

** Man sehe die geognostische Karte von dem nördlichen Syrien in Verbindung mit der des Taurus in den Paschaliken Adana und Marasch.

geringen Abweichungen aus Süd in Nord vom 31. Grad
der Breite bis zum 37. erstreckt, das sich in Süden an
die Gebirge des peträischen Arabien anschliesst, in Norden
sich hingegen durch Ausläufer mit der Tauruskette in
Karamanien oder Cilicien in Verbindung sezt. In Westen
wird dieser Gebirgszug vom mittelländischen Meere begrenzt,
in Osten von den grossen Wüsten, die sich bis gegen den
Euphrat erstrecken. Im südlichen Syrien, in der Ausdehnung
von dem Gebirge Chalil südlich von Hebron bis zur Parallele des Dschebel el Teltsch oder Dschebel el Schech *,
WWS. von Damaskus liegen diese Gebirgszüge zerstreut
neben einander, eine Masse von Berggruppen bildend, von
denen keine für sich eine bedeutende Längenausdehnung
besizt, die aber zusammen einen mächtigen Zug, die Gebirge
von Judäa, Samaria, Galiläa und Huran oder Hauran konstituiren. Zwischen diesem Gebirgszug und dem Mittelmeer
liegt die fruchtbare Küstenebene, das eigentliche Falästina
oder Palästina, die Gebirge aus S. in N. von Gasa bis
Beirut begleitend. Zwischen den Gebirgsmassen, die aus
S. in N. die alten Länder von Judäa, Samaria und Galiläa
in sich fassen, und den Bergen des Huran liegt das Jordan-
Thal mit dem Becken des todten Meeres und dem des See's von
Tibarieh, eine der denkwürdigsten Depressionen unter die
Meeresfläche **, welche die Erde aufzuweisen hat. Da ich
auf die näheren physiognomischen Verhältnisse des südlichen
Syrien ohnehin bei meiner Reise durch Palästina wieder
und zwar im Detail zurückkomme, so wende ich mich sogleich nach dem nördlichen Syrien, in der Ausdehnung aus
Süd in Nord, von der Parallele von Damaskus bis zu der
von Aintab, als dem Terrain, welches eigentlich hier zur
Sprache kommt. Die Gebirge des südlichen Syrien, die
höchstens zu 4000 Fuss Meereshöhe sich erheben, werden
nördlich in Galiläa und im nördlichen Huran immer höher,
treten aus ihrer gemischten Gruppirung mehr und mehr
hervor, und vereinen sich zu schärfer ausgesprochenen

---

* Dschebel el Teltsch: der Schneeberg. Dschebel el Schech das
Haupt der Berge oder der Berg des Häuptlings.

** Man sehe vorläufig meine Abhandlung über die Deppression des todten
Meeres und des Jordan-Thales in POGGENDORFF's Annalen. 1841, Heft 5.

Gebirgszügen. So der Dschebel es Saffed westlich und der Dschebel Heisch östlich des Jordan-Thales. Diese Züge vereinen sich an dem Quellengebiete des Jordan, nehmen ihre westlichen und östlichen Ausläufer auf und bilden einen grossen Gebirgsstock, den sogenannten Dschebel el Schech oder el Teltsch, der die höchsten Gipfel des Libanon übersteigt und, wie ich glaube, über 9000 * Par. Fuss Meereshöhe besitzen dürfte. Um diesen ganz Syrien dominirenden Gebirgsstock reihen sich eine Menge kleinerer Berggruppen, die westlich bis zur Küste vordringen und ganz dicht aneinander stehen, indem sie von sehr tiefen Schluchten durchschnitten werden, aber keine grossen, breiten Thäler wahrnehmen lassen. Gegen Osten isoliren sich diese Berggruppen mehr und mehr in den vorliegenden Ebenen und verlieren sich endlich in den Hügelzügen der grossen syrischen Wüste. Gegen Norden hingegen gehen vom Stocke des Dschebel es Schech, wie Äste von einem Stamme, zwei grosse Gebirgszüge aus, von denen der eine, der Libanon, sich fast aus S. in N., der andere der Antilibanon aus SW. in NO. erstreckt. Lezterer nimmt an Höhe schnell ab, seine Berge steigen kaum zu mehr als 5000 Fuss an und er verliert sich endlich südlich von Homs ganz in den Ebenen. Der Libanon hingegen, der Hauptzug Syriens, steigt an

---

* Die Höhen-Angaben im Durchschnitte des Libanon und Antilibanon in BERGHAUS Grundriss der Geographie, Breslau 1841, S. 322, ist entschieden viel zu beträchtlich. Meinen Visirungen vom Dschebel Makmel in der Libanon-Kette zufolge dürfte die Meereshöhe des Dschebel es Schech nicht über 9500 Par. Fuss betragen. Die Schneegränze ist eine Funktion so vieler veränderlicher Grössen, dass wir sie durchaus nicht blos als eine solche der geographischen Breite betrachten können. Höhenangaben, auf sie gestüzt, sind höchst unsicher und lassen Fehler von einigen tausend Fuss zu. In den Alpen z. B. nehmen wir den Punkt der Schneegränze zu 8000 Par. Fuss Meereshöhe an, und doch sehen wir in Höhen von 2000 Fuss nicht nur ewigen Schnee, sondern sogar Gletscher. Die Annahme einer Höhe der Schneegränze von 13,500 Par. Fuss würde wohl eher für die Äquatorial-Länder als für Syrien passen. Die Nähe des Meeres, die Ausdehnung des Gebirges, die Feuchtigkeit des Winters, die Regen- und Schneemasse desselben setzen, meinen positiven Beobachtungen zufolge, die Schneegränze von Syrien auf 8800 bis 9000 Fuss herab.

seinem höchsten Punkte dem Dschebel Makmel zu 8800
Fuss über das Meer an und erstreckt sich, nordwärts wieder
an Breite gewinnend und Ausläufer nach allen Gegenden
aussendend, über Antiochia bis zu den Vorbergen des
Taurus. Der westliche Abfall des Libanon erstreckt sich
theils bis an die Küste und fällt, wie z. B. bei Tripolis, ganz
steil ans Meer ab, theils liegen fruchtbare Ebenen vor.
Zwischen dem Libanon und Antilibanon befindet sich das
schöne und weite Thal Baalbek, das alte Cölesyrien, eine
Hochebene, die sich zu 3400 Par. Fuss Meereshöhe erhebt, südlich an die Gehänge des Dschebel es Schech sich anschliesst,
nördlich aber sich gegen Homs öffnet und mit den dortigen
Ebenen in Verbindung sezt. Östlich vom Antilibanon liegt
die Hochebene von Damaskus in einer mittlern Erhebung
von 2300 Par. Fuss über dem Meer. Auch sie öffnet sich
nach N., schliesst sich den Ebenen bei Homs an und verbindet sich, in Ost nur durch einzelne isolirte Berggruppen
von wenig bedeutender Höhe getrennt, mit der grossen
syrischen Wüste. Der Charakter des Libanon und Antilibanon ist sowohl von dem der Gebirge des südlichen
Syrien als der nördlichen Provinzen wesentlich unterschieden.
Erstre sind kahle, gerundete Massen, theils ein Chaos von
Kuppen bildend, theils wie im Huran in langgezogenen
Plateaus sich ausdehnend. Nur im Jordanthale erlangt
der Ausdruck dieser Berge mehr Schärfe, eine Folge der
dort stattgehabten gewaltigen Revolutionen. Die Oberfläche
dieser Berge ist zertrümmert, häufig ein wüstes Steinfeld,
ähnlich unserem Karste und eine Form, die sich in den
nördlichsten Theilen Syriens am Chalaka, zwischen Antiochia
und Aleppo, wiederholt. Das ganze südliche Syrien ist Kalk
und wie es scheint aus der jurasischen Periode und aus der der
harten Kreide, in den Niederungen und dem tiefen Thale des
Jordan lokal bedeckt von Ablagerungen der obern Kreide und
der Tertiär-Zeit. Durchbrüche rein vulkanischer Gesteine geben
ein Kriterium mehr für die Natur der Umwälzungen, die hier einst
stattgefunden haben. Ganz anders spricht sich das Ansehen
des Libanon und Antilibanon aus, beide gewaltige Kalkketten,
von einem grossen Gebirgsstocke ausgehend, der seine pyramidalen Spitzen über die Schneegränze erhebt und seinen Namen

Dschebel es Schech oder el Schech, was ganz dasselbe ist,
mit vollem Rechte trägt. Der Antilibanon steht mit dem
Dschebel es Schech in direkter Verbindung, da sie in ein
und derselben ununterbrochenen Kette liegen, der Libanon
hingegen ist von dem Dschebel es Schech durch die tiefe
Schlucht des Nacher el Littani, des alten Leontes getrennt,
der aus N. in S. fliessend, sich nördlich von Sur (Tyrus)
als Nacher el Kasimieh ins Mittelmeer ergiesst. Trotz dieser
Trennung gehört jedoch offenbar der Libanon zu demselben
Gebirgs-Systeme, es ist dieselbe Formation, übereinstimmender
Habitus, fast gleiche Richtung, verwandte Periode der Er-
hebung, wenn wir eine solche annehmen wollen, und bis auf
die Schlucht des Leontes vollkommen lokale Verbindung *.
Aus der Gegend von Seide (Sidon) bis zur Thalebene des
Waddi el Hossn, des Flussgebietes des Nacher el Kibir
(Eleutherus), nördlich von Tarabolus (Tripolis), zieht sich
der Libanon wie eine Giganten-Mauer hin, am Dschebel
Makmel bei Tripolis seine grösste Höhe, 8800 Par.
Fuss über dem Meere, und mit den höchsten Spitzen die
Gränze des ewigen Schnees erreichend. Nördlich der
Rhede von Beirut tritt er bis an die Küste vor und bis
zum Nacher el Kibir steigen seine Gehänge fast unmittelbar vom Meere an, daher seine wirkliche bedeutende Höhe
dadurch einen imponirenden Eindruck gewinnt. Scharfe
ausdrucksvolle Formen mangeln ihm im Ganzen, meist
produzirt er sich, besonders in seiner südlichern Partie, als
ein langgezogener Rücken in einförmiger Wellenlinie mit
einzelnen runden Kuppen, breite, plattgedrückte Dome
bildend. Bei Beirut fängt er an, sich stark zu heben, die
Gestalten werden kühner, und bei Tripolis zeigt er in den
Spitzen des Makmel die einzigen scharfen, pyramidalen
Formen, die er in der ganzen Kette besizt. Seine Gehänge
sind kahl, von Wald entblösst, hie und da ein kleiner Pinien-
Bestand wie ein Schopf auf einem kahlen Kopfe, ober
Eden bei Tripolis das kleine Cedernwäldchen, von dem ich
später reden werde, und niederes, dorniges Gebüsch, das

---

* Man sehe ROBINSONS und BERGHAUS Karte von Syrien, von denen
leztere die bedeutend richtigere, besser gehaltene und in jeder Beziehung
verlässlichere ist.

ist die ganze Baumwelt, die, von der Küste an gesehen, das Auge entdeckt; übrigens reicht die Vegetation bis auf seine höchsten Gipfel und Joche, ein schönes weidereiches Alpenland. Tiefe, wilde Schluchten, mit schroffen Felswänden und von reissenden Gebirgsströmen durchzogen, gehen von seinen Höhen zum Meere nieder, unter welchen die vorzüglichsten der Nacher el Kasimich (Leontes) bei Sur, der Nacher es Sacherani, der Nacher es Sanik, der Nacher el Aul (Bostrenus) bei Seide, der Nacher el Damur, einer der bedeutendsten Berg-Ströme Syriens, der Nacher el Beirut, der Nacher el Kelb (Hundefluss), der Nacher Ibrahim, der Nacher el Jausch, der Nacher Abu Ali oder Kaddisch bei Tripolis und der Nacher el Kibir im Waddi Hossn. Alle diese Bergströme sind wild und reissend und bei heftigen Regen oft lange nicht zu passiren. Sie brechen fast sämmtlich an der Küste aus engen Schluchten hervor und eilen dem Mittelmeere zu. — Der Waldstand in einigen dieser Thäler ist zwar nirgends sehr bedeutend, aber doch weit besser als an den Berggehängen; man sieht doch Pinienwälder, wenn auch die Pinien dünne stehen. Der malerische Eindruck derselben wird durch die senkrechten, wilden Felsmassen, an denen hie und da ein Dörfchen klebt, die steinernen Häuschen, grau wie die Felsen selbst, oder auf denen hie und da eine Kirche oder eine Ruine steht, oder eine Emirsburg ihre Zinnen stolz erhebt, sehr erhöht. Bei Beirut, und eine bedeutende Strecke nördlich und südlich bis Tripolis und Seide, ist das westliche Gehänge des Libanon mit Dörfchen und Klöstern wie besäet, unter denen mehrere eine höchst malerische Lage haben. Mit unendlichen Mühen und eisernem Fleisse haben hier Maroniten und Drusen dem kahlen Gehänge Raum abgewonnen, und dasselbe ist ganz von Terrassen durchschnitten, auf denen die unternehmenden Bergbewohner ihre herrlichen Reben und Maulbeerbäume pflanzen. Ich werde auf dieses bewunderungswürdige System, Leben und Kultur in einem Chaos von wilden Kalkstein-Klippen hervorzurufen, bei meiner Bereisung des Libanon näher zurückkommen.

Die Kette des Libanon hat in ihrer Erstreckung aus

Süd in Nord verschiedene Namen. Die südlichste Partie bei
Seide, wo er sich aus dem Gewirre der Berge von Galilaea
entfaltet und dem mächtigen Gebirgsstocke des Dschebel es
Schech am nächsten steht, führt von ihren Bewohnern den
Namen Dschebel el Drus (Drusenberg), unter dem sie sich
bis nahe an Beirut erstreckt. Weiter in Nord tritt er unter
den Namen Dschebel el Baruk, Dschebel Riechan und gerade ober Beirut als Dschebel el Kennise auf. Weiter nördlich, ober der Bay von Kesruan, erhebt sich die hohe Kuppe
des Sannin, und von da bis zum Dschebel Makmel oberhalb
Bischerre und Eden führt er den Namen Dschebel Liban
oder Libnan, als eigentlicher Libanon; der el Hemmel und
Makmel bilden nur die höchsten Kuppen dieses Theils. Nördlich des Makmel und oberhalb Tripolis erhebt sich der
Dschebel Arneto und mit dem Dschebel Akkar fällt er steil
gegen el Djunie und in das Waddi el Hossn ab, in das Flussgebiet des Nacher el Kibir, von wo an er den Namen
Libanon nicht mehr trägt; denn die Bergkette sezt nördlich des Nacher el Kibir unter dem Namen Dschebel el
Nossairieh fort. Die Berge werden niederer, erreichen kaum
mehr 1000 Fuss Meereshöhe, gewinnen auch nicht an Ausdruck der Formen, aber ihr Ansehen wird milder, freundlicher, durch eine immer üppiger werdende Vegetation.
Wälder beginnen die Gehänge zu bedecken, die Schluchten
werden zu freundlichen Thälern und die Küste gewinnt am
Fusse der Berge wieder Ebene, die in Fruchtbarkeit schwelgt.
Die Bergströme, welche hier aus dem Gebirge sich ins Meer
ergiessen, sind bis auf den Nacher el Kibir bei Latakia,
der mit dem vorigen in el Djunieh nicht zu verwechseln ist,
von keiner Bedeutung. Der Dschebel el Nossairieh sendet
weit mehr Zweige, Ausläufer aus, als der eigentliche Libanon, daher diese Kette an Breite gewinnt und zu beiden
Seiten von einer Masse besonderer, aber doch zur Hauptkette gehörender Berggruppen begleitet wird. Besonders
ist diess an seiner östlichen Seite, wo er gegen Homs und
Hama abfällt, der Fall, und wo sich zwischen ihm und
seinen Vorbergen, unter denen der Dschebel Erbain und
Dschebel el Ahla die bedeutendsten sind, das Waddi el Ghab,

das Flussgebiet des Orontes, befindet. Weiter in Nord nimmt diese Zertrümmerung der Hauptkette immer mehr zu. Man kann zwar in dem Dschebel el Kossair die Fortsetzung des Nossairieh aus Süd in Nord noch immer erkennen, der durch ihn längs des linken Ufers des Orontes bis an den Rand der Ebene von Antiochia vordringt, dort steil abfällt und am Orontes, wo sich derselbe aus seinem südnördlichen Laufe in einen ostwestlichen wendet, die ganze Kette des Libanon mit ihrer Fortsetzung endet; jedoch ist es eigentlich nur die Richtung, welche zu dieser Annahme berechtigt; denn was Grösse der Entwicklung, Höhe betrifft, so sind mehrere unter den der Hauptkette anliegenden Berggruppen bedeutender als jene. Besonders ist diess der Fall mit dem Dschebel Okrah oder Kassius, der zwischen dem Dschebel el Kossair und der Küste liegt und am linken Ufer des Orontes seine Mündung beherrscht. Der Okrah tritt bis an das Meer vor und bildet dort das Kap Possidi. Seine Formen sind auffallend schön, nicht so sehr scharf, als edel gezeichnet, besonders zeichnet sich darin seine höchste Spitze aus, welche in pyramidaler Form sich unmittelbar vom Meere zu 5341 engl. Fuss erhebt. **Mr.** Ainsworth gibt uns in seinen Researches in Assyria, Babylonia and Chaldaea etc., London 1838, die Resultate einiger barometrischen Messungen auf dem Okrah, die ich hier anführe*):

	Fuss.
Dorf im Thale an der Westseite des Kassius . .	1338
Höhe des Joches, höchster Punkt der Strasse. Gelbe Asphodelen	2460
Zone von Pyrus und Anethum foeniculum ? . . .	3494
Zone von den Birken, Veilchen und Dreifaltigkeitsblümchen	5012
Höchste Spitze, erste Observ.	5361
„ „ zweite „	5322

*) in englischen Fussen. Der Laut des ersten Buchstabens im Worte Okrah lässt sich deutsch nicht geben, es ist ein Mittellaut zwischen o und a, wie das norwegische aa oder das schwedische å, beiläufig wie a im englischen water.

27 *

			Fuss.
Höchste Spitze; Mittel	. . . .	5341
Wald von Birken und Lerchen *	. . . .	5206
Ruinen einer christlichen Kirche	. . . . . .	4068
Dorf Beschkir	. . . .	2513
Myrthen-Region	. . . .	1548

Aus diesen wenigen Daten schon sind wir im Stande, die schöne Vegetation zu beurtheilen, die unter diesem glücklichen Himmel hohe Berge bedeckt. Auch sind die meisten Gehänge des Kassius mit zum Theil sehr schönen Wäldern südeuropäischer Hölzer bedeckt.

Im Osten des Orontes beherrschen eine Menge zerstreuter Berggruppen, wechselnd mit Ebenen, das Terrain. Die beträchtlichste unter diesen ist der Chalaka, zwischen Antiochia und Aleppo, ein wüstes, nicht hohes Kalkgebirge, ähnlich den Formen in Palästina und unsers Karstes, ein höchst einförmiges, ausdrucksloses Gebirge. Diese zerstreuten Berge, unter denen eigentlich keine von besonderer Bedeutung sind und die auch ein ebenso wenig bedeutendes Wassersystem umschliessen, verlieren sich in Ost in den wüsten Ebenen gegen den nahen Euphrat und so auch in Nord in die Ebenen zwischen Aleppo und Aintab oder Ain-tab.

Jenseits der Ebene des Orontes, gegen die syrisch-kleinasiatische Grenze hin, tritt ein ganz neues Bergsystem auf, welches mit dem Libanon-Zuge, ausser einer bedeutenden Ähnlichkeit der geognostischen Struktur, nichts mehr gemein hat. Es ist eine Reihe von Vorbergen des Taurus, der sogenannte Giaur Dagh, der Rhosus der Alten, der sich, conform mit dem Taurus, aus West in Ost, vom Golf von Skanderun über Aintab nach Orfa, erstreckt, folglich der Richtung des Libanon gerade ins Kreuz geht. Diese Kette, deren Berge zu 5000 Par. Fuss Meereshöhe ansteigen, trennt die Paschalike Adana und Marasch von denen von Aleppo und Orfa (Edessa). In ihr liegen die bekannten cilicischen Engpässe der Alten, und sie zerfällt in mehrere Gruppen, von denen die westlichste den Namen Akma Dagh trägt, die östlichste aber unter dem Namen Kaschmar Dagh und Karadja Dagh bekannt

* Pinus larix.

ist. Der Akma Dagh und seine Fortsetzung zieht sich vom Meere bis Rum Kalé, wo der Euphrat die Gebirgskette durchbricht und sich über el Bir * in die Ebenen von Mesopotamien ergiesst. Östlich des Euphrats erstreckt sich der Kaschmar Dagh ** bis Orfa am Ariklan, der in ihm entspringt, und östl. schliesst sich der Karadja Dagh mit dem Flussgebiete des Belik an, der sich bei Rakka mit dem Euphrat vereint.

Der Giaur oder Jawur Dagh, die eigentliche nördliche Grenze, von Syrien gegen Cilicien oder Karamanien bildend, trägt nach seinen einzelnen Lokalitäten noch andere verschiedene Namen und wir haben z. B. aus West in Ost in seiner Kette einen Tscheppin Dagh, Kaffer Dagh bei Aintab, Derwend, Kara Dagh oberhalb Aintab etc. Die Berge des Jawur Dagh bilden schöne, erhabene Formen, Spitzen und Kuppen in einer Anordnung, die auf das Auge einen grossartigen, edlen Eindruck macht. Gehänge und Thäler sind mit Wäldern bedeckt, ein grosses Wasser - System liegt in ihrem Schoose und das ganze Bild prangt in dem warmen reichen Kolorite eines üppigen Süden. Die Hauptkette sendet eine Menge Ausläufer an ihrem nördlichen und südlichen Gehänge aus, von denen nur leztere hier in das Bereich unsrer Forschungen gehören. Unter ihnen sind der Amanus oder heutzutage Akma Dagh und seine südlichen Fortsetzungen, der Dschebel Beilan und Dschebel Mussa, die bedeutendsten. Sie erstrecken sich vom Akma Dagh längs der Küste, die Bai von Skanderun umschliessend und das Kap Chansir bildend, bis zum Orontes und enden an seinem nördlichen Ufer bei Suedie und Antiochia mit einem wahrhaft paradiesischen Hügellande, über welches die höhern Spitzen bei Bajas und Choros, an Form dem Okrah nichts nachgebend und an Höhe ihn übertreffend (denn sie erheben sich bis zu 6000 Fuss), wie Warten emporragen. Sind auch die Schluchten zum Theil tief und eng, so mengen sich doch überall wilde Felsgruppen mit einer üppigen Wald-Vegetation; alles athmet Leben, und die Kultur steigt zu den

* In der Nähe liegt das bekannte Nissib.
** Dagh im Türkischen: Gebirge, zum Theil dasselbe, was Dschebel im Arabischen bezeichnet.

höchsten Punkten der Gehänge empor. Gegen Ost ziehen sich die südlichen Enden der Ausläufer bei Kilis und Aintab immer mehr zur Centralkette des Giaur Dagh zurück; dadurch gewinnt die Weite der Ebenen von Antiochia und Aleppo in dem Lande, oder eigentlich Distrikte, el Tschoggu; nur bei el Bir am Euphrat treten die Berge wieder dem mächtigen Strome nach mehr in Süden vor, wodurch el Tschoggu die Form einer weiten Bucht gewinnt, die weiter südlich bei Aleppo sich mit den erwähnten kleinen und vom System des Giaur Dagh unabhängigen Berggruppen, den Chalaka etc. erfüllt.

Starke Bergströme enteilen dem Giaur Dagh aus N. in S. und ergiessen sich theils in den Orontes, theils in den Euphrat, der hier die östliche Gränze Syriens bildet. Unter erstere gehören der Kara Su, Alla Su, Adschi Su, Affrin und mehrere andere, welche in der Ebene von Antiochia den el Bochaire-See bilden und aus diesem durch mehrere Abflüsse sich mit dem Orontes vereinen. Diess thun auch alle die vielen Bergströme, welche den östlichen Gehängen des Amanus, Beilan und Mussa entstammen. Östlich vom Flussgebiete des Affrin kommt der Chalus oder Kueik, aus den Bergen von Aintab, nimmt rechts und links eine Menge Zuflüsse auf und verliert sich in den Niederungen südlich von Aleppo, in den Sümpfen am Dschebel Semmak, el Match oder Kawass genannt. Weiter östlich liegt das Flussgebiet des Sedsch-Su, der, ebenfalls von Aintab kommend, sich bei Tschat mit dem Euphrat vereint und alle Zuflüsse des Kaffer Dagh und der nördlichern Berge aufnimmt. Das ganze System des Giaur Dagh und seiner südlichen Zweige besteht grösstentheils aus Feldspath, Diallage und Augit-Gesteinen, bedeckt von mächtigen Ablagerungen der Kreide-Reihe und der Tertiär-Zeit. Südlich von Aleppo beginnt das wasserarme Terrain der grossen syrischen Wüste mit dem Salz-See el Sabeh am Bus el Chansir.

Wenden wir uns nun wieder zurück an den Libanon und zwar an sein östliches Gehänge. Dieses fällt weniger steil nach der Hochebene von Baalbek ab, als diess der Fall mit dem westlichen Gehänge gegen das Meer hin ist.

Sehr steil aber ist der Abfall des Dschebel el Drus in die
tiefe Schlucht des Leontes (Littani, Kassimieh), dem Dschebel
el Schech gerade gegenüber. Aus dem Grunde des weniger
steilen Abfalls in die Hochebene von Baalbek sind auch die
Thäler, welche das Gehänge durchsetzen, sanfter und tragen
weniger den Charakter tiefer und enger Schluchten an sich,
als es auf der Westseite der Fall ist. Auch ist das östliche
Gehänge des Libanon mehr mit Vegetation bedeckt; man
sieht Wälder, aber es ist weniger bewohnt, wozu wohl
auch die Entfernung von der Küste und der Umstand beitragen mag, dass es von derselben durch Joche von mehr als
6000 Fuss Meereshöhe getrennt ist. Das Wassersystem des östlichen Gehänges ist, im Gegenhalte gegen das des westlichen,
ganz unbedeutend und der Orontes oder Assi mit dem Leontes
sind eigentlich in der ganzen Strecke vom Dschebel el Drus bis
zum Dschebel Akkar die einzigen Flüsse von einiger Bedeutung,
die wirklich dem Gehänge des Libanon entspringen. Die Quellen
des Orontes liegen zwischen dem Dschebel Arneto und Dschebel
Akkar bei Chermil * in den Thalschluchten des Ostgehänges.

Zwischen dem Libanon und Antilibanon liegt die fruchtbare Ebene von Baalbek, das alte Cölesyrien. Sie öffnet
sich in Nord, durch die divergirende Richtung der beiden
Bergketten des Libanon und Antilibanon, mehr und mehr
und verbindet sich, wie schon gesagt, mit den Ebenen bei
Homs. In Süd hingegen verschmälert sie sich durch das
Konvergiren der beiden Hauptketten und nimmt bei Sachle
den Namen Bekaa an. Die Gegend von Sachle bezeichnet
man noch zum Unterschied von der tiefen Thalschlucht des
Leontes, zwischen dem Dschebel el Drus und dem Dschebel
el Schech oder eigentlich zwischen jenem und den Vorbergen
des leztern, dem Dschebel Abel, mit dem Namen oberes
Bekaa, während man das Leontes-Thal mit dem Namen
unteres Bekaa begabt, welches sich in Süd in die Ebene
von Sur mündet. Der nördliche Theil der Hochebene von Baalbek fällt in Nord, der südliche in Süd und ein Paar Stunden
nördlich von der Stadt Baalbek befindet sich die Wasser-

---

* Das ch in den arabischen Worten stets scharf aspirirt, auf die
Art wie χ im Griechischen oder wie x oder j im Spanischen.

scheide zwischen dem Flussgebiete des Orontes und dem des Leontes. Die Ebene von Cölesyrien stellt also einen sehr flachen Sattel dar, dessen höchster Rücken beiläufig in dem Querdurchschnitte des Thales liegt, der durch das Kloster Deir el Achmar (das rothe Kloster) geführt wird. Der nördliche Theil des Thales von Baalbek gehört also zum Flussgebiete des Assi oder Orontes, der vor Homs den See Bacher el Kades bildet und dann seinen Weg weiter in die Gebirge, östlich des Dschebel Nossairieh verfolgt. Das Thal erreicht am nördlichen Ende zwischen dem Libanon und Antilibanon bei el Dschussi eine Breite von beiläufig 3 bis 4 Stunden.

Der südliche Theil des Thales von Baalbek, das ganze Bekaa, gehört zum Flussgebiete des Leontes, dessen Quellen südwestlich von Baalbek und etwa eine Stunde von dieser Stadt entfernt, am Dorfe Temnin foka, liegen. Der Leontes durchströmt das Bekaa, das obere, wie das untere nach ihrer ganzen Länge und tritt bei Kalaat' el Schukif unter dem Namen Nacher el Tanni in die Ebene von Sur, wo er dann weiter als Nacher Kasimieh erscheint. Das untere Bekaa verengt sich bei Sefa zu einer ganz engen, tiefen Schlucht.

Die ganze Hochebene von Baalbek ist ein schönes Kulturland, aber bei weitem nicht so bebaut, als es seyn könnte. Der südliche Theil, besonders in der Gegend von Sachle, ist stark bewohnt, nicht so der nördliche.

Der Charakter des Antilibanon, mit Ausnahme des Gebirgsstockes des Dschebel el Schech, ist noch weniger in scharfen Formen ausgedrückt, als der des Libanon. Die Umrisse seiner Berge sind sanft, wellenförmig, langgezogene Rücken mit gerundeten Kuppen. Die vorherrschende Formation des Zuges sind Glieder der Kreide-Reihe, mit lokalen tertiären Auflagerungen. Das westliche Gehänge des Antilibanon * ist weniger steil, als das östliche und auch mehr mit Vegetation bedeckt, besonders bieten seine hohen Joche ein schönes Alpen-Weideland dar. Der südliche

---

* Von den Arabern auch Dschebel el Wast oder Dschebel es Schark genannt.

Theil des Westgehänges des Antilibanon ist stärker bewohnt als der nördliche; aber auch erstrer ist hinsichtlich der Bevölkerung mit dem Westgehänge des Libanon gar nicht zu parallelisiren. Das Wassersystem des Westgehänges ist ganz unbedeutend und besteht höchstens in einigen unansehnlichen Bächen, die theils dem Leontes, theils dem Orontes zueilen, wie z. B. der Nacher el Kanni nördlich von Baalbek. Die Höhen der Antilibanon-Kette nehmen, wie schon erwähnt, vom Dschebel el Schech gegen Norden sehr ab, und seine höchsten Punkte daselbst übersteigen kaum 5000 Par. Fuss Meereshöhe. Steil fällt der Antilibanon in die östlich ihn begränzenden Ebenen ab. An seinem südöstlichen Ende hat dieser Hauptzug eine grosse Masse von Vorbergen, die sich bis an die Mauern von Damaskus erstrecken und sich weiter in Süd mit dem hügeligen Terrain des Waddi el Adjem vereinen, das in Osten des Dschebel el Schech liegt. Diese Gruppe von Vorbergen, zwischen dem Antilibanon und Damaskus, umfasst das Flussgebiet des Barrada mit seinen Zuflüssen, der sich östlich von Damaskus in dem Binnensee oder Sumpf Bacher el Merdsch verliert. Herrliche, weite und fruchtbare Thäler, stark bewohnt und bebaut, bezeichnen charakteristisch diese Vorberge, die reich an den herrlichsten Naturscenen sind, welche sich aus der Kombination einer wilden, grossartigen Natur mit der Kultur ergeben. Ich erwähne vorläufig nur in dieser Beziehung des Felsenpasses el Suck, des Falls des Barrada, der herrlichen Gegend von Sebdani mit ihren Pappelhainen etc., Punkte, welche wir alle bei Darstellung meiner Bereisung des Antilibanon näher kennen lernen werden.

Weiter in Osten, über Damaskus hinaus, schliesst sich die grosse syrische Wüste an.

Nachdem ich in Vorstehendem bemüht war, ein möglichst getreues Bild der physiognomischen Verhältnisse des nördl. Syrien zu geben, eile ich zu einer detaillirten Darstellung des geognostischen Baues dieses Landes, mit Ausnahme des Libanon und Antilibanon, die wir in dieser Beziehung nach meiner Rückkehr aus Karamanien nach Syrien näher kennen lernen werden, und wo ich nicht ermangeln werde, zur Entwerfung eines geognostischen Haupttypus des ganzen Landes, die vorausgeschickten Einzelnheiten zu resumiren *.

Wo in der Umgebung von Beirut, mit welchem Terrain ich diese Reihe geognostischer Beobachtungen über das nördliche Syrien beginne, die Küste schroffe und hinlänglich entblösste Punkte zeigt, bemerkt man Ablagerungen von Meeres-Diluvionen und Tertiär-Gebilden, die sich als das häufig herrschende Gestein des Küstensaums längs dem Libanon hinziehen. Die jüngsten Glieder dieser Formation sind Meeressand und Meeresschutt, stellenweise so compact werdend, dass sie als jüngster Meeressandstein auftreten; die älteren Straten bestehen in Mergel, mergeligem Sandstein und einem sehr sandigen Kalke, der gewissen Varietäten des Grobkalkes sehr ähnlich ist. Leztere Gebilde wechseln unter sich, und häufig treten mit ihnen zugleich Bänke von Meeressand auf; Versteinerungen aber war ich nicht so glücklich zu finden, woran übrigens nur die Kürze meines ersten Aufenthaltes Schuld seyn dürfte. Die Schichtung ist deutlich. Die Straten streichen aus NO. in SW. und fallen unter einem flachen Winkel von höchstens 30° in SO. Die Mächtigkeit derselben ist sehr verschieden und beträgt von wenigen Zollen bis zu mehreren Fussen. An mehreren Punkten, besonders in der Nähe des Lazarethes, beobachtet man eine schon von Ferne auffallende, wellenförmige Biegung der Schichten, die stellenweise einen sehr grotesken Charakter annimmt. Die Zerstörung des Gesteins durch die Brandung, die besonders bei Nordwest-Stürmen sehr heftig ist, ist der weichen Beschaffenheit des Gesteins halber sehr vorgeschritten, daher die vielen losgerissenen Felsen, die grossen Absonderungs-Massen, das zerfressene zerrissene Ansehen der Küste. Der Meeressand des Strandes enthält Konchylien; aber er ist nicht so reich daran, als der an den Nordküsten von Afrika und noch weniger als

---

* Jene Lücken, die sich mir bei der geognostischen Schilderung des nördlichen Syriens und der Tauruskette in Karamanien durch Mangel eigener Anschauung ergaben, füllte ich durch die Benützung der Daten aus, die Mr. Ainsworth in seinem schätzbaren Werke: Researches in Assyria, Babylonia and Chaldaea etc., London 1838, gibt.

der des rothen Meeres. Der sandige Kalkstein, so wie der
Mergel sind fest genug, um als Baustein zu dienen. Mit
den ältern Ablagerungen der Küstenbildung tritt ein dunkel-
bläulich-graugefärbter, plastischer Thon auf, der zum Theil
mit den älteren Straten wechsellagert, zum Theil nur als
untergeordnetes Glied erscheint. Die Verwitterung der
mergeligen Straten scheint einen der Vegetation höchst
günstigen Boden zu bilden, daher die schwelgende Fruchtbarkeit der umliegenden Gegend. Westlich der Stadt und
in der Fortsetzung der sich in das Meer hinaus erstreckenden
Landzunge, tritt ein dichter, weisslichgrauer Kalkstein auf,
der von den früher erwähnten Gebilden bedeckt wird und
der alle die höheren und mehr landeinwärts liegenden Theile
der Umgegend von Beirut zusammensezt. Dieser Kalkstein
bildet auch an vielen Punkten das herrschende Gestein der
Küste und steigt selbst am Westgehänge des Libanon zu
bedeutenden Höhen empor, was wir später in Betrachtung
ziehen werden. Charakteristisch für diesen Kalkstein sind
die vielen Knollen und Nester von Feuerstein, die in ihm
vorkommen, auch fand ich einen Ammoniten von mehreren Zollen im Durchmesser, blosser Steinkern, daher
schwer zu bestimmen. Die durch die Brandung ganz zerrissene Küste enthält sehr häufig Höhlen, die gegen das
Land hin offen sind, in der Tiefe aber mit dem Meere co-
muniziren, daher das Steigen und Fallen des Meeres in
diesen brunnenartigen Vertiefungen, verbunden mit einem
eigenthümlichen Geräusche, ähnlich dem eines starken Cylinder-
Gebläses. Auch der sogenannte Demetrius-Berg, die Beirut
eigentlich beherrschende Anhöhe und dicht an der östlichen
Seite der Stadt, mitten in den Gärten, die sie umgeben,
liegend, ist eine Ablagerung des erwähnten dichten und hier
besonders Feuerstein-reichen Kalkes. Seine Schichten streichen
wie die des kalkigen Sandsteins der Küste aus NO. in SW.
und verflachen in SO. Die diesen Feuerstein-führenden
Kalk bedeckenden tertiären Ablagerungen trennen sich
in 2 Hauptformen, in Sandstein mit Straten von Mergel,
harten Thon und plastischen Thon und in einen sandigen,
weissen Kalkstein. Erstere dürften wir als die ältesten

Schichten dieser tertiären Lagerungsfolge ansehen und sie vielleicht den Braunkohlensandstein parallel stellen, lezterer charakterisirt sich als wahrer Grobkalk. Die Sandsteinstraten, welche mit dem Grobkalke wechseln, dürften entschieden jünger seyn, als die dem System zu Grunde liegenden Sandsteine mit plastischem Thon, die dem Feuersteinführenden Kalke unmittelbar aufgelagert sind. Wie wir im Verlaufe dieser Abhandlung sehen werden, so wiederholt sich dieser Feuerstein-führende, dichte Kalkstein gegen die Nordgränze Syriens hin mehrmals, und wie sich aus unsern weitern Forschungen ergeben dürfte, so gehört er wahrscheinlich der Kreide-Reihe und zwar den obersten Gliedern derselben an. Dasselbe Gestein bildet auch vorherrschend die Küste bis zum Dschebel Keraad, südlich des Vorgebirges Possidi. Bei Tripolis und bei Latakia heben sich steile, schroffe und wild zerrissene Felsen unmittelbar vom Meere auf. Ihre Farbe ist ein helles, weithin sichtbares Weiss, ihre Schichtung deutlich, nur scheinen die Schichten weiter nördlich von Beirut statt in SO. in NW. einzufallen, so dass in dieser Distanz von Beirut bis Latakia eine Hebung dieses Kalksteins nothwendigerweise stattgefunden haben muss, wodurch die Schichten zu beiden Seiten dieses Sattels in entgegengesezter Richtung abfielen. Wahrscheinlich fällt dieser Punkt in das Terrain der Bai von Kesruan, wo der tiefer liegende Kalk des Libanon bis zur Küste vorspringt und sehr wahrscheinlich diese Erscheinung bedungen hat. Auch sind vulkanische oder sogenannte plutonische Gesteine dieser Gegend keineswegs fremd; denn in der Nähe von Eden am Libanon sollen nach Dr. Roth (in Schubert's Reise in das Morgenland, Bd. 3) Basalte vorkommen.

Ein sehr schönes Schichtungs-Verhältniss sah ich an der Küste zwischen Tripolis und Latakia, wo sich die Straten des dichten Kalksteins konzentrisch um Kerne ordnen: eine Erscheinung, die hier im Grossen zeigt, was man im Kleinen an Handstücken häufig beobachtet *. Gegen den Dschebel Keraad hin, nördlich von Latakia und südlich vom Vorgebirge

* Man sehe die Zeichnung unter dem Durchschnitte zum I. Bande.

Possidi, zieht der hohe und schroffe Küstensaum sich mehr
und mehr zurück, statt der kahlen Wände dehnen sich
wieder gesegnete Fluren aus, und im Innern des Landes
erheben sich hohe, weit ausgedehnte Gebirge mit spitzen
Häuptern, die Berge am Orontes und nördlich desselben,
gegen die Gränzen des alten Cilicien hin. Man sieht es
schon von Ferne an den Formen, dass man nun bald ein ganz
von dem bisherigen verschiedenes geognostisches Terrain
betreten werde.

Wenn man längs der Küste Syriens, aus Süden in Norden
gehend, die Parallele des Waddi Hossn passirt hat, wo der
Libanon, als die bisher von Seïde an ununterbrochen sich
in Norden erstreckende Bergkette, mit dem Dschebel Akkar
plötzlich ein Ende nimmt, sieht man in der Verlängerung
seines Zuges eine neue Bergreihe auftauchen, die sich, obwohl viel niederer, als die Fortsetzung des erstern betrachten
lässt, die über Latakia hinaus weiter in Norden sich erstreckt.
Es ist der Dschebel Nossairieh, der sich in Westen durch ein
flaches, welliges Hügelland an die Küste erstreckt, in Osten
aber steil in das Thal des Orontes abfällt. Soweit die Kette
bekannt ist, besteht sie durchgehends aus dichtem, feuer-
steinführendem Kalkstein, der allem Ansehen nach ebenfalls
der Kreide-Reihe zuzurechnen seyn dürfte.

Zwischen dem Dschebel Nossairieh und dem Dschebel
Keraad, der, dicht an der Küste liegend, den südlichen Theil
des Kaps Possidi bildet und die Fortsetzung des Dschebel
Okrah oder des Kassius in Süden darstellt, dehnt sich das
Thal von Bedami aus, das sich nordwärts bis an den Orontes
bei Dschessr el Hadid, östlich von Antiochia liegend,
erstreckt.

Am Dschebel Keraad sieht man einen dichten, harten
Kalkstein in regelmässigen Straten mit einem weichen, erdigen wechsellagern. Das Verflachen dieser Schichten ist
in Betracht seiner Richtung ein sehr verschiedenes, immer
aber ist die Neigung nur ganz sanft. Durch die fortschreitende Verwitterung sind die Straten des erdigen Kalkes
stärker angegriffen, als die des harten, sie sind zum Theil
ganz zerstört, während das Ausgehende des harten Kalksteins

unverändert blieb, daher derselbe in langen Kämmen wie
grosse Gänge, längs des Thales, Mauern gleich, emporragt.
Mr. Ainsworth rechnet diese ganze und sehr interessante
Formation zur Kreide, und auch ich bin derselben Meinung,
denn schon eine nur oberflächliche Betrachtung lässt die
grosse Ähnlichkeit, ja Gleichheit möchte ich sagen, dieses
Terrains mit dem in Toskana in der Umgebung von Volterra nicht verkennen, und von lezterem scheint es doch
nachgewiesen zu seyn, dass es der Kreide angehört. Da
der Kalk des Dschebel Keraad entschieden jünger ist, als
der dichte, von Serpentinen häufig durchbrochene und von
Schiefern begleitete, graue, harte Kalkstein der Berge bei
Antiochia, und dieser, wie wir sehen werden, wahrscheinlich
der untern Kreide angehört, so scheinen wir zu dem Schlusse
berechtigt zu seyn, dass der Dschebel Keraad ebenfalls den
Gebilden der obern Kreide anzurechnen seyn dürfte.

Diese Kreidebildung des Keraad und des Thales von
Bedami, auf das nächste verwandt mit der des Dschebel
Nossairieh, wird ringsherum in allen Niederungen des Terrains von Tertiär-Gebilden bedeckt, deren mannigfache Glieder
in merkwürdigen Beziehungen zu einander stehen.

In NO. von Bedami, bei Dschisser Schuger, ist die Formation des Keraad bedeckt von einem Gyps-führenden Mergel,
der eine lange und merkwürdig andauernde Kette, wie einen
Felsenwall längs der ganzen Westseite des Orontes, so
weit man nur sehen kann, bildet. Das Orontes-Thal selbst,
sowohl in der Gegend von Dschisser Schuger als südlicher
gegen die Ebenen von Cölesyrien hin, ist eben oder höchstens
nur von ganz niedern Hügelzügen durchzogen, die theils
aus verhärteten und in sphärische Massen (erinnernd an
den thonigen Sphärosiderit der tertiären Mergel auf Euböa)
abgesonderten Thon, theils aus ganz dünnen thonigen Kalk-
straten bestehen, die grösstentheils horizontal abgelagert sind
und sehr den tertiären thonigen Kalkschiefern in Sizilien
ähnlich sehen.

Am westlichen Rande des Orontes-Thales und von
Dschissr Schuger aufwärts, zieht sich ein Zug niederer Hügel
hin, deren Seiten grösstentheils ganz flach geneigt, hie und

da aber scharf abgebrochen sind. Sie bestehen aus deutlich geschichteten Sandstein- und Thon-Straten, welche Gebilde eine Menge von Ostraceen umschliessen. Diese Formation bedeckt südlich von Bedami unmittelbar die Kreide-Bildungen am Dschebel Keraad, so wie die Serpentin-Massen, die im Süden des Kassius und seiner Verlängerungen auftreten. In den Vertiefungen des Terrains bilden daselbst diese Ablagerungen von tertiärem Sandstein mit Thon ganz niedere Hügel-Reihen, welche oft, was sehr interessant ist, eine förmliche kreisartige Gestalt annehmen. Diese Formation sezt weiter nördlich auf das östliche Ufer des Orontes über und bedeckt daselbst bei Armenas einen eigenthümlichen Kalkstein, der haubenartig die höchsten Gipfel der Berge und Hügelreihen von den Ebenen Cölesyriens an bis zum Dschebel Okrah bildet. Er formirt die höchsten Schichten auf dem Festungsberge bei Antiochia, südlich des Orontes, und erstreckt sich von da auf den Höhen der Berge über Daphne und dem Ordu Dagh bis zum Okrah, wo er zu einer Meereshöhe von mehr als 5300 engl. Fuss emporsteigt. Dieser Kalkstein liegt also entschieden zwischen den Sandsteinen von Armenas und dem untersten dichten Kalksteine der Hauptkette des Kassius, denn er wird von ersterem daselbst bedeckt und bedeckt wieder leztern an vielen Orten in den Bergen südlich des Orontes. Er hat eine meist weisse und gelblichweisse Farbe, einen unebenen oft flachmuscheligen Bruch, ist dicht und hart. Stellenweise wird er thonig, in welchem Falle seine Textur eine weniger homogene Masse darstellt. In den Ebenen sowohl, als an den Gebirgen, ist er meist ausgezeichnet geschichtet, aber dort, wo er mehr die Masse isolirter Berge und besonders dort, wo er die Masse solcher Berge bildet, die sich durch ihre konische Form auszeichnen, wird seine Schichtung undeutlich, und er bildet ein mehr massiges Gestein. Wahrscheinlich ist natürlich diese Änderung der Textur nicht eine Folge der konischen Gestalt der Berge, sondern umgekehrt ist eher die Form der leztern eine Folge der Textur des Kalksteins. Die organischen Reste sind im Ganzen, besonders in den dichten und harten Varietäten dieses Kalksteins selten, werden aber in den weicheren und thonigeren Straten dieses Gebildes häufiger und sind klarer ausgesprochen. Sie bestehen durchgehends in Arten aus dem Geschlechte Conus und Pecten, daher wir diesen Kalkstein, um ihn näher zu bezeichnen, mit Ainsworth zwar Konniten-Kalk nennen wollen, übrigens uns für überzeugt halten, dass er nichts anders ist als der Stellvertreter der obern oder sogenannten weichen Kreide. Am Nacher el Dsché bei Antiochia und weiter nördlich an dem Brunnen Zoiba, treten mit diesem Kalkstein zugleich fossile Schaalthier-Reste führende, thonige Mergelschichten auf, die stellenweise auch mit ihm wechsellagern. Dasselbe Gebilde treffen wir, wenn man von Antiochia sich gerade südlich wendet, in dem ersten Thale jenseits des Festungsberges, also in der Partie zwischen dem Kassius und Dschebel Kosseir: Ablagerungen von einem mergeligen, Versteinerungen führenden Kalkstein, auf welchem eine Kalk-Breccie liegt, die wieder von zerstreuten, unter sich zusammenhängenden Ablagerungen von Kieselkalk bedeckt wird. Dieser dem Meulière von Paris ganz ähnliche Kieselkalk ist ein reines Lokal-Gebilde, ein Süsswassererzeugniss. Er ist voll Höhlen, wasserreich, bildet aber keine zusammenhängende Felsablagerung. Noch weiter südlich hingegen treffen wir wieder unsern Konniten-Kalkstein von Armenas, einen Rücken bildend, hinter dem sich niedere Hügel mit flachen Gipfeln anreihen, die aus einem weichen und sehr versteinerungsreichen Kalksteine bestehen, der sich auf Mergel und Breccia-Bänken auflagert. Diese Versteinerungen bestehen vorzüglich in Pecten, Ostraceen, Cardiaceen und zwar Cardium, Venus, Donax, Lucina, Tellinites; ferner Cerithien, Pyrula und zahlreiche Echinodermen. Woraus wir den Schluss folgern, dass auch diese Schichten unseres sogenannten Konniten-Kalkes, die mit kreideartigen Mergeln wechseln und Bänke von einer Kalk-Breccie enthalten, der obern Kreide angehören.

Weiter östlich in den hohen Gebirgen, an der Südseite des Orontes und westlich vom Dschebel Okrah sehen wir den Konniten-Kalkstein, der die Hauptmasse des Kassius, dichter Kalkstein mit Durchbrüchen von Euphotid-Gebilden, ähnlich den Ablagerungen der alten Kreide mit Serpentinen bei Volterra in Toskana, bedeckt, wieder überlagert von einer weissen, kreideartigen Breccie, die mit kreideartigen Mergeln wechselt. So unter andern bei Beit el Maa (Moje, das Haus des Wassers, das alte Daphne). Hier werden diese Mergel und Breccien stellenweise wieder von Kieselkalk bedeckt.

Südlich von Beit el Maa, in dem Thale zwischen dem Kassius und dem Dschebel Kosseir, und namentlich in der Nähe des Dorfes Schech Gui, gewinnt dieser Kieselkalk eine sehr bedeutende Entwicklung und bildet selbstständige Hügelzüge. Die Formen dieser Kieselkalkmassen sind wild und zerrissen, und die Felsen erheben sich in wahrhaft phantastischen Formen, senkrechte Abgründe einschliessend. Man sieht am Dorfe den darunterliegenden kreideartigen Mergel zu Tage gehen. Ein paar Stunden südlicher aber enden diese Tertiärbildungen an mächtigen Bergen der Euphotidformation, die, wie es den Anschein hat, die Straten der erstern bei ihrem Durchbruche umstülpten; wenigstens sind dieselben aus ihrer Lage gebracht und überworfen.

Nördlich von Beit el Maa und dicht am Orontes trifft man lokale Ablagerungen von reinem und sehr krystallinischem Gypse, der die kreideartigen Mergel bedeckt und Cykladen nebst andern Süsswassermuscheln führt. Eine ganz ähnliche Gypsbildung sehen wir in dem Hügelterrain nordwestlich von Dschisser Schuger.

Diese bisher hier angeführten tertiären Bildungen, wie überall Bassinausfüllungen mit denen anderer Orte, z. B. mit denen von Paris, Wien, London u. s. w. vollkommen parallelisiren zu wollen, ist, besonders bei den wenigen vorliegenden Beobachtungen, eine ebenso schwierige als auch vielleicht gar nicht ausführbare Arbeit. Als entschieden betrachte ich zwar die gleiche geognostische Stellung unsers Kieselkalkes von Antiochia und Schech Gui mit der des Meulière um Paris; aber ausserdem haben wir hier noch mehrere Formen, die offenbar den Charakter der Tertiärzeit an sich tragen und die doch von allen ihnen verwandten Gliedern anderer Länder sich wesentlich unterscheiden.

Dahin rechne ich z. B. die mächtigen Ablagerungen von Sandstein mit hartem und plastischem Thon, der zwar bei Armenas sich als die Grundlage der ganzen Tertiärformation des nördlichen Syriens zu behaupten scheint, aber, wie wir später sehen werden, mit den Gypsen und mit dem gewöhnlichen Grobkalke in einer so engen geognostischen Verbindung steht, dass er nicht leicht davon zu trennen ist, sondern dass vielmehr das ganze hier in Rede stehende tertiäre Gebilde als ein System parallel stehender Ablagerungen von Sandstein, Mergel, Thon, Gyps und Grobkalk zu betrachten ist. Wollen wir unter den einzelnen Gliedern dieser Formation eine bestimmte Altersfolge annehmen, so können wir höchstens die Thone und thonigen Kalke von Dschisser Schuger als die jüngsten Formen dieser Reihe gelten lassen, welche Stellung aber noch sehr zu bezweifeln ist. Beit el Maa liegt bereits mitten in den Bergen der Kette des Dschebel Okrah oder des Kassius, welche hier das Thal des Orontes einschliessen. Wenden wir uns von da gerade nach Westen, so stossen wir auf die Hauptkette dieses Gebirges, die sich längs der Küste südlich bis zum Dschebel Keraad erstreckt und an ihrem nördlichen Ende ihre höchste Erhebung, nämlich 5341 engl. Fuss über dem Meere, in der pyramidalen Spitze des Dschebel Okrah erreicht, der am südlichen Ufer des Orontes sich dicht am Meere von der Küste auf erhebt. Alle Berge, die östlich dieser Kette liegen, bis zu dem Thale, das sich südlich von Antiochia erstreckt und das im Osten vom Dschebel Kosseir begränzt wird, gehören zum Zuge des Okrah und sind Theile desselben, folglich auch alle Berge, welche das Orontesthal von Suedie bis Antiochia umschliessen. Okrah oder Akrah ist der arabische oder vielmehr syrische Name dieses Gebirges, welches sich in der Länge von der Mündung des Orontes bis zum Vorgebirge Possidi, in der Breite vom Meere bis nach Antiochia und darüber hinaus bis in das Thal von Schech Gui erstreckt. Der alte Name dieses Gebirges hingegen ist Kassius und der des südöstlichen Theils desselben Anti-Kassius, nach STRABO. Der türkische Name des grössten Theils dieser Berge ist Ordú Dágh.

Der Kassius und respective der höchste Gipfel desselben, der Dschebel Okrah bei Suedie, hatte im Alterthume, besonders in religiöser Beziehung, eine hohe Bedeutung, wozu vorzüglich seine ungemein schöne Pyramidenform mag beigetragen haben.

In der kurz vorher gegebenen Skizze der Physiognomie des nördlichen Syriens gab ich ein Verzeichniss der aus den Beobachtungen AINSWORTH's und EDEN's (Lieut. von der englischen Marine) sich folgernden Höhenbestimmungen verschiedener Punkte des Okrah, und es erübrigt mir also nur, seine geognostischen Verhältnisse näher zu berühren.

Die grosse Euphotidformation, bestehend in Serpentin und Diallage nebst Hypersthen-Felsbildungen mancherlei Formen, welche die Grundlage der Felsablagerungen in den Gebirgen nördlich von Antiochia bilden, tritt auch am Kassius als herrschendes Grundgebilde auf. So unmittelbar bei Antiochia am Fusse des Festungsberges und in dessen Zug bis zu seiner östlichsten Spitze. Weniger entwickelt in den tiefen Thälern bei Beit el Maa, mehr hervortretend aber wieder an der Westseite des Kassius. An der Nordseite des Dschebel Okrah ist der Euphotid vom Kalke ganz bedeckt, an der Südwest- und Südostseite hingegen tritt er wieder in grossen Massen hervor. An ersterer Stelle, in dem dortigen tiefen Thale, zeigen sich die ihm zunächst aufliegenden Kalkbildungen in einem sehr zersezten, aufgelösten Zustande; an zweiter Stelle, an der Südostseite des Okrah aber läuft er in eine Kette aus, die bedeckt mit Wäldern bis zum Nacher el Kibir bei Latakia sich erstreckt. Von dieser Kette aus gehen gangartige Rücken desselben Gebildes von geringer Mächtigkeit über den Fluss und erstrecken sich südlich bis zur nordöstlichen Gränze der Ebene von Dschebeli; gegen Westen treten sie ebenfalls über den Fluss und erstrecken sich bis eine Stunde südwestlich des Dorfes Vatiro. Der Euphotid und die Glieder seiner Reihe spielen hier offenbar die Rolle eines plutonischen Gesteines, sowohl hinsichtlich der Form ihres Auftretens, als auch hinsichtlich der Einwirkung, die sie, wie erwähnt, auf

28 *

das zunächst sie umgebende Gestein an einigen Punkten ausübten.

Die Formation der Kreide, die Enphotidformation unmittelbar bedeckend, zeigt am Kassius eine fast nicht minder bedeutende Entwicklung, und zwar sind es sowohl die unteren harten Straten ihrer Reihe, als die oberen weichen und häufig in Mergel übergehenden. Beide finden sich meist zusammen und werden von den bereits erwähnten Tertiärgebilden bedeckt. — Die oberen Straten der Kreideablagerung zeichnen sich auch hier durch ihren grossen Reichthum an Feuerstein-Nieren und Nestern aus.

So sehen wir die Kreide an der Südwestseite des Kassius, wo sie in einer Länge von ungefähr 2 Stunden das herrschende Küstengestein formirt und scharfe Felsen von 30 bis 80 Fuss Höhe bildet; so auch in der Gegend des Vorgebirges Possidi oder Rhas el Basit. Gegen Osten des Kassius zeigt die Kreide eine bei weitem ansehnlichere Entwicklung. Sie bildet zwei Reihen von Hügeln, in denen sie fast zu 700 Fuss Meereshöhe sich erhebt und begleitet einerseits den Hauptzug des Kassius, andererseits den Nacher el Kibir. Der westliche Zug dieser Hügel besteht aus wechselnden Straten von dichtem Kalkstein und versteinerungslosen Kreidemergeln. Seine Gehänge sind meist scharf abgebrochen und bilden gegen den Fluss wilde, nackte Felswände. Das Dorf Beilat, zu dem ein gewundener und gefährlicher Fusssteig führt, liegt in der Mitte dieser Kreidehügel.

An der Südseite des Kassius, in seiner unter dem Namen Dschebel Keraad bereits angeführten Fortsetzung, am Rande der Ebene von Latakia, wo der Nacher el Kibir sich westlich dem Meere zuwendet und der Keraad theils ganz sanft, theils steil dahin abfällt, und in den Bergen, welche den Keraad in Verbindung mit dem Nossairieh setzen: in diesem ganzen Terrain ist die Kreide das herrschende Felsgebilde.

An dem Punkte, wo der Nacher el Kibir seinen Lauf wendet, bricht er aus den Bergen durch eine sehr schmale und enge Schlucht hervor, deren Felswände an der engsten Passage eine senkrechte Höhe von 60 Fuss haben, während

der Grund der Schlucht nur 8 Fuss weit ist. Diese Schlucht
ist erst durch die Reise MAUNDRELL's im J. 1697 näher bekannt, der sie passirte. In ihrer Nähe soll man die Kreide
auf Euphotid anfliegen sehen.

Im Ganzen sehen wir die Ablagerungen der Kreide sowohl, als der sie bedeckenden Tertiärgebilde, durch die
durchgebrochenen Massen der Euphotidformation hinsichtlich ihrer wahrscheinlich anfänglichen Ablagerungsform in
eine Unordnung gebracht und so durcheinander geworfen,
wie wenige Niederlagen des Tertiärgebildes wahrnehmen lassen. Das ganze Terrain lässt, wie ich schon oft gesagt
habe, eine gewisse Ähnlichkeit mit dem Terrain bei Volterra, am Monte Catini, am Monte Cerboli und im Thale
der Cecina in Toskana nicht verkennen, nur dass dort der
Serpentin und seine verwandten geognostischen Glieder nicht
nur eine plutonische, sondern eine entschieden vulkanische
Rolle spielen.

Auf der Ostseite des Orontes treffen wir auf die Hügel
bei Armenas, deren geognostische Struktur ich schon erwähnte. Sie stürzen sich gegen den Orontes hin steil ab,
verflächen sich aber andererseits sanft gegen die syrische
Wüste. Ihre Fortsetzung gegen Norden trifft mit dem Chalaka (türkisch Amgúli Dágh) und mit den Hügeln bei Schech
Barakat (wo einst St. SIMEON STILITES hauste) zusammen;
ein Terrain, das wir im Verlaufe dieses Abschnittes noch
näher werden kennen lernen. Im Süden ziehen sie sich mit
verschiedenen Ausläufern, und ein höchst verworrenes Hügelland bildend, über das Waddi Howasch und Richa bis
Kalaat el Muduk und bis in die Ebenen bei Hama.

Auch diese südliche Fortsetzung scheint dieselbe geognostische Beschaffenheit zu haben, die den Hügeln bei Armenas eigen ist; nur ist zu bemerken, dass am Dschebel
Richa, nordwestlich von Marrasch (nicht zu verwechseln mit
dem anatolischen Marrasch), augitische Feldspathgesteine
die Normalgebilde durchbrechen; eine Erscheinung, die wir
südlich von Dschisser Schuger sich wiederholen sehen.

Hr. PRUCKNER, der Adjunkt der Expedition, verfasste bei seiner Besteigung des Dschebel Okrah nachstehend beschriebene

zwei Durchschnitte, die ich hier beifüge, da sie uns über
das interessante Lagerungsverhältniss dieses Berges viel
Aufschluss geben *.

Wir sehen hier den Serpentin- und Hypersthenfels nicht
nur als Grundgebirge den spätern Ablagerungen zur Basis
dienend, sondern auch als wirklich durchbrechendes Felsgebilde zwischen den Straten der untern und obern Kreide
oder unserm sogenannten Konnitenkalk. Wir sehen hier
den tertiären Sandstein, dem Ansehen nach ganz analog dem
von Armenas, zwischen dem Gypse eingelagert. Die Lager
von Brauneisenstein sind für die untere Ablagerung des Kalkes, den ich mit Ainsworth für die ältere, harte Kreide ansehe, charakteristisch. Der Serpentin ist an seinen Begrän-
zungsflächen und dort, wo er zu Tage geht, in einem sehr
aufgelösten Zustande. Er führt viel Talk, Steatit und Glimmer nebst Lägern von Chromeisenstein. Durch sein Auftreten zwischen den Schichten des Kalkes hat er den Anschein
einer Wechsellagerung, die ich aber in der engern Bedeutung des Wortes nur für scheinbar halte.

Von Dschessr el Hadid an, dem Punkte, wo der Orontes seine südnördliche Richtung plötzlich in eine ostwest-
liche umändert, bis zu seiner Mündung, westlich von Suedie,
durchströmt er theils Tertiärbildungen und Süsswasserdiluvien
am nördlichen Saume des Kassius, theils dringt er zwischen
die Berge des leztern selbst ein, bricht aber bei Suedie wieder in die Ebene hervor und liegt neuerdings im Gebiete
von tertiären Formen, die sich nördlich des Flusses bis zur
Küste erstrecken. Die tertiären Ablagerungen im Süden
des Orontes, zwischen Antiochia und Latakia, vertheilt in
verschiedenen Bassins des Kassius, haben wir bereits kennen gelernt, wir wenden uns daher auf die nördliche Seite
dieses Flusses.

Im Hauptthale des Orontes selbst, zwischen Antiochia
und Suedie, bildet die terrassenartig sich erhebenden und
quer über das Thal sich hinziehenden Hügel, welche einst
die Ebenen der Küste von dem Bassin des Sees bei Antiochia

---

* Man sehe die Zeichnung unter den Durchschnitten zum I. Band.

getrennt zu haben scheinen, an den tiefern Punkten ein
grauer, tertiärer Sandstein, dem Braunkohlensandstein sehr
ähnlich, übrigens aber parallel dem von Armenas. Wir
kennen daher diesen Sandstein bereits aus dem Tertiärgebilde südlich des Orontes. Er bildet hier die tertiäre
Grundablagerung der Thalsohle, sowohl auf der Ebene
bei Suedie, als auf der Ebene um Antiochia, die 360 Fuss
über das Meer sich erhebt, und liegt also mit dem ganzen übrigen tertiären System sammt den Diluvionen als
Thalausfüllung auf den Felsgebilden der Gebirge, welche
das Thal zu beiden Seiten begränzen, nämlich des Kassius
und Amanus. Die terrassenartige Erhebung des Hauptthals
fällt in jene Gegend, östlich von Suedie, wo der Orontes
aus den Schluchten des Kassius in das weite Thal hervortritt, welches er zwei Stunden westlich von Antiochia verlässt, und statt in selbem selbst den geraden Weg zu nehmen, die südliche Biegung durch die Thäler bei Beit el Maa
beschreibt. Man gelangt über den fast 300 Fuss hohen,
stufenartigen Abfall auf den obern Theil der Thalebene,
auf die Ebene von Antiochia.

Leztere hat den überzeugenden Anschein, dass sie einst
das Bett eines grossen Landsees gewesen ist, der sich nach
Osten bis zum Fusse des Chalaka erstreckte, von dem wir
noch einen Rest in dem See von Antiochia, genannt el Bo-
chaire oder türkisch Dengís Agá, und seinem umliegenden
Sumpflande sehen, und für dessen einstiges Vorhandenseyn
wir den sichersten Beweis darin haben, dass die ganze Ebene
von Antiochia mit Süsswasserdiluvien bedeckt ist. Diese
Süsswassergebilde, von einer Mächtigkeit von circa 200
Fuss, bestehen vorherrschend in Straten von blauem Thon,
Sand und Mergeln, gleich verhärtetem Schlamm. Die das
Gebilde vorzüglich charakterisirenden Konchylienreste sind:
Melania costata, mehrere Arten von Bulimus und darunter
Bul. labrosus, Paludinen, Succineen, viele Arten von Helix,
z. B. Helix cariosa. Nördlich von der Stadt Antiochia ver-
ändert diese Süsswasserformation ihren Charakter, die ihr
eigenthümlichen Schalthierreste werden seltner, und dafür
treten mehrere Species von Cardita auf. Dadurch ·nähert

sich das Gebilde mehr und mehr den jüngsten tertiären Formen, und gibt uns einen Beweis, dass das Bassin von Antiochia einst auch unter Meer gestanden habe.

Weiter westlich gegen Suedie hin lagern sich auf die Süsswasserbildungen dieses Bassins ausgedehnte Schuttkonglomerate, die sich bis zu einer Meereshöhe von 400 Fuss erheben. Sie bestehen aus Trümmern von Euphotid, Serpentin, Quarz, Jaspis und verschiedenen umgewandelten Gesteinen, welche sammt und sonders den umliegenden Bergen angehören. Diese Konglomerate werden stellenweise so dicht und fest, dass sie den Charakter einer förmlichen Breccie annehmen. An andern Stellen, besonders gegen Westen, wo die Ebene von Antiochia stufenweise zur Ebene von Suedie an der Mündung des Orontes abfällt, bilden diese Schuttkonglomerate ein welliges Hügelland, mit kuppelartigen und kegelförmigen Erhebungen. Sie wechseln daselbst mit einem erdigen und leicht zerreiblichen Sandsteine, der keine Versteinerungen zu enthalten scheint. Diese Diluvien liegen nicht horizontal, sondern sind meist etwas aufgerichtet und verflächen sich in verschiedenen Richtungen.

Die Ebene an der Mündung des Orontes selbst besteht aus horizontalen Ablagerungen von Schlamm und Lehm, die vielleicht eine Tiefe bis zu 300 Fuss erreichen. Diese Straten gehören den fortdauernden Alluvionen des Flusses an und enthalten nicht nur Schalthiere noch lebender Arten aus dem Meere, sondern auch solche, die sich noch heutzutage im Orontes und in der umliegenden Gegend auf dem Lande vorfinden.

Die zwischen diesen Alluvial- und Diluvialgebilden und den Ablagerungen der Kreide liegenden tertiären Schichten sprechen sich nirgends im untern Orontesthale so klar und bestimmt aus, als am Kara Tschai (schwarzer Fluss, der sich in den Orontes ergiesst), wo der Berg St. Simon, oder Bin Eklissi bei Suedie, eine Vormauer des Dschebel Mussa, einen höchst lehrreichen Durchschnitt gibt *, den ich hier beilege.

* Man sehe die Zeichnung unter den Durchschnitten zum I. Band.

Wir sehen in der Nähe des Dorfes Seltscha, nordwestlich von Suedie, die ganze Tertiärablagerung entblösst, welche sich von da bis zu dem alten Seleucia an die Küste
erstreckt und eine sehr steile Wand, zum Theil, wie z. B.
in der Nekropolis von Seleucia, durch Kunst ganz senkrecht
behauen, darstellt. Die Richtung dieser Tertiärschichten
hinsichtlich ihres Streichens erstreckt sich von Norden gegen
Süden, und ihr Verflachen geschieht meist unter ganz geringen
Fallwinkeln von 5° bis 6° im Osten. Zu oberst treffen wir
eine 18 bis 20 Fuss mächtige Ablagerung von Grobkalk, ein
erdiger, weisser, sehr zerreiblicher Kalkstein, aber nur mit
sehr wenigen Versteinerungen. Unter diesem Grobkalk liegt
ein 18 Fuss mächtiger, grobkörniger und krystallinischer
Gyps, von weisser und gelblicher Farbe, der viel Selenit
und zwar zum Theil in ungeheuren Massen enthält. Manchmal findet man diesen Gyps, und zwar ebenfalls in grossen
Massen, von ausserordentlicher Reinheit und ganz schöner
weisser Farbe. Unter diesem Gypse liegt ein zweiter, der
aber nur 3 Fuss Mächtigkeit hat, ein dichtes Gefüge und
graue Farbe besizt. Dieser Gyps entwickelt sehr häufig
eine rein blättrige Textur, so dass man ganz dünne Schei-
ben von beträchtlicher Grösse ablösen kann. Hinsichtlich
seiner Färbung lässt er auch hie und da sehr schöne Strei-
fung wahrnehmen. Unter diesem dichten, grauen Gypse
liegt eine 2 Fuss mächtige Schichtung von plastischem Thon,
ohne Versteinerungen, und unter diesem folgt wieder der
reine, weisse, krystallinische Gyps, jedoch hier in einer
Mächtigkeit von stellenweise mehr als 30 Fuss und ganze
Hügel formirend. Diese ganze Gyps- und Thonbildung liegt
auf grauem und gelblichbraunem Sandstein, dessen Mächtigkeit ich nicht erforschen konnte, der aber unter allen diesen tertiären Formen die bedeutendste Rolle spielt, und
analog dem ist, der dieser Tertiärbildung zu Grunde zu
liegen scheint und den wir als den Sandstein von Armenas
bereits kennen gelernt haben. Die Herren Pruckner, Szlabey und Voitanek, welche diesen Sandstein während meiner
Abwesenheit bei Ibrahim - Pascha in Antiochia ganz genau

untersuchten, fanden keine Versteinerungen in ihm*. Unter
diesem Sandsteine folgt wieder Grobkalk in einer wechselnden Mächtigkeit von 1 Fuss bis mehrere Klafter. Er ist
dem Grobkalke, der die oberste Schichte dieser tertiären
Ablagerung bildet, ganz ähnlich, nur ist sein Gefüge dichter, sein Thongehalt bedeutender, und er führt mehr Versteinerungen. Unter diesem Grobkalke folgt ein grauer,
thoniger Mergel, versteinerungsreich, von schiefrigem Gefüge und in einer wechselnden Mächtigkeit von 5 bis 48
Fuss. Unter dem Mergel liegt wieder derselbe Grobkalk,
den wir schon kennen. Er ist dem der obern Straten ganz
ähnlich, nur ist er sehr reich an Konchylien, die sich durch
ihr vortreffliches Erhaltenseyn auszeichnen. Seine Mächtigkeit ist sehr bedeutend und mir bestimmt nicht bekannt.

Die vorwaltendsten Versteinerungen dieses Grobkalkes
und des ihn bedeckenden Mergels sind nach den Bestimmungen AINSWORTH's:

Clavagella aperta.	Cerithium vulgatum?
Solen candidus.	Pleurotoma vulpecula.
Mactra triangula.	„ Species?
Tellina planata.	Fusus lignarius.
Lucina divaricata.	„ strigosus.
„ lactea.	Cyprea rufa.
Venus verrucosa.	Triton intermedium.
Cardium sulcatum.	Pyrula ficoides.
„ edule.	Fusus subulatus.
Pecten operculum?	Cerithium tricinctum.
Natica glaucina.	Pecten scabrellus,
Trochus fagus.	und so viele andere nicht
Turritella tornata.	bestimmte,

wodurch sich diese Bildung des Grobkalkes und des Mergels den Bildungen aus der subapenninischen Zeitfolge sehr nahe stellt.

Weiter nach Südwesten trifft man nun Mergel, obern ver-
steinerungsarmen und untern versteinerungsreichen Grobkalk

---

* Auf mikroskopische organische Reste müssen diese Felsgebilde
erst untersucht werden.

in beständiger Wechsellagerung, bis endlich das ganze Gebilde auf dem die Hauptmasse des Dschebel Mussa bildenden Kreidekalke aufliegt. Verfolgt man die Richtung der
Thäler noch weiter, so sieht man, dass alles Gerölle in
selbigem nur aus Dioritgeschieben besteht. Auch auf dem
Wege zwischen Antiochia und Suedie fallen dem Beobach-
ter die ungeheure Menge von Diorit- und Serpentingeschie-
ben auf, die endlich, als die integrirenden Theile der dortigen Schuttkonglomerate so überhand nehmen, dass sie alle
übrigen ausschliessen, woraus sich folgern lässt, was wir
auch später bestätigt sehen werden, dass am Dschebel Mussa,
gegen Beilan hin, grosse Ablagerungen von krystallinischen
oder sogenannten abnormen Felsgebilden sich befinden müssen, deren Vorhandenseyn ich daher im Durchschnitte einst-
weilen nur bedingungsweise angegeben habe.

Uebrigens werden diese tertiären Felsbildungen am Kara
Tschai, Dschebel Mussa und Dschebel St. Simon sehr häufig
und bis zu Meereshöhen von 400 Fuss von den bereits erwähnten Schuttkonglomeraten in grossen Massen bedeckt.

Aus dem hier Erwähnten geht hervor, dass die Thalebene von Antiochia einst Meeresbucht gewesen sey und
aus der gegenwärtigen Stellung der selbst jüngsten Sedimente der Tertiär- und Diluvialzeitfolge; nämlich aus der
aufgerichteten Lage ihrer Schichten sowohl, als aus der
gegenwärtigen Lage der ganzen Masse dieser Ablagerungen
über dem Horizonte des Meeres sehen wir, dass hier eine
gewaltige Emporhebung oder ein Zurücktreten des Meeres
stattgefunden haben müsse; für das eine wie für das andere,
je nachdem man sich zur einen oder andern Theorie hinneigt, sieht man viele Beweise an dem Küstenlande Syriens.
So sehen wir den frühern Hafen von Seleucia Pieria trocken
und vom Meere entfernt, und wo einst die Schiffe der Phönizier vor Anker lagen, säet jezt der Turkomane sein Getreide. So sehen wir in den Flussthälern, welche sich bis
ans Meer ziehen, jene terrassenartigen und grösstentheils aus
submarinischen Trümmergesteinen bestehenden Abfälle, die
ich ganz denen analog fand, welche ich später in den Küsten-
Thälern des höchsten Nordens von Skandinavien und in den

dortigen Fjords kennen lernte. Ein Terrain, von dem man
mit Bestimmtheit anzunehmen sich berechtigt glaubt, dass es
noch in einem fortdauernden Erhebungsprocesse sich befinde.

Betrachten wir summarisch die ganze Reihenfolge der
Ablagerungen über der Kreide im Thale von Antiochia und
Suedie, so dürfte sich folgendes Schema ergeben:

1) Süsswasser- und Meeresalluvionen, fortdauernde
   Bildung.
2) Schuttkonglomerate und Diluvialsand mit Sandstein.
3) Süsswasserformation: blauer Thon, Sand, Mergel.
4) Jüngste Tertiärbildung: wahrscheinlich subapenni-
   nische Zeitfolge.
5) Tertiärformation: Grobkalk, Sandstein, Gyps.
6) Kreidereihe.

Wenn wir von der Mündung des Orontes bei Suedie
nicht durch das Hauptthal über die terrassenförmigen Abfälle nach Antiochia hinaufgehen, sondern den Lauf des
Flusses direkt durch die Thäler bei Beit el Maa verfolgen,
so bekommen wir in der beiläufigen Richtung von Nordost
nach Südwest von Antiochia zur Küste nachfolgenden schönen
Durchschnitt *.

Am östlichsten Rande der Ebene von Antiochia, die sich
in dieser Richtung gegen Aleppo hin erstreckt, erhebt sich
der Chalaka oder Amgúli Dágh, das Gebirge, welches die
Ebene des Orontes oder von Antiochia von der Hochebene
der Wüste trennt, auf der Aleppo liegt. Die Berge, welche
den Chalaka formiren, bilden die nördliche Fortsetzung der
niedern Bergketten von Armenas, und bestehen durchaus
und in einer ermüdenden Einförmigkeit aus dichtem, weissem Kalkstein, der sehr höhlenreich ist, an manchen Stellen
durch kieselige Beimengung einen hohen Grad von Härte
erlangt und dem Hippuritenkalke Griechenlands in seinem
ganzen Habitus auf das täuschendste ähnlich sieht. Der
Chalaka erhebt sich an seinen höchsten Punkten kaum über
1500 Fuss über das Meer, und die Oberfläche seiner Berge
ist in seiner ganzen Breite von 26 Stunden, mit Ausnahme

---

* Man sehe die Zeichnung unter den Durchschnitten zum I. Band.

einiger Hochebenen, wild, kahl, ein Gehäufe von Blöcken
oder eine vegetationslose Steinfläche, ganz ähnlich unserm
Karste zwischen Laibach und Triest. Die Schichten dieses
Kalksteins dürften vorherrschend von Nordost nach Südwest
streichen, ihr Fallen ist sehr verschieden, doch meist in
Südost unter circa 20°; überhaupt aber scheint ihr an-
fängliches Lagersystem manche Störung erlitten zu haben.
Versteinerungen war ich bei meiner zweimaligen Tour über
den Chalaka nicht so glücklich zu finden; doch glaube ich
diesen Kalkstein durch die Analogie mit gleichen Formen
am Dschebel Okrah und an mehreren Punkten des Orontes-
thales bestimmt als ein Glied der Kreidereihe ansehen und
ihn zu den untern, wenig Feuerstein führenden Ablagerungen derselben rechnen zu dürfen.

Der Chalaka bildet mehrere Plateau's, die sich terrassenartig, eins über das andere, von Westen nach Osten ansteigend erheben, und deren höchstes sich weiter nach Osten
sanft gegen die Hochebene von Aleppo verflacht. Auf diesen Plateau's, wo Winde und Regen, von denen besonders
erstere hier sehr heftig sind, die Anhäufung der Dammerde
nicht verhindern, herrscht die dem glücklichen Klima Syriens zustehende üppige Vegetation. Das höchste dieser
Plateau's auf der Route von Antiochia nach Aleppo ist das
von Deerhab.

Von der Ebene dieses Namens herabsteigend hat man
vorzüglich Gelegenheit, die Merkmale der grossen Revolutionen zu sehen, die diese Felsgebilde von Zeit zu Zeit erschütterten; Höhlen, Gebirgsbrüche, tiefe Spalten und ein
gänzliches Durcheinandergeworfenseyn der Schichten bieten
sich dem Auge häufig dar. Man befindet sich, wenn nicht
in einem vulkanischen, doch in einem vulkanisch-bewegten
Terrain, und ich erinnere in dieser Beziehung nur auf das
Erdbeben im J. 822, welches Antiochia und Aleppo total
verwüstete, und so stark war, dass sich in der Nähe von
Antiochia tiefe Spalten öffneten, aus denen sich heisses
Wasser ergoss und die sich später wieder schlossen. Einige
der angegebenen Störungen in den Schichten des Chalaka
können daher vielleicht ganz neuen Ursprungs seyn. Am

westlichen Fusse der Terrasse von Deerhab dehnt sich die
zweite von Bedeutung, die von Danna, aus. Diese Hochebene, unterbrochen von kahlen Hügelzügen, muss einst sehr
stark bevölkert gewesen seyn; denn sie ist im buchstäblichen Sinne des Wortes mit Ruinen bedeckt, die meist aus
der Zeit der Kreuzfahrer stammen. Dieses Plateau, rings
umschlossen von einem Kreise kahler Berge, ist eine fruchtbare und reichbebaute Ebene, von der man über einen starken Abfall und durch wüste, nicht tiefe Thäler, unmittelbar
auf die Ebene des Orontes oder von Antiochia hinabgelangt,
wo der Kreidekalk des Chalaka unter den die ganze Ebene
bildenden Tertiärgebilden und Süsswasserdiluvionen verschwindet. Der Orontes fliesst bei seiner grossen Wendung durch
Tertiärgebilde und Diluvium; wie man aber, von Aleppo kommend, die Brücke von Dschessr el Hadid passirt hat, steht
man wieder an den Ablagerungen der Kreide. Sie charakterisirt sich hier als ein dichter, gelblichweisser Kalkstein,
der stellenweise sehr von kieseliger Masse durchdrungen,
und ganz so wie in Griechenland, einen hornsteinartigen
Charakter annimmt. Sie zeichnet sich durch viele Einschlüsse
von Feuerstein aus und gehört also zur obern Reihe der
hiesigen Kreideablagerung. Dieser Kreidekalk zeigt in seinen obersten Straten eine mehr erdige Struktur, wird thonig und gewinnt ganz das Ansehen der gewöhnlichen, obern,
weissen Kreide. Er ist bedeckt von einer Breccie, die aus
Bruchstücken eben dieser obern Kreide, verbunden durch
ein ebenfalls kreideartiges Bindemittel, besteht, und die ich
zu der obersten Schicht der obern Kreide rechnend im Durchschnitte als Kreidebreccie bezeichnete. Die obere Kreide
zieht sich in kahlen, schroffen Felsengehängen, einen hohen
scharfen Kamm bildend, bis zum Festungsberge von Antiochia, der dieser Bildung angehört. Die Berge der obern
Kreide tragen auf ihren Rücken eine reiche Vegetation und
geben dadurch im Gegenhalte ihrer kahlen Felswände ein
sehr pittoreskes Bild. Die Schichten streichen östlich des
Dschebel Okrah von Nordost nach Südwest und verflachen sich
gegen Nordwest unter steilen Winkeln, die oft mehr als 50°
betragen. Sie richten sich also gegen den Hauptzug des

Kassius auf. Wo die obere Kreide kieselig wird, ist sie
arm an Versteinerungen, wo sie sich aber in ihrem Habitus
mehr der gewöhnlichen weissen Kreide nähert, dort umschliesst sie häufiger organische Reste. Unter den Pflan-
zenthieren, die einen grossen Theil dieser Einschlüsse bilden, sind es vorzüglich Bruchstücke von Apiocriniten und
Pentacriniten; zahllose Echinodermen und darunter Echino-
neus lampas DE LA B., Arten von Clypeaster und ein sehr
schöner Cidaris mit ganzem, wohlerhaltenen Schild, eine
vielleicht neue Species; ferner viele Gattungen von Tubi-
poren, darunter Species von Tavosites, unter denen alcyo-
nium DEFR. deutlich zu erkennen seyn dürfte *.

Die obere Kreide bei Antiochia enthält, wie schon er-
wähnt, sehr viel Feuersteine, theils in Nieren, theils auf
Nestern, aber nicht durch die Masse zerstreut, sondern in
Form grosser linsenartiger Körper vereint, die sich in einer
gewissen Richtung in gangartigen Zügen aneinanderreihen.
Diese Züge liegen dem Streichen der Schichten ganz pa-
rallel, zeigen am Festungsberge durchaus ein sehr steiles
Verflachen und wechseln in der Mächtigkeit von der einiger
Zolle bis zu der eines Fusses und darüber.

In dem Festungsgraben, gerade oberhalb der Stadt,
sieht man eine zwischen die Schichten der Kreide einge-
keilte Lagerstätte des Serpentins von beinahe 150 Klafter
Mächtigkeit zu Tage gehen. Der Serpentin selbst ist geschichtet, wenn ich mich dieses Ausdrucks bedienen darf,
und die Lagen streichen der Kreide conform von Nordost
gegen Südwest mit nordwestlichem Verflachen. In der Nähe
des Serpentins erscheint der Kalk grün gefärbt; es erscheinen sogar diallage Theilchen in ihm, und er geht förmlich
quasi durchdrungen von der Materie der Lagerstätte in das
Gestein über, das sie formirt. Die Schichten des Kalkes,
der den Serpentin begränzt, und die Gesteinslagen des Serpentins selbst sind in ihrer gegenwärtigen Anordnung äusserst

---

* Nähere Bestimmungen der mitgebrachten organischen Reste sind
erst vorzunehmen, und die Resultate derselben werden den Freunden
der Wissenschaft nicht entzogen; man bittet nur um Zeit und Geduld,
eine freundliche Hülfe wird nicht mangeln.

verworren und scheinen einen mächtigen Eindruck von Aussen
erlitten zu haben. Viele Asbestgänge setzen theils an den
Gränzen der Serpentinlagen, als sogenannte Gesteinsschei-
den, auf, theils durchsetzen sie selbige unter Winkeln
von 20° bis 30°, und treten in den Kalk über. Der Serpentin wird stellenweise dicht und gewinnt so auf den ersten
Blick fast das Ansehen von Basalt, ohne es jedoch zu seyn;
denn Basalt traf ich am Kassius nicht. Diese Serpentinbil-
dungen wiederholen sich, scheinen mit dem Kalke zu wechsellagern, was jedoch wirklich nicht der Fall ist, und werden
weiter westlich sowohl häufiger als auch mächtiger. Sie
bilden im Thale des Orontes bei Szanina ganze Berge und
verdrängen hie und da den Kalk fast ganz. Westlich von
Szanina treten im Serpentine, der die Masse der dortigen
Berge formirt, grosse Lager von Chromeisenstein auf, Stöcke
von grosser Mächtigkeit, aber in geringer Längenerstreckung.
In der Nähe dieses chromeisenführenden Serpentins, der
stellenweise einen Gabbro ähnlichen Habitus hat, ist der
Kalk schön bunt gefärbt und gestreift. Die Kreidebreccie,
welche auf dem Festungsberge von Antiochia die Kreide
bedeckt, eigentlich, wie ich glaube, die oberste Strate derselben bildet, führt viele Feuersteine, aber keine Versteinerungen.

In der Schlucht, durch welche der Weg von Antiochia
nach Latakia über ein bedeutendes Gebirgsjoch führt, sehen
wir den Serpentin und die Kreide, und zwar sowohl in der
Thalmulde selbst, als auf den Höhen der Berge, vom grauen,
tertiären Sandstein bedeckt, der dem von Armenas und dem
in der Thalebene von Antiochia ganz ähnlich und wahrscheinlich derselbe ist. An der Strasse findet man in diesem Sandsteine eine Menge seiner schon früher erwähnten
Versteinerungen, besonders viele Ostreen. Westlich von
Beit el Maa, am Wege nach Szanina, wo die Kreide an
mehreren Orten von Serpentin durchbrochen wird, stösst
man auf eine mächtige, ganze Bergmassen bildende Ablagerung eines grauen, mergeligen Kalksteins, der die Versteinerungen der Kreide in grosser Menge führt und also
ihrer Reihe angehören dürfte. Dieser Kalkstein geht nach

der Verschiedenheit des Mischungsverhältnisses seiner Bestandtheile bald in einen grauen Mergel, bald in einen gelblichbraunen Kalkstein über.

In der Masse dieses Mergelkalkes sezt östlich von Szanina ein sehr interessanter Gang auf. Er streicht aus Norden gegen Süden und durchsezt in einer Mächtigkeit von 1 Fuss und einem westlichen Verflächen von 60° die Gesteinsschichten unter einem Winkel von ungefähr 30°. Seine Ausfüllung besteht ganz aus unserm grauen tertiären Sandstein, der aber keine Versteinerungen führt. Wir haben also hier eine Ausfüllung, die unläugbar von oben stattgefunden hat.

Von Szanina an bis zur Stelle, wo der Orontes wieder die Berge des Kassius verlässt und in die Ebene von Suedie hervortritt, haben wir wieder den beständigen Wechsel des Kreidekalkes mit Serpentin. Lezterer ist das vorherrschende Gebilde und erhebt sich in ansehnlichen Bergen. Am Ausgange des engen Orontesthales in die Ebene sehen wir am rechten Thalgehänge wieder den versteinerungsreichen, grauen, mergeligen Kalk. Das Flussbett aber, so wie die untersten Theile des Gehänges zu beiden Seiten des Flusses bildet ein ganz eigenthümlicher Sandstein. Er wiederholt sich noch einmal weiter westlich am Fusse des Dschebel Okrah, ist aber daselbst von einer Ablagerung des tertiären Gypses bedeckt. Dieser Sandstein ist sehr eisenschüssig und hat eine rothe Farbe. Seine Lagerungsverhältnisse konnte ich nicht bestimmt ermitteln, doch glaube ich auch ihn den schon oft erwähnten tertiären Sandsteinen zurechnen zu dürfen. — Am linken Ufer des Orontes, am Fusse des Okrah, sieht man diesen Sandstein den Serpentin unmittelbar bedecken, der sich hier noch einmal erhebt und dann weiter gegen Westen ganz verschwindet.

Die Schlucht des Orontes macht an ihrem Ausgange in die Ebene eine sehr interessante Gränzlinie, zwischen der Streichungs- und Fallrichtung der Gesteinsschichten zu ihren beiden Seiten. Am rechten Ufer des Orontes streichen dieselben von Nordost gegen Südwest und fallen nach

Nordwest; am linken Ufer hingegen streichen sie von Nordwest gegen Südost und fallen nach Südwest; es hat folglich eine Wendung des Schichtensystems beinahe um einen rechten Winkel stattgehabt, wobei bei genauerer Beschauung eine Rutschung nicht zu verkennen seyn dürfte. Die Erklärung dieser Erscheinung finde ich schwierig und ich flüchte mich zu der Ansicht, dass diese Umänderung der Lage von dem nahen Dschebel Okrah ausgegangen sey, in welchem Falle man nothgedrungen die Annahme einer Erhebung zu Hülfe nehmen muss.

Die oben erwähnte Serpentinkuppe am linken Ufer des Orontes und am Fusse des Okrah, die lezte des Kassius

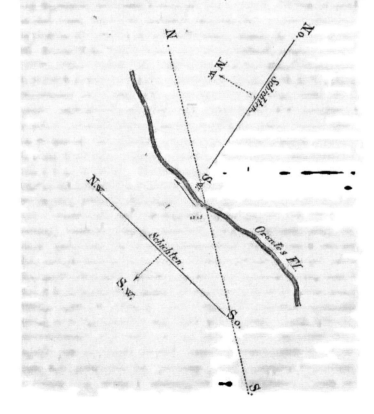

gegen Westen, gehört, was die Lage der Gesteinslagen des Serpentins betrifft, bereits zu dem Schichtensystem des linken Orontesufer; die Richtung des Streichens ist nämlich Nordwest bis Südost bei einem südwestlichen Fallen. Dieses System bleibt dasselbe bis zum Vorgebirge Possidi.

Dieser Serpentin am Okrah bildet Übergänge in einen grünen, serpentinartigen Kalkstein und wird von Kalkbildungen bedeckt, die als das Grundgestein des Okrah auftreten und von allen den früher erwähnten wesentlich verschieden sind. Zunächst liegt auf dem Serpentin ein gelblichweisser Kalkstein von körnigem Gefüge; darauf folgt ein weisser dichter Kalkstein, beide ohne Versteinerungen. Darauf endlich folgt wieder unsere Feuerstein führende und Versteinerungen enthaltende Kreide, die hier sehr kieselhaltig ist und einen hornsteinartigen Charakter annimmt. Weiter gegen Westen, aber in einem höher gelegenen Horizonte, trifft man die erst erwähnten beiden Kalksteine neuerdings, und auch hier werden sie wieder von der Kreide in ihrer bisherigen Form bedeckt. Da man die eigentliche Grundlage des Serpentins, auf dem die erwähnten beiden versteinerungslosen Kalke aufliegen, nicht kennt, so ist es schwer, etwas darüber zu sagen. Sollten sie vielleicht als Stellvertreter der untern, harten, feuersteinlosen Kreide zu betrachten seyn? Diese beiden Kalke sowohl als die darüberliegende Kreide werden am obern Gehänge des Okrah und östlich von dem daselbst liegenden Kloster von einem 1,5 Fuss mächtigen Gange durchsezt, der fast seiger steht, mit den Schichten von Nordwest gegen Südost streicht und sie ihres flachen Fallens wegen, da ihr Verflächen kaum mehr als 35° beträgt, beinahe rechtwinklich durchsezt. Die Masse dieses Ganges besteht aus einem Konglomerate, das, durch die Trümmer und scharfeckigen Bruchstücke der umliegenden Gesteine verbunden, durch ein kalkiges Cäment gebildet wird. Wir haben also hier neuerdings eine Gangausfüllung von oben. Von da an bildet die feuersteinführende, grösstentheils kieselige Kreide nicht nur die Hauptmasse des ganzen Okrah, sondern sie erstreckt sich auch bis zur Meeresküste am Vorgebirge Possidi und steigt zu

29 *

den höchsten Gipfeln der umliegenden Berge empor. In den tiefen Thälern des Okrah an seinem südöstlichen Abhange fanden Herr Pruckner und seine Begleiter grosse Anhäufungen von Geröllen, die zum Theil aus Hornstein, Brauneisenstein und chloritischen Gesteinen bestehen, die sichersten Kennzeichen, dass dergleichen Lagerstätten sich im Bereiche des Okrah finden.

Wir wenden uns nun wieder an den Anfangspunkt unsers so eben gegebenen Durchschnittes, gehen aber noch etwas mehr östlich bis Aleppo. Diese Stadt liegt auf einer grossen Hochebene der syrischen Wüste, el Awassem genannt, die sich bis zu dem 14 Stunden in gerader Richtung östlich entfernten Euphrat erstreckt. Wenn man sich aber von Aleppo nach Westen auf der Strasse nach Antiochia wendet, so bemerkt man sogleich ein starkes Ansteigen des Terrains und gelangt schon dicht vor Aleppo auf ein Plateau, welches so wie die ganze Umgebung aus Tertärbildungen besteht, die durch vulkanische Gesteine getrennt sind. Der Boden ist Wüste, entweder im vollendeten Sinne des Wortes oder er ist eine weite, wasserarme Grasfläche, eine Art Savanne, deren nördlichster Theil kultivirt ist. Am westlichen Rande dieses Plateau's erhebt sich der Chalaka, man gelangt über eine zweite, höhere Terrasse auf die Hochebene von Deerhab, das Terrain, von dem wir bei unserm vorigen Durchschnitte ausgegangen waren.

Die nächste Umgebung von Aleppo ist also der Gegenstand unserer gegenwärtigen Betrachtung*.

Die oberste Ablagerung der dortigen Tertiärformation bildet ausgezeichneter Grobkalk, ähnlich dem des Dschebel Mussa bei Suedie und, mit Ausnahme einiger differenter organischer Reste, ähnlich dem von Egypten. Sehr klar spricht sich seine Schichtung nicht aus, doch scheinen die Straten im Ganzen horizontal zu liegen und nur eine geringe Neigung in West zu haben. Er ist stellenweise sehr reich an Versteinerungen, hat ein meist erdiges Gefüge und eine weisse, gelblichweisse Farbe. Er enthält auf Lagern und als Kluftausfüllung sehr viel faserigen Gyps. Die unmittelbare

* Man sehe die Zeichnung unter den Durchschnitten zum I. Bande.

Grundlage dieses Grobkalkes bilden Thon und Lehm. Der Thon ist grau, meist sehr sandig, so dass er stellenweise in einen förmlichen Sandstein übergeht, deutlich und dünn geschichtet und seine Straten liegen fast ganz horizontal. Er wechsellagert mit dem 3 bis 4 Zoll mächtigen, weissen und schmierigen Lehm. Der dem Thone aufliegende Grobkalk entwickelt sich in einer Mächtigkeit von 5 bis 6 Klaftern. Der Thon, wechselnd mit dem Lehm, ist in Wasserrissen auf 9 bis 10 Fuss Tiefe entblösst und lässt keine tiefere Unterlage wahrnehmen. Die hypothetische Grundlage der ganzen Formation dürfte wohl die Kreide des nahen Chalaka seyn. Die einzelnen Lagen dieses Thons wechseln in einer Mächtigkeit von 3 und 4 Zoll bis zu 5 Fuss. Häufig ist der Thon von Klüften durchzogen, in die der aufliegende Grobkalk als Ausfüllung eingedrungen ist.

Dieser Thon muss sehr von der thonigen Masse unterschieden werden, welche durch gänzliche Verwitterung und Auflösung der vulkanischen Gebilde entsteht, von denen wir gleich sprechen werden, und die schon dadurch zu erkennen ist, dass sie Feldspathkrystalle eingeschlossen enthält, die ihr sehr oft selbst ein porphyrartiges Ansehen geben. Das interessanteste Felsgebilde dieses Terrains jedoch ist eine ihrem ganzen Habitus nach vulkanische Masse, welche theils das Tertiär-Gebilde bedeckt, theils zwischen demselben hervortritt und die Vertiefungen der Bodenfläche erfüllt. Die Natur dieser Felsbildung hinsichtlich ihrer Bestandtheile ist eine sehr verschiedene; sie besteht grösstentheils aus einem basaltischen Gesteine, eine Grundmasse von Feldspath und Augit, die Bestandtheile theils doleritisch auseinandertretend, theils aufs innigste gemengt. Olivine konnte ich nicht entdecken. An manchen Stellen entwickelt die Masse eine ausgezeichnete Porphyrstruktur und kann als Augit-Porphyr angesprochen werden; an andern zeigt sie ganz den Bau der Mandelsteine, wird porös, blasig, die Räume mit Zeolith und Kalkspath ausgefüllt; wieder an andern Punkten nimmt sie Diallage auf und gleicht mehr einem ganz dichten Serpentine. Mit den Porphyren erscheint als zufälliger Gemengtheil auch glasiger Feldspath, das

Gestein wird trachytisch und enthält in kleinen Partikelchen Kupferkies und Eisenkies eingesprengt, was zu der Behauptung Anlass gegeben haben mag, dass in der Nähe von Aleppo Kupfererze brechen.

Wo diese vulkanische Masse in Berührung mit dem Thone steht, sieht er wie eine gebrannte, schlechte Ziegelmasse aus und hat an Festigkeit bedeutend gewonnen. Auf der Strasse von Aleppo nach Antiochia sieht man an zwei Stellen sehr deutlich, dass der Grobkalk auf der vulkanischen Masse liegt, dass dieselbe also zwischen ihm und dem Thon hervorgebrochen ist, oder sich früher auf dem Thone abgelagert hatte und später erst vom Grobkalke bedeckt wurde. Lezteres ist um so ·mehr das Wahrscheinlichere, da im Ganzen die Schichtung des Grobkalkes keine Störung erlitten zu haben scheint, die doch bei einem gewaltsamen Durchbruche hätte statt finden müssen; auch ist der Grobkalk an der Berührungsfläche mit dem vulkanischen Gestein bei weitem nicht in dem Maase verändert, wie der Thon. Auffallend aber ist, wie die Figur zeigt, das Eindringen der

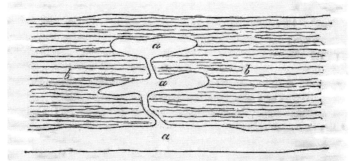

basaltischen Masse a in den Grobkalk b selbst, eine Erscheinung, die man auf dem Wege nach Antiochia und ganz nahe an Aleppo beobachten kann, und die, wenn sie nicht das Resultat einer nachfolgenden Aufblähung ·les vulkanischen Gesteins ist, offenbar auf ein Eindringen desselben zwischen Thon und Grobkalk hindeuten würde. In der Nähe dieses Punktes trifft man auch tiefe Erdspalten,

wahrscheinlich in Folge heftiger Erdbeben, die hier häufig
sind. So öffnete sich im 11. Jahrhunderte während eines
fürchterlichen Erdbebens in der Nähe von Aleppo die Erde
an mehreren Stellen und warf Flammen aus. So wurde
am 13. August 1822 in der Nacht und dann durch die 40 Tage
fortdauernden wiederholten Stösse Aleppo vom Grunde aus
zerstört. Die Spuren dieser furchtbaren Katastrophe liegen
noch heut zu Tage vor Augen. Bei lezterm Erdbeben war
es interessant, dass fast alle Stösse perpendikulär geschahen,
was die zerstörenden Folgen höher potenzirte, da die Gebäude förmlich in die Höhe geworfen wurden und in sich
selbst zerfielen, was vielleicht auch ein Beweis der
Nähe des, wenn auch tief liegenden, vulkanischen Herdes
seyn dürfte. In Berührung mit dem Grobkalke zeigt die
vulkanische Masse sich stark zersetzt und in einen förmlichen
Thon zum Theil aufgelöst, was wieder auf ein Vorhandenseyn vor der Ablagerung des Grobkalkes hindeuten dürfte.

Die grossen Stücke sandigen Thones und Grobkalkes,
die die vulkanische Masse selbst umschliesst, die sie in
sich eingewickelt hat, dürften vielleicht aus tiefern Ablagerungen abstammen; denn wahrscheinlich wechselt auch hier,
wie am Dschebel Mussa der Grobkalk mehrmals mit Thon
und Sandstein. Von einem Eruptions-Kegel oder von einem
Krater ist in jener Gegend nichts zu sehen, das Hervor-
dringen der vulkanischen Masse scheint vielmehr aus einer
grossen Spalte der ersten Terrasse, westlich von Aleppo,
und zwar an mehreren Punkten, erfolgt zu seyn.

Wenn wir uns von Aleppo in der Richtung des Euphrat-
Laufes nordöstlich gegen die Grenzgebirge Syriens wenden,
so treffen wir zuerst, wenn wir die grosse Ebene el Awassem verlassen und den Sedsch-su passirt haben, das
Hügelland von Nissib. Die Gegend von Nissib gegen Aintab ist ein kahles Land, voll niederer, runder Hügel
mit tiefen Thal-Einschnitten. Der Haupttypus in geognostischer Beziehung ist das Vorkommen der obern Glieder der
Kreidereihe mit Durchbrüchen von krystallinischen Felsgebilden, meist Feldspath und Augitgesteinen. So bestehen
die Hügel bei Nissib (berühmt durch seine Olivenwälder und

durch die Schlacht zwischen Ibrahim-Pascha und Hafis-
Pascha), nördwestlich von Bir am Euphrat, aus gelbem,
schiefrigem Kreidekalk, dessen Schichten häufig in ganz
entgegengesezter Richtung fallen. So sehen wir sie in den
Schluchten westlich von Tel Balkis in Nordwest, in dem
Thale von Kersin aber in Südost verflächen, eine ähnliche
Erscheinung wie zwischen Szanina und Suedie am untern
Orontes. In dem Thale von Kersin ist die Kreide sehr
thonig, und die rundlichen Hügel, welche sie formirt, sind
an manchen Stellen, wie z. B. bei Ras-hild, mit Kreidebreccie bedeckt.

Im Kaffer Dagh, der Gebirgskette, welche sich von Nissib
gegen Aintab hinzieht und ein südlicher Ausläufer des
Giaur Dagh, des Grenzgebirges zwischen Syrien und Cy-
licien, ist, bildet die harte, kieselige Kreide die vorherrschende Felsablagerung. Sie überlagert die weiche, gelb-
liche Kreide, bildet kahle sehr schroffe Klippen und Wände
und enthält Arten von Konus, Pecten und Ostraea.

So gehören auch alle die niedern Berge um Aintab
der Reihe der obern Kreide an, deren oberste. Schichten,
welche auf der gelben Kreide von Nissib liegen und parallel
der harten, kieseligen Kreide stehen dürften, eine weisse
Farbe, ein erdiges Gefüge im Kleinen, im Grossen aber
eine schiefrige und in Platten spaltbare Struktur besitzen.
In dieser Formation befinden sich viele Höhlen, deren oberste
Wände und Decken mit grossen Crinoideen bedeckt sind.
Diese Fels-Bildung ist häufig von tiefen Spalten durchzogen,
deren Ausfüllung theils Feuerstein, theils Thoneisenstein
bildet.

Westlich von Aintab trifft man bei Karák Weyú zuerst
die krystallinischen Felsgebilde. Sie durchbrechen die
Kreide in runden isolirten Hügeln, die sich nach Nord und
Süd erstrecken und aus basaltischen und angitischen Gesteinen
bestehen, in den Formen, wie wir sie bei Aleppo sahen.
Die schiefrige Kreide, welche diese krystallinischen Gebilde
umgibt, ist sehr hart, die Thäler derselben durchschneiden
sich fast unter rechten Winkeln, werden enger und die
Gehänge derselben steiler. Zu Kawis treten die erwähnten

abnormen Gesteine neuerdings auf, wiederholen sich in kurzen Zwischenräumen, bis sie endlich ein paar Stunden westlich von Kilis die Kreideformation ganz verdrängen und die allein herrschende Felsbildung sind. Bei Kilis selbst lagern sie sich sowohl auf die Kreide, als dringen zwischen die Schichten derselben ein. Sie scheinen also mit ihr zu wechsellagern, kurz, spielen ganz dieselbe Rolle, wie der Serpentin im Thale des Orontes. Die Basalte sind nach Ainsworth die vorherrschende Bildung dieser .abnormen Gesteine bei Kilis. Ohne Zweifel jedoch, da er sich nebstbei, nach Art und Weise einiger englischer Geognosten, nur des sehr allgemeinen Namens Trap bedient, sind augitische Gesteine, z. B. Porphyre mit Augitmasse, Dolerite etc. daselbst nicht minder vorherrschend, als wirkliche Basalte. Die Massen dieser Felsbildungen zeigen im Grossen häufig Neigung zu der ihnen eigenthümlichen säulenförmigen Struktur, sind aber doch meist nur in grosse, rundliche Körper abgesondert. Unter diesen Feldspath- und Augitgesteinen liegt bei Kilis die Kreide, an den Berührungsflächen etwas umgeändert, nämlich wie gebrannt und zugleich mit den krystallinischen Gesteinen in Nord einschiessend. Unter der Kreide treten leztere wieder auf, aber zugleich mit kalkhaltigem Schalstein und mit Porzellan-Jaspis, welche in die Kreide selbst eindringen. Wo diess geschieht, ist sie grünlichgelb gefärbt, hat den Habitus eines thonigen Kalkes, ist dicht und hart und 'gibt einen prächtigen Baustein ab.

Am Fusse der Hügel von Kilis und zwar gegen Süden und Südwesten ist die ganze Ebene durch eine sehr ausgebreitete Formation des Schalsteins, eine Art Wacke von dioritischer Grundmasse und sehr kalkhaltig, gebildet, welche, je nachdem sie mehr oder' weniger nahe an diesen Hügeln liegt, auch einen sehr verschiedenen Habitus zeigt. So sehen wir sie in der Nähe als ein rothes eisenschüssiges Gestein auftreten, welches auf den Bruchflächen einen glasigen Überzug von Brauneisenstein wahrnehmen lässt und eine Menge von Kalkspathnieren enthält, welche in sehr verschiedener Quantität in der Masse vertheilt sind und deren Grösse von der einer Erbse bis zu der eines Hühnereies wechselt. Diese

Nieren findet man auch in dem Schalstein, der die entferntern Theile der Ebene bildet. Diese merkwürdige Wacken-Formation liegt auf Kalken, die jünger zu seyn scheinen als die Kreide. Die Formation der obern Kreide behauptet übrigens die Ebene westlich von Bir am Euphrat bis zum Sedsch-Su oder Seschur, wie Einige schreiben. Daselbst wird sie von einem Kalk-Konglomerate bedeckt, welches in Westen verflächt und wahrscheinlich der Kalkbreccie am Orontes parallel steht, die ich als oberste Strate der obern Kreide ansehe und welches hier die Kreide von Nissib von der sehr ausgedehnten Grobkalkbildung trennt, welche die ganze Ebene des nördlichen Syriens bis zum Chalaka, Aleppo und längs dem Euphrat bildet, meist kultivirt werden könnte, zum Theil auch ist und nach Thomsons Messung sich im Mittel zu 1300 Fuss über das Meer erhebt. Dieser Grobkalk ist sehr reich an Versteinerungen und enthält besonders Arten von: Conus, Voluta, Ostraea, Cardium, Cytherea, Lucina, Cerithium, Fusus, Pyrula etc. Westlich dieser Grobkalkbildung und am rechten Ufer des Kueik oder Chalus erhebt sich unterhalb Assass, südlich von Kilis, die obere Kreide neuerdings und zwar als unser früher erwähnter Konniten-Kalk. Er bildet einen Zug von niedern, massigen Bergen wie Aufblähungen, die sich aus Norden in Süden erstrecken und sich zu ungefähr 500 Fuss über die Ebene erheben. In der südlichen Ausdehnung geht dieser Konniten-Kalk in die obere, harte, kieselige Kreide mit Feuersteinen über. Dieser Zug hat in seiner nördlichen Fortsetzung den Namen Lelin Dagh und verbindet sich mit dem Dschebel Schich und Dschebel Saffjun, gegen Süden hingegen bildet er den Dschebel Semann, den Monte Simone bei Schech Barakat, den ganzen Chalaka oder Amguli Dagh und sezt bis Armenas fort, wo wir dieses Kalksteins zuerst erwähnt haben. In den Thälern bei Basul und nördlich von Gindáris, nordwestlich von Assás, sehen wir diesen Kalkstein wieder von Feldspath-, Augit- und Wacken-Gesteinen durchbrochen und verändert.

Das Thal des Affrin, der bei Basul und Gindáris etwa 500 Fuss über dem Meere vorüberfliesst, ist von dem des

Kara-Su (Koros, Schwarzwasser) durch den Dschebel Schich getrennt, ein in seinen Formen höchst einförmiger Kreide-Zug, der an seinem Fusse an mehreren Stellen von Feldspath und Augit-Gesteinen durchbrochen ist, unter denen zwischen Assáss und Kara-Su sich an mehreren Orten ein Porphyr auszeichnet, der eine fleischrothe und graue Feldspath-Grundmasse mit Krystallen von grüner Hornblende und Uralit besizt. Verwandte Bildungen erscheinen bei Murad Pascha in der westlich vorliegenden Ebene und südlich bei el Hamam in der Ebene des untern Affrin, der sich in den See von Antiochia, el Bochaire, ergiesst. Das Gestein bei el Hamam (warme Quelle) ist Augit-Porphyr, eine blaulich-graue, matte Grundmasse mit Augit-Krystallen. Das Gestein von Gul Baschi oder Murad Pascha aber ist Basalt. Eine ähnliche Grundmasse mit Olivin-Krystallen, mit Krysolith und lichtbraunen Granaten. Stellenweise wird das Gestein sehr dunkelfarbig, eisenschüssig, blasig, geht in Mandelstein über und gewinnt zum Theil ein Ansehen wie gewöhnliche Lava.

Bei el Hamam, wie schon der Name sagt, entspringen aus dem Augit-Porphyr warme Quellen. Man zählt deren vier, die sammt und sonders erst in neuerer Zeit in Folge von Erdbeben sollen hervorgetreten seyn. Ibrahim-Pascha liess daselbst, wie bei der heissen Quelle am See von Taberieh, ein Badhaus errichten. Die Quelle, welche beim lezten Erdbeben hervorgebrochen seyn soll, hat eine Temperatur von 99,5° Fahrenh. und beherbergt Konferven, Frösche und Schildkröten *. Eine zweite, ältere Quelle zeigt 98,7° Fahrenh. und entwickelt viel Schwefelwasserstoff. Eine dritte hat eine Temperatur von 98° und eine vierte von 77° Fahrenh. Nach Réaum. Skala sind diese Temperaturen nach der gegebenen Reihe $= 30°; 29,64°; 29,33°; 20°$. Beide leztere ohne sichtbare Gas-Exhalationen. Diese warmen Quellen liegen ungefähr 400 Fuss über dem Meere.

Wenn wir den Lauf des Affrin nach aufwärts verfolgen,

---

* Ainsworth's Angaben sind natürlich so zu deuten, dass diese Thiere in dem Thermal-Wasser leben, aber nicht dass sie mit der Quelle zu Tage treten.

so treffen wir westlich von Kilis, wie schon erwähnt, die obere harte Kreide von vulkanischen Trümmergesteinen und kalkhaltigen Wacken durchbrochen. Die Gesteine fallen im Durchschnitt hier nach Südosten ein. Ungefähr 3 Stunden westlich von Kilis ist die Kreide von Ostraciten-Sandstein bedeckt, ein Parallelgebilde unseres tertiären Sandsteins aus der Grobkalk-Gruppe des Dschebel Mussa bei Suedie. Die Schichten desselben haben sehr geringe Mächtigkeit und verflächen mit ungefähr 7° nach Südosten. Der Sandstein ist thonig-quarzig, grobkörnig und leicht zerreiblich und dehnt sich in zwei Reihen niederer Hügel längs dem Ufer des Affrin aus.

Jenseits des Affrin, an seinem rechten Ufer, tritt die Kreide wieder hervor und bildet ein hügeliges, nicht unfruchtbares Land, das von tiefen Thälern und Schluchten durchzogen ist, in welchen man die Schichten der Kreide meist in Südost verflächen sieht. Dieses subalpinische Terrain ist durchaus mit Eichen-Wäldern bedeckt, und wenn man dasselbe in der Richtung gegen das Thal des Kara-Su durchkreuzt, findet man, dass die Kreide ihren Charakter ändert. Sie wird zwischen den Dörfern Karkin und Kursisli thonig, nimmt einen schieferigen Charakter an, wird stellenweise sehr anthrazitisch, einem dunkelfarbigen Thonschiefer ähnlich und enthält Gänge von Feuerstein und lydischen Stein. Es ist eine Formation, dem Macigno Italiens ähnlich, der den Gliedern der untern Kreide-Reihe angehört. Die Berge bei Kursisli bestehen aus thonigem Kalkstein, der von einem dichten, festen Kalkstein bedeckt wird. In den Niederungen bei Raju Köi liegt ein kleiner See und ist sumpfiges Land, das zum Reisanbau kultivirt wird.

Das Thal des Kara-Su trennt das Flussgebiet des Affrin, welches wir so eben betrachtet haben, von dem nordwestlichen Ende des Jawur Dagh oder Giaur Dagh, von dem Amanus, Alma oder Akma Dagh, der Syrien von Cilicien scheidet. In der Breite von Raju-Köi sehen wir im Thale des Kara-Su die Feldspath- und Augit-Gesteine wieder zu Tage gehen. Der Fluss trennt sie von den Ablagerungen des thonigen Kalksteins, die gegenüber bei Kara Baba einige Hügel konstituiren. Die ausgedehnte Formation dieser massigen, abnormen Felsgebilde, welche dieses ganze Terrain bilden, erhebt sich keineswegs zu hohen Bergen, sondern stellt vielmehr eine weite Hochebene dar.

Wir sehen hier wieder den Basalt von Murad-Pascha mit einer lichten, bläulichen Grundmasse, mandelsteinartig, von Blasen durchzogen, mit Olivin, Chrysolith und braunen Granaten. Die vorherrschende Natur dieses Basaltes war ursprünglich amorph, und wir haben es hier mit wirklichen Strömen zu thun, welche überflossen und sich in mächtigen Lagen ausbreiteten oder in unregelmässigen Hügelzügen erhoben. Die zunächst folgende Struktur war erst die der regelrechten Anordnung, die Annäherung zur regulären polyedrischen Form; meiner Ansicht nach stets ein gewisser Akt von Krystallisation und nicht bloss einer rein mechanischen Absonderung, welche leztere auf Säulenbildung des Basaltes, auf die prismatische Trennung vieler Trachyte etc. durchaus nicht jene Anwendung hat, die man ihr häufig gab. Hier ist nichts Zufälliges, Alles ist gesetzlich und nur Gesetzliches liegt zu Grund. Ob die Anordnung der Theile aus dem flüssigen oder aus dem festen Zustande geschah, das stört, glaube ich, den wahren Begriff von Krystallisation nicht. Die Oberfläche der Ebene, welche dieser Basalt erfüllt, ist in jeder Richtung polyedrisch so getheilt, dass sie das Ansehen eines gewürfelten Pflasters hat, eigentlich aber ein System von senkrecht stehenden Prismen ist. Die ganze Erscheinung ist hier wirklich höchst überraschend. Eine dritte Art der Struktur dieser Basalt-Massen ist die konzentrisch-schalige. Auch sie ist hier gar nicht selten und auch wieder offenbar nicht eine blosse kugelige Absonderung oder das zufällige Vorkommen solcher kugeligen Massen, umgeben von konzentrischen Lagen, sondern sie ist das Resultat des allgemeinen Bestrebens der Basalt-Masse, ihre integrirenden Bestand-Theile in polyedrischen Körpern von unendlich vielen Seiten, d. h. in Kugeln anzuordnen, worauf auch das Vorkommen der grossen kreisrunden Höhlungen in dieser Formation hindeutet. Die konzentrischen Lagen wiederholen sich in bedeutenden räumlichen Verhältnissen, die Vollkommenheit ihrer Form aber ist nicht nur durch wellenförmige Ablösungsflächen, sondern auch durch Gänge von Basalt und Reihen unvollkommen ausgebildeter Säulen unterbrochen, leztere haben meist eine geringe Neigung in Nordwest. An einigen Stellen bildet die Ebene eine blasige, konvexe Oberfläche, die aber in der Richtung der Achse ihrer grössten Konvexität zerborsten ist und Klüfte von verschiedener Ausdehnung bildet. Sehr interessant ist das Vorkommen von welligen, flachgerundeten Hügeln, die isolirt sich auf dieser Basaltebene von 500 zu 800 Fuss Höhe erheben. Diese Hügel bestehen aus Diallage-Felsen, Euphoditen, Serpentinen und Talkschiefer, die sich aber in einem sehr aufgelösten Zustande befinden. Meiner Ansicht nach sind diese Gesteine das vielleicht mit emporgehobene Grundgebirge dieses vulkanischen Terrains, was wohl auch das Materiale zur Bildung der Basalte abgegeben haben dürfte.

Diese Formation trennt sich südlicher vom Amanus durch die schöne, fruchtbare Ebene von Chateli, tritt aber an der Bergkette beim Dorfe Ada Burum wieder auf, nur unter andern Formen. Der Basalt ist kieselig und begleitet von Quarzfelsen, er tritt zum Theil in seigern Gängen in einer Art Wacke auf und seine Blasenräume sind mit Chalcedon erfüllt.

Wir wenden uns nun wieder nordwestlich und zwar zum Amanus oder Akma Dagh.

Dieses Gebirge erhebt sich im innersten Theile des Golfes von Alexandrette oder Skanderun unmittelbar vom Meere auf und erstreckt sich anfänglich als Akma Dagh, dann als Dschebel Beilan und Dschebel Mussa aus NO. in SW. bis an den Orontes, ein Gebirgszug, den die Alten mit dem generellen Namen Amanus bezeichneten und der westlich vom Meere, östlich von der Ebene von Antiochia, von der Ebene von Chateli und dem Kara-Su begränzt wird. An seinem nördlichsten Ende, wo der Meerbusen von Alexandrette mit den Gränzen Ciliciens und Syriens zusammenstösst, trifft der Akma Dagh mit dem Jawur oder Giaur Dagh, d. i. mit der Hauptkette, mit dem Rhosus der Alten, zusammen. Lezteres Gebirge erstreckt sich dem erstern fast ins Kreuz aus Westen in Osten, in seiner ganzen Strecke die Gränze zwischen Syrien und Cilicien, oder zwischen den Paschaliken Adana und Marasch nordwärts, Aleppo und Orfa südwärts bildend. Auch er tritt, wie wir schon gesehen haben, unter verschiedenen Namen nach den verschiedenen Lokalitäten auf. Dem Namen nach, wie Ainsworth, dessen Angaben überhaupt den Charakter der Wahrheit in hohem Grade an sich tragen, sehr richtig bemerkt, sind beide Bergketten, der Jawur Dagh und Akma Dagh, durch den Pass von Beilan getrennt, aber in der Wirklichkeit nicht; denn sie bilden eine ununterbrochene Kette in dem Sinne, dass der Akma Dagh als ein südlicher Ausläufer des Giaur Dagh sich darstellt.

Die Berge des Akma Dagh, besonders die an seinem nördlichen Ende und die des Dschebel Beilan, erheben sich zu weit bedeutenderen Höhen als die des Giaur Dagh. Leztere steigen zu kaum mehr denn 5000 englische Fuss, erstere aber zu nahe an 6000 englische Fuss Meereshöhe an. Nach Barometer-Messungen hat

der Pass von Beilan	1584
die Ruinen einer christlichen Kirche in der Region von Valonea und Quercus aegilops nebst andern Eichen	2698
Dorf Kurtln	4068
der Gipfel des Beilan . . . . : . . .	5337

englische Fuss Meereshöhe.

Die Gipfel des Jawur oder Giaur Dagh sind ausgezeichnet scharf und nadelförmig, zackig wie eine Säge, wechselnd mit grossen Massen ohne besondern Ausdruck der Form, mit gerundeten Umrissen. Der Akma Dagh hingegen hat vorherrschend mehr gerundete Berge und zwar besonders an seiner östlichen Seite, während er an seinem westlichen Gehänge gegen die See zu mehr den Charakter des Jawur Dagh, wie er gerade dargestellt wurde, annimmt. So ist er am Dschebel Kaiserik oder Kaiserik Dagh, der Theil des Akma Dagh am Golf von Skanderun, nicht minder zackig und phantastisch zerrissen, als der Jawur Dagh.

Das südwestlichste Ende des Akma Dagh, oder eigentlich der ganzen Kette des Amanus, bildet der, uns zum Theil schon bekannte, Mussa Dagh oder Dschebel Mussa, nördlich von Suedie im Flussgebiete des Orontes. Der Hauptstock des Dschebel Mussa, der sich weiter nördlich gegen Beilan zu mit dem Dschebel Beilan verbindet, besteht aus krystallinischen und massigen Gesteinen, aus Talk und Chloritschiefer, Quarz - Schiefer, Euphodit und Serpentin, Glimmerschiefer, Feldspath- und Augit-Gesteinen, zum Theil mit trachytischem Charakter, bedeckt von Kalksteinen der Kreidereihe und von tertiären Bildungen. Leztere treten besonders an seinem südwestlichen Ende, wo er als Dschebel Siman das Hügelland bei Suedie bildet, ausgezeichnet hervor und ziehen sich am Rande der Ebene bis zur Küste hin, den grössten Theil seines südlichen Gehänges bildend. Das durch die Ruinen und die in Felsen ausgearbeitete Nekropolis von Seleucia Pieria bekannte senkrechte Felsgehänge am südlichen Theile des Mussa Dagh gehört in das Gebiet der obern Kreide und besteht zum Theil aus hartem Kalkstein. Ich habe dieser Tertiär - Gebilde schon früher ausführlich gedacht und meine Darstellung mit einem Durchschnitte belegt, ich wende mich daher jezt mehr zur Hauptmasse dieses Gebirges und seiner nördlichen Fortsetzung, mich dabei vorzüglich auf Ainsworths Angaben und die Untersuchungen meines Adjunkten Pruckner stützend, der mit Ibrahim-Pascha zusammen die Landreise von Antiochia über Beilan, Alexandrette und Baias nach Adana machte, während ich die Expedition zur See an die Küste von Karamanien führte.

Der Glimmerschiefer ist eine der im ganzen Amanus seltener vorkommenden Felsarten. Er bildet vorzüglich die Centralmassen der ausgedehnten Ablagerungen von Serpentin und andern Diallage-Gesteinen, zum Theil in dieselben selbst übergehend.

'Ainsworth will überhaupt die interessante Beobachtung gemacht haben, dass in unserm Terrain Felsgebilde mit vorherrschendem Thonerde-Silikat, so z. B. Feldspathgesteine, Thonschiefer u. s. w. sich vorherrschend als Basis jener

Bergketten entwickeln, die aus Phonolit, Thonstein, Thonschiefer, Wacke und Porphyren bestehen; eine Erscheinung,
die wir auch in England an den Pentland- und Cheviot-
Bergen beobachten. Fels-Arten hingegen mit vorherrschendem Bittererde-Silikate bilden meist die Basis von Ablagerungen des Euphotids, Serpentins, Talkschiefers und verschiedener Diallage-Gesteine. Alle die lezteren Felsbildungen sind in der Kette des Amanus die vorherrschendsten.
Die Diallage-Gesteine bestehen meist in einem Gemenge von
Diallage-Krystallen, theils von metallischem Ansehen, theils
grün gefärbt. Mit den Serpentinen trifft man den Ophiolit gar
nicht selten, und sehr häufig zeigt sich eine ganz eigenthümliche
Varietät des Serpentins, die einen porphyrartigen Charakter an
sich trägt. Es ist eine ganz dichte und homogene Serpentin-
Masse, welche zerstreute Krystalle von Diallage enthält. Die
als Geschiebe in den Geröllen der Bäche dieses Gebirgszuges
vorkommenden Stücke von Hornblende, Syenit, Heliotrop,
Jaspis, Ophicalcit Brongniart, Quarz etc. gehören Lagerstätten
an, die dem Gebiete des Euphotids und Serpentins untergeordnet erscheinen.

Alle diese Gebilde lassen, je nach ihren verschiedenen
örtlichen Verhältnissen und Beziehungen, unter sich höchst
interessante Veränderungen und Umwandlungen wahrnehmen.
So sehen wir die Serpentine in Thonschiefer und Talkschiefer
übergehen. Leztere werden anthrazitisch. So sehen wir am
Dschebel Kaiserik beiläufig 5000 Fuss über dem Meere Lagerstätten von Anthrazit und Pechstein. Nicht minder merkwürdig
ist der Übergang dieser Serpentine durch Vorwalten des Thon-
erde-Silikates in Thonschiefer und aus diesen in Sandsteine.
die den Charakter der Tertiär-Zeit an sich tragen. Diess
sehen wir z. B. in der tiefen Schlucht an der Stadt Beilan
in dem Passe desselben Namens. Der Serpentin geht in
Thonschiefer über, der von Kalkspath-Gängen durchsezt ist,
darauf liegt dasselbe Gestein, nur hat es Glimmer in seine
Masse aufgenommen, und dieses geht, durch Zersetzung
auf mechanischem Wege, in einen grobkörnigen, thonigen
Sandstein über. Geschah nun diese Zersetzung submarinisch
oder unter der Bedeckung von Süsswassermassen, so ist es

in jedem dieser Fälle erklärlich, dass ein solcher Sandstein, immerhin ein reines Lokalgebilde, alle Merkmale einer tertiären Formation, organische Reste nicht ausschliessend, darlegen kann, ohne den bestehenden und durch Erfahrung festgestellten Ansichten zu widerstreiten.

Die Thonschiefer sind in Begleitung des Talkschiefers von einer licht-schmutziggrünen Färbung, dort aber, wo leztere anthrazitisch werden, nehmen sie eine dunkle, meist schwarze Farbe an. Wo diese Gebilde in Berührung mit den Diallage-Felsbildungen stehen, führen sie auch auf untergeordneten Lagerstätten Jaspis und Porzellan-Jaspis, ohne Zweifel Umwandlungserzeugnisse desselben Prinzipes, das an solchen Stellen nur in einem höhern Grade wirksam gewesen seyn dürfte.

Am östlichen Fusse des Amanus kennen wir bereits aus der Gegend von Ada Burum, Bajas gerade gegenüber, welches am westlichen Abfalle des Gebirges liegt, die dort anstehenden kieseligen Basalte, Chalzedon-führenden Wacken und Quarzfelsen. Hinsichtlich lezterer habe ich daher nur zu erwähnen, dass sie an und für sich theils von körnigem, theils von dichtem Gefüge durch eine ähnliche mechanische Zersetzung und Aufhebung ihres Zusammenhanges in Sandstein übergehen. In der Nähe von Pagras sind diese Gebilde von harter Kreide und Kreidebreccie bedeckt, worauf tertiärer Sandstein liegt.

Die Verbindungen der Formationen des südlichen Abhanges des Akma Dagh oder des Amanus der Alten mit denen der Ebenen von Antiochia und Suedie habe ich schon im Detail behandelt. Wir sehen im südlichen Bereiche des Mussa Dagh die Ablagerungen des Euphotids und Serpentins noch in mehreren hundert Fuss Höhe von Kreide und Tertiär-Straten bedeckt, während diese weiter in Norden fast ganz zurücktreten und ein rein plutonisches Terrain sich konstituirt. Dem leztern gehört auch der Dschebel Kaiserik bei Alexandrette ganz und gar bis auf seine höchsten Gipfel an. Die höchste Erhebung dieses Gebirges ist nach Kapt. BEAUFORT 5550 engl. Fuss über dem Meere.

Nach AINSWORTH's barometrischen Messungen haben wir nachfolgende Höhenpunkte des Kaiserik bestimmt, wie:

Östlicher Gipfel 5326
Erster westlicher Gipfel 5216
Zweiter   „   „   5091
Gränze der Pinien-Wälder 2750
Lagerplatz 2975
engliche Fuss über dem Meere.

Westlich des Kaiseriks dehnt sich die Küstenebene von Arsus und Rhosus aus, die sich nördlich mit der von Skanderun oder Alexandrette verbindet. Erstre ist durch tertiäre Ablagerungen von Sandstein mit Gyps, der entweder in ganz dünnen, oft nur wenige Linien mächtigen Straten oder in Nestern und Nieren ausgeschieden vorkommt, gebildet, welcher Sandstein wieder durch Schuttkonglomerat bedeckt ist.

Leztere, die Ebene von Alexandrette, ist des allerjüngsten Ursprungs und eigentlich eine fortdauernde Bildung. Es ist ein Stück Land, das durch die allmälige Emportretung sandiger Sedimente des Meeres fortwährend anwächst, die Bucht ausfüllt und die See zurückdrängt. Da die Bank von Dünen am Ufer höher liegt als der zunächst daran stossende Theil des innern Landes, so haben Gewässer der dortigen zahlreichen Quellen keinen Abzug, sie häufen sich daher zu ausgedehnten Sümpfen an und bilden jenes infernalische Terrain, welches die Luft von Alexandrette so furchtbar verpestet. Der schlammige Boden dieser sumpfigen Ebene enthält viel Raseneisenstein und Anodonten nebst andern Süsswasser-Muscheln. Die unterhalb liegenden Meeresgebilde von Sand- und Mergel-Diluvionen sind durch die Gräben entblösst, welche als Abzugskanäle gezogen wurden. In dieser Gegend lässt sich die Erhebung des Bodens so ziemlich geschichtlich nachweisen: In einer alten italienischen Karte, welche Ainsworth zu Gebote stand, ist das alte Kastel des Godefroy de Bouillon dicht am Meere angegeben, während es jezt eine halbe Stunde davon entfernt liegt. Hier haben wir es mit einer reinen und auf dem Standpunkte ruhiger, vorurtheilsfreier Beschauung wohl kaum zu bezweifelnder Emporhebung des Landes zu thun; denn das mittelländische Meer, und besonders in dieser Gegend, lässt nie die

Erscheinungen von Fluth und Ebbe wahrnehmen. Mechanische Anhäufungen von Meeressedimenten durch erstre und dadurch begründetes Anwachsen des Landes kann daher nicht stattfinden, und geschieht ein solches Anwachsen dennoch; so kann es nur Folge eines Emporhebens des Bodens oder eines Zurücktretens des Meeres seyn.

Nördlich von Alexandrette und dicht an der Küste liegt die sogenannte syrische Pforte Sakal Tutan an der Ebene von Kersus oder Merkets-Su. Es sind niedere Hügel in der Nähe der See, gebildet von einem groben Kalkstein-Konglomerate, ein Meeresdiluvium. Der Weg führt heutzutage nicht mehr durch diesen, an und für sich bedeutungslosen, aber aus ALEXANDER's und XENOPHON's Zeiten geschichtlich interessanten Pass, sondern ist weiter oberhalb angelegt. Die Ebene von Kersus, dessen gleichnamiger Fluss die syrischen Thore des XENOPHON bespült, besteht in Alluvionen der jüngsten Perioden. Die Ebene von Baias ist bedeutend mehr erhoben, als die bei Skanderun oder Alexandrette. Sie bildet zwei Absätze, das gegenwärtige Ras Baias und Eski Ras Baias. Zwischen dem erstern Absatze und der Ebene von Kersus bildet ein geschichtetes Konglomerat das Gestein der Küste. Es besteht aus Quarz, Jaspis und Serpentin-Geschieben, verbunden durch ein kalkig-kieseliges Cement. Die Bänke liegen ganz horizontal und sind durch Zerklüftungen in parallelepipedische Stücke so getheilt, dass das Ganze wie ein Damenbrett aussieht; dieses Konglomerat ist ohne Zweifel ein Meeresdiluvium. Übrigens bildet ein ganz ähnliches Konglomerat, bestehend aus eckigen Bruchstücken und Geschieben von Kalkstein und andern Felsarten die ganze Ebene von Baias und den untern Theil des Flussgebietes des Issus oder Deli Chai. Am Vorgebirge des Issus erhebt sich dieses Konglomerat zu Hügelzügen und bildet das höher liegende Land von Köi Chai und Ursili. Bei Eski Rhas Baias ist Kalkbreccie durch ein sandig-kalkiges und schieferiges Konglomerat bedeckt, und zu Arsus liegt in gleicher Weise eine ähnliche Kalkbreccie an den Hügeln südwestlich vom Hafen auf einem Konglomerate, welches aus Serpentin und Diallage-Stücken in einem kalkig-kieseligen

Cemente besteht. Meiner Ansicht nach hat man es hier
durchaus nur mit älteren und jüngeren Meeres-Diluvionen zu
thun, die vom Alluvium der heutigen Zeit zum Theil bedeckt werden.

Noch einmal wiederholt sich am Issus, dem Gränzflusse
Syriens und Ciliciens, die Formation der Feldspath- und Augit-
Gesteine. Alluvial-Ebenen trennen das Dorf Ursili von den
Ruinen von Issus oder Nikopolis, die am Rande einer schwarzen
und dürren Reihe vulkanischer Felsmassen stehen. Anfänglich
bildet der Distrikt eine Ebene, bald hernach aber wird er in
Norden steinig, hügelig und erhebt sich in Massen von
basaltischen Mandelsteinen, Basalten, Doleriten, Wacken
und Trapp-Tuff, ein entschieden vulkanisches Terrain darstellend.

Der Expeditionsadjunkt Pruckner hatte mir, als er
nach seiner Reise mit Ibrahim-Pascha sich wieder in unser
Lager bei Gülek Boghás begab, nachfolgende vier sehr
interessante Durchschnitte aus der Gegend zwischen Adana
und Antiochia, also aus den Thälern des Mussa Dagh, Kaiserik Dagh und dem eigentlichen Jawur oder Giaur Dagh
mitgetheilt, die ich hier zur Ergänzung des früher Gesagten
beifüge *.

* Man sehe die Zeichnung unter den Durchschnitten zum I. Band.

Inhalt.